Piper Sozialwissenschaft Band 3

CE

D1541336

Texte und Studien zur Soziologie

Horst Holzer

Gescheiterte Aufklärung?

Politik, Ökonomie
und Kommunikation
in der
Bundesrepublik Deutschland

R. Piper & Co. Verlag

Redaktion Hans-Helmut Röhring

DON

HM
1206
.H65
1971

ISBN 3 – 492 – 01893 – 9
Titelnummer 1893
© R. Piper & Co. Verlag, München 1971
Gesetzt aus der Linotype-Aldus
Zeichnungen: Walter Preiss
Umschlagentwurf Gerhard M. Hotop
Gesamtherstellung Clausen & Bosse, Leck/Schleswig
Printed in Germany

Inhalt

1 Massenkommunikation und Demokratie als Problem einer kapitalistisch organisierten Industriegesellschaft – Kurze Skizze des Forschungsgegenstandes der vorliegenden Arbeit

Geht man davon aus, daß der institutionelle Rahmen der bundesrepublikanischen Gesellschaft im Grundgesetz festgehalten ist, lassen sich für das Problem »Massenkommunikation und Demokratie in der Bundesrepublik« folgende Fragen formulieren [1]:

- Welche Prinzipien individueller wie kollektiver Existenz sind im Grundgesetz und vor allem in seinen Grundrechtsartikeln fixiert?
- Welche Stellung nehmen in bezug auf diese Prinzipien Artikel 5 des Grundgesetzes und die ihm implizierte institutionelle Garantie der Massenmedien ein?
- In welchem Zusammenhang stehen die institutionelle Garantie der Massenmedien sowie die Artikel 5 inhärenten Anforderungen an Aktivitäten und Funktionen dieser Medien mit der in der Bundesrepublik realisierten Form politischer Herrschaft?
- Welche Konsequenzen ergeben sich aus der in der Bundesrepublik realisierten Form politischer Herrschaft und ökonomischer Organisation für die verfassungsrechtlich verankerten Aktivitäten und Funktionen der Massenmedien?

Zur Lösung der angeführten Fragen sind folgendes Verfahren und die Abhandlung folgender Themen vorgesehen. Zunächst wird in einer kurzen Skizze der Problembereich der vorliegenden Arbeit abgesteckt.

- Thema: Massenkommunikation und Demokratie als Problem einer kapitalistisch organisierten Industriegesellschaft – Interpretative Skizze des Forschungsbereiches der vorliegenden Arbeit.

Dem schließt sich die Diskussion ausgewählter Beiträge zur Soziologie der Massenkommunikation und der Demokratie an, um die Frage vorläufig zu klären, wie sich

---

[1] Es ist hier keineswegs die Möglichkeit übersehen worden, daß auch das »demokratische« Grundgesetz die Interessen bestimmter sozialer Gruppen primär berücksichtigt und dadurch ein Herrschaftsinstrument eben dieser Gruppen darstellt.

die zuvor skizzierten gesellschaftlichen Probleme in soziologischen Konzeptionen niederschlagen.

● Thema: Soziologische Analytik I, Funktionalistische Konzeptualisierungen des gesellschaftlichen Zusammenhangs von Massenkommunikation und Demokratie.

Die Brauchbarkeit dieser Konzeptionen, über die anhand einer vagen Problemskizze kaum zuverlässig zu befinden sein dürfte, wird dann mit Hilfe einer systematischen, inhaltlich bestimmten Konfrontation des bis dahin dargestellten soziologischen Instrumentariums mit der zur Analyse anstehenden realgesellschaftlichen Problematik geprüft.

● Thema: Systematische Entfaltung des Verhältnisses von Massenkommunikation und Demokratie in der Bundesrepublik.

Die bei diesem – auch soziologische und sozialpsychologische Theoriestücke verwendenden – Test auftauchenden Diskrepanzen zwischen Praktikabilität des beschriebenen analytischen Werkzeuges und Qualität der zu untersuchenden Zusammenhänge führen notwendigerweise weiter zu der Frage, ob und wie fortgeschrittene soziologisch-theoretische Bemühungen diese Diskrepanzen verarbeitet haben. Eine Diskussion neuerer systemtheoretischer Ansätze soll darüber Auskunft geben.

● Thema: Soziologische Analytik II, Systemtheoretische Rekonstruktion des Verhältnisses von Massenkommunikation und Demokratie.

Die systemtheoretischen Ansätze werden dabei auf die Möglichkeit hin erörtert, mit ihrer Hilfe einen Bezugsrahmen zu entwerfen, innerhalb dessen die prinzipiellen Zusammenhänge von Massenkommunikation und Demokratie in der Bundesrepublik sowie die zur Analyse bestimmter Sachverhalte empirisch testbaren soziologischen wie sozialpsychologischen Theoriestücke konsistent geordnet werden können.

Aufgrund einer Art institutioneller Garantie – formuliert in Artikel 5 des Grundgesetzes – nehmen die Massenmedien Presse, Rundfunk, Fernsehen und Film in der Bundesrepublik zweifellos eine bevorzugte Position ein. Die tatsächliche Bedeutung dieser Massenmedien beruht jedoch weniger darauf, daß ihnen laut Grundgesetz eine öffentliche Aufgabe angeheftet wurde. Sie resultiert vielmehr aus der Entwicklung, die Ökonomie und Technik, Politik und Kultur in der bundesrepublikanischen Gesellschaft vor allem nach 1945 genommen haben – eine Entwicklung, die die Mittel der Massenkommunikation zu Komplexen äußerster sozialer Wirksamkeit hat gerinnen lassen. Damit ist bereits die zentrale Frage, die eine kapitalistisch organisierte Industriegesellschaft für das Verhältnis von Massenkommunikation und Demokratie aufwirft, angetippt – das grundsätzliche Problem der Massenmedien angesprochen: das Dilemma nämlich, öffentliche Institutionen mit einem verfassungsrechtlich legitimierten Auftrag sein zu wollen und hart konkurrierende, gewinn- und anzeigenorientierte, auf größtmöglichen Absatz angewiesene Wirtschaftsunternehmen sein zu müssen. Anders gesagt – dem Anspruch, öffentliche Dienste zu leisten, den die Massenmedien aufgrund der gesellschaftlichen Realität, ihrer Position in dieser und der verfassungsrechtlichen Situation erheben (und der an sie gestellt wird), bereitet der Tatbestand Schwierigkeiten, daß Presseverlage, Filmverleihgesellschaften sowie tendenziell Rundfunk- und Fernsehanstalten geschäftliche Unternehmen, ihre Angebote Waren sind. Vor allem aber bereitet der Tatbestand Schwierigkeiten, daß insbesondere einige dieser Verlage sich zu Großkonzernen ausgewachsen haben und neben den öffentlich-rechtlichen Rundfunk- und Fernsehmonopolen durch konzentrierten Kapital- und Arbeitseinsatz den Markt der Kommunikationsmittel beherrschen.

Die Diskussion um das Problem »Massenkommunikation und Demokratie« entzündete sich in der Bundesrepublik vor allem an dem permanenten und unaufhaltsamen Aufstieg des Springer-Konzerns, des bundesrepublikanischen Prototyps einer hochindustrialisierten, rein kommerziellen Prinzipien gehorchenden Kommunikationsfabrik. Um anzudeuten, welche ökonomische und politische Brisanz dem hier zu verhandelnden Thema innewohnt, sei eine handfeste Skizze jenes Konzerns dem Folgenden vorangestellt: »Mit dem konsolidierten Umsatz von zirka 740 Millionen Mark steht (der Springer-Konzern) heute an siebzigster Stelle der deutschen Unternehmen. Sein Umsatz ist doppelt so groß wie der Umsatz der nächst größeren Verlagsgruppen Bauer und Gruner & Jahr, größer auch als der Umsatz der bisher größten Pressekonzentration in Deutschland, des Eher-Trusts, der zwischen 1933 und 1945 die drei Großverlage der Gründerzeit, Ullstein, Mosse und Scherl, in sich aufgeschluckt hatte. 12 000 Beschäftigte produzieren in vierzehn Redaktionen, ebenso vielen Verlagseinheiten und sechs eigenen Großdruckereien in Hamburg, Ahrensburg, Darmstadt, Essen, Berlin und München, unterstützt von fünf Lohndruckereien in Hannover, Frankfurt, Köln, Esslingen und München, monatlich 150 Millionen Zeitungen und Zeitschriften. Das einzige Verteilungssystem für Presseerzeugnisse in der Bundesrepublik, der verteilende Zeitungs- und Zeitschriftenhandel, lebt durchschnittlich zu 40 Prozent von Produkten des Konzerns. Rein nach dem kommerziellen Prinzip hat der Verleger Axel Springer von 1946 bis 1967, in Marktanteilen gerechnet, 47,4 Prozent aller Straßenverkaufszeitungen, 85,8 Prozent aller Sonntagszeitungen und 44,8 aller Jugendzeitschriften in seiner Hand vereinigt. Von der politischen Tagespresse kontrolliert er in den Stadtstaaten Hamburg und Berlin absolute Mehrheiten von 71,8 und 69,5 Prozent ... Kein Zeitungsverleger, auch keine Organisation, verfügt ... in gleicher Weise über Instrumente einer zentralen Beeinflussung großer Massen von einem Punkt aus: über ein in alle Winkel der Bundesrepublik dringendes Massenblatt und über die Zeitungsvorherrschaft in den beiden größten Bevölkerungszentren Hamburg und Berlin.«[2]

2 H. D. Müller, Der Springer-Konzern, München 1968, S. 16.

Das entscheidende Problem, das sich angesichts solcher und ähnlicher kommunikativer Großorganisationen stellt, besteht darin, »daß die in Massen produzierende und in Massen konsumierende Gesellschaft auch im Bereich der Kommunikation große Apparate braucht, um sich zu verständigen. Offen bleibt nur, wie sich Konzentration und politische Freiheit, Großapparat und Demokratie miteinander verbinden lassen ...«[3] Für eine Gesellschaft, die – wie die bundesrepublikanische – in ihrer Verfassung dem Einzelnen die Fähigkeit zur Selbstbestimmung und Eigenverantwortlichkeit abverlangt, hat diese offene Frage einschneidende Bedeutung. Denn jene Fähigkeit des Einzelnen zur Selbstbestimmung und Eigenverantwortlichkeit ist eng geknüpft an die Möglichkeit, Kenntnis und Verständnis seiner individuellen wie der gesamtgesellschaftlichen Situation zu erwerben. Wie aber bereits angedeutet, kann die Versorgung des Einzelnen mit ausreichender gesellschaftsadäquater Information in einer industrie- und verwaltungstechnisch weit durchrationalisierten, in ihrem Gefüge hoch differenzierten Massengesellschaft nur durch Institutionen erfolgen, die in qualitativem wie quantitativem Format den Bedingungen dieser Gesellschaft genügen. Dementsprechend haben hier die Medien der Massenkommunikation[4] erhebliche Bedeutung erlangt. Denn »Massenmedien bieten zumindest die Chance, möglichst viele Staatsbürger mit den politischen und sozialen Auseinandersetzungen ihrer Gesellschaft zu konfrontieren. Sie stellen für zahlreiche Fragen eine Öffentlichkeit her ... Ohne Massenmedien bestände die Gefahr, daß unbekannt, undiskutiert und ungeregelt bliebe, was als Streit der Interessen und Meinungen in der Demokratie ausgetragen werden muß.«[5] Diese Interpretation der Massenkommunikation als unabdingbares Erfordernis für eine demokratische Gesellschaft hat sich auch in Artikel 5 Grundgesetz niedergeschlagen; und sie hat sich ebenfalls in den gängigen soziologischen Konzeptionen zu diesem gesellschaftlichen Phänomen niedergeschlagen. So apostrophieren zahlreiche Soziologen[6] Massenkommunikation als wesentlichen Beitrag zur Konstituierung einer kriti-

3 H. D. Müller, a. a. O., S. 17.
4 Unter Massenkommunikation wird rein formal zumeist verstanden »die Verbreitung bestimmter symbolischer Inhalte mittels besonderer technischer Veranstaltungen ... über weitverstreute Menschenmengen« (R. König, Massenkommunikation, in: R. König (ed.), Soziologie, Frankfurt 1967, S. 181; vgl. dazu G. Maletzke, Psychologie der Massenkommunikation, Hamburg 1963, S. 32; Ch. H. Cooley, The Significance of Communication, in: B. Berelson, M. Janowitz (eds.), Reader in Public Opinion and Communication, Glencoe 1953, S. 145; E. Feldmann, Theorie der Massenmedien, München 1961, S. 171).
5 H. Meyn, Massenmedien in der Bundesrepublik, Berlin 1966, S. 6.
6 Vgl. dazu G. L. Bird, F. E. Merwin, The Press and Society, Englewood Cliffs 1957, S. 105; Ch. H. Cooley, a. a. O., S. 147; L. W. Doob, Public Opinion and Propaganda, New York 1948, S. 448; E. Feldmann, a. a. O., S. 82–83 u. 160; R. König, a. a. O., S. 183; H. Schelsky, Die Rolle der Publizistik in der modernen Gesellschaft, in: H. Schelsky, Auf der Suche nach Wirklichkeit, Düsseldorf Köln 1965, S. 313; W. Schramm (ed.), Grundlagen der Kommunikationsforschung, in: W. Schramm (ed.), Grundlagen der Kommunikationsforschung, München 1964, S. 24.

schen und kontrollierenden Öffentlichkeit sowie als bedeutendsten Faktor zur Integration der Gesellschaft. Gegen ein derartiges Herausstreichen der positiven Funktionen von Massenmedien wenden sich vor allem kulturkritisch orientierte Autoren. Sie befürchten, daß jene Medien »die Entprägung der Individualität und die Einebnung der Rationalität«[7] befördern und durch eine immense Produktion falschen Bewußtseins die materielle und intellektuelle Existenz der Menschen gefährden [8].

Solchen Gefahren hat Artikel 5 des Grundgesetzes offenbar nicht Rechnung getragen. Seine Formulierung entspricht eher dem Optimismus, den das folgende Zitat zeigt: »Ihre (der Massenmedien – H. H.) im allgemeinsten Sinne politische Funktion besteht darin, eine Anonymität der Abhängigkeiten zu durchbrechen, die sich aus umfassenden gesellschaftlichen Entwicklungen ergeben hat. Sie sind als Instrumente der Selbstbestimmung unabdingbar.«[9] Daher erhebt Artikel 5 die Freiheit der Meinungsäußerung und Information nicht nur zu einem – allein den Staatsbürgern gebührenden – Grundrecht, sondern ebenfalls zu einem – allen Personen im Geltungsbereich des Grundgesetzes gewährten – Menschenrecht [10]. Das illustriert auch eine Entscheidung des Bundesverfassungsgerichtes, in der es heißt: »Für eine freiheitlich-demokratische Staatsordnung ist (das Recht auf Meinungs- und Informationsfreiheit – H. H.) schlechthin konstituierend, denn es ermöglicht erst die ständige geistige Auseinandersetzung, den Kampf der Meinungen, der ihr Lebenselement ist. Es ist in gewissem Sinn die Grundlage der Freiheit überhaupt.«[11] Dementsprechend sichert Artikel 5 den Massenmedien eine Art institutioneller Garantie zu [12]. Eine solche institutionelle Garantie kannte weder das Reichspressegesetz von 1874 noch die Weimarer Verfassung [13]. Die Vorstellung von der öffentlichen Aufgabe der Massenmedien wurde erst nach 1945 staatsrechtlich fixiert: zunächst in einigen Länderverfassungen (Bayern, Hessen) und schließlich – wenn auch nicht eindeutig – im Grundgesetz der Bundesrepublik Deutschland [14]. Aufgrund dieses Sachverhalts, dessen Diskussion vor allem die theore-

7 G. Anders, Die Antiquiertheit des Menschen, München 1961, S. 104; vgl. dazu H. Plessner, Das Problem der Öffentlichkeit und die Idee der Entfremdung, Göttingen 1960, S. 12 ff.

8 Vgl. dazu H. M. Enzensberger, Bewußtseinsindustrie, in: H. M. Enzensberger, Einzelheiten I, Frankfurt 1964, S. 14–15; T. W. Adorno, M. Horkheimer, Dialektik der Aufklärung, Amsterdam 1947, S. 181; T. W. Adorno, Prolog zum Fernsehen, in: T. W. Adorno, Eingriffe, Frankfurt 1963, S. 70 u. 78.

9 F. Neidhardt, Gesellschaftliche Wirkung der Massenmedien, in: H.-D. Ortlieb (ed.), Hamburger Jahrbuch, Tübingen 1964, S. 213.

10 Vgl. dazu H.-J. Schlochauer, Öffentliches Recht, Karlsruhe 1957, S. 38.

11 Entscheidungen des Bundesverfassungsgerichts, Bd. 7 Nr. 28, 1958, S. 208.

12 Vgl. dazu H.-J. Schlochauer, a. a. O., S. 46; H. Meyn, a. a. O., S. 17.

13 Vgl. dazu H. Meyn, a. a. O., S. 11 ff.; F. Schneider, Zur öffentlichen Aufgabe der Presse, in: Publizistik 5–1962, S. 267; F. Schneider, Pressefreiheit und politische Öffentlichkeit, Neuwied Berlin 1966, S. 12.

14 Vgl. dazu A. Frankenfeld, Staat und Presse in ihren aktuellen Beziehungen, in: Publizistik 5–1959, S. 267; W. Mallmann, Pressefreiheit und Journalistenrecht in: Publizistik 6–1959, S. 323.

tischen Überlegungen zu dem, was man öffentliche Meinung nennt, beeinflußt hat [15], sehen sich insbesondere Publizisten berechtigt, einen Verfassungsauftrag der Massenmedien [16] zu propagieren und den Journalisten als »Privatbeamten der Öffentlichkeit« [17] zu deklarieren [18]. Diesem Anspruch wird jedoch auf doppelte Weise widersprochen: einmal mit juristischen Argumenten, die den Massenmedien – auf jeden Fall den in Privatbesitz befindlichen – nur »eine allgemein demokratische, eine staatsbürgerliche Aufgabe« [19], aber keine »Teilhabe an der öffentlichen Gewalt« [20] zuschreiben; und zum anderen mit kulturkritischen Hinweisen auf den Warencharakter des massenmedialen Angebots [21]. In einer neueren Studie sind beide Einwände dahingehend zusammengefaßt worden, daß einer profitorientierten Institution der Massenkommunikation prinzipiell die Fähigkeit bestritten wird, eine öffentliche Aufgabe zu erfüllen [22]. Die angebotene Lösung dieses Problems ist allerdings auch nicht überzeugender: Die Vermittlung von Information und Unterhaltung als öffentliche Aufgabe soll allein Fernsehen und Rundfunk übertragen werden –, ein Vorschlag, der bei der intensiv kommerziellen Ausrichtung beider Medien seinen eigentlichen Intentionen offensichtlich widerspricht. Im allgemeinen wird daher auch zugegeben, daß tendenziell alle Massenmedien Warencharakter [23] haben und dadurch den propagierten öffentlichen Auftrag in Mißkredit zu bringen drohen [24]. Manchem stellt sich dieser Sachverhalt als Ende jeglicher öffentlicher Ambition der Massenmedien dar. Diese erscheinen nur

15 Vgl. dazu E. Noelle-Neumann, Öffentliche Meinung und soziale Kontrolle, Tübingen 1966, S. 10; H. Blumer, The Mass, The Public, and Public Opinion, in: B. Berelson, M. Janowitz (eds.), a. a. O., S. 47 f. u. S. 469; H. L. Childs, Public Opinion: nature, formation, and role, Toronto New York London 1965, S. 349; F. G. Wilson, A Theory of Public Opinion, Chicago 1962, S. 271.

16 Vgl. dazu ein Urteil des Bundesverfassungsgerichtes von 1961 – zitiert bei F. Schneider, Zur öffentlichen Aufgabe der Presse, a. a. O., S. 326 –, das öffentliche Aufgabe als Diskussion gemeinschaftswichtiger Fragen definiert, als Diskussion, die ihre Grenzen nur in § 90 und § 193 des Strafgesetzbuches findet; Vgl. dazu weiter H. Meyn, a. a. O., S. 17 f.

17 A. Frankenfeld, zitiert nach M. Rehbinder, Die öffentliche Aufgabe und rechtliche Verantwortlichkeit der Presse, Berlin 1962, S. 121.

18 Vgl. dazu W. Mallmann, a. a. O., S. 328; B. Aswerus, Typische Phasen gesellschaftlicher Kommunikation, in: Publizistik 1–1960, S. 10–11; M. Löffler, Der Verfassungsauftrag der Publizistik, in: Publizistik 6–1960, S. 519.

19 E. Dovifat, Zeitungslehre I, Berlin 1955, S. 113.

20 M. Rehbinder, a. a. O., S. 126.

21 Vgl. dazu J. Habermas, Strukturwandel der Öffentlichkeit, Neuwied Berlin 1962, S. 186 f.

22 H. Krüger, Die öffentlichen Massenmedien als notwendige Ergänzung der privaten Massenmedien, Frankfurt Berlin 1965, S. 98 f.

23 Vgl. dazu M. Janowitz, R. Schulze, Trends in Mass Communications Research, unveröffentlichtes Manuskript, o. J., S. 15 f.

24 Vgl. dazu F. Schneider, a. a. O., S. 327; W. Haacke, Meinungsbildung durch Unterhaltung, in: Publizistik, 5/6, 1961, S. 340 f.; W. Albig, Modern Public Opinion, New York Toronto London 1956, S. 375 f.

mehr als das Mixtum compositum eines »angenehmen und zugleich annehmbaren Unterhaltungsstoffes, der tendenziell Realitätsgerechtheit durch Konsumreife ersetzt und eher zum unpersönlichen Verbrauch von Entspannungsreisen ver-, als zum öffentlichen Gebrauch der Vernunft anleitet«[25]. Das Bundesverfassungsgericht sieht die Situation anders und gibt in einem Urteil [26] deutlich zu verstehen, daß auch Unterhaltung zur öffentlichen Aufgabe der Massenmedien zählt [27]. Doch die Frage bleibt, ob eine solche Ausweitung des Begriffs »öffentliche Aufgabe« der Ernsthaftigkeit der ursprünglichen Intention nicht einigen Abbruch tut, und Presse, Rundfunk, Fernsehen und Film als *die* Horte der Freiheit und Hüter der Verfassung [28] nicht weitgehend disqualifiziert. Am Beispiel der Massenpresse ist die Problematik dieser Frage verdeutlicht worden. »Die Massenpresse beruht auf der kommerziellen Umfunktionierung jener Teilnahme breiter Schichten an der Öffentlichkeit, die vorwiegend politischen Motiven entsprang: Die Ermäßigung der Eintrittsbedingungen war, beim gegebenen Bildungsstand, zunächst nur ein Mittel, um den Massen überhaupt Zugang zur Öffentlichkeit zu verschaffen. Ihren politischen Charakter büßt indessen diese erweiterte Öffentlichkeit in dem Maße ein, in dem die Mittel der psychologischen Erleichterung zum Selbstzweck einer kommerziell fixierten Verbraucherhaltung werden konnten.«[29] Gleichwohl ist am Begriff der öffentlichen Funktion von Presse, Rundfunk, Fernsehen und Film [30] festzuhalten. Denn die Verfassungsrealität der demokratischen Gesellschaft muß als der Prozeß aufgefaßt werden, in dessen Verlauf ein kritische und kontrollierende Öffentlichkeit herzustellen und politische wie ökonomische Herrschaft öffentlicher Kritik und Kontrolle zu unterziehen ist. Eine solche Interpretation des Verhältnisses von Demokratie und Massenkommunikation kann sich jedoch nicht bei der eminent sozialpolitischen Funktion der Massenmedien als Agenten der Demokratisierung von Gesellschaft beruhigen. Eine solche Interpretation muß auch nach der Chance fragen, die eine so konzipierte Form von Massenkommunikation innerhalb einer Gesellschaft wie der der Bundesrepublik haben kann – einer Gesellschaft, in der die Proklamation einer öffentlichen Diskussion räsonnierender autonomer Bürger nicht weiterführt, sondern dem Rechnung zu tragen ist, was in der Politökonomie staats-

25 J. Habermas, a. a. O., S. 188; vgl. dazu L. Loewenthal, Communication and Humanitas, in: F. W. Matson, A. Montagu (eds.), The Human Dialogue, New York 1967, S. 344.
26 Vgl. dazu das Urteil im Fernsehstreit zwischen Bund und Ländern, in: Neue Juristische Wochenschrift, 14. Jahrgang 1961, Ausgabe B, 23. 3. 61, S. 547–553.
27 Vgl. dazu H. Meyn, a. a. O., S. 19.
28 Vgl. dazu M. Löffler, a. a. O., S. 52.
29 J. Habermas, a. a. O., S. 186–187; vgl. dazu den optimistischen H. Meyn, a. a. O., S. 6.
30 Der Bereich des Films wird aus der folgenden Untersuchung ausgeklammert, da die spezifischen Dimensionen dieses Bereiches – insbesondere die ästhetischen – innerhalb des vorliegenden Zusammenhangs nicht konsequent analysiert werden könnten. Das bedeutet nicht, daß auf Daten aus jenem Bereich grundsätzlich verzichtet wird.

monopolistischer Kapitalismus und in bezug auf die innergesellschaftliche Auseinandersetzung verdeckte Klassenherrschaft genannt werden kann.

Um es noch einmal zu betonen: In dem knappen Problemaufriß sollten die Momente und Zusammenhänge lediglich kurz angesprochen werden, die sich mit dem Thema »Massenkommunikation und Demokratie in der Bundesrepublik« verbinden lassen und als zentrale Punkte in die systematische Diskussion dieses Themas eingehen müssen. Deutlich dürfte geworden sein, daß eine Analyse der über Massenkommunikation hergestellten, in Massenmedien artikulierten Interpretationen von Gesellschaft sehr gut am grundgesetzlich fixierten Selbstverständnis der bundesrepublikanischen Demokratie anzusetzen vermag. Denn einmal ist Massenkommunikation als wesentlicher Faktor zur Aufrechterhaltung respektive Fortentwicklung dieses Selbstverständnisses begreifbar; zum andern kann, da Massenkommunikation grundgesetzlich institutionalisiert ist, die in den Massenmedien artikulierte Interpretation von Gesellschaft daraufhin befragt werden, inwieweit sie im Lichte jenes demokratischen Selbstverständnisses geschieht und einen Beitrag zu seiner Realisation im Denken und Handeln der bundesrepublikanischen Bevölkerung darstellt. Weiter dürfte die vorhergegangene Problemskizze sichtbar gemacht haben, daß Massenkommunikation als Prozeß und Massenmedien als Produkte in einer demokratisch verwalteten Industriegesellschaft nicht nur in ihrem Verhältnis zu einem verfassungsmäßig niedergelegten Selbstverständnis gesehen werden können, sondern auch in Relation zu bringen sind mit den faktischen Bedingungen politischer Herrschaft und ökonomischer Organisation, unter denen dieses Selbstverständnis zu verwirklichen ist.

2 Soziologische Analytik I – Funktionalistische Konzeptualisierungen des gesellschaftlichen Zusammenhangs von Massenkommunikation und Demokratie

Auch die ersten Versuche, eine Soziologie der Massenkommunikation zu entwickeln, wurden von dem Zusammenspiel von Massenkommunikation und Demokratie inspiriert[1]. Allerdings stand damals – zu Beginn des Zweiten Weltkrieges – nicht die Problematik, die in der vorausgegangenen Skizze angedeutet wurde, zur Debatte; es ging vielmehr um die Frage, wie der Bedrohung der amerikanischen Demokratie durch die nationalsozialistische Propaganda des Hitler-Regimes zu begegnen sei[2]. Die Antwort lautete: durch massenkommunikativ verbreitete Aufklärung; denn – so Harold D. Lasswell, einer der frühesten massenkommunikationssoziologischen Theoretiker – »in democratic societies, rational choices depend on enlightment, which in turn depends on communication; and especially upon the equivalence of attention among the leaders, experts and rank and file«[3]. Diese Vorstellung sollte bei der folgenden Argumentation stets mitgedacht werden; sie steht, wenn man genau hinsieht, hinter allen Ansätzen der amerikanischen Massenkommunikationssoziologie.

[1] Daß die weitere Entwicklung der Massenkommunikationssoziologie dann vor allem auch durch ökonomische – insbesondere werbetechnische – Probleme bestimmt wurde, stellt Robert K. Merton heraus: ». . . mass communicationsresearch developed very largely in response to market requirements. The severe competition for advertising among several mass media and among agencies within each medium has provoked an economic demand for objective measures of size, composition and responses of audiences . . .« (R. K. Merton, The Sociology of Knowledge and Mass Communications, in: R. K. Merton, Social Theory and Social Structure, Glencoe 1963, S. 451).

[2] Vgl. dazu B. L. Smith, H. D. Lasswell, R. P. Casey, Propaganda, Communication, and Public Opinion, Princeton 1946, S. 1 ff.

[3] H. D. Lasswell, The structure and Function of Communication in Society, in: L. Bryson, The Communication of Ideas, New York 1964 (2. ed.), S. 51.

1 Die Implikate der Lasswell-Formel und der massenkommunikations-soziologische Funktionalismus

Von Lasswell stammt auch die lakonische Formel »Who says what in which channel to whom with what effect?«[4]. Diese Fragestellung umreißt sehr formal die relevanten Problemkreise der Massenkommunikationsforschung: die Kommunikatoren, das Kommuniqué, die Kommunikanten und die Kommunikationseffekte[5]. In einem Artikel zu gegenwärtigen Theorien der Massenkommunikation[6] hat Melvin L. De Fleur darauf hingewiesen, daß die zitierte Formel eigentlich drei theoretische Ansätze einer Soziologie der Massenmedien enthalte und auf eine vierte Konzeption – zumindest implizit – sich beziehe[7]; sie enthalte die Individual Differences Theory, die Social Categories Theory und das Psychodynamic Model of the Persuasion Process; und sie beziehe sich auf die funktionalistische Konzeption der Massenkommunikationsforschung.

Die entscheidende These der ersten Theorie, der der individuellen Differenzen, kann folgendermaßen formuliert werden: »From a multiplicity of available content the member of the audience selectively (attends) to messages, particularly if they were related to his interests, consistend with his attitudes, congruent with his beliefs, and supportive of his values.«[8] Das sogenannte psychodynamische Modell der Überredung setzt dann genau da ein, wo die Theorie der individuellen Differenzen mit ihrem relativ einfachen Reiz-Reaktionsschema stehen bleiben muß: bei der Analyse der Wirkung, die ein übermittelter Kommunikationsinhalt im Empfänger auslöst, und der Beschreibung der damit zusammenhängenden psychischen Prozesse. Der formale Ausgangspunkt einer solchermaßen zu betreibenden Massenkommunikationsforschung kann auch so charakterisiert werden: »Some kinds of communication on some kinds of issues, brought to the attention of some kinds of people under some kinds of conditions, have some kinds of effects.«[9] Diese These, die noch immer deutlich an das individualpsychologische Kommunikationsschema angelehnt ist[10], leitet bereits zu

4 H. D. Lasswell, The Structure and Function . . ., a. a. O., S. 37.

5 Vgl. dazu E. L. und R. Hartley, Die Grundlagen der Sozialpsychologie, Berlin 1955, S. 10 ff.; M. Janowitz, R. Schulze, Trends in Mass Communication Research (unveröfftl. Manuskript), o. J., S. 4 ff. und C. Hovland, Social Communication, in: B. Berelson, M. Janowitz (eds.), a. a. O., S. 182.

6 Vgl. dazu M. L. De Fleur, Theories of Mass Communications, New York 1966, S. 118 ff.

7 Vgl. dazu M. L. De Fleur, a. a. O., S. 128.

8 M. L. De Fleur, a. a. O., S. 122.

9 B. Berelson, Communications and Public Opinion, in: B. Berelson, M. Janowitz (eds.), a. a. O., S. 451.

10 Vgl. dazu M. L. De Fleur, O. N. Larsen, The Flow of Information, New York 1958, S. 8; D. K. Berlo, The Process of Communication, New York Chicago San Francisco Toronto London 1960, S. 30 ff.; W. Schramm, How Communication Works, in: W. Schramm (ed.), The Process and Effects of Mass Communication, Urband 1955, S. 11. Alle diese Ansätze gehen zunächst von einem »general communication system«

einer klar funktionalistischen Konzeption über. Das läßt sich besonders dann sagen, wenn man den Beitrag berücksichtigt, den die Theorie der Sozialkategorien, die dritte Implikation der Lasswell-Formel, hinzufügt, deren zentrales Argument lautet: »that in spite of heterogenity of modern society, people who have a number of similar characteristics will have similar mass communications folkways and thoughtways«[11]. Nimmt man zu den bisher genannten theoretischen Elementen und deren empirischen Korrelaten noch die Erkenntnis hinzu, daß der Bereich interpersonaler Kommunikation, also die zwischenmenschlichen Beziehungen in den Primärgruppen wie die Kontakte mit profilierten Personen [12], und die soziokulturelle Bedingtheit der Kommunikationswirkung [13] als wesentliche Momente einer Soziologie der Massenmedien zu betrachten sind, ist der Übergang zu einer funktionalistischen Konzeption der Massenkommunikation bereits angedeutet. Diese Konzeption stellt im Vergleich mit den bisher referierten Theoriestücken jedoch keine empirisch überprüfbare Hypothesenkonstruktion dar, sondern sie gibt sozusagen den interpretativen Rahmen ab, innerhalb und mittels dessen die zuvor aufgezeigten Forschungsansätze formuliert wurden.

Der erste Schritt zu einem funktionalistischen Modell besteht in der Deutung des Massenkommunikationsprozesses und seiner Teile als Komponenten eines – zunächst lediglich formal aufgefaßten – Systems interdependenter Sozialbeziehungen.

Graphik 1: Formalsoziologische Darstellung des Massenkommunikationsprozesses

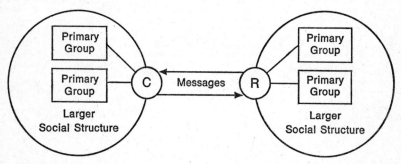

(Quelle: J. W. und M. W. Riley, Mass Communication and the Social System, in: R. K. Merton, L. Broom, L. S. Cottrell (eds.), Sociology Today, New York 1959, S. 577).

(M. L. De Fleur, O. N. Larsen, a. a. O., S. 8) aus, dessen Elemente bezeichnet werden als: communication source, encoder, message, channel, decoder, communication receiver – siehe dazu D. K. Berlo, a. a. O., S. 32; W. Schramm, a. a. O., S. 21.

11 M. L. De Fleur, a. a. O., S. 127.

12 Vgl. dazu M. L. De Fleur, a. a. O., S. 129 ff.; M. L. De Fleur, O. N. Larsen, a. a. O., S. 31; E. Katz, P. F. Lazarsfeld, Personal Influence. The Part Played by People in the Flow of Mass Communications, Glencoe 1955, S. 25 ff.; E. Katz, The two-Step Flow of Communication, in: Public Opinion Quarterly 1957, S. 61 ff.

13 Vgl. dazu M. L. De Fleur, a. a. O., S. 133 ff.

Massenmedien und Publikum – so könnte man dieses Schema übersetzen – stehen sich als Teilbereiche einer Gesamtgesellschaft gegenüber, beziehen sich aufeinander und beeinflussen sich wechselseitig; dabei sind die Veranstalter der Massenkommunikation wie die Rezipienten der Medieninhalte mit bestimmten Primär- und Sekundärgruppen verbunden, die so ebenfalls auf den Kommunikationsprozeß einwirken. Die zentralen Fragen, die aus diesem Modell abgeleitet werden, sind dann: »How does the mass communication process fit into the larger social process?« und »What functions does mass communication perform for the social system as a whole?«[14] Auf der zweiten Stufe der funktionalistischen Argumentation wird dieses Schema dann differenziert (und die Möglichkeiten, die gestellten Fragen beantworten zu können, verbessert), indem man konkret die Verflechtung der massenmedialen Institutionen in das soziale Gefüge einer demokratisch verwalteten Industriegesellschaft skizziert.

Graphik 2: Massenmedien und Gesamtgesellschaft

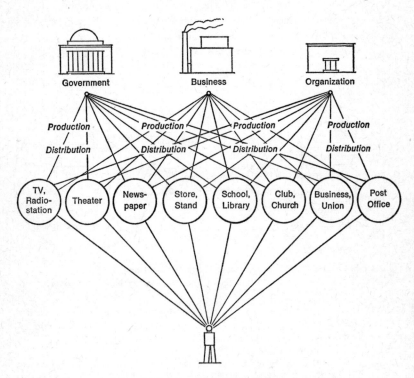

(Quelle: E. Barnouw, Mass Communication, New York Toronto 1956, S. 195)

14 J. R. und M. R. Riley, a. a. O., S. 577.

Als drittes schließlich – den eben illustrierten Zusammenhang voraussetzend, aber noch konkreter werdend – wird der Bereich der Massenkommunikation aus diesem globalen Schema herausgenommen und als ein partikuläres soziales System betrachtet, das auf seine inneren Verhältnisse zu befragen und in seinem koordinierten Zu-

Graphik 3: Massenkommunikation als (empirisches) soziales System

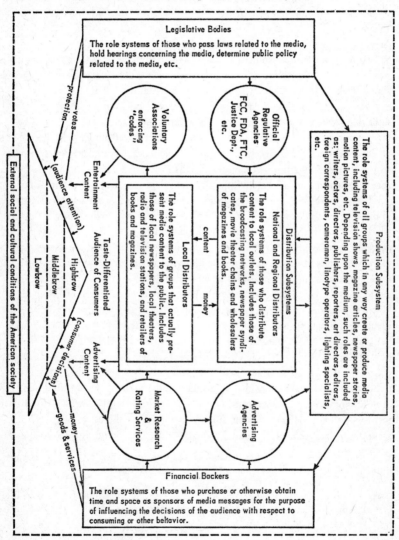

(Quelle: M. L. De Fleur, a. a. O., S. 152)

sammenspiel mit unterschiedlichsten gesellschaftlichen Institutionen und Gruppen zu zeigen ist.

Den Implikationen der vorgeführten Modelle und Schemata – insbesondere den bei Erik Barnouw und De Fleur klar herauskommenden Zusammenhängen zwischen Massenkommunikation, Politik und Ökonomie – wird im weiteren Verlauf dieses Abschnitts ausführlich nachgegangen. An dieser Stelle ist nur festzuhalten, daß das Feld der Massenkommunikation in einer funktionalistisch-soziologischen Konzeption als Teilstruktur innerhalb eines Gesamtsystems gesehen wird – als eine Teilstruktur, deren Komponenten und innere Relationen zu analysieren sind und für die die Frage zu beantworten ist: Welchen Beitrag leistet diese Teilstruktur im Rahmen eines – hinsichtlich seiner Zielorientierung und damit des gewünschten Zustandes präzis zu bestimmenden – Gesamtsystems? Es wird demnach – um es noch einmal zu betonen – mit dem funktionalistischen Ansatz der Massenkommunikationsforschung nicht versucht, die Existenz von Massenmedien zu erklären und Genese wie Aktionen dieser Medien aus spezifischen, beispielsweise sozial-strukturellen Bedingungen abzuleiten; vielmehr geht es bei dieser Methode darum, den Komplex ›Massenkommunikation‹ in seiner Wirkung auf einen bestimmten – bereits realisierten oder noch zu realisierenden – Systemzustand zu beschreiben. Das grundlegende Muster funktionalistischer Analyse – es wurde darauf bereits an früherer Stelle hingewiesen – ist von Hempel in diesem Sinne gekennzeichnet worden: »The object of the analysis is some item i, which is a relatively persistent trait or disposition (e. g. the beating of the heart) occuring in a system s (e. g. the body of a living vertebrate); and the analysis aims to show that it is in a state, or internal condition c_i, and in an environment presenting certain external conditions c_e, such that under conditions c_i + c_e (jointly to be referred to as c) the trait i has effects which satisfy some need or functional requirement of s, i. e., a condition n which is necessary for the system's remaining in adequate, or effective, or proper, working order.«[15] Dieses »basic pattern of functional analysis«[16] hat Charles R. Wright – anschließend an Lasswells Beitrag »The Structure and Function of Communication in Society« – konsequent auf den Bereich der Massenkommunikation übertragen[17] und zur methodologischen Basis seiner umfassenden Fragestellung gemacht: »What are the (1) manifest and (2) latent (3) functions and (4) dysfunctions of mass communicated (5) surveillance (news), (6) correlation (editorial activity), (7) cultural transmission, (8) entertainment for the (9) society, (10) subgroups, (11) individual, (12) cultural systems?«[18] Die Schwierigkeit einer derartigen

15 C. G. Hempel, The Logic of Functional Analysis, in: M. Brodbeck (ed.), Readings in the Philosophy of Science, London New York 1968, S. 188.

16 C. G. Hempel, a. a. O., S. 188.

17 Vgl. dazu Ch. R. Wright, Functional Analysis and Mass Communication, in: L. A. Dexter, D. Manning White (eds.), People, Society, and Mass Communications, New York 1964, S. 91 ff.

18 Ch. R. Wright, a. a. O., S. 98; vgl. dazu Ch. R. Wright, Mass Communication: A sociological Perspective, New York 1959, S. 11 ff.

funktionalistischen Analyse – die ja, als interpretativ-deskriptive Methode, nicht eine aus einer erfahrungswissenschaftlichen Theorie deduzierte Hypothese empirischer Prüfung zugänglich machen, sondern die Zusammenhänge von Teilsystemen und deren Konsequenzen für das Gesamtsystem theoretisch reproduzieren soll – ist offensichtlich: Das von Hempel sogenannte System s, im Falle der Soziologie beispielsweise ein bestimmtes Gesellschaftssystem, muß in seinen wesentlichen Bereichen inhaltlich spezifiziert dargestellt werden; erst dann ist die Formulierung von funktionalistischen Argumenten, von Aussagen über jene Zusammenhänge von Teilsystemen und deren Konsequenzen für das Gesamtsystem, möglich.

2 Der institutionelle Rahmen einer demokratisch verwalteten Gesellschaft: Stabilitäts- und Funktionsbedingungen der Demokratie

Für die vorliegende Arbeit bedeutet das: Eine funktionalistische Beschreibung des Verhältnisses von Massenkommunikation und Demokratie setzt voraus, daß dieses von De Fleur klar herausgehobene, in Wrights globalen Erörterungen etwas undeutlicher hervortretende Verhältnis konkret auf das Zusammenspiel zwischen massenkommunikativ hergestelltem und erworbenem Selbstverständnis, Form politischer Herrschaft und Qualität ökonomischer Organisation in einer demokratisch verwalteten Industriegesellschaft bezogen wird. Diesem Ziel soll in den folgenden Abschnitten mit einer Diskussion soziologischer Beiträge zur Problematik der Funktions- und Stabilitätsbedingungen einer industriegesellschaftlichen Demokratie sowie zur Interpretation von Massenkommunikation als funktionalem Erfordernis einer demokratisch organisierten Gesellschaft nähergekommen werden.

In einer Anmerkung zu einigen Argumenten, die Morris Janowitz als Präliminarien zu einer soziologischen Theorie der Demokratie vorbrachte [19], hält Jan Juriaan von Schokking fest: »Demokratie stellt, zunächst völlig abgesehen von den jeweiligen Formen, in denen sie sich verwirklicht hat, eine historisch bedingte Wertdisposition dar.« [20] Dieser These stimmen auch so unterschiedlich orientierte Autoren wie Otto Stammer [21], Jürgen Habermas [22] und C. B. Macpherson [23] zu, indem sie davon ausgehen, daß es zwar verschiedene Konzeptionen von Demokratie gibt, ihnen aber eines gemeinsam ist: »Ihr höchstes Ziel ist das gleiche – nämlich die Bedingungen für die

19 Vgl. dazu M. Janowitz, Die soziologischen Voraussetzungen der Theorie der Demokratie, in: Kölner Zeitschrift für Soziologie und Sozialpsychologie 1956, S. 357 ff.
20 J. J. v. Schokking, Kritische Bemerkungen zu Janowitz' Theorie der Demokratie, in: Kölner Zeitschrift für Soziologie und Sozialpsychologie 1956, S. 374.
21 Vgl. O. Stammer, Politische Soziologie und Demokratie, in: Kölner Zeitschrift für Soziologie und Sozialpsychologie 1956, S. 380 ff.
22 Vgl. dazu J. Habermas, Reflexionen über den Begriff der politischen Beteiligung, in: J. Habermas et al., Student und Politik, Frankfurt 1961, S. 13 ff.
23 Vgl. dazu C. B. Macpherson, Drei Formen der Demokratie, Frankfurt 1967, S. 55.

vollständige und freie Entwicklung der grundlegenden menschlichen Möglichkeiten aller Mitglieder der Gesellschaft zu schaffen. (Die verschiedenen Konzeptionen) unterscheiden sich in ihren Ansichten darüber, welche Bedingungen dazu nötig sind und wie diese Bedingungen zu schaffen sind.«[24] In seiner Studie ›Drei Formen der Demokratie‹ differenziert Macpherson zwischen liberaler und nicht-liberaler Demokratie, wobei letztere wiederum zwei Varianten aufweist: eine sozialistische, kommunistische und eine, die in den unabhängig gewordenen Ländern der Dritten Welt vorherrscht[25]. Die folgenden Erörterungen beziehen sich ausschließlich auf die Konzeption der liberalen Demokratie, wie sie sich vor allem in Westeuropa und Nordamerika entwickelt hat. Macpherson interpretiert diese Form von Demokratie als »ein recht spätes Produkt der Marktgesellschaft«[26]: spät deshalb, weil die kapitalistisch orientierte Marktgesellschaft zu ihrer Weiterentwicklung zunächst eine liberale, nicht aber eine demokratische Form politischer Herrschaft benötigte – einen Staat also, der die kapitalistischen Produktionsverhältnisse zu schützen, nicht aber anzutasten hatte und der »durch die Konkurrenz politischer, einer privilegierten Wählerschaft verantwortlicher Parteien funktionieren sollte«[27]. Die Transformation dieser liberalen Form politischer Herrschaft in eine demokratische wurde erst später möglich: nämlich zu dem Zeitpunkt, wo die von der kapitalistischen Produktionsweise geschaffene Arbeiterklasse aufgrund ihrer Stellung im Wirtschaftsprozeß und ihrer Fähigkeit, sich zu organisieren, in die Lage kam, erfolgreich am politischen Kampf um die Einrichtung der Gesellschaft teilzunehmen. Ausdruck dieser Demokratisierung des liberalen Staats war insbesondere die Einführung des allgemeinen Wahlrechts, das – wie die Formel lautet – die Herrschaft durch und für das Volk verfassungsrechtlich institutionalisierte.

Gerhard Leibholz, der einer anderen Terminologie folgt, sieht in dem Institut des allgemeinen Wahlrechts nicht nur ein Merkmal, das – um mit Macpherson zu sprechen – den liberalen zum demokratischen Staat macht; ihm erscheint die Einführung des allgemeinen Wahlrechts auch und vor allem als Liquidierung der repräsentativ-parlamentarischen Honoratiorenherrschaft zugunsten der Etablierung einer parteienstaatlichen Massendemokratie[28]. Die Konzeption des modernen Parteienstaates zeichnet sich dabei nach Leibholz dadurch aus, daß er die »differenzierende, liberal-aristokratische Gleichheit« in einen »radikalen Egalitarismus«[29] verwandelt und aus dem Prinzip der Repräsentation der Gesellschaft durch die »geistige Aristokratie des Volkes«[30] das Postulat der »Gemeinwillensbildung« durch die Parteien als »Vollstrecker des

24 C. B. Macpherson, a. a. O., S. 55; vgl. dazu W. Besson, G. Jasper, Das Leitbild der modernen Demokratie, München Frankfurt Berlin Hamburg Essen 1966, S. 10.

25 Vgl. dazu C. B. Macpherson, a. a. O., S. 53–54.

26 C. B. Macpherson, a. a. O., S. 53.

27 C. B. Macpherson, a. a. O., S. 53.

28 Vgl. dazu W. Kornhauser, The Politics of Mass Society, Glencoe 1959, S. 229 f.

29 Vgl. dazu G. Leibholz, Der Strukturwandel der modernen Demokratie, in: G. Leibholz, Strukturprobleme der modernen Demokratie, Karlsruhe 1958, S. 89.

30 G. Leibholz, a. a. O., S. 80.

Willens der Aktivbürgerschaft«[31] macht. Alles in allem interpretiert er die parteien-staatliche Massendemokratie der Gegenwart als die »rationalisierte Erscheinungsform der plebiszitären Demokratie . . . im modernen Flächenstaat«[32]. Manfred Hättich hat das, was bei Macpherson etwas global liberale Demokratie und bei Leibholz dann differenzierter parteienstaatliche Massendemokratie heißt, einer analytischen Explika-tion unterzogen und versucht, deren wesentlich erscheinende Charakteristika herauszu-arbeiten[33]. Das Ergebnis seiner politologischen Argumentation ist von Hättich folgen-dermaßen zusammengefaßt worden: »Von Demokratie – wollen wir . . . sprechen, wenn eine gegebene oder gewollte politische Ordnung mit offener, pluralistischer Herrschaftsstruktur bei gleichzeitiger offener konkurrierender politischer Willens-bildung und offener partieller politischer Repräsentation mit (den Ideen der Volks-souveränität, der Freiheit und der Gleichheit) begründet wird.«[34] Demokratie er-scheint demnach zunächst als eine Form politischer Herrschaft[35], die durch das Vorhandensein mehrerer relativ gleichwertiger Machtzentren, die Möglichkeit der Konkurrenz unterschiedlicher Meinungen, Überzeugungen, Interessen um Einfluß-nahme auf die politischen Entscheidungen und den Tatbestand der nur teilweise vor-genommenen politischen Integration der Gesellschaft ausgezeichnet wird[36]. Diese Merkmale reichen jedoch nach Hättich nicht aus, um eine bestimmte Form politischer Herrschaft demokratisch nennen zu können. Hinzu kommen muß noch die (zumindest angestrebte) Realisierung der Idee der Volkssouveränität: »Der Zweck der Herrschaft liegt nicht bei den Herrschenden . . ., sondern bei den Beherrschten. Nicht das Volk ist das Mittel der Herrschaft, sondern die Herrschaft hat Mittelcharakter«[37]; der Idee der Freiheit: »Freiheit meint . . . nicht nur die Möglichkeit der politischen Mitwirkung und Mitbestimmung . . ., sie meint auch Freisein des Menschen von politischen Herr-schaftsvorgängen überhaupt«[38]; und der Idee der Gleichheit: »Politische Gleichheit in freiheitlicher Demokratie kann nichts anderes bedeuten, als daß alle Mitglieder des Gemeinwesens zur politischen Herrschaft im grundsätzlich gleichen Verhältnis ste-hen.«[39]

In sehr ähnlicher Weise haben Waldemar Besson und Gotthard Jasper das Bild der

31 G. Leibholz, a. a. O., S. 107.
32 G. Leibholz, a. a. O., S. 93.
33 Vgl. dazu G. Leibholz, Zum Begriff und Wesen der Demokratie, in: G. Leibholz, a. a. O., S. 142 ff.
34 M. Hättich, Demokratie als Herrschaftsform, Köln Opladen 1967, S. 164.
35 Vgl. dazu H. Heller, Staatslehre, Leiden 1934, S. 204: »Politisch im eminenten und beispielgebenden Sinn ist deshalb die selbständige Organisation und Aktivierung des gebietsgesellschaftlichen Zusammenwirkens.« Vgl. dazu auch P. v. Oertzen, Über-legungen zur Stellung der Politik unter den Sozialwissenschaften, in: Kölner Zeit-schrift für Soziologie und Sozialpsychologie 1965, S. 519.
36 Vgl. dazu M. Hättich, a. a. O., S. 104, 109, 110.
37 M. Hättich, a. a. O., S. 142.
38 M. Hättich, a. a. O., S. 145.
39 M. Hättich, a. a. O., S. 156.

modernen Demokratie gezeichnet. Auch für sie stellt Demokratie ein System von Regeln politischen Handelns und eine zu realisierende Wertordnung gleichermaßen dar. Grundwerte dieser Ordnung sind die Würde des Menschen, und seine Freiheit; ihre Verwirklichung oder zumindest Anerkennung entscheidet über den demokratischen Charakter einer Gesellschaft: »Demokratisch ist ein Gemeinwesen zu nennen, wenn es unter Anerkennung der Würde des Menschen als letzten Wert darauf abzielt, allen Bürgern in gleicher Weise die Freiheit zur Entfaltung ihrer Persönlichkeit und zu verantwortlicher Lebensgestaltung zu gewährleisten.«[40] Die soziale Grundlage dieser Demokratie ist wie bei Hättich, so auch bei Besson und Jasper »die offene pluralistische Gesellschaft«[41], denn »wer ... ja sagt zu den Grundwerten der Demokratie, der muß in der industriellen Welt unserer Tage auch ja sagen zur offenen, in Konflikten lebenden pluralistischen Gesellschaft«[42]. In dieser pluralistischen Industriegesellschaft kann Demokratie nicht als »Selbstregierung des Volkes«, sondern »lediglich als die Regierung von Vertretern des Volkes realisiert werden, die aus allgemeinen, freien, gleichen und geheimen Wahlen hervorgegangen sind, vom Volk durch die periodische Wiederkehr solcher Wahlen zur Verantwortung gezogen werden können und die Regierungsgeschäfte nach dem Willen der jeweiligen Mehrheit der politisch-gesellschaftlichen Kräfte einer Nation führen«[43]. Mittler bei der politischen Willensbildung, deren Ergebnis sich in der Wahl bestimmter Repräsentanten und von deren Programmen zeigt, sind Parteien und Verbände; Medium, in dem diese Willensbildung stattfindet, ist eine jedermann zugängliche Öffentlichkeit, in der sich die öffentliche Meinung als »Voraussetzung und Ausdruck demokratischer Lebensform«[44] herstellt. Einen entscheidenden Part in dem Prozeß der politischen Willensbildung spielt dabei die parlamentarische Opposition, »die institutionalisierte Alternative«[45], die einerseits als Indikator für »Freiheitlichkeit und Toleranz des Gemeinwesens«[46], andererseits als Garant einer »aus dem spannungsvollen Mit-Gegeneinander von Regierung und Opposition«[47] resultierenden demokratischen Politik gilt. Die Sicherung der postulierten Freiheit und die Kontrolle der zugelassenen politischen Macht werden nach dieser Konzeption von Demokratie durch die Teilung der Gewalten[48] und die Bindung jeder staatlichen Gewalt an Recht und Gesetz geleistet[49]. Die politikwissenschaftlichen Beiträge von Macpherson, Leibholz, Hättich und Besson–Jasper haben einen Begriff von Demokratie vorgeführt, der bestimmte Verhaltens- wie Verfahrensweisen und spe-

40 W. Besson, G. Jasper, a. a. O., S. 10.
41 W. Besson, G. Jasper, a. a. O., S. 12.
42 W. Besson, G. Jasper, a. a. O., S. 17.
43 W. Besson, G. Jasper, a. a. O., S. 34.
44 W. Besson, G. Jasper, a. a. O., S. 63.
45 W. Besson, G. Jasper, a. a. O., S. 54.
46 W. Besson, G. Jasper, a. a. O., S. 61.
47 W. Besson, G. Jasper, a. a. O., S. 61.
48 Vgl. dazu W. Besson, G. Jasper, a. a. O., S. 72 ff.
49 Vgl. dazu W. Besson, G. Jasper, a. a. O., S. 81 ff.

zifische Wertorientierungen gleichermaßen impliziert. Betrachtet man dagegen explizit soziologische Arbeiten zum Problem ›Demokratie‹, so scheinen sich diese vorwiegend auf Deskription und Analyse nur der Methodik demokratischer Politik unter bestimmten: nämlich industriegesellschaftlichen Bedingungen zu beschränken. Die Tradition einer derart vorgehenden Soziologie der Demokratie reicht zurück bis Joseph Schumpeter, der in seiner Studie ›Kapitalismus, Sozialismus und Demokratie‹ schrieb: »Die Demokratie ist eine politische Methode, das heißt: eine gewisse Art institutioneller Ordnung, um zu politischen – legislativen und administrativen – Entscheidungen zu gelangen, und dabei unfähig, selbst ein Ziel zu sein, unabhängig davon, welche Entscheidungen sie unter gegebenen Verhältnissen hervorbringt.«[50] Und weiter: »Die demokratische Methode ist diejenige Ordnung der Institutionen zur Erreichung politischer Entscheidungen, bei welcher Einzelne die Entscheidungsbefugnis vermittels eines Konkurrenzkampfes um die Stimmen des Volkes erwerben.«[51] Hiernach erscheint Demokratie also lediglich als Arrangement von Institutionen und Regeln, die sicherstellen, daß in periodisch wiederkehrenden Wahlentscheidungen die Staatsbürger jene bestimmen, die politische Herrschaft ausüben sollen[52]. Das wichtige Implikat des Demokratie-Begriffes, das auch in den zuvor skizzierten politikwissenschaftlichen Beiträgen aufschien – nämlich: Herrschaft des Volkes im Sinne einer Befreiung von allen undurchsichtigen und unkontrollierten Machtverhältnissen –, kommt deutlich zu kurz gegenüber dem relativ formalen Moment der institutionellen Regeln zur Auswahl von Führungseliten. Damit droht jedoch die Frage, ob und inwieweit die demokratischen Postulate in einer Gesellschaft realisiert sind, in den Hintergrund gedrängt und statt dessen das eigentlich nur technisch interessante Problem, ob und inwieweit die Institutionen und Normen des politischen Systems der Demokratie den Erfordernissen einer rationellen Herrschaftsausübung unter den Bedingungen einer industriellen Gesellschaft entsprechen, zum alleinigen Gegenstand soziologischer Analyse zu werden[53]. Diese Gefahr zeigt sich auch in den Arbeiten von Seymour M. Lipset, der sich unmittelbar Schumpeters Definition von Demokratie anschließt: »Democracy in a complex society may be defined as a political system which supplies regular constitutional opportunities for changing the governing officials, and a social mechanism which permits the largest possible part of the population to influence major decisions by

50 J. Schumpeter, Kapitalismus, Sozialismus und Demokratie, Bern 1950 (2. ed.), S. 384.
51 J. Schumpeter, a. a. O., S. 428; vgl. dazu W. Kornhauser, The Politics of Mass Society, Glencoe 1959, S. 130; vgl. dazu weiter A. Downs, Ökonomische Theorie der Demokratie, Tübingen 1968, S. 290, dessen oberstes Axiom ist, »daß politische Parteien in einer Demokratie ihre Politik so planen, daß sie ihren Stimmenanteil maximieren.«
52 Vgl. dazu H. Flohr, Parteiprogramme in der Demokratie, Göttingen 1968, S. 8–9.
53 Vgl. dazu J. Bergmann, Konsensus und Konflikt – Zum Verhältnis von Demokratie und industrieller Gesellschaft, in: Das Argument, Februar 1967, S. 41 f.

choosing among contenders for political office.«[54] Eine solche Umschreibung von Demokratie findet sich in fast gleichlautender Fassung ebenfalls – um nur einige Autoren herauszugreifen – bei Ralf Dahrendorf[55], William Kornhauser[56] und Robert E. Dahl[57]; auch sie gehen von einem tendenziell technischen Interesse an Demokratie aus. Allerdings hat gerade Dahl an anderer Stelle[58] nachdrücklich darauf hingewiesen, daß selbst bei den rigidesten Verfechtern jenes technischen Interesses an Demokratie der Wert ›Freiheit‹ insofern in die Definitionen und Umschreibungen eingeht, als durchweg die Unmöglichkeit letztgültiger Entscheidungen anerkannt und die autoritativ verordnete Lösung politischer Probleme abgelehnt wird[59]. Genaugenommen stellt sich so der Versuch, »Demokratie als Entscheidungsmechanismus zu definieren, als Variation der Identifikation mit einem bestimmten Wertsystem dar«[60]. Das zeigt sich auch bei Lipset, wenn er die drei Voraussetzungen nennt, die seine Definition von Demokratie enthält: erstens einen Kodex von Grundsätzen, welche die Institutionen – politische Parteien, eine freie Presse beispielsweise – legitimieren, die für eine demokratische Ordnung unabdingbar sind; zweitens eine Gruppe von Politikern, die die Regierung innehat; und drittens eine Gruppe von Politikern, die die Regierung übernehmen will. Heben die genannten Bedingungen für das Funktionieren demokratischer Herrschaft auch sehr klar auf die institutionellen Mechanismen der Wahl, der Bildung einer öffentlichen Meinung, des Zusammenspiels von Regierung und Opposition ab, so wird doch sichtbar, daß insbesondere in die Legitimationsgrundsätze nicht nur instrumentelle Anweisungen, sondern normative Standards eingehen[61]. Ähnliches gilt für Dahrendorf und Kornhauser ebenfalls; bei aller Neigung zu einer primär sozialtechnisch orientierten, auf das bloße Funktionieren des politischen Prozesses abgestellten Argumentation setzen auch sie ein bestimmtes Wertsystem mehr oder minder stillschweigend voraus[62].

Vor allem ist die implizite Bezugnahme auf ein bestimmtes Wertsystem dort zu erkennen, wo nicht die formalen Mechanismen des institutionellen Rahmens von Demokratie, sondern dessen realgesellschaftliche Korrelate zur Debatte stehen. »Wie

54 S. M. Lipset, Political Man, New York 1960, S. 45.
55 Vgl. dazu R. Dahrendorf, Class and Class Conflict in Industrial Society, Stanford 1959 (revised edition), S. 308.
56 Vgl. dazu W. Kornhauser, a. a. O., S. 130.
57 Vgl. dazu R. E. Dahl, Hierarchy, Democracy, and Bargaining, in: H. Eulau, S. J. Eldersweld, M. Janowitz (eds.), Political Behaviour, Glencoe 1956, S. 83.
58 Vgl. dazu R. E. Dahl, A Preface to Democratic Theory, Chicago 1960 (2. ed.) S. 90 ff.
59 Vgl. dazu M. Janowitz, a. a. O., S. 362.
60 W. Schulte, Einige Funktions- und Stabilitätsbedingungen der Demokratie (unveröffentlichte Diplomarbeit), München 1964, S. 15.
61 Vgl. dazu S. M. Lipset, a. a. O., S. 45–46.
62 Vgl. dazu R. Dahrendorf, Der repräsentative Staat und seine Feinde, in: Ralf Dahrendorf, Gesellschaft und Freiheit, München 1961, S. 257 und W. Kornhauser, a. a. O., S. 230 f.

kann das liberale Gemeinwesen lebendig und wirksam erhalten werden? Die Fragen lassen sich von den sozialen Funktionsbedingungen des repräsentativen Staates her beantworten. Hier scheinen vor allem vier Ziele vordringlich: Erstens kommt es darauf an, die effektive staatsbürgerliche Gleichheit aller Menschen durchzusetzen, d. h. dafür Sorge zu tragen, daß alle Bürger ihre Rechte ohne Bevorzugung oder Benachteiligung ausüben können. Zweitens ist es nötig, die pluralistische Struktur der Gesellschaft zu erhalten. Drittens müssen die vorhandenen sozialen Interessengegensätze und -konflikte als solche anerkannt, in ihrer Fruchtbarkeit gesehen und rational geregelt werden. Viertens ist es erforderlich, daß die öffentliche Tugend der Teilnahme am politischen Leben möglichst weit verbreitet wird.«[63] Ähnlich faßt Lipset die notwendigen gesellschaftlichen Bedingungen einer stabilen Demokratie. Er nennt als solche Bedingungen: (1) die Institutionalisierung eines egalitären Wertsystems, das allen die vollen Staatsbürgerrechte gewährt; (2) ein offenes Klassensystem, das soziale Mobilität zuläßt und die Etablierung einer herrschenden Klasse verhindert; (3) ökonomische Prosperität und materiellen Wohlstand für die Majorität der Bevölkerung, um politischer Radikalisierung großer Sozialgruppen vorzubeugen; (4) einen ökonomischen und politischen Prozeß, in dem Interessenkonflikte und -kompromisse als positive Selbstverständlichkeiten gelten; und (5) ein relativ hohes Bildungsniveau der Bevölkerung, fortgeschrittene Urbanisierung sowie weite Verbreitung von Massenmedien, die Partizipation des einzelnen am politischen Geschehen sowie Aufklärung zu und Orientierung in diesem Geschehen ermöglichen[64]. Orientiert man sich an dem Katalog der Bedingungen, die Dahrendorf und Lipset hier als funktionale Erfordernisse einer demokratischen Gesellschaft zusammengestellt haben, lassen sich drei Konzeptionen gewinnen, mit denen auf soziologische und sozialpsychologische Manier an das Problem ›Demokratie‹ herangegangen wird: die Pluralismuskonzeption, die Konzeption von Konsensus und Konflikt sowie die der demokratischen Persönlichkeit, des demokratischen Charakters. Diese Konzeptionen sollen im folgenden besprochen werden.

Die Pluralismus-These ist zentraler Bestandteil der meisten soziologischen Demokratie-Studien[65]. Denn sie gibt, so Kornhauser, auf die grundsätzliche Frage – »what kind of social structure will meet (the) conditions of liberal democracy?« – eine ebenso grundsätzliche Antwort. »The theory of mass society expounded . . . that social pluralism is a social arrangement which performs this function. A plurality of independent and limited function groups supports liberal democracy by providing social bases of free and open competition for leadership, widespread participation in the selection of the leaders, restraint in the application of pressures on leaders, and self-

63 R. Dahrendorf, Der repräsentative Staat und seine Feinde, a. a. O., S. 257; vgl. dazu W. Kornhauser, a. a. O., S. 230–231.

64 Vgl. dazu S. M. Lipset, a. a. O., S. 68 ff. und 77 ff.: vgl. dazu weiter S. M. Lipset, The Value Pattern of Democracy, in: American Sociological Review 1963, S. 515 ff. und J. Bergmann, a. a. O., S. 44.

65 Vgl. dazu K. Loewenstein, Verfassungslehre, Tübingen 1959, S. 369 ff.

government in wide areas of social life. Therefore, where social pluralism is strong, liberty and democracy tend to be strong; and conversely, forces which weaken social pluralism also weaken liberty and democracy.«[66] Die Konzeption, die hinter dieser Argumentation steht, ist in Soziologie und Politischer Wissenschaft offensichtlich deshalb akzeptiert worden, weil beide Disziplinen davon ausgehen, daß die gegenwärtige kapitalistische Industriegesellschaft nicht mehr zureichend mit der Kategorie »Klassengesellschaft« bestimmt werden kann[67]. Jene Pluralismus-Konzeption impliziert nämlich, daß an die Stelle der durch Besitz respektive Nicht-Besitz von Produktionsmitteln definierten Klassen eine Vielzahl von organisierten Gruppen und Verbänden getreten ist, die unterschiedlichen Interessen und divergierenden Ideologien folgen[68]. Das Verhältnis dieser Gruppen und Verbände zum politischen Sektor, zu Regierung, Bürokratie und Parteien[69], wird als rein pragmatisch gekennzeichnet und in Abhängigkeit von den jeweils vertretenen Interessen, den organisationsinternen Problemen und den speziellen Bedürfnissen nach Erhaltung der betreffenden Gruppe, des betreffenden Verbandes gesehen[70]. Da angeblich jeder aufgrund des allgemeinen Wahlrechts sein Interesse politisch relevant äußern kann, die vorhandenen Interessen die Chance der Organisation und die existierenden Organisationen die Möglichkeit der Koalition haben, gelten alle organisierten Gruppen als gleichwertige Konkurrenten. Der Staat erscheint in dieser Pluralismus-Konzeption primär als Koordinator der Interessenkonkurrenz zwischen den diversen sozialen Gruppen[71]. Die aus solcher Interessenkonkurrenz

66 W. Kornhauser, a. a. O., S. 230–231; vgl. dazu W. Kornhauser, »Power Elite« or »Veto Groups«, in R. Bendix, S. M. Lipset (eds.), Class, Status and Power, New York London 1966 (2. ed.), S. 210 ff. und R. E. Lane, Political Charakter and Political Analysis, in: H. Eulau, S. J. Elderweld, M. Janowitz (eds.), a. a. O., S. 123: »A pluralistic other-directed society may give democracy its most favorable environment.«

67 Vgl. dazu und zu dem Folgenden H. Pross, Zum Begriff der pluralistischen Gesellschaft, in: M. Horkheimer (ed.), Zeugnisse, Frankfurt 1963, S. 439 ff.

68 Vgl. zum Unterschied von Interessengruppen und -verbänden W. Hirsch-Weber, Politik als Interessenkonflikt, Stuttgart 1969, S. 211: Interessengruppen sind »organisierte Gruppen mit einem oder mehreren gemeinsamen Interessen, die zum eigenen Nutzen oder zwecks Verwirklichung ihrer Vorstellung vom Nutzen anderer beziehungsweise vom Wohle der Allgemeinheit bei Gelegenheit oder ständig auf politische Entscheidungen einzuwirken versuchen, ohne selbst die Regierung des Staates übernehmen zu wollen ...« – Interessenverbände sind »formal organisierte Interessengruppen«.

69 Vgl. dazu W. Hirsch-Weber, a. a. O., S. 211: Parteien sind »organisierte Gruppen oder Konglomerate von Gruppen, die bestrebt sind, die Staatsmacht zu erwerben oder an ihr unmittelbar teilzunehmen und sie auszuüben, um sowohl Sonderinteressen ihrer Mitglieder, Wähler und Quasi-Gruppen durchzusetzen, als auch an Vorstellungen über Allgemeininteresse orientierte Ziele zu erreichen, und deren Führer Politik auch um ihrer selbst willen treiben«.

70 Vgl. dazu H. Flohr, a. a. O., S. 33 ff.

71 Vgl. dazu Th. Lowi, The Public Philosophy: Interest Group Liberalism, in: The American Political Sciences Review, März 1967, S. 5 ff. und H. Pross, a. a. O., S. 443.

resultierenden politischen Entscheidungen werden als notwendige Kompromisse interpretiert; denn keine Gruppe sei in der Lage, ihre Zielsetzungen ohne Einschränkungen zu verwirklichen, da Machtkonzentration durch das Zusammenspiel der Interessenorganisationen – von David Riesman als »balance of veto groups«[72] beschrieben – prinzipiell verhindert würde[73]. Peter M. Blau hat nachdrücklich auf den Vorteil dieses gesellschaftlichen Pluralismus für Stabilität und Funktionstüchtigkeit der demokratischen Form politischer Herrschaft hingewiesen. »The cross pressures resulting from multigroup affiliations and the recurrent realignments of overlapping collectivities in different controversies prevent conflicts over issues from becoming cumulative and producing a deep cleavage between two hostile camps. The intense animosity generated between two strong opposition forces that are isolated from one another and have accumulated grievances endangers democratic institutions, because it encourages an orientation that denies the legitimacy of the opposition, an inclination to resort to violence, and a willingness to sacrifice democratic principles and other moral standards in the all-important struggle. The cross pressures and cross currents of conflicts that forestall such a deep split in the society, therefore, protect its democratic institutions...«[74] In dieser Äußerung von Blau kommen deutlich die entscheidenden Annahmen, die die Pluralismus-Konzeption auszeichnen, heraus – die Annahmen nämlich, daß »every social action is balanced by some propriate counteraction«[75] und daß die sich so vollziehende Reziprozität sozialer Aktionen wie Gegenaktionen einen Interessenausgleich herbeiführt, der jede gesellschaftliche Gruppe gleichermaßen gratifiziert[76]. Insbesondere die zweite Annahme läßt sich jedoch nur aufrechterhalten, wenn weiter unterstellt werden kann, daß die Konkurrenz um Einflußnahme auf und Verfügung über die gesellschaftlichen Machtpositionen innerhalb eines institutionellen Rahmens stattfindet, den die widerstreitenden Gruppen als verbindlich geltende Form der Konfliktregulierung akzeptiert haben. Die attitudinalen und strukturellen Implikationen eines solchen institutionellen Rahmens hat Dahrendorf skizziert. »There is ... implicit in the institutions of parliamentary democracy an attitude

---

72 D. Riesman, The Lonely Crowd, New Haven 1950, S. 244 ff.

73 Vgl. dazu J. Bergmann, a. a. O., S. 48 und R. A. Dahl, A Preface to Democracy, a. a. O., S. 150.

74 P. M. Blau, Exchange and Power in Social Life, New York London Sydney 1964, S. 311. Die Argumentation von Blau geht folgendermaßen weiter: »... but they do so at the expense of the most disadvantaged social classes. For the political participation of the lower socio-economic strata is most adversely affected by cross pressures, robbing the very groups most in need of giving voice to opposition sentiments of much of their power to do so.« Auf die hier angesprochene Problematik wird später ausführlich zurückgekommen.

75 P. M. Blau, a. a. O., S. 336.

76 Vgl. dazu F. Tannenbaum, The Balance of Power in Society und The Balance of Power versus the Coordinate State, in: F. Tannenbaum, The Balance of Power in Society, New York 1969, S. 1 ff. und 91 ff.

to conflicts of interest as they emerge from the differential placement of people in society ... In its abstract core, this attitude involves (1) the acceptance of differences of opinion and interest as inevitable; (2) concentration on the modes rather than the causes of conflict; (3) the setting up of institutions which provide conflicting groups with binding channels of expression; (4) the development of rules of the game by which the conflicting parties abide.«[77] Die Funktionsfähigkeit und Stabilität eines demokratischen Systems hängt demnach von einer ausgewogenen Balance zwischen Konsensus und Konflikt ab – Konsensus über die verbindliche Geltung der geschaffenen Institutionen und gesetzten Regeln der Interessenkonkurrenz; Konflikt und Auseinandersetzung nur im Rahmen dieser durch Konsensus gesicherten Institutionen und Regeln. »The health of democratic order depends on achieving a nice balance between (consensus and cleavage): enough cleavage to stimulate debate and action, enough consensus to hold the society together even under strain.«[78] Die Balance zwischen consensus und cleavage, Integration und Konflikt muß dabei sowohl im vorpolitischen Bereich (Ökonomie, Kultur) wie in der politischen Sphäre – dem Aktionsfeld der Parteien – angestrebt werden. Nur wenn diese Bedingung – Balance zwischen Konsensus und Konflikt in allen Bereichen der Gesellschaft, insbesondere aber im politischen Sektor – erfüllt ist, kann postuliert werden, daß Konflikte zur Erhöhung von Funktionsfähigkeit und Stabilität einer demokratischen Gesellschaft beitragen[79].

Die Funktionalität der durch die Fixierung von Austragungsregeln gesellschaftlich institutionalisierten Konflikte zwischen den dominierenden Gruppen (Regierung–Opposition; Arbeitgeberverbände–Gewerkschaften) wird einmal in deren möglicher Wirkung auf die Realisierung des demokratischen Postulats der Chancengleichheit gesehen. »Any social system implies an allocation of power, as well as wealth and status positions among individual actors and component subgroups. A has been pointed out, there is never complete concordance between what individuals and groups within a system consider their just due and the system of allocation. Conflict ensues in the effort of various frustrated groups and individuals to increase their

77 R. Dahrendorf, Conflict and Liberty: Some Remarks on the Social Structure of German Politics, in: British Journal of Sociology 1963, S. 207; vgl. dazu R. Dahrendorf, Class and Class Conflict . . ., a. a. O., S. 225–226 und das auf S. 257 gegebene Beispiel der »industrial democracy«; vgl. dazu weiter R. Dahrendorf, Die Politik in der Massengesellschaft, in: H.-D. Ortlieb (ed.), Hamburger Jahrbuch für Wirtschaft und Politik, Tübingen 1964, S. 187 ff.

78 B. Berelson, Democratic Theory and Public Opinion, in: H. Eulau, S. J. Eldersweld, M. Janowitz (eds.), a. a. O., S. 114; vgl. dazu G. A. Almond, S. Verba, The Civic Culture, Princeton 1963, S. 489 ff. und J. Bergmann, a. a. O., S. 43.

79 Vgl. dazu S. M. Lipset, The Political Man, a. a. O., S. 21 f.; L. A. Coser, The Functions of Social Conflicts, Glencoe 1956, S. 80; R. Dahrendorf, Demokratie ohne Freiheit, in: R. Dahrendorf, Gesellschaft und Freiheit, a. a. O., S. 33; vgl. dazu und zu dem Folgenden außerdem Dahrendorfs »Zwangstheorie der gesellschaftlichen Integration«, in R. Dahrendorf, Elemente einer Theorie des sozialen Konflikts, in: ebenda, S. 210.

share of gratification.«[80] Zum andern wird jene Funktionalität des zugelassenen sozialen Konflikts insofern behauptet, als er einen spezifisch stabilisierenden Effekt zugeschrieben bekommt – wofür es wiederum zwei Argumente gibt. Das erste Argument – ausgerichtet auf das eben angesprochene Verhältnis von Frustration und Aggression – lautet: »Insofar as conflict is the resolution of tension between antagonists it has stabilizing functions and becomes an integrating component of relationship ...«[81] Das zweite Argument bezieht sich auf den Zusammenhang zwischen Konflikt und balance of power. »Conflict consists in a test of power between antagonistic parties. Accomodation between them is possible only if each is aware of the relative strength of both parties. However ... such knowledge can most frequently be attained only through conflict, since other mechanisms for testing the respective strength of antagonists seem to be unavailable. Consequently, struggle may be an important way to avoid conditions of disequilibrium by modifying the basis for power relations ...: conflicts, rather than being disruptive and dissociating, may indeed be a means of balancing and hence maintaining a society as a going concern.«[82] Schließlich wird den in der pluralistischen Demokratie institutionalisierten Konflikten neben der spannungslösenden und gleichgewichtschaffenden noch eine wandlungsinitiierende Funktion zugewiesen. »The crosscutting conflicts and oppositions in complex modern societies, with many intersecting organized collectivities and interlocking membership in them, are a continual source of social reorganisation and change.«[83]

Die für ein demokratisches System als konstitutiv ausgegebene Balance zwischen consensus und cleavage sowie die postulierte Funktionalität sozialer Konflikte kann jedoch nur erreicht werden, wenn zwei Bedingungen gegeben sind: wenn erstens die aufkommenden Konflikte nicht von so grundsätzlicher Art sind, daß mit ihnen der institutionelle Rahmen der Konfliktregulierung selbst in Frage gestellt wird und zweitens die vorhandenen Gegensätze zwischen den sozialen Gruppen sich nicht unmittelbar in der Auseinandersetzung der politischen Parteien reproduzieren[84]. Diesen Sachverhalt hat vor allem Lipset herausgestellt, der ja in seinen Demokratie-Analysen ausdrücklich davon ausgeht, daß die dominierenden und politisch relevanten Konflikte in den westlichen Industriegesellschaften auch heute noch als Klassengegensätze interpretierbar sind. Zwar stellen diese Gegensätze nicht mehr unversöhnliche Ant-

80 L. A. Coser, Continuities in the Study of Social Conflict, New York London 1967, S. 30; vgl. dazu R. Dahrendorf, a. a. O., S. 220.

81 L. A. Coser, The Function of Social Conflict, a. a. O., S. 80.

82 L. A. Coser, a. a. O., S. 137; vgl. dazu K. Messelken, Der Politikbegriff in der modernen Soziologie, Köln Opladen 1968, S. 138.

83 P. M. Blau, a. a. O., S. 311; vgl. dazu R. A. Dahl, Epilogue, in: R. A. Dahl (ed.), Political Oppositions in Western Democracies, New Haven London 1966, S. 401.

84 Vgl. dazu B. Berelson, Democratic Theory and Public Opinion, a. a. O., S. 114; F. Naschold, Organisation und Demokratie, Stuttgart 1969, S. 24 und S. M. Lipset, The Political Man, a. a. O., S. 303 f.

agonismen dar, aber sie bestehen in gemilderter Form fort und werden beispielsweise durch Einkommensunterschiede permanent neu produziert. Ihren Niederschlag finden jene Gegensätze in Parteien mit alternativen Programmen. Allerdings ist nach Lipset ein Parteiensystem keine einfache Reproduktion der Klassenverhältnisse und die Parteipräferenz der einzelnen gesellschaftlichen Gruppen nicht vollständig determiniert durch deren sozio-ökonomischen Status. Die direkte Manifestation sozialer Antagonismen in einer spezifischen Konstellation politischer Parteien und der unmittelbare Zusammenhang zwischen Parteipräferenz und sozio-ökonomischen Status werden verhindert durch den Einfluß von ethnischen und konfessionellen Loyalitäten, Generationsunterschieden, regionalen Wählertraditionen, sozio-kulturellen Differenzen zwischen industriellen Zentren und agrarischen Gebieten, von Unterschieden in der sozialen Herkunft, den Aufstiegschancen, den Berufsvorstellungen und dem Ausbildungsniveau [85]. Diese spezifischen Aspekte, die die Lebenssituation des einzelnen oder einer Gruppe innerhalb einer sozialen Klasse prägen, faßt Lipset als entscheidende Stabilisierungsmechanismen im politischen System auf, da sie dem unvermittelten Aufscheinen von Klassenantagonismen in den Parteien und deren parlamentarischen Debatten im Wege stehen und damit ermöglichen, daß trotz der klassenspezifischen Differenzen zwischen den Parteien der demokratische Konsensus erhalten bleibt [86]. Lipset sieht in diesem Sachverhalt das »characteristic pattern of stable Western democracies in the midtwentieth century« – ein Muster, das sich insbesondere dadurch kennzeichnen läßt, »that ... there is relatively little difference between the democratic left and right, the socialists are moderates, and the conservatives accept the welfare state«[87]. Politische Auseinandersetzungen sind daher heute keine Weltanschauungskämpfe mehr, sondern versachlichte, »entideologisierte« Diskussionen über unterschiedliche Interessen, die innerhalb eines gemeinsamen Bezugsrahmens formuliert und ausgetragen werden [88]. Dieser These schließen sich auch Autoren wie Dahl [89], Dahrendorf [90], Kornhauser [91] und Riesman [92] an. Sie alle beschreiben in ihren Analysen eine gesellschaftliche Verfassung, in der durch die institutionell garantierte Auseinandersetzung gleichwertiger sozialer Gruppen und politischer Parteien die freie Entwicklung einer offenen Gesellschaft ermöglicht wird – und zwar deshalb ermöglicht wird, weil hier nicht mehr prinzipiell divergierende sozialpolitische Alter-

85 Vgl. dazu S. M. Lipset, a. a. O., S. 264 ff.; vgl. dazu weiter J. Bergmann, a. a. O., S. 44–45.
86 Vgl. dazu S. M. Lipset, a. a. O., S. 303 f.
87 S. M. Lipset, a. a. O., S. 92.
88 Vgl. dazu S. M. Lipset, a. a. O., S. 403 ff.: Chapter XIII: The End of Ideology? A Personal Postscript.
89 Vgl. dazu R. A. Dahl, Epilogue, a. a. O., S. 401.
90 Vgl. dazu R. Dahrendorf, Der repräsentative Staat und seine Feinde, a. a. O., S. 242.
91 Vgl. dazu W. Kornhauser, The Politics of Mass Society, a. a. O., S. 229–230.
92 Vgl. dazu D. Riesman, a. a. O., S. 256 ff.

nativen gegeneinanderprallen, sondern unterschiedliche, aber durchaus auf einen Nenner bringbare Interessen sich – unter Beachtung des eigenen Vorteils, jedoch zum Wohle der Allgemeinheit – arrangieren [93].

Kornhauser hat nun – im Anschluß an Talcott Parsons [94] – die Hypothese formuliert, daß das demokratische System in seinem Funktionieren nicht nur abhängig ist von den gegebenen sozialstrukturellen Bedingungen (Pluralismus, Konsensus und Konflikt), sondern auch von dem Vorhandensein adäquater Persönlichkeitsstrukturen, von der Ausbildung eines bestimmten Eigenschaftensyndroms: genannt »demokratische Persönlichkeit«[95]. Unter »demokratischer Persönlichkeit« versteht Kornhauser einen »autonomous man«[96], der sich – ähnlich wie Riesmans Konstrukt des autonomangepaßten Individuums [97] – als Individuum erkennt, als Träger seiner eigenen Macht erfährt und in der Lage sieht, sein Leben selbst zu bestimmen und die Situation anderer zu beeinflussen. Die »demokratische Persönlichkeit« hat mit als erster Lasswell in seiner bekannten Studie ›Democratic Character‹ genauer beschrieben. Er nennt das Eigenschaftssyndrom dieser Persönlichkeit »self-system in democratic character«[98], dem er folgende Merkmale zuweist: ein »open ego«[99] – was bedeutet, »that the democratic attitude toward other human beings is warm rather than frigid, inclusive and expanding rather than exclusive and constricting«[100]; multiple Wertorientierungen – was bedeutet, daß »the democratic character (is) multivalued rather than single-valued, and (is) disposed to share rather than to hoard or to monopolize«[101]; Vertrauen in die menschlichen Möglichkeiten [102]; und Freisein von Angst – was bedeutet, »that the self-system shall have at its disposal the energies of the unconscious part of personality«[103]. Bernard Berelson hat diese Zusammenstellung von Eigenschaften eines demokratischen Charakters aufgenommen und sie zu einem Katalog persönlichkeitsstruktureller Attribute erweitert, die den kennzeichnen sollen, der sinnvoll am wichtigsten Vorgang in einer Demokratie teilnehmen will – an der Wahl. Diese »pre-

93 Vgl. dazu J. Bergmann, a. a. O., S. 45–46 und K. Messelken, a. a. O., S. 140; vgl. dazu weiter Dahrendorfs »problematischen« und »assertorischen Freiheitsbegriff«, in: R. Dahrendorf, Reflexionen über Freiheit und Gleichheit, in: R. Dahrendorf, Gesellschaft und Freiheit, a. a. O., S. 372–373.

94 Vgl. dazu T. Parsons, The Social System, Glencoe 1951, S. 26 f.

95 Vgl. dazu und zu dem Folgenden W. Kornhauser, a. a. O., S. 102 ff. und R. E. Lane, a. a. O., S. 115 ff.

96 W. Kornhauser, a. a. O., S. 110.

97 Vgl. dazu D. Riesman, a. a. O., S. 368 f.

98 H. D. Lasswell, Democratic Character, in: H. D. Lasswell, The Political Writings, Glencoe 1951, S. 495.

99 H. D. Lasswell, a. a. O., S. 495.

100 H. D. Lasswell, a. a. O., S. 495.

101 H. D. Lasswell, a. a. O., S. 495–496.

102 Vgl. dazu H. D. Lasswell, a. a. O., S. 502.

103 H. D. Lasswell, a. a. O., S. 503.

conditions for electorate decisions«[104] sind eine »suitable personality structure«[105] des Wählers, dessen Interesse und Partizipation, Informiertheit und Wissen, dessen grundsätzliche Anerkennung demokratischer Prinzipien und objektiv-rationale Einstellung zum politischen Geschehen, dessen Orientierung am bonum commune und Bereitschaft zu Kommunikation wie Diskussion[106]. Die Beschreibung dessen, was Berelson eine »suitable personality structure« nennt, stellt dabei eine Mischung Lasswellscher und Kornhauserscher Argumente dar. »Among the characteristics required ... are a capacity for involvement in situations remote from one's face-to-face experience; a capacity to accept moral responsibility for choices; a capacity to accept frustration in political affairs with equanimity; self-control and self-restraint as reins upon the gross operation of self-interest; a nice balance between submissiveness and assertiveness; a reasonable amount of freedom from anxiety so that political affairs can be attended to; a healthy and critical attitude towards authority; a capacity for fairly broad and comprehensive identifications; a fairly good measure of self-esteem; and a sense for potency.«[107] In ähnlicher Weise haben auch Dahl[108] und Anthony Downs[109] den demokratischen Charakter skizziert: als vielfältig orientierte, frustrationstolerante gleichermaßen selbst- und gemeinschaftsbezogene Persönlichkeit mit »interest«, »concern«, »information« and »activity«[110].

Bedingung der Entwicklung einer solchen demokratischen Persönlichkeit ist die sinnvolle und effektive Teilnahme an den gesellschaftlichen Geschehnissen. So argumentiert zumindest Kornhauser, und er postuliert weiter, daß diese Teilnahme wiederum zuvörderst multiple Gruppenbindungen des einzelnen voraussetzt; denn – so lautet die Begründung – durch die Relation zu unterschiedlichen Mitglieds- und Bezugsgruppen wird der einzelne instand gesetzt, in überschaubaren, Kontakt zu anderen ermöglichenden Zusammenhängen gesamtgesellschaftliche Probleme auf je spezifische Weise zu erfahren und zu lösen[111]. Solche Zusammenhänge nennt Kornhauser intermediäre Beziehungen, die sich zu Gruppen (konfessioneller, regionaler, beruflicher Provenienz) verdichten können und denen Kornhauser nicht nur eine ähnlich stabilisierende Wirkung unterstellt, wie Lipset sie den die Klassenantagonismen einer Gesellschaft mildernden Gruppenloyalitäten und Wählertraditionen zuschreibt, sondern

104 B. Berelson, a. a. O., S. 108.
105 B. Berelson, a. a. O., S. 108.
106 Vgl. dazu B. Berelson, a. a. O., S. 108–113.
107 B. Berelson, a. a. O., S. 108.
108 Vgl. dazu R. A. Dahl, Modern Political Analysis, Englewood Cliffs 1965. S. 56–57.
109 Vgl. dazu A. Downs, a. a. O., S. 204; vgl. dazu weiter Karlheinz Messelkens Darstellung des Persönlichkeitstyps, den Dahrendorfs Konflikt-Konzeption impliziert, in: K. Messelken, Politikbegriffe in der modernen Soziologie, Köln Opladen 1968, S. 140 ff.
110 R. A. Dahl, a. a. O., S. 57.
111 Vgl. dazu W. Kornhauser, a. a. O., S. 93.

denen er außerdem eine mobilisierende Funktion zubilligt. Diese Funktion rührt daher, daß die Teilnahme an jenen intermediären Gruppen, die sich nach Kornhausers Worten zwischen Familie und Staat schieben, durch vielfältige Orientierungs- und Aktivitätsmöglichkeiten den einzelnen nicht in politische Apathie fallen läßt. Damit wird offensichtlich die Pluralismus-These, die zuvor in ihrer strukturtheoretischen Variante skizziert wurde, als rollentheoretische Betrachtungsweise benutzt: Pluralismus bezieht sich hier nicht auf eine Vielfalt relativ autonomer sozialer Gruppierungen, sondern auf den Satz von Verhaltenserwartungen, den der einzelne wegen seiner Zugehörigkeit zu mehreren Gruppen erlernen und dem er entsprechen muß. Das Theorem des »check and balance« wird hier auf das Individuum selbst übertragen [112]. Sozial- und persönlichkeitsstruktureller Pluralismus erscheint so als das Grunderfordernis für das Funktionieren einer liberalen Demokratie unter industriegesellschaftlichen Bedingungen.

Die vorgeführte soziologische Konzeption von Demokratie und die darin eingeschlossenen Hypothesen sollen an dieser Stelle nicht weiter verfolgt und mit empirisch ermittelten Daten konfrontiert werden. Das geschieht im nächsten Teil der Arbeit; hier geht es zunächst nur darum, den theoretischen Zusammenhang festzuhalten, in den Soziologie Demokratie stellt, um jetzt nach Position und Funktion von Massenkommunikation in dieser theoretischen Argumentation fragen zu können.

3 Massenkommunikation als funktionales Erfordernis einer Demokratie

In den meisten soziologischen (und politologischen) Konzeptionen einer industriestaatlichen Demokratie wird Massenkommunikation ein bedeutender Part bei der Organisation und Integration des gesellschaftlichen Lebens zugewiesen [113]: als Voraussetzung und Garantie des gesellschaftlichen Pluralismus [114] sowie als Bedingung und Möglichkeit der Entwicklung einer demokratischen Persönlichkeit. Zur Erzielung solcher – Demokratie und demokratisches Verhalten ermöglichender – Wirkungen werden der in Form von Massenmedien institutionalisierten Massenkommunikation generell drei Aktivitäten eingeräumt: Information, praktische Hilfe und Unterhaltung [115]. Information bedeutet – die sachorientierte und anschauliche, detaillierte und umfassende Darstellung von Problemen, Ereignissen, Zuständen, Institutionen und

112 Vgl. dazu W. Schulte, a. a. O., S. 114 und G. A. Almond, S. Verba, a. a. O., S. 492–493.
113 Vgl. dazu H. Mendelsohn, Sociological Perspectives on the Study of Mass Communication, in: L. A. Dexter, D. Manning White (eds.), a. a. O., S. 29 ff.
114 Vgl. dazu K. Loewenstein, a. a. O., S. 362.
115 Vgl. dazu Ch. R. Wright, a. a. O., S. 97; H. Meyn, a. a. O., S. 6 ff.; W. Albig, a. a. O., S. 380 ff.; M. Hintze, Massenbildpresse und Fernsehen, Gütersloh 1965, S. 22–23; F. Eberhard, Der Rundfunkhörer und sein Programm, Berlin 1962, S. 246.

Persönlichkeiten aus allen Sektoren der Gesellschaft; praktische Hilfe meint – die Übermittlung von Wissen für die alltägliche Praxis und deren Erfordernisse sowie die aktive Teilnahme der Massenmedien an der Lösung gesellschaftlicher Probleme; Unterhaltung schließlich heißt – die Bereitstellung von Möglichkeiten der Entspannung und Zerstreuung [116]. Durch entsprechende formale und inhaltliche Gestaltung dieser Aktivitäten sollen die Massenmedien – wie gesagt – zweierlei bewirken. Sie sollen einmal – neben den parlamentarischen Institutionen – einen Beitrag zur Aufrechterhaltung der Balance zwischen Konsensus und Konflikt leisten, indem sie die widerstreitenden sozialen Gruppen zu Wort kommen lassen, eine gesamtgesellschaftlich verbreitete kritische Diskussion öffentlich relevanter Angelegenheiten ermöglichen und dadurch das demokratische Postulat »Öffentlichkeit« in einem Umfang realisieren, wie es dem Parlament allein nie gelingen könnte [117]. In diesem Sinn gilt Massenkommunikation als funktionales Erfordernis einer Demokratie, weil sie das pluralistische »Zeitgespräch der Gesellschaft«[118] gewährleistet, als Instrument der Konfliktregulierung fungiert [119] und als Agens sozialen Wandels dient [120]. Zum andern soll die in Form von Massenmedien und deren Aktivitäten institutionalisierte Massenkommunikation als ein Konstituens von Demokratie wirken, indem sie durch Propagierung von Informationen, Denk- und Einstellungsmustern, Handlungsmaximen und Verhaltensweisen die psychische und intellektuelle Entwicklung demokratischer Persönlichkeiten steuert [121]. In diesem Sinn gilt Massenkommunikation als funktionales Erfordernis einer Demokratie, weil sie den einzelnen durch Lieferung gesellschaftlicher Grundkenntnisse und aktueller Nachrichten wesentlich erst zu einem rational handelnden

116 Vgl. dazu J. T. Klapper, The Effects of Mass Communication, Glencoe 1960, S. 204–205; Ch. R. Wright, Mass Communication, A sociological Perspective, a. a. O., S. 18–21; J. O. Hertzler, A Sociology of Language, New York 1965, S. 487 ff.

117 Vgl. dazu W. Hennis, Zum Begriff der öffentlichen Meinung, in: W. Hennis, Politik als praktische Wissenschaft, München 1969, S. 36 ff.; E. Feldmann, Neuere Studien zur Theorie der Massenmedien, München Basel 1969, S. 159 ff.; H. Schelsky, Gedanken zur Rolle der Publizistik, in: H. Schelsky, Auf der Suche nach Wirklichkeit, Düsseldorf Köln 1965, S. 312 ff.; G. Leibholz, Freiheitliche demokratische Grundordnung und das Bonner Grundgesetz, in G. Leibholz, Strukturprobleme ..., a. a. O., S. 137–138.

118 B. Aswerus, Typische Phasen gesellschaftlicher Kommunikation, in: Publizistik 1–1960, S. 12.

119 Vgl. dazu W. Schramm, Grundlagen der Kommunikationsforschung, in: W. Schramm (ed.), Grundlagen der Kommunikationsforschung, München 1964, S. 24.

120 Vgl. dazu W. Schramm, Communication and Change, in: D. Lerner, W. Schramm (eds.), Communication and Change in the Developing Countries, Honolulu 1966, S. 16 f.; L. W. Pye, Communication, Institution Building, and the Reach of Authority, in: ebenda, S. 39 ff.; G. Eisermann, Massenmedien und Sozialer Wandel, in: Kölner Zeitschrift für Soziologie und Sozialpsychologie 1968. S. 749 ff.

121 Vgl. dazu I. de Sola Pool, The Mass Media and their Interpersonal Functions in the Process of Modernization, in: L. A. Dexter, D. M. White (eds.), a. a. O., S. 440; W. Schramm, Mass Media and National Development, Stanford 1964, S. 252.

Homo politicus macht und zur Selbstbestimmung wie Eigenverantwortlichkeit befähigt [122].

Rudolf Wildenmann und Werner Kaltefleiter haben darauf hingewiesen, daß als Voraussetzung einer derartigen Funktionalität der Massenkommunikation innerhalb einer demokratischen Gesellschaft insbesondere für die Aktivitätsbereiche »Information« und »Praktische Hilfe« folgendes realisiert sein muß: »1. (Die Massenmedien) müssen so organisiert und strukturiert sein, daß eine Vielfalt der Berichterstattung und Kommentierung möglich ist; 2. die von ihnen artikulierte Vielfalt muß im Prozeß der Meinungs- und Willensbildung wirksam werden können.« [123] Denn – so argumentieren Wildenmann und Kaltefleiter weiter – erst wenn zumindest diese Bedingungen erfüllt sind, läßt sich sinnvoll postulieren, daß die Massenmedien in sich den Pluralismus der Gesellschaft reproduzieren, den einzelnen durch Teilnahme an jenem Pluralismus zu rationalen, weil auf Einsicht in die Zusammenhänge des sozialen Geschehens beruhenden Urteilen befähigen und selbst – als öffentliche Institutionen – in den Gang politischer Entscheidungen eingreifen [124]. Neben den von Wildenmann und Kaltefleiter genannten strukturellen Voraussetzungen müssen allerdings noch zwei weitere Bedingungen gegeben sein, wenn die Aktivitäten der Massenmedien und damit die Massenkommunikation für ein demokratisches System funktional sein sollen: Es muß nämlich garantiert sein, daß – in bezug auf das durch Massenmedien Kommunizierte – die gesellschaftsrelevante, rationale Entscheidungen der Bürger erlaubende Information nicht mit der spannungslösenden, konfliktentschärfenden Unterhaltung kollidiert, und es muß zum anderen gesichert sein, daß die demokratische Aufgabe der Massenmedien nicht von deren materiellen Existenzbedingungen in Frage gestellt wird.

Auch die Beiträge, die die einzelnen Aktivitätsbereiche der Medien zur Funktionalität der Massenkommunikation innerhalb einer demokratisch organisierten Gesellschaft leisten sollen, lassen sich sinnvoll nur unter den angeführten Voraussetzungen benennen. Denn nur unter diesen Voraussetzungen kann für den Bereich »Information« postuliert werden, daß er zu bewirken habe: (1) Orientierung und Aufklärung über die wesentlichen, die grundlegenden Postulate eines demokratischen Wertesystems betreffenden gesellschaftlichen Probleme; (2) Bildung einer rational begründbaren Mei-

---

122 Vgl. dazu A. Downs, a. a. O., S. 202 ff.; H. Hyman, Mass Media and Political Socialisation, in: L. W. Pye (ed.), Communication and Political Development, Princeton 1963, S. 128 ff. und I. de Sola Pool, The Mass Media and Politics in the Modernization Process, in: ebenda, S. 234 ff.

123 R. Wildenmann, W. Kaltefleiter, Funktionen der Massenmedien, Frankfurt Bonn 1965, S. 44; vgl. dazu K. Loewenstein, a. a. O., S. 362.

124 Vgl. dazu F. Ronneberger, Massenkommunikationsmittel, Parteien und Verbände, in: C.-P. Gerber, M. Stosberg, Die Massenmedien und die Organisation politischer Interessen, Bielefeld 1969, S. 140 ff.; W. Ph. Davison, The Public Opinion Process, in: Public Opinion Quarterly 2–1958, S. 91 ff.; D. W. Minor, Public Opinion in the perspective of political theory, in: Western Political Quarterly 2–1960, S. 31 ff.

nung des einzelnen zu bestimmten gesellschaftlichen Tatbeständen und Herstellung eines demokratisch-orientierten öffentlichen Konsensus über diese Tatbestände; (3) Kritik und Kontrolle – im Namen einer so konstituierten Öffentlichkeit – von Persönlichkeiten, Institutionen, Normen und Wertvorstellungen [125]. Genauso kann dem Bereich »Praktische Hilfe« allein bei Beachtung der zuvor angedeuteten Bedingungen abverlangt werden, daß er einerseits den einzelnen in seinen privaten Ambitionen und Problemen durch ein Angebot von Anpassungs- und Entscheidungshilfen unterstützt und ihn durch Vermittlung alltagspraktischer Verhaltensmuster eine Grundlage für die rationale Gestaltung seiner interindividuellen Beziehungen gibt und daß er andererseits Aktionen initiiert, die nicht nur den einzelnen zur tatkräftigen Mitarbeit an gesellschaftlichen Problemen mobilisieren, sondern selbst Beispiele dafür geben, wie solche Probleme angegangen und gelöst werden können [126]. Die unterhaltende Aktivität schließlich kann auch nur bei Berücksichtigung der angesprochenen Bedingungen die ihr – im Rahmen der demokratischen Aufgabe von Massenkommunikation – zugewiesenen Wirkungen erreichen: nämlich einmal die mit angenehmen Mitteln vorgenommene und darum schonende Gewöhnung des einzelnen an gesellschaftliche Probleme, die ob ihrer Aggression und Frustration provozierenden Implikationen auf andere Weise angeblich nicht zur Diskussion gestellt werden können; und zum andern die zumindest kurzfristige Befreiung des einzelnen von Spannungen, die in einer vom Pluralismus der Konflikte lebenden Gesellschaft unvermeidbar sind, aber möglicherweise – wenn sie nicht wirksam abgebaut werden – die Entwicklung aggressions- und frustrationstoleranter demokratischer Persönlichkeiten blockieren [127].

125 Vgl. dazu C.-P. Gerber, M. Stosberg, a. a. O., S. 31 ff.; F. Ronneberger, Die politischen Funktionen der Massenkommunikationsmittel: in: Publizistik 4–1964, S. 291 ff.; H. Bauer, Die Presse und die öffentliche Meinung, in: Geschichte und Staat, Band 106, München Wien 1965, S. 64; R. Wildenmann, W. Kaltefleiter, a. a. O., S. 10 und 15 ff.

126 Vgl. dazu W. Schramm, How Communication works, a. a. O., S. 13; J. Habermas, Strukturwandel . . ., a. a. O., S. 190; J. T. Klapper, The Effects . . ., a. a. O., S. 204; H. Holzer, Illustrierte und Gesellschaft, Freiburg 1967, S. 58 ff.

127 Vgl. dazu R. Clausse, Publikum und Information, Köln 1962, S. 11; E. Feldmann, Theorie der Massenmedien, a. a. O., S. 164; H. Meyn, a. a. O., S. 9; Ch. R. Wright, Functional Analysis . . ., a. a. O., S. 101; H. Mendelsohn, Mass Entertainment, New Haven 1966, S. 49–50.

3 Systematische Entfaltung des Verhältnisses von Massenkommunikation und Demokratie in der Bundesrepublik

Die hier kurz referierten Argumente des massenkommunikationssoziologischen Funktionalismus werfen – insbesondere wenn man sie der früher gegebenen Skizze der aktuellen gesellschaftlichen Problematik, wie sie sich für das Verhältnis von Massenkommunikation und Demokratie in der Bundesrepublik stellt, konfrontiert – sofort die Frage nach ihrer Realitätsgerechtheit auf. Diese soll im folgenden schrittweise beantwortet werden: erstens indem gezeigt wird, wie jene theoretische Konzeption dem institutionalisierten Selbstverständnis der bundesrepublikanischen Demokratie – also dem Grundgesetz beziehungsweise dem dort fixierten System der wesentlichen Verfassungsprinzipien – entspricht; zweitens indem analysiert wird, inwieweit das grundgesetzlich festgehaltene Demokratieverständnis und damit entscheidende Argumente der referierten soziologischen Demokratieforschung aufgrund der faktischen Bedingungen politischer Herrschaft und ökonomischer Organisation in der Bundesrepublik zu relativieren sind; und drittens indem dargestellt wird, wie sich unter diesen Bedingungen der theoretisch formulierte, institutionell fixierte Anspruch an Massenkommunikation als funktionalem Bestandteil einer Demokratie ausnimmt.

1 Die grundgesetzliche Institutionalisierung von Massenkommunikation

Bei seiner Interpretation des Grundgesetzes geht Wolfgang Abendroth davon aus, daß Verfassungen Systeme »von Normen, Organisationsbestimmungen und Rechtsgrundsätzen sind«, die »die künftige Rechtsentwicklung und die künftige Entwicklung der Gesellschaft leiten«[1] wollen. Solchen Systemen, die die bestimmenden Organisationsprinzipien einer Gesellschaft und die daraus ableitbaren generellen Modi individueller wie kollektiver Existenz formalisieren[2], können drei Funktionen zugewiesen werden: »Sie sollen erstens die öffentliche Gewalt des politischen Gemeinwesens, für das sie gelten, organisieren, ihre Organe konstituieren, deren Funktionen gegeneinander ab-

---

1 W. Abendroth, Das Grundgesetz, Pfullingen 1966, S. 12.
2 Vgl. dazu P. M. Blau, a. a. O., S. 280–281.

grenzen und ihr Zusammenspiel so ordnen, daß sich die Willensbildung dieses politischen Verbandes eindeutig erkennen läßt. Sie wollen zweitens die Rechtsbildung in diesem politischen Verband sowohl hinsichtlich der Regelung des Verhältnisses zwischen öffentlicher Gewalt und den ihr eingeordneten Rechtssubjekten als hinsichtlich der Beziehungen zwischen diesen Rechtssubjekten in ihrem Geltungsbereich regulieren, also den Gesetzgebungsprozeß ... festlegen. Sie wollen drittens Grundentscheidungen für die jeweils aktuelle wie die künftige Rechtsentwicklung ... treffen, die durch die Aufnahme in das Verfassungsrecht späterer Veränderung durch entgegenstehende Willensbildungsprozesse in der Gesellschaft oder in der öffentlichen Gewalt in anderer Form als derjenigen der Verfassungsänderung ... entzogen werden sollen.«[3] Das Grundgesetz versucht diesen Anforderungen dadurch zu entsprechen, daß es in seinen Artikeln einmal die Merkmale der Staatsform sowie die Elemente der verfassungsmäßigen Ordnung der Bundesrepublik Deutschland fixiert und zum andern die dieser Ordnung entsprechenden gesetzgebenden, rechtsprechenden, verwaltenden Institutionen und deren Verfahrensweisen festlegt.

(a) Die freiheitlich-demokratische Grundordnung und ihre Prinzipien:
Demokratie, Sozialstaatlichkeit, Rechtsstaatlichkeit

In den Artikeln 20 und 28 des Grundgesetzes[4] wird die Bundesrepublik als »demokratischer und sozialer Bundesstaat« sowie als »republikanischer, demokratischer und sozialer Rechtsstaat« apostrophiert. Nach Artikel 79/3 des Grundgesetzes sind Staatsform[5] – republikanischer Bundesstaat – und verfassungsmäßige Ordnung – Demokratie, Sozialstaat, Rechtsstaat – nicht veränderbar[6]. Die Termini »Republik« und »Bundesstaat« sind dabei hinsichtlich der verfassungsrechtlichen Auslegung relativ unproblematisch: Republik bedeutet die Negation der Monarchie, generell des diktatorischen Obrigkeitsstaates[7]; Bundesstaat meint die föderalistische Struktur der Bundesrepublik, den Zusammenhang von Gesamtstaat und Gliedstaaten, das Verhältnis der Zentralgewalt des Bundes zur originären Staatsgewalt der Länder[8]. Schwieriger wird es bei der Auslegung dessen, was das Grundgesetz verfassungsmäßige Ordnung

3 W. Abendroth, a. a. O., S. 11–12.

4 Das Grundgesetz wird hier nach G. Leibholz, H. J. Rinck, Grundgesetz, Köln 1968 (3. Auflage), S. 37 ff. und soweit es seine Modifikation durch das Siebzehnte Gesetz zur Ergänzung des Grundgesetzes vom 24. Juni 1968 betrifft – nach D. Sterzel (ed.), Kritik der Notstandsgesetze, Frankfurt 1968, S. 210 ff., zitiert.

5 Vgl. dazu H. Schulz-Schaeffer, Die Staatsform der Bundesrepublik Deutschland, Berlin München 1966.

6 Formal garantiert Artikel 79/3 zwar nur die Unabänderbarkeit der Artikel 1 und 20, aber über Artikel 20/3 ist auch Artikel 28 geschützt; vgl. dazu H.-J. Schlochauer, a. a. O., S. 12–23.

7 Vgl. dazu Th. Maunz, Deutsches Staatsrecht, München 1968 (16. Auflage), S. 61.

8 Vgl. dazu H.-J. Schlochauer, a. a. O., S. 17 ff.; Th. Maunz, a. a. O., S. 187 ff.;

und – als deren Prinzipien – Demokratie, Sozialstaatlichkeit, Rechtsstaatlichkeit nennt.

Am Beginn des Kommentars zum Grundgesetz, den Leibholz und Rinck anhand der Rechtsprechung des Bundesverfassungsgerichtes zusammengestellt haben, heißt es: »Das GG geht von der Anerkennung gewisser oberster Grundwerte des freiheitlich-demokratischen Verfassungsstaates aus. Diese Grundwerte bilden die freiheitlich-demokratische Grundordnung, die es innerhalb der staatlichen Gesamtordnung der verfassungsmäßigen Ordnung als fundamental ansieht. Dieser Grundordnung liegt letztlich nach der im GG getroffenen verfassungspolitischen Entscheidung die Vorstellung zugrunde, daß der Mensch in der Schöpfungsordnung einen eigenen selbständigen Wert besitzt, und Freiheit und Gleichheit dauernde Grundwerte der staatlichen Einheit sind ... Das GG ist eine wertgebundene Ordnung ..., die den Schutz von Freiheit und Menschenwürde als obersten Zweck allen Rechts anerkennt; sein Menschenbild ist nicht das des selbstherrlichen Individuums, sondern das der in der Gemeinschaft stehenden und ihr vielfältig verpflichteten Persönlichkeit ...«[9] Als zentrale Elemente der freiheitlich-demokratischen Grundordnung gelten: die im Grundgesetz konkretisierten Menschenrechte, die Volkssouveränität, die Gewaltenteilung, die Verantwortlichkeit der Regierung, die Gesetzmäßigkeit der Verwaltung, die Unabhängigkeit der Gerichte, das Mehrparteienprinzip und die Chancengleichheit für alle politischen Parteien mit dem Recht auf verfassungsmäßige Bildung und Ausübung von Opposition[10]. Hans-Jürgen Schlochauer faßt diese Punkte zu den Problemkreisen »der demokratischen Gestaltung des Staatswesens, der Sozialstaatlichkeit und der Rechtsstaatlichkeit«[11] zusammen.

Nach dem Grundgesetz ist die Voraussetzung einer demokratischen Gesellschaft, daß »alle Staatsgewalt ... vom Volke (ausgeht)« (Artikel 20/2 GG). Die damit zusammenhängenden Rechte der Staatsbürger schützt die Verfassung insofern, als sie die Volksvertretungen in Bund und Ländern, Kreisen und Gemeinden aus allgemeinen, unmittelbaren, freien, gleichen und geheimen Wahlen hervorgehen läßt (Artikel 28/1 GG). Das Grundgesetz installiert allerdings keine plebiszitäre, sondern eine repräsentative Demokratie: Die Bevölkerung, als Trägerin der Staatsgewalt, ist bei ihrer Beteiligung am politischen Prozeß vornehmlich auf Wahlen zu repräsentativen Gremien beschränkt; Volksentscheide sind nur für den Fall von Gebietsänderungen (Artikel 29) vorgesehen[12]. Der Interpretation der verfassungsmäßigen Ordnung als repräsentativer Demokratie widersprechen allerdings zwei sonst sehr unterschiedlich argumentierende Autoren: Leibholz und Abendroth weisen nachdrücklich darauf hin, daß eine

G. Leibholz, H. J. Rinck, a. a. O., S. 224 ff.; vgl. dazu weiter das Problem des Subsidiaritätsprinzips bei Th. Maunz, a. a. O., S. 70 f.

9 G. Leibholz, H. J. Rinck, a. a. O., S. 2–3; vgl. dazu Entscheidungen des Bundesverfassungsgerichts, Tübingen 1952 (1. Band)–2, S. 12 und 12, S. 51.

10 Vgl. dazu G. Leibholz, H. J. Rinck, a. a. O., S. 3.

11 H. J. Schlochauer, a. a. O., S. 12.

12 Vgl. dazu H.-J. Schlochauer, a. a. O., S. 13; Th. Maunz, a. a. O., S. 62; G. Leibholz, H. J. Rinck, a. a. O., S. 235.

solche Auslegung der Verfassung problematisch ist. Leibholz meint das deshalb, weil für ihn in den Artikeln 21/1 und 38/1 des Grundgesetzes Widersprüchliches niedergelegt ist: nämlich sowohl ein Bekenntnis zum Parteienstaat wie auch eines zur liberal-repräsentativen Honoratiorendemokratie [13]. Abendroth argumentiert etwas anders, indem er herausstellt, daß das Grundgesetz zwar nur in Artikel 29 ein plebiszitäres Moment enthält, daß aber der im übrigen geleistete Verzicht auf bundesrechtlich relevante Volksabstimmungen durch Grundgesetzänderung [14] jederzeit aufgehoben werden kann [15]. Doch trotz dieser Einwände läßt sich mit einigem Recht die Auffassung vertreten, daß das Grundgesetz deutlich das Bild einer repräsentativen Demokratie entwirft, in der der einzelne primär durch Wahl von Angehörigen einer Partei, die ihn in den parlamentarischen Institutionen vertreten, auf das politische Geschehen Einfluß nimmt [16]. In diesem Sinne bezeichnet Schlochauer dann die Bundesrepublik als »repräsentativ-parlamentarische Demokratie« [17], die gleichzeitig insofern auch »bürgerliche Demokratie« [18] genannt wird, als sie auf einer ausgewogenen Balance zwischen Legislative, Exekutive und Judikative basieren, also nach dem Prinzip der »funktionalen Gewaltenteilung« [19] organisiert sein soll. »Die Gewaltenteilung ist ein tragendes Organisationsprinzip des GG ... Nach dem Prinzip der Teilung der Gewalten, wie es in Art. 20 Abs. II zum Ausdruck kommt, wird die Staatsgewalt durch besondere Organe der Gesetzgebung, der vollziehenden Gewalt und der Rechtsprechung ausgeübt. Dieser Grundsatz ist allerdings nicht streng durchgeführt. Das GG enthält zahlreiche Gewaltverschränkungen und -balancierungen. Dem Verfassungsaufbau der Bundesrepublik entspricht nicht eine absolute Trennung der Gewalten, sondern ihre gegenseitige Kontrolle und Mäßigung ... Seine Bedeutung liegt in der politischen Machtverteilung, dem Ineinandergreifen der drei Gewalten und der daraus resultierenden Mäßigung der Staatsherrschaft ...« [20] Dabei muß bedacht werden, daß laut Grundgesetz die Staatsgewalt unteilbar und somit das Prinzip der Gewaltenteilung eigentlich eines der Gewaltenverteilung ist. Das Verhältnis, in dem aufgrund dieses Prinzips die staatlichen Institutionen der Bundesrepublik zueinander stehen, wird geprägt einmal durch eine intensive Ausgestaltung der Rechtsprechung und zum andern durch eine – bei aller Verantwortlichkeit gegenüber dem Parlament – relativ selbständige politische Entscheidungsgewalt der Regierung [21]. Nach Abendroth wird

13 Vgl. dazu G. Leibholz, Der Strukturwandel der modernen Demokratie, a. a. O.,
S. 112–113.
14 Vgl. dazu Artikel 79/1 und 2 GG.
15 Vgl. dazu W. Abendroth, a. a. O., S. 78.
16 Vgl. dazu Th. Maunz, a. a. O., S. 69 f. und 71.
17 H.-J. Schlochauer, a. a. O., S. 13.
18 H.-J. Schlochauer, a. a. O., S. 13; Th. Maunz, a. a. O., S. 64.
19 W. Abendroth, a. a. O., S. 77.
20 G. Leibholz, H. J. Rinck, a. a. O., S. 240.
21 Vgl. dazu H.-J. Schlochauer, a. a. O., S. 16; G. Leibholz, H. J. Rinck, a. a. O.,
S. 241.

die funktionale Gewaltenteilung mit der verfassungsrechtlichen Legalisierung der Parteien durch eine soziale ergänzt[22]. Die soziale Gewaltenteilung beruht auf dem pluralistischen System der politischen Parteien und dessen – insbesondere die Auseinandersetzung von Regierung und Opposition charakterisierende – Balance zwischen Konsensus und Konflikt[23] sowie auf dem Zusammenspiel dieses Systems mit der »öffentlichen Meinung, den Gewerkschaften, Vereinigungen nicht parteipolitischer Art, aber auch der Regierung und Behördenorganisation nach Maßgabe ihrer Zuständigkeiten«[24]. Letzteres ergibt sich nicht nur aus Artikel 21/I/1 des Grundgesetzes, der den Parteien nur ein Mitwirkungsrecht bei der, aber kein Monopol auf die politische Willensbildung einräumt: Es folgt auch aus Artikel 17 der Verfassung, der jedermann – und über Artikel 19/3 auch juristischen Personen – die Eingabe von Petitionen an die zuständigen Stellen und die Volksvertretungen zusichert[25]. Nur bei Unterstellung des Zusammenwirkens von Parteien und anderen gesellschaftlichen Gruppierungen wird auch der Entscheid des Bundesverfassungsgerichtes sinnvoll, daß »das Recht des Bürgers auf Teilhabe an der politischen Willensbildung ... sich in einer lebendigen Demokratie nicht nur in der Stimmabgabe bei den Wahlen (äußert), sondern auch in der Einflußnahme auf den ständigen Prozeß der politischen Meinungsbildung ...«[26].

Das zweite Merkmal der verfassungsmäßigen Ordnung – die Sozialstaatlichkeit – ist in den Artikeln 20 und 28 des Grundgesetzes festgehalten, wo die Bundesrepublik als ein »sozialer Bundesstaat« beziehungsweise »demokratischer und sozialer Rechtsstaat« apostrophiert wird. Dieses »Bekenntnis zum Sozialstaat«[27] impliziert jedoch keine eindeutige Entscheidung für ein bestimmtes Wirtschaftssystem, eine bestimmte Sozialordnung – »insbesondere nicht für die soziale Marktwirtschaft«[28]. »Die gegenwärtige Wirtschafts- und Sozialordnung ist zwar eine nach dem GG mögliche Ordnung, keineswegs aber die allein mögliche. Sie beruht auf einer vom Willen des Gesetzgebers getragenen wirtschafts- und sozialpolitischen Entscheidung, die durch eine andere Entscheidung ersetzt oder durchbrochen werden kann.«[29] Während allerdings Leibholz und Rinck aufgrund eines Bundesverfassungsgerichtsurteils eine mögliche Transformation der bestehenden Gesellschaftsordnung in eine sozialistische verneinen[30], meint Abendroth: »Die Formel vom demokratischen und sozialen Rechtsstaat – darf ... nicht in einer Weise interpretiert werden, die ... die Unzulässigkeit sozialisti-

22 Vgl. dazu W. Abendroth, a. a. O., S. 77.
23 Vgl. dazu G. Leibholz, H. J. Rinck, a. a. O., S. 14; Th. Maunz, a. a. O., S. 73 ff.
24 Th. Maunz, a. a. O., S. 77.
25 Vgl. dazu W. Abendroth, a. a. O., S. 80.
26 G. Leibholz, H. J. Rinck, a. a. O., S. 239; vgl. dazu Entscheidungen ..., a. a. O., 8, S. 68.
27 G. Leibholz, H. J. Rinck, a. a. O., S. 236.
28 G. Leibholz, H. J. Rinck, a. a. O., S. 236.
29 G. Leibholz, H. J. Rinck, a. a. O., S. 236; vgl. dazu Th. Maunz, a. a. O., S. 151.
30 Vgl. dazu G. Leibholz, H. J. Rinck, a. a. O., S. 232 f.

scher Maßnahmen behauptet.«[31] Leibholz–Rinck und Abendroth stimmen jedoch darin überein, daß der Staat durch das Sozialstaatsprinzip verpflichtet ist, für einen Ausgleich der gesellschaftlichen Gegensätze und damit für eine gerechte Sozialordnung zu sorgen[32]. Was soziale Gerechtigkeit hier heißt, umschreibt Theodor Maunz folgendermaßen: »Soziale Gerechtigkeit ist jenes Verteilungsprinzip, das jeder Schicht oder Gruppe in der Bevölkerung die ihr zukommenden Rechte einräumt, insbesondere die wirtschaftliche und kulturelle Lebensfähigkeit auf einem angemessenen Niveau (Standard). Sozial ist demnach ein allgemeines Programm für den Gesetzgeber, das in Zusammenhang gestellt werden muß mit der Koalitionsfreiheit (Art. 9), mit dem Ausschluß des Arbeitszwanges (Art. 12), mit der Pflichtigkeit des Eigentums (Art. 14) und mit der Vergesellschaftung von Grund und Boden, Naturschätzen und Produktionsmitteln (Art. 15), das aber über alle diese Einzelforderungen noch hinausgeht, wohl auch ein (nicht detailliertes) Bekenntnis zum betrieblichen Mitbestimmungsrecht ablegt, obschon dieses an keiner Stelle des GG ausdrücklich genannt ist.«[33]

In seiner Abhandlung ›Rechtsstaat und Grundrechte im Wandel des modernen Freiheitsverständnisses‹ stellt Hans Maier das problematische und oft problematisierte Spannungsverhältnis heraus, in dem das Prinzip der Sozialstaatlichkeit zu dem dritten Grundelement der verfassungsmäßigen Ordnung – der Rechtsstaatlichkeit – steht: ». . . in der . . . Kennzeichnung der Bundesrepublik als eines sozialen Rechtsstaates . . . oder eines sozialen Bundesstaates . . . stoßen freiheitsverbürgende und sozial-gewährende Programmatik . . . aufeinander.«[34] Diese Kollision – beziehungsweise ihre Möglichkeit – resultiert aus den scheinbar divergierenden Intentionen, die die Prinzipien der Rechtsstaatlichkeit und der Sozialstaatlichkeit enthalten: Rechtsstaatlichkeit impliziert als wesentliches Moment, daß die staatlichen Institutionen an Recht gebunden, die Bürger gegen rechtswidrige Ausübung von Hoheitsfunktionen geschützt sind[35]; Sozialstaatlichkeit hingegen ist gebunden an eine Leistungsverwaltung, die permanent den Bereich der grundgesetzlich verbürgten Freiheiten des einzelnen einschränkt[36]. Maier betont jedoch, daß ein Stehenbleiben bei dieser vordergründigen Dichotomie sowohl verfassungsrechtlich wie politisch bedenklich ist, da ein Verzicht auf soziale Gerechtigkeit eine Negation des Rechtsstaates bedeuten würde. Er stimmt so Ernst

31 W. Abendroth, a. a. O., S. 66.
32 Vgl. dazu G. Leibholz, H. J. Rinck, a. a. O., S. 86; W. Abendroth, a. a. O., S. 64–65; Th. Maunz, a. a. O., S. 68; H.-J. Schlochauer, a. a. O., S. 14–15; vgl. dazu weiter W. Hamel, Die Bedeutung der Grundrechte im sozialen Rechtsstaat, Berlin 1957, S. 28.
33 Th. Maunz, a. a. O., S. 69; vgl. dazu W. Abendroth, a. a. O., S. 66–67.
34 H. Maier, Rechtsstaat und Grundrechte im Wandel des modernen Freiheitsverständnisses, in: H. Maier, Politische Wissenschaft in Deutschland, München 1969, S. 209; vgl. dazu H.-J. Schlochauer, a. a. O., S. 15; Th. Maunz, a. a. O., S. 67.
35 Vgl. dazu H.-J. Schlochauer, a. a. O., S. 15; Th. Maunz, a. a. O., S. 65–66.
36 Vgl. dazu H. Maier, a. a. O., S. 209; vgl. dazu weiter K. Loewenstein, a. a. O., S. 343.

Rudolf Huber zu, wenn dieser sagt: »Der moderne Staat ist Verfassungsstaat in dem Maß, in dem er sich als Rechtsstaat und Sozialstaat bewährt.«[37] Maunz argumentiert ähnlich; für ihn ist – genauso übrigens wie für Leibholz–Rinck, Abendroth und Schlochauer – im Grundgesetz nicht nur Rechtsstaatlichkeit im formellen, sondern auch im materiellen Sinne impliziert, und das bedeutet: die Bundesrepublik soll »Gesetzesstaat« und »Gerechtigkeitsstaat« in einem sein[38]. Für ein in diesem Sinne verstandenes Prinzip »Rechtsstaatlichkeit« sind folgende Kriterien zusammengestellt worden: (1) die bereits diskutierte Gewaltenteilung; (2) die Gewähr persönlicher Grundrechte; (3) der Begriff des formellen Gesetzes (Mitwirkung der Volksvertretung; Generalität der Norm; Bindung des Gesetzgebers an die bestehenden Gesetze); (4) die Gesetzmäßigkeit von Justiz und Verwaltung (Bindung von vollziehender Gewalt und Rechtsprechung an Gesetz / = gesetztes Recht / und Recht / = aus sinnvoll ausgelegter Gesamtstruktur des Grundgesetzes ableitbare Sätze der Verfassungsrechtsordnung /); (5) Voraussehbarkeit und Vorausberechenbarkeit der staatlichen Handlungen; (6) der justizförmige Rechtsschutz des einzelnen durch sachlich und persönlich unabhängige Richter[39]. Im Hinblick auf die Fixierung dieser Kriterien in den Artikeln 1/3 (Wirkung der Grundrechte), 20/2 (Gewaltenteilung), 20/3 (Rechtsbindung der staatlichen Institutionen), 100/1 (Pflicht der Gerichte, Verfassungsmäßigkeit von Gesetzen zu prüfen), 19/4 (Garantie des Rechtsweges bei Ansprüchen aufgrund von Amtspflichtverletzungen) läßt sich dann sagen: »Das GG enthält eine klare Entscheidung für die Rechtsstaatlichkeit in diesem . . . Sinne. Sie gehört zum positiv-rechtlichen Inhalt der Verfassung . . .«[40]

(b) Das Grundrechtssystem

In seinem Buch ›Gesellschaft und Demokratie in Deutschland‹ merkt Dahrendorf an, daß »der Erwartungshorizont der Staatsbürgerrolle . . . in der Bundesrepublik . . . vor allem durch die . . . Institution einklagbarer Grundrechte vernehmlich gefestigt (wird)«[41]. In der Tat wird den Grundrechten schon durch die formale Anlage des Grundgesetztextes ein gewisser Vorrang gegenüber den Bestimmungen des Staatsaufbaus und der Staatsaufgaben eingeräumt. Allerdings reguliert nicht nur der den übri-

37 E. R. Huber, Zur Problematik des Kulturstaates, Tübingen 1958, S. 4; vgl. dazu H. Maier, a. a. O., S. 209–210.

38 Vgl. dazu Th. Maunz, a. a. O., S. 66; G. Leibholz–Rinck, a. a. O., S. 246 ff.; H.-J. Schlochauer, a. a. O., S. 15; W. Abendroth, a. a. O., S. 68 ff.; vgl. dazu weiter W. Hamel, a. a. O., S. 28.

39 Vgl. dazu Th. Maunz, a. a. O., S. 64 ff.; H.-J. Schlochauer, a. a. O., S. 15 ff.; G. Leibholz, H. J. Rinck, a. a. O., S. 246 ff.

40 Th. Maunz, a. a. O., S. 66; vgl. dazu G. Leibholz, H. J. Rinck, a. a. O., S. N 90.

41 R. Dahrendorf, Gesellschaft und Demokratie in Deutschland, München 1965, S. 466.

gen Grundgesetzartikeln vorgeordnete Grundrechtskatalog das Verhältnis der natürlichen Personen, Personengruppen und juristischen Personen zum Staat, sondern das Insgesamt der Vorschriften, die Grundrechte, Staatsbürgerrechte und institutionelle Garantien enthalten [42]. Dieser erweiterte Grundrechtskatalog läßt sich mit Karl Loewenstein zweifellos als »der Wesenskern des politischen Systems der konstitutionellen Demokratie« [43] bezeichnen. Dabei ist zu bedenken, daß die Grundrechte stets in Relation zu der von der Verfassung gemeinten Gesellschaftsordnung, zum demokratischen und sozialen Rechtsstaat also, gesetzt werden müssen, da sie »nicht nur die Rechtsbeziehungen der Menschen, sondern ein Gefüge von Rechtsgütern (schützen), die die Gemeinschaft konstituieren« [44]. Der hier von Walter Hamel herausgestrichene Systemcharakter des Grundrechtskatalogs wird auch von Abendroth betont, der explizit von einem »Grundrechtssystem« [45] spricht, um auf den spezifischen Zusammenhang der Grundrechtssätze hinzuweisen. Dieser Zusammenhang wird allerdings etwas verschleiert durch die Widersprüchlichkeit der Anschauungen, die die Grundrechte ideologisch fundieren: »Dem Bonner Grundrechtskatalog liegen vorzugsweise Ideen des staatspolitischen (frühen) Liberalismus zugrunde. In den Art. 1, 6 und 7 wird man wohl auch einige Gedanken christlich-naturrechtlichen Gehalts, in den Art. 9 und 12 vielleicht solche sozialistischer Herkunft entdecken können.« [46] Loewenstein hat den Grund für diese Widersprüchlichkeit benannt: »Dem steigenden Druck nachgebend und um eine gewaltsame Explosion zu verhüten, sah sich der Kapitalismus des freien Unternehmertums gezwungen, die Forderung der Massen auf wirtschaftliche Besserstellung und soziale Gerechtigkeit Schritt für Schritt zu erfüllen.« [47] Ergebnis dieser Entwicklung ist die im Grundgesetz sichtbar werdende Ergänzung der klassischen individuellen Freiheitsrechte durch wirtschaftliche und soziale Grundrechte, die nicht Freiheit vom und Schutz gegen den Staat bieten, sondern Ansprüche des einzelnen oder einer Gruppe an den Staat enthalten. Beide Formen von Grundrechten, sowohl die individuelle Freiheit sichernden wie die staatliche Leistungen garantierenden, haben allerdings die nämliche Aufgabe, den gleichen verfassungspolitischen Sinn – sie sollen »die Funktionen der Freiheit, die Gemeinschaft und Staat konstituieren« [48], schützen. Das heißt: Wesentliche Voraussetzung einer funktionierenden Demokratie ist ein intaktes Grundrechtssystem [49]. Denn eine Gesellschaft kann nur demokratisch genannt werden, »wenn die Staatsgewalt vom Volke ausgeht, also die Individuen ...

42 Vgl. dazu H.-J. Schlochauer, a. a. O., S. 36.
43 K. Loewenstein, a. a. O., S. 335.
44 W. Hamel, a. a. O., S. 7.
45 W. Abendroth, a. a. O., S. 68; vgl. dazu Th. Maunz, a. a. O., S. 103.
46 Th. Maunz, a. a. O., S. 89; vgl. dazu W. Abendroth, a. a. O., S. 69; H.-J. Schlochauer, a. a. O., S. 36–37.
47 K. Loewenstein, a. a. O., S. 343.
48 W. Hamel, a. a. O., S. 20.
49 Vgl. W. Abendroth, a. a. O., S. 73 ff.

an dieser Willensbildung der öffentlichen Gewalt teilnehmen, sich frei versammeln (Art. 8) und zusammenschließen (Art. 9), sich frei und unkontrolliert bewegen (Art. 11) und frei und unkontrolliert korrespondieren können, wenn sie auch im Arbeits- und Berufsleben keinem Zwang ausgesetzt sind (Art. 12), wenn sie also ihre Persönlichkeit – in der und für die Mitwirkung an der Willensbildung des Staates – frei entfalten können (Art. 2), und wenn diese Freiheit die Gleichberechtigung respektiert (Art. 3)«[50]. Ausgehend von Artikel 1 des Grundgesetzes sind die Grundrechte unter dem Aspekt zu interpretieren, daß die Würde des Menschen unantastbar, durch den Staat zu achten und zu schützen ist; das erfordert ein System unverletzlicher und unveräußerlicher Menschenrechte und die Bindung von Exekutive, Legislative und Judikative an die Grundrechte als unmittelbar geltende Rechtssätze. »Die Leitnorm für die Auslegung der Grundrechte bildet der an den Anfang des Grundgesetzes gestellte allgemein verbindliche Satz, daß die Würde des Menschen unantastbar sowie sie zu achten und zu schützen die Verpflichtung aller staatlichen Gewalt ist ... Der Schutz der Menschenwürde ist kein Grundrecht, sondern einer der nach Art. 79, III unveränderlichen Faktoren der verfassungsmäßigen Ordnung, mit dem die Auslegung und Anwendung aller Rechtssätze ... in Einklang stehen müssen.«[51] Damit erhebt das Grundgesetz die freie menschliche Persönlichkeit und ihre Würde zum höchsten Rechtswert[52]. Artikel 2 des Grundgesetzes, in dem die Freiheit der Person, ihr Recht auf Leben und körperliche Unversehrtheit proklamiert wird, bestätigt das[53]. Da das Grundgesetz jedem den Anspruch auf menschenwürdige Existenz und freie Entfaltung seiner Persönlichkeit zubilligt, ist das in Artikel 3 niedergelegte Prinzip der Gleichbehandlung aller ein selbstverständliches Postulat. Nach Leibholz–Rinck ist die Gleichheit vor dem Gesetz ein derart entscheidender Bestandteil der verfassungsmäßigen Ordnung, »daß auf den überpositiven Rechtsgrundsatz zurückgegriffen werden müßte, wenn der Gleichheitssatz nicht in Art. 3 geschriebenes Verfassungsrecht geworden wäre«[54]. Die ersten drei Artikel des Grundgesetzes beinhalten so die fundamentalen Postulate der bundesrepublikanischen Verfassung, die in den anderen Grundrechtsnormen konkretisiert werden. Diese Artikel nehmen deshalb auch den Status von Menschenrechten ein – von Rechten also, die jedem Rechtssubjekt zustehen, das der öffentlichen Gewalt der Bundesrepublik unterliegt. Ergänzt werden die im Grundgesetz fixierten Menschenrechte

50 W. Abendroth, a. a. O., S. 75; vgl. dazu G. Leibholz, Freiheitliche demokratische Grundordnung und das Bonner Grundgesetz, in: G. Leibholz, Strukturprobleme ..., a. a. O.
51 H.-J. Schlochauer, a. a. O., S. 38; vgl. dazu W. Abendroth, a. a. O., S. 69 und 70; G. Leibholz, H. J. Rinck, a. a. O., S. 45; Th. Maunz, a. a. O., S. 106.
52 Vgl. dazu G. Leibholz, H. J. Rinck, a. a. O., S. 46; Entscheidungen ..., a. a. O., S. 12–53; W. Hamel, a. a. O., S. 35.
53 Vgl. dazu G. Leibholz, H. J. Rinck, a. a. O., S. 48; W. Hamel, a. a. O., S. 36.
54 G. Leibholz, H. J. Rinck, a. a. O., S. 62; vgl. dazu Entscheidungen ..., a. a. O., 1–S. 233.

durch die sogenannten »Bürgerrechte«[55] oder »Grundrechte im engeren Sinne«[56]; das sind Rechte, die allein den Staatsbürgern zukommen.

Aufgabe der Grundrechte[57], die so nicht nur im ersten Teil des Grundgesetzes stehen und zusätzlich noch durch drei Grundrechte der Konvention zum Schutz der Menschenrechte und Grundfreiheiten (von den Europarat-Staaten 1950 vereinbart) vermehrt werden[58], ist die Garantierung des status negativus und des status activus des einzelnen: »Während insbesondere die aus den liberalen Freiheitsrechten übernommenen Menschen- und Grundrechte in erster Linie die private Rechtssphäre vor Eingriffen sichern sollen und insoweit einen status negativus des einzelnen schaffen, begründen die Staatsbürgerrechte im engeren Sinne Mitwirkungsrechte im Staatswesen ... und den status activus des Staatsbürgers ... Eine weitere Kategorie von Rechten, die von den Staatsbürgerrechten zu unterscheiden ist und bisweilen unzutreffenderweise zu den Grundrechten gezählt wird, umfaßt Ansprüche der Bürger auf Teilnahme an öffentlichen Einrichtungen der staatlichen Gemeinschaft oder auf positive Leistungen des Staates. Diese Rechte ... bilden die Grundlage des status positivus des Bürgers.«[59] Der konstitutiven Funktion der Grundrechte für eine demokratische Gesellschaft wird dadurch entsprochen, daß Menschen- und Staatsbürgerrechte mit ausgiebigen Bestands- und Rechtsschutzgarantien versehen sind und daß nach Artikel 19, 2 bei einer Einschränkung dieser Rechte »in keinem Falle ein Grundrecht in seinem Wesensgehalt angetastet werden (darf)«.

In enger Beziehung zu den Grundrechten steht noch eine weitere Kategorie von Verfassungsvorschriften: die der institutionellen Garantien[60], der verfassungsrechtlichen Verbürgungen öffentlicher Einrichtungen[61]. Die institutionellen Garantien begründen keine Individualrechte, sondern sie geben solchen Institutionen verfassungsrechtliche

55 W. Abendroth, a. a. O., S. 70.
56 H.-J. Schlochauer, a. a. O., S. 38; vgl. zu weiteren Möglichkeiten, die Grundrechte zu klassifizieren, Th. Maunz, a. a. O., S. 89 ff.; vgl. dazu weiter W. Abendroth, a. a. O., S. 71–72.
57 Vgl. zu der Veränderung einzelner Artikel durch die sogenannten Notstandsgesetze D. Sterzel, a. a. O., S. 210 ff.
58 Es sind dies: Verbot der unmenschlichen Behandlung; Verbot der Sklaverei und der Zwangsarbeit; Recht auf freie Wahl des Ehegatten: Artikel 3, 4 und 12 der Konvention; vgl. dazu H.-J. Schlochauer, a. a. O., S. 37; Th. Maunz, a. a. O., S. 102.
59 H.-J. Schlochauer, a. a. O., S. 45; vgl. dazu Th. Maunz, a. a. O., S. 92. Unter »Staatsbürgerrechten im engeren Sinne« versteht man zumeist die Artikel 33 und 38, obwohl sich sicher sagen läßt, daß alle Grundrechte notwendige Bedingungen für Entwicklung und Existenz von demokratischen Persönlichkeiten sind.
60 Vgl. zu dem Folgenden Th. Maunz, a. a. O., S. 95 ff.; H.-J. Schlochauer, a. a. O., S. 46 ff.; D. Czajka, Pressefreiheit und öffentliche Aufgabe der Presse, Stuttgart 1968, S. 90 ff. und 98 ff.; H. Windsheimer, Die »Information« als Interpretationsgrundlage für die subjektiven öffentlichen Rechte des Art. 5 Abs. 1 GG, Berlin 1968, S. 101 ff.
61 Von diesen Garantien sind die Ordnungsgarantien – auch Institutsgarantien genannt – zu unterscheiden, die zur Sicherung von Ehe und Familie, von Einrichtungen des Schulwesens sowie von Elementen einer Wirtschafts- und Kulturordnung dienen.

Bestandssicherung, die die Ausübung jener Individualrechte ermöglichen sowie den Zusammenhang zwischen den einzelnen Staatsbürgern und den staatlichen Instanzen herstellen: wie Parteien, kommunale Selbstverwaltung, Berufsbeamtentum, Gerichte, kulturelle Einrichtungen und Religionsgesellschaften.

(c) Artikel 5 des Grundgesetzes und seine Auslegung

Nach der zuvor angeführten Klassifizierung der Grundrechte hat Artikel 5 des Grundgesetzes [62] den Status eines Menschenrechtes. »Das Grundrecht der freien Meinungsäußerung ist als unmittelbarster Ausdruck der menschlichen Persönlichkeit in der Gesellschaft eines der vornehmsten Menschenrechte überhaupt.«[63] Laut Entscheidung des Bundesverfassungsgerichtes gilt Artikel 5 als konstituierender Bestandteil der freiheitlich-demokratischen Grundordnung und als Garant für die freie Bildung einer öffentlichen Meinung [64]. Dabei wird dieser Artikel nicht nur deshalb als konstitutiv für die verfassungsmäßige Ordnung angesehen, weil er die freie Meinungsäußerung des einzelnen, sondern auch deswegen, weil er dessen Möglichkeit, sich umfassend zu informieren, sichert [65]. Eine solche Interpretation von Artikel 5 als »Wesensbestandteil eines demokratischen Staates«[66] schließt ein, daß er in seinem Kern selbst mit verfassungsändernder Mehrheit nicht beseitigt werden kann – Artikel 5 gehört dann zu den Grundsätzen, die in Artikel 20 des Grundgesetzes fixiert und durch Artikel 79, 3 der Abänderung entzogen sind [67]. Das Grundgesetz erkennt damit an, daß – im Rahmen der Vorschriften zum Jugend- und Ehrenschutz sowie zur Wahrung der freiheitlich-demokratischen Grundordnung und innerhalb der Schranken der allgemeinen Gesetze [68] – »Presse, Funk und Film in der industriellen Großgesellschaft lebens-

62 Die in diesem Zusammenhang wichtigen Absätze 1 und 2 des Artikels lauten: »(1) Jeder hat das Recht, seine Meinung in Wort, Schrift und Bild frei zu äußern und zu verbreiten und sich aus allgemein zugänglichen Quellen ungehindert zu unterrichten. Die Pressefreiheit und die Freiheit der Berichterstattung durch Rundfunk und Film werden gewährleistet. Eine Zensur findet nicht statt. (2) Diese Rechte finden ihre Schranken in den Vorschriften der allgemeinen Gesetze, den gesetzlichen Bestimmungen zum Schutze der Jugend und in dem Recht der persönlichen Ehre.«

63 G. Leibholz, H. J. Rinck, a. a. O., S. 122.

64 Vgl. dazu Entscheidungen . . ., a. a. O., 7–S. 208; 12–S. 125; vgl. dazu weiter W. Hamel, a. a. O., S. 18.

65 Vgl. dazu G. Leibholz, H. J. Rinck, a. a. O., S. N 43; Th. Maunz, a. a. O., S. 112 ff.

66 Th. Maunz, a. a. O., S. 114.

67 Vgl. dazu Th. Maunz, a. a. O., S. 115; H.-J. Schlochauer, a. a. O., S. 38.

68 Allgemeine Gesetze im Sinne des Grundgesetzes sind in diesem Zusammenhang § 826 BGB (Schutz aller Rechte und Güter gegen sittenwidrige Angriffe); § 1004 BGB (Abwehrrecht gegen Eigentumsstörungen); §§ 80, 81 StGB (Schutz der verfassungsmäßigen Ordnung); §§ 185 ff. StGB (Ehrenschutzbestimmungen); § 1116, II StPO

notwendige Medien und Faktoren (der) Kommunikation und Kommunifikation sind«[69].

Die bisher zitierten Argumente zu Artikel 5 des Grundgesetzes »sagen zwar etwas über den staatstheoretischen Rang, den verfassungsideologischen Stellenwert des Grundrechtes aus, tragen aber nichts zu seiner Auslegung bei«[70]. Einer spezifizierenden Auslegung von Artikel 5 läßt sich wohl am ehesten durch Beantwortung der Frage näherkommen, welche Art von Recht – Individualrecht auf freie Meinungsäußerung und Informationsfreiheit, das journalistisch Tätigen genauso wie anderen Rechtssubjekten zukommt, oder institutionelle Garantie (und damit ein Sonderrecht) der Massenmedien – diese Verfassungsvorschrift begründet. Verfassungsjuristisch liegt der Unterschied zwischen einem Grundrecht und einer institutionellen Garantie darin, daß das Grundrecht einen individuellen Anspruch, die Garantie eine Gewährleistung objektiven Rechts darstellt, aus der nicht unmittelbar subjektive Rechte abgeleitet werden können[71]. Die durch Artikel 5 gegebene journalistische Freiheit wirft nun das Problem auf, daß – nimmt man zunächst nur den Bereich der Presse – (subjektives) Grundrecht auf Meinungsäußerungs- wie Informationsfreiheit und (objektive) Gewährleistung einer öffentliche Aufgaben verrichtenden Institution nicht auseinanderfallen. »Gegenstand einer Garantie der Presse (ist) nicht eine vom Wirken und Wollen der Rechtssubjekte grundsätzlich unabhängige Einrichtung; diese Einrichtung besteht vielmehr überhaupt nur so lange und insoweit, als die Rechtssubjekte von ihren individuellen Rechten Gebrauch machen. Die Einrichtungsgarantie erweist sich somit als Garantie der Summe jener individuellen Betätigungen, welche die Einrichtung Presse ausmachen, sie ist daher hinsichtlich Umfang und Grenzen identisch mit dem Grundrecht selbst.«[72] Was ist aber dann mit dem Terminus »institutionelle Garantie«, der im vorliegenden Zusammenhang immer wieder in der Literatur auftaucht, gemeint? Zwei neuere Studien, die bereits zitierte von Dieter Czajka und eine von Hans Windsheimer, geben darauf eine gleichlautende Antwort: Hinsichtlich der Presse kann von einer – im strengen Sinne[73] – institutionellen Garantie durch Artikel 5 des Grundgesetzes nicht gesprochen werden. Auch Konrad Hesses »öffentliches Amt«[74], Ulrich

(Verbot des Einzelempfangs von Rundfunksendungen für Untersuchungshäftlinge), vgl. dazu G. Leibholz, H.-J. Rinck, a. a. O., S. 127 ff.

69 A. Arndt, Die Rolle der Massenmedien in der Demokratie, München Berlin 1966, S. 10.

70 D. Czajka, Pressefreiheit und »öffentliche Aufgabe« der Presse, Stuttgart Köln Berlin Mainz 1968, S. 83.

71 Vgl. dazu D. Czajka, a. a. O., S. 91; Th. Maunz, G. Dürig, Grundgesetz (Kommentar), München 1958 ff., Randnote 97 zu Artikel 1, 3 GG.

72 D. Czajka, a. a. O., S. 92.

73 Vgl. dazu C. Schmitt, Freiheitsrechte und Institutionelle Garantien, in: C. Schmitt, Verfassungsrechtliche Aufsätze, Berlin 1958, S. 140 ff.

74 Vgl. dazu K. Hesse, Die verfassungsrechtliche Stellung der politischen Parteien im modernen Staat, in: Veröffentlichungen der Vereinigung deutscher Staatsrechtlehrer 17 – 1959, S. 44.

Scheuners »unentbehrliche Institution«[75] im – zwischen Individuum und Staat lokalisierbaren – »Bereich der Vorformung des politischen Willens«[76] sowie Helmut K. J. Ridders »institutionelle Garantie der öffentlichen Meinung«[77] und der damit gekoppelte Versuch, der Presse einen parteiähnlichen Status zu verschaffen, sind so keine adäquaten Interpretationen des Artikel 5 und seiner Implikationen[78]. Aber, um es noch einmal zu betonen, das heißt nicht, daß Artikel 5 lediglich eine subjektiv-rechtliche, aber keine objektiv-rechtliche Bedeutung zukommt. Mit Leibholz und Rinck läßt sich vielmehr sagen: »Das Grundgesetz gewährleistet in Artikel 5 die Pressefreiheit. Wird damit zunächst – entsprechend der systematischen Stellung der Bestimmung und ihrem traditionellen Verständnis – ein subjektives Grundrecht für die im Pressewesen tätigen Personen und Unternehmen gewährt, das seinen Trägern Freiheit gegenüber staatlichem Zwang verbürgt und ihnen in gewissen Zusammenhängen eine bevorzugte Rechtsstellung sichert, so hat die Bestimmung zugleich eine objektiv-rechtliche Seite. Sie garantiert das Institut Freie Presse. Der Staat ist – unabhängig von subjektiven Berechtigungen einzelner – verpflichtet, in seiner Rechtsordnung überall, wo der Geltungsbereich einer Norm die Presse berührt, dem Postulat ihrer Freiheit Rechnung zu tragen.«[79] Unter Berücksichtigung dieses Sachverhaltes schließt sich deshalb vor allem Czajka den Argumenten von Peter Häberle an[80] und bezeichnet das durch Artikel 5 gewährte Recht als Individualrecht mit »sozialer Funktion«[81]. Damit ist zweierlei gesagt: (1) Das Grundrecht auf freie Meinungsäußerung und Informationsfreiheit ist – gleichgültig ob von Journalisten oder von anderen Bürgern ausgeübt – eine »Wesensvoraussetzung . . . der freiheitlich-rechtsstaatlichen Demokratie«[82] und läßt sich insofern auch als »institutionelle Garantie der Demokratie«[83] ausgeben, wenn feststeht, daß sich dadurch nichts am individual-rechtlichen Charakter des Grundrechts ändert; (2) Artikel 5 kann aber auch in »institutioneller Sicht«[84] interpretiert werden, wenn man einmal

75 U. Scheuner, Die institutionellen Garantien des Grundgesetzes, in: Recht–Staat–Wirtschaft IV – 1953, S. 88.

76 U. Scheuner, Pressefreiheit, in: Veröffentlichungen der deutschen Staatsrechtlehrer 22 – 1965, S. 32.

77 H. K. J. Ridder, Meinungsfreiheit, in: Neumann–Nipperdey–Scheuner, a. a. O., S. 257.

78 Vgl. dazu D. Czajka, a. a. O., S. 109 ff.; H. Windsheimer, Die »Information« als Interpretationsgrundlage für die subjektiven öffentlichen Rechte des Art. 5 Abs. 1 GG, Berlin 1968, S. 101 ff.

79 G. Leibholz, H. J. Rinck, a. a. O., S. N 44; vgl. dazu Entscheidungen . . ., a. a. O., 20–S. 175 f.

80 Vgl. dazu P. Häberle, Die Wesensgehaltsgarantie des Art. 19 Abs. 2 Grundgesetz, Tübingen 1963, S. 8 ff.

81 Vgl. dazu D. Czajka, a. a. O., S. 154.

82 D. Czajka, a. a. O., S. 154.

83 R. Bloch, Der Doppelcharakter der Grundrechte als Schutz des Einzelnen und als institutionelle Garantie der Demokratie, Basel 1954, S. 50.

84 U. Scheuner, a. a. O., S. 70.

beachtet, daß Journalisten nicht als einzelne Staatsbürger ihre Meinung äußern und sich Information verschaffen, sondern als Angehörige festgefügter, mächtiger Organisationen in den Prozeß politischer Willensbildung eingreifen, und wenn man zum andern bedenkt, daß zur Realisierung des Individualrechts des einzelnen auf freie Meinungsäußerung und Informationsfreiheit institutionalisierte Möglichkeiten der Unterrichtung und Diskussion vorhanden sein müssen. Gegen Artikel 5 verstößt demnach »jeder Versuch, die grundsätzliche Chancengleichheit (in der Wahrnehmung der Meinungsäußerungsfreiheit – H. H.) auf irgendeine Weise zu beseitigen und die freie Konkurrenz der Presseerzeugnisse durch Oligopole und Monopole der Meinungsbildung zu ersetzen ... In gleicher Weise ist verfassungswidrig jede Aktion, die darauf hinzielt, etwa wirtschaftliche Macht in Meinungsmacht umzusetzen und damit zu einem Faktor der Meinungsbildung werden zu lassen ...«[85]

Artikel 5 hat somit eine doppelte Funktion: Er sichert die Chance zu, aktiv durch Meinungsäußerung am politischen Geschehen teilnehmen zu können, und er gewährleistet zu diesem Zweck die Gelegenheit, sich umfassend zu informieren. Dabei kann jedoch laut neuerer Auslegungen aus Artikel 5 für die Presse nur deshalb ein Sonderrecht gefordert werden, weil sie in einer technisch anderen Art Meinungen äußert sowie Informationen sammelt und verteilt, als der einzelne Bürger das tut. Windsheimer umschreibt das folgendermaßen: »So unterscheiden sich die private Meinungsäußerung ... und die Presseäußerung dadurch, daß die Presse durch den Einsatz ihres Apparats erhöhte kommunikative Intensität ... entfaltet, sich aber gleichzeitig in erhöhtem Maße fremden Einwirkungen aussetzt. Der grundrechtsbezogene Normenkomplex (das Recht der Presse) gewährt demjenigen spezifischen Schutz, der in spezieller Intensität am Kommunikationsprozeß teilnimmt. Je intensiver die Beteiligung, desto größer der Apparat und seine Beeinflußbarkeit, desto umfangreicher und desto spezieller die Schutzvorrichtungen.«[86] In diesem Sinne räumt auch Czajka ein, »daß die Pressefreiheit eine besondere Ausprägung der allgemeinen Meinungsfreiheit ist ...« und »daß der Gesetzgeber bei der ihm obliegenden Konkretisierung von Inhalt und Schranken dieses Grundrechts das Presserecht ... in besonderer Weise ausgestalten«[87] kann. Solche besonderen Ausgestaltungen liegen in Form zahlreicher Landespressegesetze vor. In diesen Gesetzen, die – ausgehend von dem Modellentwurf für ein Landespressegesetz 1963, verabschiedet von der Ständigen Konferenz der Länderinnenminister[88] – heute in neun Ländern gelten, ist allerdings die Sonderstellung der Presse nicht derart restriktiv und reduziert auf ein quantitativ-technisches Problem behandelt worden. Hier erscheint vielmehr die Presse als eine spezifische Instanz der Demokratisierung von Gesellschaft, und es werden ihr aufgrund dieses Tatbestands dann be-

85 D. Czajka, a. a. O., S. 100.
86 H. Windsheimer, a. a. O., S. 117.
87 D. Czajka, a. a. O., S. 149–150.
88 Vgl. dazu H.-J. Reh, R. Groß, Hessisches Pressegesetz (Kommentar), Wiesbaden 1963, S. 129.

stimmte Rechte und Pflichten auferlegt. So lautet § 3 des bayerischen Pressegesetzes: »Die Presse dient dem demokratischen Gedanken. Sie hat in Erfüllung dieser Aufgabe die Pflicht zu wahrheitsgemäßer Berichterstattung und das Recht, ungehindert Nachrichten und Informationen einzuholen, zu berichten und Kritik zu üben.«[89] Dieser – mittlerweile in die anderen Landespressegesetze eingegangene – Paragraph trägt dem auch von Czajka und Windsheimer nicht geleugneten Tatbestand Rechnung, daß »aus der Fassung des Artikel 5 . . . auch die Gewährleistung der Mitwirkung der Presse an der Gestaltung des öffentlichen Lebens . . . herausgelesen und damit von der ›institutionellen Eigenständigkeit der Presse‹«[90] ausgegangen werden kann.

Die so interpretierte öffentliche Aufgabe der Presse bezieht sich jedoch – wie Czajka nachgewiesen hat – nur auf die Aktivitäten, die in der verfassungsrechtlichen Literatur als Mitwirkung und Gestaltung der öffentlichen Meinung, Repräsentation der vertretenen öffentlichen Meinung gegenüber den staatlichen Instanzen, Kontrolle der Träger staatlicher und gesellschaftlicher Macht sowie Bildung und Erziehung der Bevölkerung umschrieben werden[91]. Nicht zum Bereich der öffentlichen Aufgabe gehören in der Regel Unterhaltung und Werbung[92]. Daher sind andere Veröffentlichungen als Nachrichten und Kommentare durch Artikel 5, Absatz 1 des Grundgesetzes nicht geschützt; allerdings kann der Abdruck von Romanen, Erzählungen und ähnlichen Äußerungen durch Artikel 5, Absatz 3 verfassungsrechtlich gesichert werden[93]. In ähnlich spezifischer Weise ist allerdings auch der Anzeigenteil von Zeitungen und Zeitschriften geschützt: »Da das Anzeigengeschäft eine notwendige Voraussetzung für die Existenz, zumindest aber für die wirtschaftliche Unabhängigkeit des Presseunternehmens ist, erstreckt sich der verfassungsrechtliche Schutz des Presseunternehmens auch auf den Anzeigenteil . . .«[94]

Neben der Pressefreiheit ist in Artikel 5, Absatz 1, Satz 2 des Grundgesetzes auch die Freiheit der Berichterstattung durch Rundfunk und Fernsehen garantiert. Damit stellt sich die Frage, wie sich die Presse- zur Rundfunkfreiheit verhält und welche Interpretation das Problem der öffentlichen Aufgabe im Rahmen der letzteren erfährt. Da der Bereich von Rundfunk und Fernsehen in Form von Anstalten des öffentlichen Rechts organisiert ist, beruht die Gründung von Rundfunkeinrichtungen auf einem

89 Gesetz über die Presse vom 3. 10. 1949, in: Bereinigte Sammlung des bayrischen Landesrechts, S. 310.

90 Th. Maunz, a. a. O., S. 113.

91 Vgl. dazu H.-J. Reh, R. Groß, a. a. O., S. 24; F. Schneider, Presse- und Meinungsfreiheit nach dem Grundgesetz, München 1962, S. 122 ff.; H. Coing, Ehrenschutz und Presserecht, Karlsruhe 1960, S. 15; M. Löffler, Presserecht, München 1955, S. 4 ff.

92 Vgl. dazu D. Czajka, a. a. O., S. 87; F. Schneider, a. a. O., S. 136 ff.; H. v. Mangoldt, F. Klein, Das Bonner Grundgesetz, 1957 ff. (2. Auflage), S. 245; A. Schüle, H. Huber, Persönlichkeitsschutz und Pressefreiheit, Tübingen 1961, S. 23 – eine gegenteilige Auffassung vertritt H. Krüger, a. a. O., S. 25 ff.

93 Vgl. dazu D. Czajka, a. a. O., S. 149.

94 D. Czajka, a. a. O., S. 149 (Fußnote 38); vgl. dazu G. Leibholz, H. J. Rinck, a. a. O., S. 44–45.

Akt der staatlichen Organisationsgewalt. Der öffentlich-rechtliche Status zwingt die Rundfunk- und Fernsehanstalten dabei zu einer Organisationsform, die die Implikationen der Meinungsäußerungsfreiheit – insbesondere Chancengleichheit und Pluralismus – zu berücksichtigen hat. Auf jeden Fall muß diese Organisationsform gewährleisten, daß alle politisch und weltanschaulich maßgebenden Gruppen in den Rundfunk- und Fernsehprogrammen adäquat repräsentiert sind. Die gegenwärtigen Verfassungen beispielsweise der Länderrundfunkanstalten entsprechen dem insofern, als sie Parteien, Interessenverbänden und Kirchen ausdrücklich Mitspracherecht sichern: im Bereich der Programmgestaltung durch den Programmbeirat – im Bereich der Personalpolitik durch den Rundfunkrat[95]. So heißt es auch im Leitsatz 10 des sogenannten Fernsehurteils, das das Bundesverfassungsgericht 1961 gefällt hat, daß die Grundrechtsgarantie des Artikel 5 Gesetze fordert, »durch die die Veranstalter von Rundfunkdarbietungen so organisiert werden, daß alle in Betracht kommenden Kräfte in ihren Organen Einfluß haben und im Gesamtprogramm zu Worte kommen können, und die für den Inhalt des Gesamtprogramms Leitgrundsätze verbindlich machen, die ein Mindestmaß von inhaltlicher Ausgewogenheit, Sachlichkeit und gegenseitiger Achtung gewährleisten«[96]. Dieser Leitsatz ist unmittelbar in die Verfassungen der Länderrundfunkanstalten eingegangen. § 4, Absatz 2 des Staatsvertrages über den Norddeutschen Rundfunk lautet beispielsweise: »Der NDR soll die internationale Verständigung fördern, zum Frieden und zur sozialen Gerechtigkeit mahnen, die demokratischen Freiheiten verteidigen und nur der Wahrheit verpflichtet sein. Er darf nicht einseitig einer politischen Partei oder Gruppe, einer Interessengemeinschaft, einem Bekenntnis oder einer Weltanschauung dienen.«[97] Hinsichtlich der Aktivität von Rundfunk und Fernsehen läßt sich also unzweideutig von einem »öffentlichen Amt«, von der »Wahrnehmung einer aufgegebenen Verantwortung für das Ganze«[98] sprechen. In institutioneller Sicht erscheint so die Rundfunk- und Fernsehfreiheit als »ein Anwendungsfall (des Prinzips der Pressefreiheit) in einer extremen Situation, nämlich der einer oligopolistischen Stellung eines Meinungsfaktors«[99]. Diese Sondersituation soll durch die zuvor angedeutete spezifische Konstruktion der Verfassung von Rundfunk- und Fernsehanstalten hinsichtlich ihrer – gegen Chancengleichheit und Pluralismus gerichteten – Wirkungen neutralisiert werden[100], und zwar dadurch, daß der »Konkurrenzmarkt der Meinungen als Bedingung der öffentlichen Meinungsbildung in einer Demokratie«[101] innerhalb der Anstalten reprodu-

---

95 Vgl. dazu D. Czajka, a. a. O., S. 152; vgl. dazu Entscheidungen . . ., a. a. O., 12, S. 262.

96 Entscheidungen . . ., a. a. O., 12 – S. 205; vgl. dazu Th. Maunz, a. a. O., S. 113.

97 Staatsvertrag über den Norddeutschen Rundfunk vom 16. 2. 1955, in: Niedersächsisches Gesetz- und Verordnungsblatt, S. 167.

98 K. Hesse, a. a. O., S. 42 ff.

99 D. Czajka, a. a. O., S. 153.

100 Vgl. dazu G. Leibholz, H. J. Rinck, a. a. O., S. 124–125.

101 D. Czajka, a. a. O., S. 153.

ziert wird. Das Leitbild der pluralistischen Demokratie, so wie es durch das Bundesverfassungsgericht gezeichnet worden ist[102], kommt hier klar zum Vorschein. »Die Rundfunkfreiheit ist danach gleichsam die Fortsetzung der Pressefreiheit unter anderen Bedingungen« und mit anderen Mitteln: »Gewährleistung von Freiheit im Dienste objektiver Zwecke durch Veranstaltung unter staatlicher (Rechts-)Aufsicht«[103].

Interpretiert man das Grundrecht der Pressefreiheit nicht so nachdrücklich unter seinem institutionellen Aspekt, sondern primär als Individualrecht (wenn auch mit sozialer Funktion), läßt sich eine gerade Linie von Presse- zu Rundfunk- und Fernsehfreiheit nicht ohne weiteres ziehen. Denn das Individualrecht ist nicht eindeutig gekennzeichnet durch die Pflicht zu Überparteilichkeit, Objektivität und Gemeinwohlorientiertheit; im Gegenteil, es ist auch und vor allem das Recht zur Parteinahme, Einseitigkeit und Wahrnehmung von Teilinteressen[104]. Es lassen sich jedoch gerade aufgrund der Verschiedenartigkeit von Rundfunk- und Pressefreiheit die Grenzen der Möglichkeit, letztere individualrechtlich zu interpretieren, präziser erkennen. Die individualrechtliche Interpretation muß dort durch eine institutionelle ergänzt werden, wo von der Meinungs- und Pressefreiheit kein Gebrauch gemacht werden kann, weil die Mittel zu ihrer Realisierung nicht oder nur beschränkt zugänglich sind. »Da eine politische oder sonstige Meinung nur dann mit Aussicht auf Erfolg zu anderen, bereits etablierten, in Konkurrenz treten kann, wenn sie Zugang zu einem der technischen Mittel der Massenkommunikation hat, kann von einer echten Konkurrenz der Meinungen nur unter Voraussetzung des freien Zugangs zu diesen Medien oder doch wenigstens zu einem von ihnen die Rede sein.«[105] Das heißt dann: Auch im Bereich der Presse muß der Pluralismus der gesellschaftlichen Gruppen sich widerspiegeln – auch die Presse kann ihre soziale Funktion nur haben, solange eine relativ große Zahl von »selbständigen und nach ihrer Tendenz, politischen Färbung oder weltanschaulichen Grundhaltung miteinander konkurrierenden Presseerzeugnissen«[106] vorhanden ist. Daraus läßt sich folgern: »Die Tätigkeit einer monopolistisch strukturierten Presse wirkt ... der sozialen Funktion der Pressefreiheit entgegen, sie schließt nicht nur den weitaus größten Teil der Bürger von der Teilhabe an der öffentlichen Diskussion aus, sondern verhindert damit auch, daß die Pressefreiheit als Rechtsinstitut ihre verfassungsrechtliche Bestimmung erfüllen kann.«[107] Monopolistische Presseunternehmen können daher nur unter einer Bedingung als verfassungskonform angesehen werden: wenn der ursprünglich im Gesamtbereich der Presse repräsentierte gesellschaftliche Pluralismus sich in die einzelnen Informations- und Unterhaltungsmonopole verlagert. Eine solche Organisation der Presseunternehmen muß dann den nämlichen

102 Vgl. dazu Entscheidungen . . ., a. a. O., 12 – S. 205 ff.
103 D. Czajka, a. a. O., S. 153.
104 Vgl. dazu D. Czajka, a. a. O., S. 153.
105 D. Czajka, a. a. O., S. 154.
106 Entscheidungen . . ., a. a. O., 12 – S. 205.
107 D. Czajka, a. a. O., S. 155.

Kriterien genügen, denen sich auch die Rundfunk- und Fernsehanstalten zu unterwerfen haben. Damit stellt die Rundfunkfreiheit einen Modellfall für die verfassungsrechtliche Position von Massenmedien dar, bei denen die strukturellen Voraussetzungen für die Anwendung der Meinungs- und Pressefreiheit nicht mehr gegeben sind.

Zusammenfassend und als Richtpunkt für das Folgende läßt sich so festhalten: Die meisten Kommentare zu Artikel 5 des Grundgesetzes, die Praxis der Rechtsprechung wie auch die Äußerungen zahlreicher Vertreter der Massenmedien – insbesondere von Intendanten und Mitgliedern des Deutschen Presserats wie der Selbstkontrolle Illustrierter Zeitschrift (SIZ)[108] – zeigen nachdrücklich, daß Presse, Rundfunk und Fernsehen zumindest mit ihrer informatorischen Aktivität eine öffentliche Aufgabe wahrnehmen. Inhalt dieser Aufgabe ist, einen Beitrag zur Stabilisierung und Weiterentwicklung der verfassungsrechtlich fixierten freiheitlich-demokratischen Grundordnung zu leisten – und zwar durch Etablierung eines Forums für den pluralistischen Widerstreit von Meinungsäußerungen zu gesamtgesellschaftlich relevanten Problemen sowie – damit zusammenhängend – durch Anbieten von Entscheidungshilfen, die dem einzelnen ermöglichen, den grundgesetzlich verankerten Forderungen nach Selbstbestimmung und Eigenverantwortlichkeit demokratischer Persönlichkeiten zu entsprechen. Im folgenden ist zu klären, ob und wie der öffentlichen Aufgabe, die Orientierung und Aufklärung, öffentliche Meinungsbildung, Kritik und Kontrolle einschließt, von den Massenmedien unter den gegebenen gesellschaftlichen Bedingungen nachgekommen werden kann.

2 Krisenpunkte des gegenwärtigen Parlamentarismus und die Konsequenzen für die Massenkommunikation

Im letzten Abschnitt wurde veranschaulicht, wie sich die wesentlichen Prinzipien der soziologischen (und politologischen) Konzeption von Demokratie im Grundgesetz der Bundesrepublik wiederfinden. Genau wie in der Theorie gelten auch in der Verfassung die Balance zwischen Konsensus und Konflikt, das Vorhandensein eines Werte- und Gruppenpluralismus sowie die selbstbestimmt und eigenverantwortlich handelnde demokratische Persönlichkeit als die entscheidenden Elemente der demokratischen Form politischer Herrschaft. Die Frage nach dem Zusammenhang von Verfassungspostulaten und deren tatsächlicher oder möglicher Realisierung ist daher gleichzeitig eine nach

---

108 Vgl. dazu Arbeitsgemeinschaft der öffentlich-rechtlichen Rundfunkanstalten der Bundesrepublik Deutschland (ed.), Rundfunkanstalten und Tageszeitungen, Dokumentation 1 – Tatsachen und Meinungen, Frankfurt 1965 (im folgenden zitiert als »ARD I«), S. 134 ff. und 141 ff.; vgl. dazu weiter M. Löffler, Die Presse-Selbstkontrolleinrichtungen in der Bundesrepublik Deutschland, in: M. Löffler, J. L. Hébarre (eds.), Form und Funktion der Presse-Selbstkontrolle in weltweiter Sicht, München 1968, S. 61 ff.

dem Verhältnis, das soziologische Theorie der Demokratie zu ihrem Gegenstand einnimmt. Dieses Verhältnis wird in einem Arbeitspapier, das während des 16. Deutschen Soziologentages referiert wurde, folgendermaßen problematisiert: »Ein entscheidender Mangel der neueren politischen Soziologie scheint darin zu bestehen, daß die von ihr entwickelten Modelle politischer Herrschaft weitgehend abgelöst sind von den materiellen Bedingungen der jeweiligen Sozial- und Wirtschaftsstruktur... Will die politische Soziologie etwas zur Erklärung der bestehenden, ob nun industriellen oder spätkapitalistischen Gesellschaft und ihrer Entwicklungstendenzen beitragen, so wird sie diesen Mangel beheben und das politische Herrschaftssystem in seinem Zusammenhang mit der je gegebenen sozio-ökonomischen Struktur begreifen müssen.«[109] In ähnlicher Weise argumentiert M. Rainer Lepsius, wenn er die »Erforschung der konkreten Bestimmung des Verhältnisses von Sozialstruktur, politischer Verfassung und kulturellen Ordnungsideen«[110] zum zentralen Problem einer Soziologie der Demokratie macht.

Es soll daher in diesem Abschnitt versucht werden, den postulierten Zusammenhang zwischen dem – als demokratische Verfassung formulierten – Selbstverständnis der bundesrepublikanischen Gesellschaft, deren ökonomischer Organisation und dem faktischen Zustand der dort bestehenden politischen Herrschaft zu beschreiben. Weiter wird dann angestrebt, die Konsequenzen abzuleiten, die sich aus der Darstellung dieses Zusammenhangs für die Massenkommunikation – das theoretisch und verfassungspolitisch geforderte Medium zur Herstellung und Stabilisierung jenes Selbstverständnisses – ergeben.

(a) Historiographischer Exkurs

»Allgemein gesprochen besteht das Schicksal, die Tragödie des deutschen Volkes darin, daß es in der modern-bürgerlichen Entwicklung zu spät gekommen ist.«[111] Dieser Lukácsschen These stimmen Hellmut Plessner[112], Talcott Parsons[113] und – in dessen Folge – Ralf Dahrendorf[114] zu, wenn sie feststellen, die Entwicklung der deutschen Gesellschaft, insbesondere im 19. Jahrhundert, sei dadurch gekennzeichnet, daß hier – im Unterschied zu England und Frankreich – keine einheitliche bürgerliche Klasse

109 G. Brandt, J. Bergmann, K. Körber, E. T. Mohl, C. Offe, Herrschaft, Klassenverhältnis und Schichtung, in: T. W. Adorno (ed.), Spätkapitalismus oder Industriegesellschaft? Verhandlungen des 16. Deutschen Soziologentages, Stuttgart 1969, S. 67.
110 M. R. Lepsius, Demokratie in Deutschland als historisch-soziologisches Problem, in: T. W. Adorno (ed.), a. a. O., S. 213.
111 G. Lukács, Die Zerstörung der Vernunft, Neuwied Berlin 1962, S. 37.
112 Vgl. dazu H. Plessner, Die verspätete Nation, Stuttgart 1959.
113 Vgl. dazu T. Parsons, Democracy and Social Structure in Pre-Nazi Germany, in: T. Parsons, Essays in Sociological Theory, Glencoe 1954, S. 104 ff.
114 Vgl. dazu R. Dahrendorf, Demokratie und Sozialstruktur in Deutschland, in: R. Dahrendorf, Gesellschaft und Freiheit, a. a. O., S. 260 ff.

entsteht, die aufgrund des Besitzes an Produktionsmitteln und der dadurch ermöglichten Akkumulation von Kapital sowie im Namen eines »ökonomischen Individualismus« (Parsons) und eines »politischen Humanismus« (Plessner) ihre Herrschaft in Wirtschaft, Politik und Kultur unangefochten hat etablieren können [115]. Der territoriale Partikularismus – seit dem Tod des Hohenstaufen-Kaisers und Sizilienfreundes Friedrich II. eines der zahlreichen deutschen Probleme –, der Dreißigjährige Krieg und das Veröden der Deutschland berührenden Welthandelsstraßen infolge der Entdeckung Amerikas unterdrücken abrupt die ersten Versuche des städtischen Bürgertums, eine gesellschaftliche Macht zu werden. So findet sich das deutsche Bürgertum oder besser: das, was ein solches Bürgertum hätte sein sollen, zur Zeit der bürgerlich-demokratischen Revolution in einer zwiefach ungünstigen Situation – ihm fehlen die beiden Voraussetzungen, über die sich sein Selbstbewußtsein als soziale Klasse hätte konstituieren können: ökonomische Stärke und geographische, sprich: nationale Einheit [116]. Die Schwierigkeit für das deutsche Bürgertum und damit für die deutsche Gesellschaft des 19. Jahrhunderts liegt so vor allem darin, daß die nationale Einheit – die Frankreich und England bereits unter der absoluten Monarchie erlangt hatten – und die Befreiung vom Feudalsystem auf einmal erzielt werden sollen. Die Auseinandersetzung mit diesem Dilemma beschert Deutschland eine sehr spezifische und äußerst folgenreiche Form von bürgerlicher Gesellschaft, getragen von einer sozialen Gruppe mit einem eigentümlich ambivalenten, zwischen ökonomischer Potenz und politischer Subalternität schwankenden Selbstverständnis [117].

In seinem Buch ›Das Gesicht des 19. Jahrhunderts‹ zeigt der französische Sozialhistoriker Charles Morazé, in welchem Maße Deutschland um 1800 hinter der in England und Frankreich vehement einsetzenden Industrialisierung und bürgerlichen Demokratisierung zurückbleibt [118]. Der geringe Grad der Urbanisierung und der außerordentlich hohe Anteil der Land- an der Gesamtbevölkerung – die Einwohnerzahl der zwölf größten deutschen Städte beträgt nicht einmal so viel wie die von London oder Paris [119] –, die retardierte Entwicklung vor allem der Eisen- und Textilindustrie und ganz allgemein die Auswirkungen der Napoleonischen Kriege lassen zu Beginn des 19. Jahrhunderts ein »seltsam mittelalterliches Deutschland« (Morazé) entstehen [120]. Allerdings führt andererseits gerade ein bestimmtes Moment der Napoleoni-

115 Vgl. dazu H. Böhme, Prolegomena zu einer Sozial- und Wirtschaftsgeschichte Deutschlands im 19. und 20. Jahrhundert, Frankfurt 1968, S. 22.

116 Vgl. dazu A. Hauser, Sozialgeschichte der Kunst und Literatur, Bd. II, München 1953, S. 106–107 und G. Lukács, a. a. O., S. 44–45.

117 Vgl. dazu E. K. Bramstedt, Aristocracy and the Middle Class in Germany, Social Types in German Literature 1830–1900, Chicago 1964 (Revised Edition: First Edition 1937), S. 44 ff.

118 Vgl. dazu Ch. Morazé, Das Gesicht des 19. Jahrhunderts, Düsseldorf Köln 1959, S. 355.

119 Vgl. Ch. Morazé, a. a. O., S. 146–147.

120 Vgl. dazu W. Treue, Wirtschafts- und Sozialgeschichte Deutschlands im

schen Kriege – nämlich die Kontinentalsperre gegen Produkte aus England – zu einer verstärkten, wenn auch im Vergleich zu anderen europäischen Gesellschaften schwachen Ausbildung einer bürgerlich-industriellen Klasse. »Die Kontinentalsperre (bietet) einen Ansporn für die Entstehung eines von merkantilistisch-physiokratischem Denken freien, zu eigener Verantwortung bereiten Unternehmertums: der von innen angestrebten Hebung der politischen Mitarbeit am Staate (begegnet) eine wesentlich von außen veranlaßte Neigung zu wirtschaftlicher Emanzipation vom Staate.«[121] Das gilt auch und vor allem für Preußen; allerdings tritt hier dann wieder ein entscheidender Rückschlag insofern auf, als nach Wegfall der Sperre die junge, kapitalistische Industrie plötzlich einem Zustrom englischer Waren zu Dumpingpreisen ausgesetzt wird. Das Zollgesetz von 1818 mildert diese Schwächeperiode des aufkommenden Bürgertums durch die Zusammenfassung Preußens zu einem großen Zoll- und Handelsgebiet[122]. Preußen ist zwar nach der Niederlage gegen das napoleonische Frankreich und dem Verlust seiner westlichen Territorien zunächst entmachtet gewesen[123], hat aber an politisch-geographischer Substanz sonst nicht allzuviel verloren. So können die neuen Verwaltungsprinzipien des Code Civile eigentlich nur im Westen Deutschlands mit Erfolg eingeführt werden: Preußen kann Napoleon dagegen nur über die alten feudalen Kräfte beherrschen. Dadurch ist Preußen dann nach den Befreiungskriegen und den Stein-Hardenbergischen Reformen die in sich stabilste politische Macht innerhalb Deutschlands – was die Etablierung des Deutschen Bundes (mit seinen 35 Fürstentümern und vier freien Städten) nicht unproblematischer macht. Denn dieser muß, da er keine Prärogative gegenüber den einzelnen Staaten hat, die Lösung der anstehenden politischen und wirtschaftlichen Probleme ungelöst, das heißt aber: dem potentesten jener Staaten, also Preußen, überlassen. »Unbewußt«, so drückt es Wilhelm Treue aus, »(übernimmt Reformpreußen) seit den Anfängen zoll- und steuergesetzlicher Erwägungen die wirtschaftliche Führung in Deutschland: das Gesetz von ... 1818 (wird) Kristallisationskern des Deutschen Zollvereins und in vieler Hinsicht auch des kleindeutschen Reiches von 1866–1871.«[124] Dabei stehen die Chancen für Preußen nicht zuletzt deshalb so günstig, weil es am besten mit den durch die Napoleonischen Kriege verursachten, nicht durch Reparationen abgegoltenen wirtschaftlichen Schäden und mit der in den zwanziger Jahren einsetzenden Agrarkrise zu Rande gekommen ist[125].

Aufgrund der starken Position Preußens wird so schon zu Beginn des 19. Jahrhunderts manifest, was später das entscheidende Problem der bürgerlichen Gesellschaft in

19. Jahrhundert, in: B. Gebhardt, Handbuch der deutschen Geschichte, Bd. III (ed. v. H. Grundmann), Stuttgart 1962 (8. Auflage), S. 318 ff. und H. Böhme, a. a. O., S. 15 f.
121 W. Treue, a. a. O., S. 318.
122 Vgl. dazu W. Treue, a. a. O., S. 318–319.
123 Vgl. dazu Ch. Morazé, a. a. O., S. 148–149.
124 W. Treue, a. a. O., S. 336.
125 Vgl. dazu F. Lütge, Deutsche Sozial- und Wirtschaftsgeschichte, Berlin Göttingen Heidelberg 1960 (2. Auflage), S. 399 ff.; P. H. Seraphim, Deutsche Wirtschafts- und Sozialgeschichte, Wiesbaden 1966 (2. Auflage), S. 124–125 und H. Böhme,

Deutschland ausmachen sollte: die Gleichzeitigkeit von Ungleichzeitigem – auf der einen Seite eine langsam ökonomische Macht gewinnende Bourgeoisie, die das Entstehen einer Industrie vorantreibt, auf ausländische Märkte vordringt und die Basis für die wirtschaftliche Einheit des Landes legt [126]; auf der anderen Seite ein Bürgertum in Ohnmacht vor dem politischen Herrschaftsapparat des Absolutismus [127], ein Bürgertum, das nicht sieht, wie »zwischen dem Naturrecht des Einzelmenschen und dem Herrschaftsanspruch des Absolutismus unüberbrückbare Gegensätze entstehen« [128]. So deutet sich bereits hier an, daß die Etablierung des Kapitalismus in Deutschland durch Einwirken von oben erfolgen würde; die deutsche Bourgeoisie entpuppt sich schon früh als »eine Bourgeoisie von Gnaden der staatstragenden, vorwiegend preußischen Aristokratie ...« [129]. Georg Lukács begründet in der Einleitung zu seinem Buch ›Die Zerstörung der Vernunft‹ die politische Schwäche des Bürgertums im wesentlichen damit, daß »die spontane Entwicklung des Kapitalismus in Deutschland nicht in der Manufakturperiode, wie in England oder Frankreich, sondern im Zeitalter des wirklichen, modernen Kapitalismus (entsteht)« [130]. Dieses allzu rapide und unvorbereitete Hineinsteuern in eine neue Wirtschafts- und Sozialordnung zwingt die Bourgeoisie dann bei der herrschenden Obrigkeit und deren Verwaltungsstab Zuflucht und Hilfe, vor allem Schutz gegen die ausländische Konkurrenz und das bereits aufkommende Proletariat, zu suchen [131].

Das dennoch unaufhaltsame, wenn auch problematische Vorwärtsschreiten Deutschlands zum modernen Kapitalismus ermöglicht zunächst eine – verglichen mit der Zeit nach 1789 – tiefgreifende Wirkung der Pariser Julirevolution auf die politische Struktur der einzelnen deutschen Staaten. So kommt Arnold Hauser zu der These: »Das 19. Jahrhundert, oder das, was wir darunter zu verstehen pflegen, beginnt um 1830.« [132] Und er fährt, die Situation im Frankreich Louis Philippes kommentierend, fort: »Erst während des Bürgerkönigtums entwickeln sich die Grundlagen und die Umrisse dieses Jahrhunderts – die Gesellschaftsordnung, in der wir selber wurzeln, das Wirtschaftssystem, dessen Grundsätze und Widersprüche immer noch bestehen, und die Literatur, in deren Form wir uns im großen und ganzen auch heute noch ausdrücken ... Die charakteristischen Züge des Jahrhunderts werden um 1830 bereits alle erkennbar. Die

---

a. a. O., S. 30 f.; vgl. dazu weiter P. Koselleck, Staat und Gesellschaft in Preußen 1815–1848, in: H.-U. Wehler (ed.), Moderne deutsche Sozialgeschichte, Köln Berlin 1966, S. 82.

126 Vgl. dazu Ch. Morazé, a. a. O., S. 150–151.

127 Vgl. dazu H. Holborn, Der deutsche Idealismus in sozialgeschichtlicher Beleuchtung, in: H.-U. Wehler (ed.), a. a. O., S. 91 f.

128 C. Jantke, Der vierte Stand, Freiburg 1955, S. 96.

129 R. Dahrendorf, a. a. O., S. 270; vgl. dazu G. Lukács, a. a. O., S. 51.

130 G. Lukács, a. a. O., S. 50.

131 Vgl. dazu Ch. Morazé, a. a. O., S. 150; W. Treue, a. a. O., S. 336; R. Dahrendorf, a. a. O., S. 270 und A. Hauser, a. a. O., S. 121 ff.

132 A. Hauser, a. a. O., S. 240.

Bourgeoisie steht im Besitze und im Bewußtsein ihrer Macht vollentwickelt da. Die Aristokratie ist vom Schauplatz der historischen Ereignisse verschwunden und führt eine rein private Existenz. Der Sieg des Bürgertums ist unzweifelhaft und unbestritten . . .«[133] Diese Schilderung trifft auf Deutschland, insbesondere auf Preußen, allerdings nicht zu. Zwar sind auch in die Verfassungen zahlreicher deutscher Staaten konstitutionelle Elemente eingegangen; zwar werden Industrie und Handel durch die Rheinschiffahrtsakte von 1831, den bereits 1825 begonnenen Eisenbahnbau und vor allem durch den 1834 gegründeten Deutschen Zollverein entscheidend vorwärtsgetrieben; zwar etablieren sich in den dreißiger Jahren zahlreiche Industrie- und Handelskammern im Rheinland und in Preußen [134] – doch von einem Sieg des Bürgertums kann nicht die Rede sein. Denn weder sind die Erfolge der bürgerlichen Klasse während der Verfassungskämpfe sehr bedeutend gewesen [135], noch resultiert der wichtigste Beitrag zur Industrialisierung Deutschlands, die Gründung des Deutschen Zollvereins, aus einer politischen und ökonomischen Anstrengung des Bürgertums. »In seiner endgültigen Form (ist) der Zollverein kein Werk der deutschen (bürgerlichen Bewegung), sondern der einzelstaatlichen, vor allem der preußischen Beamtenschaft.«[136] Außerdem hat der Zollverein weder die politische noch die wirtschaftliche Einheit des Landes gebracht [137]; denn die Formung der sozio-ökonomischen Ordnung ist weiterhin Sache der Einzelstaaten. So bleibt trotz eines nicht verkennbaren ökonomischen Fortschritts die politische Schwäche des deutschen Bürgertums [138], seine Abhängigkeit von feudalen und absolutistisch-bürokratischen Autoritäten bestehen [139]. Die ambivalente Lage des Bürgertums, das sich aufgrund seiner langsam sichtbar werdenden ökonomischen Stärke als Träger der sogenannten nationalen Idee sieht, aber nicht weiß, wie diese in die Praxis umzusetzen ist – jene ambivalente Lage wird nach 1848 noch verschärft, als mit der Verwandlung des preußischen Staates in eine – um mit Friedrich Engels zu sprechen – bonapartistische Monarchie die Herrschaft Preußens über Deutschland endgültig realisiert ist. Die Unterdrückung des demokratischen Bemühens weiter Kreise des Bürgertums zwingt dieses, das Jahr 1871 sollte das bestätigen, zur Aufgabe einer politischen Emanzipation, die der einsetzenden ökonomischen parallel läuft; statt dessen macht sich die bürgerliche Klasse im – von ihrer Situation aus gesehen – zweifelhaften Schutz Preußens daran, das privatkapitalistische Wirtschaftssystem auszubauen und sich nach innen gegen die aufkommende Arbeiterschaft sowie nach außen

133 A. Hauser, a. a. O., S. 240; vgl. dazu P. N. Stearns, European Society in Upheaval, New York 1967, S. 155.

134 Vgl. dazu W. Treue, a. a. O., S. 358/59.

135 Vgl. dazu F. Lütge, a. a. O., S. 418.

136 H. Bechtel, Wirtschafts- und Sozialgeschichte Deutschlands, München 1967, S. 315.

137 Vgl. dazu F. Lütge, a. a. O., S. 417.

138 Vgl. dazu R. Stadelmann, Soziale Ursachen der Revolution von 1848, in: H.-U. Wehler (ed.), a. a. O., S. 154 f.

139 Vgl. dazu F. Lütge, a. a. O., S. 418 und Ch. Morazé, a. a. O., S. 150–151.

gegen die englische und französische Konkurrenz abzusichern [140]. Gewerbeordnung und zollpolitische Maßnahmen dieser Zeit zeigen, was das Bürgertum unter der von ihm propagierten nationalliberalen Zielsetzung versteht [141]: seine Subordination unter die an feudal-landwirtschaftlichen, militärischen und bürokratischen Sozialzusammenhängen orientierte preußische Oberschicht [142].

Mit dem Sieg bei Königgrätz und der Schaffung des Zollparlaments konsolidiert Preußen seine Herrschaft in Deutschland weiter [143]. Trotz der schweren Wirtschaftskrise von 1857 wachsen die Kohlen-, Eisen- und Textilindustrien rapide, wird das Prinzip der Aktiengesellschaft erfolgreich eingeführt, entstehen zahlreiche Produktions- und Finanzierungskartelle [144]. Im politischen Bereich geht die Entwicklung folgerichtig zur Formierung des Wilhelminischen Reiches, dessen Gründung somit »keine epochale Zäsur in der wirtschaftlichen, sozialen und politischen Geschichte« [145] bedeutet, sondern als gewissermaßen logische Konsequenz der Geschichte der bürgerlichen Gesellschaft Deutschlands im 19. Jahrhundert zu gelten hat. Mit der Etablierung des Wilhelminischen Reiches und der vor allem durch preußisches Militär, preußische Bürokratie hergestellten nationalen Einheit Deutschlands verdichten sich allerdings die antidemokratischen Tendenzen wesentlich, wird die Aggressivität gegen Frankreich und England immer intensiver [146]. Auf die unmittelbar nach der Reichsgründung einsetzenden politischen und ökonomischen Krisen [147] antwortet das Bündnis aus Feudalaristokratie und bürgerlicher Klasse mit Schutzzöllen nach außen und Sozialistengesetzen im Innern [148]. Allerdings kann diese Kooperation der beiden gesellschaftlichen Gruppen nicht über die Hierarchie innerhalb des Bündnisses hinwegtäuschen: »Die Klasse, die nun das Wirtschaftsleben der Nation auf ihre Weise gestaltet, ist die kapitalistische, die Herren von Finanz, Industrie und Handel. Aber diese Klasse herrscht nicht politisch, obgleich ihre Vertreter von der Regierung gehört werden, im Parlament oder außerhalb. Sie macht nicht die äußere Politik, hat die Verwaltung des Landes nicht in der Hand, nicht die Armee ... Alle diese Vorrechte hat in Preußen-Deutschland noch

140 Vgl. dazu G. Mann, Deutsche Geschichte des 19. und 20. Jahrhunderts, Frankfurt 1958, S. 239 und F. Zunkel, Industriebürgertum in Westdeutschland, in: H.-U. Wehler (ed.), a. a. O., S. 309 ff.

141 Vgl. dazu F. Lütge, a. a. O., S. 419; G. Mann, a. a. O., S. 251 und W. Treue, a. a. O., S. 349 ff.

142 Vgl. dazu R. Dahrendorf, a. a. O., S. 270; G. Lukács, a. a. O., S. 52 und H. Heffter, Der nachmärzliche Liberalismus: die Reaktion der fünfziger Jahre, in: H.-U. Wehler (ed.), a. a. O., S. 194.

143 Vgl. dazu Ch. Morazé, a. a. O., S. 251–252.

144 Vgl. dazu W. Treue, a. a. O., S. 364 ff.; Ch. Morazé, a. a. O., S. 251 ff.; G. Mann, a. a. O., S. 392 ff. und G. Lukács, a. a. O., S. 63.

145 H. Böhme, a. a. O., S. 65.

146 Vgl. dazu R. Dahrendorf, a. a. O., S. 273 und F. Lütge, a. a. O., S. 445 ff.

147 Vgl. dazu W. Zorn, Wirtschafts- und sozialgeschichtliche Zusammenhänge der deutschen Reichsgründungszeit (1850–1879), in: H.-U. Wehler (ed.), a. a. O., S. 264 ff.

148 Vgl. dazu W. Treue, a. a. O., S. 400.

immer der vorkapitalistische Adel inne.«[149] Doch trotz solch prekärer Lage der bürgerlichen Klasse und trotz der Wirtschaftskrisen der achtziger Jahre geht die ökonomische Evolution unaufhaltsam und mit zunehmender Beschleunigung weiter. Peter Hans Seraphim drückt diese Entwicklung, die Ende des 19. und zu Beginn des 20. Jahrhunderts durch die Spaltung in Besitzer und Kontrolleure von Produktionsmitteln sowie durch die Konstituierung einer zwischen Unternehmerideologie und proletarischer Existenz schwankenden Angestelltenschaft zu einer sichtbaren Differenzierung der bürgerlichen Klasse führt, in trockenen Zahlen aus: »Die industriellen Fortschritte werden in den Produktionsziffern besonders deutlich. Die deutsche Stein- und Braunkohlenproduktion (steigt) von 1886 bis 1911 von 34 auf 218 Mill. t, die Kaliförderung von 1871 bis 1910 von 1,2 auf 10 Mill. t, der Wert der Erzeugung der Eisen-, Blei-, Zink- und Kupfererzgruben (steigt) von 1871 bis 1910 von 58 auf 189 Mill. Mark, die Roheisenproduktion 1886 bis 1913 von 4 auf 18 Mill. t, die Kokserzeugung von 1888 bis 1913 von 5,8 auf 29,1 Mill. t, die Zementproduktion 1897 bis 1910 von 2,5 auf 6 Mill. t, die Leistungen der Elektrizitätswerke (steigen) im ersten Jahrzehnt des 20. Jahrhunderts von 0,2 auf 1,1 Mill. Kw.«[150] Diese außerordentliche Akzeleration der industriellen Evolution in Deutschland [151] läßt vor allem die Frage nach der sozioökonomischen und politischen Situation der Arbeiterschaft sich weiter zuspitzen. Diese Frage erhält zusätzliche Brisanz insbesondere dadurch, daß das durch den Tod Wilhelm I. und den Rückzug Bismarcks provozierte politische Revirement und die sichtbaren sozialdemokratischen Wahlerfolge die Nationalliberalität der bürgerlichen Klasse in einen ausgeprägten Konservativismus verwandeln [152]. So werden zu Beginn des 20. Jahrhunderts die Konservativen – mit ihrem Interesse am forcierten Ausbau der Schwerindustrie und ihrem unterentwickelten Verhältnis zum Problem der politischen Macht – und die preußische Agrararistokratie – mit ihrem direkten Einfluß auf Wilhelm II. und ihrer überholten Vorstellung von politischer Herrschaft – zu den entscheidenden Machtgruppen, die in der Zeit vor 1914 den Kurs bestimmen. Dieser Kurs bringt Deutschland in Kollision mit den anderen kapitalistischen Gesellschaften Euro-

149 G. Mann, a. a. O., S. 404; vgl. dazu E. K. Bramstedt, a. a. O., S. 228 ff.

150 P. H. Seraphim, a. a. O., S. 159; vgl. dazu Ch. Morazé, a. a. O., S. 375 und H. Bechtel, a. a. O., S. 356.

151 Vgl. dazu K. E. Bosse, Der soziale und wirtschaftliche Strukturwandel Deutschlands am Ende des 19. Jahrhunderts, in: H.-U. Wehler (ed.), a. a. O., S. 270 ff. und H. Böhme, a. a. O., S. 70.

152 Erich Fromm beschrieb den Persönlichkeitstypus, der aus dem depravierenden gesellschaftlichen Schicksal des deutschen Bürgertums in einem absolutistisch lizenzierten Kapitalismus resultierte, als »autoritär-masochistischen Charakter« – vgl. dazu E. Fromm, Sozialpsychologischer Teil, in: M. Horkheimer (ed.), Studien über Autorität und Familie, Paris 1936, S. 110 ff.; E. Fromm, Die sozialpsychologische Bedeutung der Mutterrechtstheorie, in: Zeitschrift für Sozialforschung 3–1934, S. 214 f.; vgl. dazu weiter das, was Freud »Zwangstypus« nannte, in: S. Freud, Über libidinöse Typen, in: S. Freud, Gesammelte Werke Bd. XIV, London 1948 (Nachdruck 1955), S. 510–511.

pas und führt schließlich in den Ersten Weltkrieg – in einen Krieg, der objektiv zwei Ambitionen der Koalition aus bürgerlichen und aristokratischen Konservativen entgegenkommt: der Erringung einer profitablen Position im weltweiten Industrie- und Agrarmarkt und der Disziplinierung der – trotz jahrelang herrschendem Sozialistengesetz und eingeführter Sozialversicherung – immer noch kämpferischen Arbeiterschaft [153].

Das Ende des Krieges bringt jedoch die Niederlage des Bündnisses aus Feudalaristokratie und Bürgertum; es bringt die Liquidierung des konstitutionellen Absolutismus. Nach der Hindenburg-Ludendorffschen Militärdiktatur und dem Scheitern einer parlamentarischen Monarchie unter Max von Baden sieht sich die bürgerliche Klasse in einer doppelt prekären Lage. Sie ist nicht nur ihres militärischen Schutzes beraubt; zudem ist die staatliche Ordnung, die zwar nicht von dieser Klasse politisch gestaltet worden war, ihr aber aufgrund anerkannter Autorität die gesellschaftliche Existenz sicherte, zerbrochen. Da aber auch die zu politischer Macht gekommene Sozialdemokratie aufgrund ihrer organisatorischen Schwächung in der Wilhelminischen Ära, ihrer Abhängigkeit vom bestehenden Beamten- und Militärapparat und ihrer Unfähigkeit, der Monopolisierungstendenz des Privatkapitalismus zu steuern, nicht imstande ist, eine Neuformierung der Nachkriegsgesellschaft durchzusetzen, institutionalisiert sich in der Weimarer Republik von Anfang an ein explosiver Antagonismus der Interessen und Gruppen – auch und gerade in der bürgerlichen Klasse –, der notwendigerweise, verbunden mit den Kriegsfolgen, ökonomische und politische Krisen produzieren muß. Dennoch gelingt es der bürgerlichen Klasse zunächst in Form von Koalitionen zwischen Zentrum beziehungsweise Deutscher Volkspartei und der SPD, nach 1924 dann mittels des Blocks aus Zentrum, Deutscher Volkspartei und Deutschnationaler Volkspartei ihrer weiterbestehenden ökonomischen die politische Herrschaft hinzuzufügen. Es entsteht dadurch jedoch nicht mehr als ein sehr instabiles Gleichgewicht zwischen den gesellschaftlichen Gruppen. Karl Dietrich Bracher skizziert diese Situation in seinem Buch ›Die Auflösung der Weimarer Republik‹ folgendermaßen: »Da (ist) die Führungsschicht der kapitalistischen Unternehmer und Betriebsleiter, die den grundbesitzenden Adel und das wohlhabende Bürgertum materiell wie sozial (überflügelt) ... Diese einflußreiche Oberschicht, deren Gewicht durch die Folgen des Krieges und die Inflation noch erhöht wurde, (verdrängt) ... den traditionellen Mittelstand aus seiner tragenden Stellung und (bedroht) besonders seine gewerbliche Komponente und die Existenz des kleinen Geschäftsmannes ... Von unten aber drückt die proletarische Arbeiterschaft zur Mitte vor. Sie drückt mit fortschreitender Betriebskonzentration und Verfeinerung des Produktionsprozesses die Angestelltenschaft mehr und mehr nach oben, während gleichzeitig der Bauernstand seine Stellung auch mittels allmählicher Technisierung und Rationalisierung nur schwer zu behaupten (vermag) und überaus

153 Vgl. dazu A. Rosenberg, Die Entstehung der Weimarer Republik, Frankfurt 1961, S. 57.

krisenanfällig (bleibt).«[154] Dieses vorgetäuschte Gleichgewicht zerbricht jedoch in dem Moment, als nach 1928 mit der Abberufung der umfangreichen Kurzfrist-Kredite, die die deutsche Volkswirtschaft aufrechterhalten, die in den USA kursierende Wirtschaftskrise auch auf Deutschland übergreift und damit die nicht überwundenen Kriegsschäden erneut zum Vorschein bringt[155]. Denn die jetzt entstehende Massenarbeitslosigkeit und die zunehmende Schmälerung der unternehmerischen Profitchancen aktualisieren in allen Gruppen der bürgerlichen Klasse, aber auch in der Arbeiterschaft das »autoritäre Potential«, »das unter der Decke der Konjunktur zwar einige Jahre schlummerte, im Falle einer ernsten sozialökonomischen Krise aber eine tödliche Bedrohung für die Demokratie darstellen (muß)«[156]. Die Folge ist ein Zustrom vor allem der Mittelgruppen der Lohn- und Gehaltsabhängigen[157] zur nationalsozialistischen Bewegung und deren Unterstützung durch die Großindustrie[158]. Damit wird die Selbstauflösung der bürgerlichen Gesellschaft Deutschlands eingeleitet[159]: Die nach 1930 herrschende Allianz aus Großindustrie, konservativer Beamtenschaft und kleinbürgerlichen Terrortrupps, die – mit Hilfe beispielloser Ausbeutung und partieller Vernichtung der Arbeiterschaft – den Kapitalismus vorm Versinken in die Depression bewahren soll, kulminiert schließlich in der brutalen, wenn auch für zahlreiche Angehörige der bürgerlichen Klasse gewinnbringenden Liquidation dessen, was bisher deutsche Gesellschaft war[160]. Jetzt ist die Rechnung dafür fällig, daß sich 1918 ein rationaler, von den selbstbestimmten Interessen der Bevölkerungsmehrheit getragener Zusammenhang zwischen dem System gesellschaftlicher Arbeit und der Form politischer Herrschaft nicht herstellen ließ.

»Das Dritte Reich (hat) am 8. Mai 1945 bedingungslos kapituliert. Es (gibt) keine staatliche Gewalt mehr. Die Sieger (haben) Deutschland völlig besetzt. An die Stelle der nationalsozialistischen Gewaltherrschaft (ist) die uneingeschränkte Regierungsgewalt der Besatzungsmächte getreten. Die Alliierten (sind) einig in dem Ziel, mit dem

154 K. D. Bracher, Die Auflösung der Weimarer Republik, Villingen 1960 (3. Auflage), S. 159–160; vgl. dazu P. H. Seraphim, a. a. O., S. 214.

155 Vgl. dazu M. Dobb, Der Kapitalismus zwischen den Kriegen, in: M. Dobb, Organisierter Kapitalismus, Frankfurt 1966, S. 79 ff.

156 R. Kühnl, Deutschland zwischen Demokratie und Faschismus, München 1969, S. 41.

157 Wilhelm Reich hat die sozialpsychologischen Korrelate zu diesen sozialhistorischen Befunden in seiner Schrift ›Massenpsychologie des Faschismus‹ (Kopenhagen 1934) festgehalten.

158 Vgl. dazu E. Czichon, Der Primat der Industrie im Kartell der nationalsozialistischen Macht, in: Das Argument 3–1968, S. 168 ff.

159 Vgl. dazu F. Borkenau, Zur Soziologie des Faschismus, in: E. Nolte (ed.), Theorien über den Faschismus, Berlin Köln 1967, S. 156 ff.

160 Vgl. dazu T. Mason, Der Primat der Politik – Politik und Wirtschaft im Nationalsozialismus, in: Das Argument 6–1968, S. 473 ff. und K. D. Bracher, Die deutsche Diktatur, Köln Berlin 1969, S. 235 ff.

Unrechtsregime und seinen Verantwortlichen ... abzurechnen, uneinig jedoch über die Nachkriegsordnung und die Prinzipien, nach denen ein neues Staatswesen auf deutschem Boden errichtet werden (soll).«[161] Diese Schilderung der Situation Deutschlands um 1945 weist zwei wichtige Tatbestände auf: einmal die Abhängigkeit der deutschen Gesellschaft und deren geplanter Verfassung vom unmißverständlich autoritativen Zugriff der Besatzungsmächte; zum andern die Notwendigkeit, den Konflikt zwischen Kapitalismus und Sozialismus, zwischen den Vereinigten Staaten und der Sowjetunion im konkreten deutschen Fall lösen zu müssen. Letzteres führt – endgültig mit der Praktizierung der Währungsreform 1948 – zur Teilung Deutschlands und zur Konstituierung zweier Staaten; ersteres hat die Oktroyierung einer Form von Demokratie zur Folge, die schließlich 1949 als Grundgesetz der sozial-marktwirtschaftlichen und repräsentativ-demokratischen Bundesrepublik Deutschland verabschiedet wird[162]. Wenn hier von Oktroyierung gesprochen wird, ist dabei allerdings zu beachten, daß die alliierte Forderung nach einer demokratisch verfaßten, privatkapitalistisch fundierten westdeutschen Gesellschaft von den verbliebenen und (wieder) neu etablierten Machtgruppen in Politik und Wirtschaft sowie – anläßlich der Bundestagswahl von 1949 – von der Mehrheit der Bevölkerung schnell akzeptiert und sich zu eigen gemacht wird.

Vor allem zwei Sachverhalte beschleunigen diese Annäherung an die Westmächte: Einerseits hat »die traumatische Erfahrung mit dem Nazismus ... sehr wirkungsvoll die Anziehungskraft der autoritären Alternativen, mit denen die parlamentarische Regierung (in der Weimarer Republik – H. H.) ... im Wettkampf um die Gunst der Wähler gestanden hatte«[163], zerstört. Andererseits machen insbesondere die USA klar, daß sie bereit sind, »die unentbehrlichen Kredite für den Aufbau der westdeutschen Wirtschaft und Zugang zum Weltmarkt«[164] zu gewähren; während die Sowjetunion solche Angebote nicht machen will und kann – was den Eindruck entstehen läßt, daß die Lebensbedürfnisse der deutschen Bevölkerung anscheinend bei den Alliierten besser aufgehoben sind. Der Katalog der primär zu lösenden Existenzprobleme der deutschen Bevölkerung sieht folgendermaßen aus: »An erster Stelle steht der wirtschaftliche und soziale Neu- und Wiederaufbau, ihm folgt das Bestreben nach politischer und staatlicher Verfassung und möglichst weitgehender Selbständigkeit. Damit zusammen hängt die Frage der Überwindung der zonalen Teilung wie später das Problem der Wiedervereinigung. Dieses ist wiederum gekoppelt mit dem Problem des Verhältnisses

161 G. Binder, Deutschland seit 1945, Stuttgart 1969, S. 13.
162 Vgl. zur Entstehung des Grundgesetzes (Frankfurter Dokumente; Verfassungskonvent von Herrenchiemsee; Parlamentarischer Rat von Bonn): H. J. Schlochauer, a. a. O., S. 7 ff.; L. Bergsträsser, Geschichte der politischen Parteien in Deutschland, München 1960 (10. Auflage), S. 302 ff.; H.-P. Schwarz, Vom Reich zur Bundesrepublik, Neuwied Berlin 1966, S. 542 ff.
163 G. Loewenberg, Parlamentarismus im politischen System der Bundesrepublik Deutschland, Tübingen 1969, S. 49.
164 H.-P. Schwarz, a. a. O., S. 689.

zu den deutschen Nachbarn wie der außenpolitischen Problematik insgesamt. Außerdem ist nach einem derartigen Zusammenbruch vor allem das Erfordernis einer begründenden Tradition und damit verbunden einer legitimierenden allgemeinen Übereinstimmung.«[165] Von entscheidender Bedeutung ist dabei vor allem der Zusammenhang zwischen ökonomischer und politischer Situation, der sich in der Notwendigkeit ausdrückt, wirtschaftlichen Mangel *und* politische Desintegration beheben zu müssen[166]. Gelöst wird dieses Dilemma auf eine Weise, die der bisherigen Geschichte der bürgerlichen Gesellschaft Deutschlands und deren spezifisch autoritärer Verfaßtheit recht genau entspricht: durch die Organisierung des ökonomischen Prozesses unter der rigiden Aufsicht der Militärregierungen. Die Herrschaft der Alliierten lockert sich zwar nach und nach in dem Maße, wie – zuerst in den Gemeinden, dann in den Ländern und schließlich im Bundesgebiet – sukzessive die deutsche Bevölkerung das Recht, sich selbst zu verwalten und zu regieren, zurückerhält; aber der Tatbestand bleibt, daß auch dieser Versuch, Deutschland in eine demokratische Industriegesellschaft zu transformieren, auf die Lizenzierung durch eine autoritativ verfahrende, nicht durch Wahl legitimierte Regierungsgewalt zurückgeht[167]. Allerdings opponiert die Mehrheit der Bevölkerung – erdrückt von der wirtschaftlichen Not – nicht sonderlich gegen die erzwungene Demokratisierung. Ihr zentrales Interesse richtet sich zunächst auf Existenzsicherung; wobei sie auch diktatorische Maßnahmen akzeptiert, wenn dadurch nur die Beseitigung der ökonomischen Misere garantiert ist. Als Beleg dafür zitiert Hans-Peter Schwarz in seinem Buch ›Vom Reich zur Bundesrepublik‹ das Ergebnis einer 1947 vorgenommenen Meinungsumfrage, »bei der den Befragten zwei Regierungsformen zur Wahl vorgelegt (werden): eine Regierungsform, die dem Volk wirtschaftliche Sicherheit und Vollbeschäftigung (bietet), und eine andere, die freie Wahlen, Redefreiheit, Pressefreiheit und Religionsfreiheit (gewährleistet). 62 % der Befragten (sprechen) sich für jene Regierung aus, die Sicherheit (gewährleistet), 26 % für das freiheitliche politische System, 12 % (sind) ohne Meinung.«[168]

Die Interessenten an einer Reorganisierung der kapitalistischen Wirtschaft in Deutschland, also die entweder schon wieder offen oder noch verdeckt operierenden großen Kapitaleigner und Konzernleitungen, nutzen das Verlangen der Bevölkerung nach materieller Sicherheit aus: Zunächst im Schutze der Regierung der Alliierten, dann mit Hilfe des Wirtschaftsrates des Vereinigten Wirtschaftsgebietes setzen sie systematisch und gegen den Willen der Bevölkerungsmehrheit[169] die sogenannte freie

---

165 W. D. Narr, CDU–SPD, Stuttgart Berlin Köln Mainz 1966, S. 72.
166 Vgl. dazu W. Kaltefleiter, Wirtschaft und Politik in Deutschland, Köln Opladen 1966, S. 96 ff.; G. Stolper, K. Häuser, K. Borchardt, Deutsche Wirtschaft seit 1870, Tübingen 1964, S. 235.
167 Vgl. dazu W. Kaltefleiter, a. a. O., S. 98.
168 H.-P. Schwarz, a. a. O., S. 689.
169 Nach 1950 ist eine Mehrheit der bundesdeutschen Bevölkerung gegen die Marktwirtschaft und für eine geplante Wirtschaft – vgl. dazu H. Wellmann, Die Soziale Marktwirtschaft im Spiegel von Meinungsumfragen, Köln 1962, S. 85 ff.

Marktwirtschaft durch. Dahrendorf kommentiert das mit den treffenden Worten: »Eine staatsfreie Wirtschaftsentwicklung (kann) es in Deutschland im Jahre 1948 nicht geben ... Der Bereich staatlicher Interventionen durch direkte Maßnahmen der Lenkung und indirekte Eingriffe der Finanzpolitik (bleibt) ebenso breit wie der staatlichen Eigentums. Wiederum (spielen) die großen Firmen und ihre Zusammenschlüsse eine erhebliche Rolle.«[170] Dennoch stellt Dahrendorf im gleichen Zusammenhang fest, daß »das Wunder der deutschen Wirtschaftsentwicklung seit 1948 ... in den vergleichsweise liberalen Formen (liegt), in denen sie sich (vollzieht)«[171]. Die hier vorliegende Identifikation von kontrollierter, vom Zwang der Alliierten und vom Druck des westdeutschen Kapitals gesteuerter Liberalisierung mit selbstbestimmter Demokratisierung, die insbesondere für die Anfangsjahre jener Entwicklung jeder Grundlage entbehrt, führt Werner Kaltefleiter klar ad absurdum, wenn er – im Rahmen einer sorgfältigen Analyse der wirtschaftlichen Konjunktur als Determinante des Parteiensystems in der Bundesrepublik – schreibt: »... kann der Umschwung nach 1948 ... nur aus dem politischen Datenkranz erklärt werden ... Daß (die Währungsreform) möglich und reibungslos durchgeführt werden (kann), (ist) eine Folge des Regierungssystems, d. h. der diktatorischen Regierungsweise in Gestalt der Militärregierung. Das gleiche galt für die Reform der Wirtschaftsordnung und die Einführung der Marktwirtschaft ... Es ist fraglich, ob eine parlamentarische Regierung diese Entscheidung hätte fällen bzw. auch während der ersten Anpassungskrisen hätte aufrechterhalten können ... Indirekt (trägt) die Autorität der Militärregierung auch zur Überwindung der verschiedenen Krisen in der Anfangsperiode, der ersten Preissteigerungen, des Korea-Booms und des Zahlungsbilanzdefizits bei. In allen Fällen (gelingt) es der Zentralnotenbank mit Hilfe einer kontraktiven Geldpolitik, die Konjunktur zu steuern. Diese Institution (ist) von den Amerikanern geschaffen. Von der Bundesregierung vollständig unabhängig, (ist) sie eher in der Lage, unpopuläre Maßnahmen durchzusetzen, als eine parlamentarisch abhängige Regierung. Mißt man die Entscheidungen an den Systemnormen demokratischer Regierungsweise, so stellen sie alle unverantwortliche Machtausübung dar. Auf Kosten des Konsens (ist) ein Maximum an Handlungsfähigkeit erreicht.«[172]

Im 1949 verabschiedeten Grundgesetz der Bundesrepublik schlägt sich diese Reorganisation des Kapitalismus in Westdeutschland auf dreierlei Art nieder: als verfassungsmäßige Garantie des Privateigentums, in Form der Sozialstaatsklausel und – allgemein gesprochen – als das, was Loewenstein die »Bonner Version des Parlamentarismus«, den »kontrollierten Parlamentarismus«[173] nennt. Das Institut des Privateigentums ist nach Artikel 14 des Grundgesetzes gewährleistet; als Grundrecht darf diese verfassungsrechtliche Verbürgung des Eigentums laut Artikel 19 in ihrem We-

170 R. Dahrendorf, Gesellschaft und Demokratie ..., a. a. O., S. 468–469.
171 R. Dahrendorf, a. a. O., S. 468.
172 W. Kaltefleiter, a. a. O., S. 104–105.
173 K. Loewenstein, a. a. O., S. 92.

sensgehalt nicht angetastet werden. Insofern ist die in Artikel 14/II implizierte Sozial-gebundenheit des Eigentums nur eine – dazu in Soll-Form gehaltene – Schutzklausel gegen extreme Härtefälle, die aus den geltenden Eigentumsverhältnissen resultieren können – aus Eigentumsverhältnissen, die vor allem durch § 903 BGB und der dahin-ter stehenden Rechtsvorstellung – mit seinem Eigentum frei schalten zu können ist der Grundsatz; Einschränkungen durch Gesetz oder Vertrag bilden die Ausnahme – ge-sichert sind. Einschränkungen des Eigentums gibt es in Form einiger allgemeiner Vor-schriften, die teils im Privatrecht, teils im Öffentlichen Recht verankert sind. Diese Eigentumsbegrenzungen haben allerdings nur eine sehr periphere Bedeutung im vor-liegenden Zusammenhang – dem der privaten Verfügungsgewalt über Mittel und Ergebnisse der Produktion. Eine nähere Beziehung dazu hat zweifellos Artikel 15 des Grundgesetzes, der von der expropriativen Sozialisierung produktiver Güter, von deren möglicher Überführung in Gemeineigentum oder eine andere Form von Ge-meinwirtschaft handelt. Da laut Rechtsprechung Gemeinwirtschaft diejenige Form der Vergesellschaftung bedeutet, die sozialisierungsfähige Güter ohne Veränderung der Eigentumsordnung der Verwaltung eines Rechtsträgers unterstellt, schließt nur der Passus »Überführung in Gemeineigentum« einen tatsächlichen Eingriff in bestehende private Verfügungsgewalt über produktive Güter ein. Doch Artikel 15 stellt lediglich einen Programmsatz dar und enthält keinerlei Aufforderung an den Gesetzgeber, die-sen Satz in Realität umzusetzen. Außerdem – und das ist das gewichtigere Argument – sind Maßnahmen nach Artikel 15 (wie übrigens auch Vorschriften, die aus Artikel 14/III und dem dort festgelegten Rechtsinstitut der Enteignung abgeleitet werden können) an den Gesetzesvorbehalt und damit an die parlamentarischen Institutionen sowie die dort vertretenen Interessen gebunden. Allerdings steht einem Mißbrauch des Rechts auf Eigentum – insbesondere auf privaten Besitz an und private Verfügung über Mittel und Ergebnisse der Produktion – die Sozialstaatsklausel des Grundgesetzes entgegen, wonach die staatlichen Instanzen aufgerufen sind, den Anspruch der Staats-bürger auf soziale Gerechtigkeit einzulösen. Das ist jedoch – wie die Erfahrungen mit der Weimarer Republik zeigen – anscheinend nur zu bewerkstelligen, wenn, auch und gerade in einer Demokratie, eine stabile Exekutive besteht, die dann den von Loewen-stein so titulierten »kontrollierten Parlamentarismus« kennzeichnet. Im Grundgesetz hat sich die Aufforderung an den Staat, eine »gleichmäßigere Verteilung des Wohl-standes und des Sozialprodukts«[174] zu leisten (und damit – wie schon an früherer Stelle angedeutet wurde und später noch deutlicher zu machen sein wird – eine wesentliche Bedingung für das Bestehen einer privatkapitalistisch orientierten Gesellschaft im Sta-dium fortgeschrittener Monopolisierung wirtschaftlicher Macht zu erfüllen), dement-sprechend in Form einiger »technischer Mittel«[175] zur Realisierung jener Aufforderung manifestiert. »An erster Stelle ist das konstruktive Mißtrauensvotum (Art. 67 GG) zu

174 K. Loewenstein, a. a. O., S. 343.
175 H. Maier, Probleme einer demokratischen Tradition in Deutschland, in: H. Maier, a. a. O., S. 191.

nennen, das zwar bisher auf Bundesebene noch nie praktisch geworden ist, aber schon durch seine Existenz die Abhängigkeit der Regierung vom Parlament stark vermindert und ihre Selbständigkeit gemehrt hat. Die Stärkung der Exekutive setzt aber schon in der Vorzone des Parlaments, beim Wahlrecht ein. Die Abkehr vom reinen Verhältniswahlrecht, die Einführung der 5%-Klausel in eins mit der Möglichkeit, extreme Parteien für verfassungswidrig erklären zu lassen – dies hat alles ohne Zweifel die Fähigkeit des Parlaments, eine starke und leistungsfähige Regierung zu bilden, beträchtlich gestärkt. Und die Sicherung der gouvernementalen Arbeitsfähigkeit hört mit dem konstruktiven Mißtrauensvotum nicht auf: Die sehr wichtige Vorschrift Art. 113 GG, wonach die parlamentarischen Instanzen in den Haushaltsvorschlag der Bundesregierung neue Etatposten nur einsetzen und bestehende nur erhöhen können, wenn die Bundesregierung zustimmt – diese Vorschrift (übrigens ein beträchtlicher Eingriff in die traditionelle Budgethoheit des Parlaments) kommt zweifellos gleichfalls der Stabilisierung des Regierungsapparats zugute.«[176]

Im Rahmen dieser – wie Maier sie nennt – »wehrhaften Demokratie«[177] vollzieht sich insbesondere ab 1950 das, was man das deutsche Wirtschaftswunder nennt[178]: die Mobilisierung des vorhandenen Arbeitskräftepotentials; die Ausnutzung des sogenannten Reparatureffekts bei der Anlage von Sachkapazitäten und der Kapazitätserweiterung durch stoßweise Ausrüstungsinvestition; die Aktualisierung des bestehenden technisch-organisatorischen Wissens; die geschickte (unternehmerische) Inanspruchnahme der Möglichkeit steuergesetzlich begünstigter Selbstfinanzierung; und schließlich die Nutzbarmachung der nach dem Kriege wieder intensiv vorhandenen Motivation zu einer sinnvollen, weil in ihren Erfolgen sichtbaren Arbeit[179]. Das Ergebnis der durch diese Faktoren beeinflußten Entwicklung faßt Kalteßeiter für die Periode von 1950–1963 so zusammen: »Von 1950 bis ... 1963 (steigt) das monatlich verfügbare Einkommen eines Vier-Personen-Arbeitnehmer-Haushaltes von DM 305.– auf 847,– ... Das Bruttosozialprodukt (steigt) real von 112,9 Milliarden DM auf 288,8 Milliarden. Die ganze Entwicklung (vollzieht) sich im Vergleich zu anderen Ländern bei weitgehender Preisstabilität. Der Index der Lebenshaltungskosten auf der Basis 1950–100 (steigt) bis 1963 auf 131,9. Die Zahl der Beschäftigten (wächst) von 14 Millionen 1950 auf 27 Millionen 1963 ... Die Einfuhren (steigen) von 1950 bis 1963 um das Vierfache, die Ausfuhren um das Siebenfache. Die darin begründeten permanenten Überschüsse der Handelsbilanz (führen) trotz Schuldentilgung, Kapitalexport, Waffenkäufen im Ausland, negativer Dienstleistungsbilanz ... bis

176 H. Maier, a. a. O., S. 191–192.

177 H. Maier, a. a. O., S. 192.

178 Vgl. zu dem Folgenden T. Prager, Wirtschaftswunder oder keines?, Wien Köln Stuttgart Zürich 1963, S. 75 ff.

179 Vgl. dazu W. Stützel, Betrachtungen zum Wachstum der westdeutschen Wirtschaft, in: H.-D. Ortlieb, B. Molitor (eds.), Hamburger Jahrbuch für Wirtschafts- und Gesellschaftspolitik, Tübingen 1968, S. 82 ff.

zum Jahre 1964 zu einem Gold- und Devisenbestand von über 30 Milliarden DM.«[180] Das ist das eine Ergebnis der im Rahmen eines kontrollierten Parlamentarismus vorgenommenen Reorganisation des Kapitalismus in der Bundesrepublik. Das zweite Resultat dieser Entwicklung liegt in der Stabilisierung der westdeutschen Parteienkonstellation, die sich vor allem in der offenkundigen Tendenz zum Zwei- allenfalls Dreiparteiensystem [181] äußert – was sich wiederum für das Jahr 1965 darin zeigt, daß über 80% der bei der Bundestagswahl abgegebenen Stimmen allein auf zwei Parteien fallen [182]. Wie dabei Wirtschaftsentwicklung und Konzentration der Wähler auf wenige Parteien zusammenhängen – und zwar auf dem Umweg über die Perzeption

Graphik 4: Wirtschaftliche Entwicklung und Entwicklung des Parteiensystems in der Bundesrepublik: 1949–1965

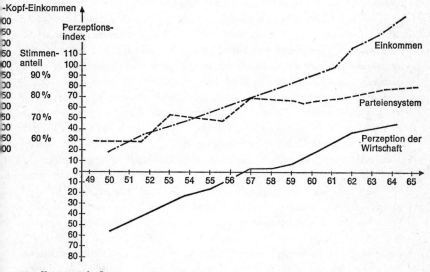

(Quelle: W. Kaltefleiter, a. a. O., S. 116)

180 W. Kaltefleiter, a. a. O., S. 111; Wolfgang Stützel gibt für den Zeitraum 1949 bis 1966 eine Preissteigerung im Bereich der Produkte zur Lebenshaltung von 40% an; findet das allerdings im Gegensatz zu Kaltefleiter »beklagenswert«; vgl. dazu W. Stützel, a. a. O., S. 91.
181 Vgl. dazu W. Zohlnhöfer, Parteiidentifizierung in der Bundesrepublik und in den Vereinigten Staaten, in: E. K. Scheuch, R. Wildenmann (eds.), Zur Soziologie der Wahl (Sonderheft 9 der Kölner Zeitschrift für Soziologie und Sozialpsychologie), Köln Opladen 1965, S. 127.
182 Vgl. dazu W. Kaltefleiter, a. a. O., S. 116; K. Liepelt, A. Mitscherlich, Thesen zur Wählerfluktuation, Frankfurt 1968, S. 27; vgl. dazu weiter das informative Zahlenmaterial bei G. Loewenberg, a. a. O., S. 195 (Tabelle 25), 280 (Tabelle 29), 515 (Tabelle 41).

der Wirtschaftsentwicklung durch die Bevölkerung [183] –, hat ebenfalls Kaltefleiter eindrucksvoll nachgewiesen.

So kann dann Ernst Fraenkel – etwas ironisch zwar, weil er einzelne Krisenpunkte in der glänzenden Fassade sieht, aber alles in allem doch zu Recht – zu diesem Zeitpunkt äußern: »Im anscheinend krisenfesten Wohlstandsstaat ist an Stelle der Arbeitslosigkeit der Arbeitermangel, an Stelle der dreißig und mehr Parteien der Dreiparteienstaat getreten. Die totalitären Bewegungen sind von der Bühne abgetreten, die Wirkungslosigkeit der totalitären Ideologie scheint erwiesen, das parlamentarische Regierungssystem funktioniert reibungslos, die bestehende Staatsform wird von niemandem offen bekämpft, von allen maßgeblichen Parteien und Verbänden auch innerlich bejaht, von der politischen Publizistik nicht in Frage gestellt, und alle, alle stehen auf dem Boden der Verfassung.«[184]

Doch die Kombination aus »Wirtschaftswunder und Wahlwunder«[185] beginnt etwa ab 1965/66 an Glanz zu verlieren – ökonomische und politische Entwicklung zeigen Krisenerscheinungen [186]. Erste Anzeichen von Arbeitslosigkeit werden sichtbar, da Absatzschwierigkeiten auf dem weitgehend gesättigten nationalen und dem mit harter Konkurrenz besetzten internationalen Markt die Investitionsfreudigkeit der westdeutschen Industrie bremsen; in Bund, Ländern und Gemeinden droht die Zerrüttung der Finanzverfassung, da die öffentliche Hand jahrelang ungeplant und oft nur aus wahltaktischen Gründen geschicktoperierende Pressure-groups mit monetären Privilegien versah; schließlich herrscht innerhalb der bisher stets als Garant von Sicherheit und Ordnung aufgetretenen CDU/CSU augenfällige Unentschlossenheit, da man weder alleine noch mit dem unsicheren Koalitionspartner FDP der drohenden Misere Herr werden kann. Als Ausweg aus der desparaten Situation wird Ende 1966 eine große Koalition aus CDU/CSU und SPD gebildet, die – erstens – durch mittelfristige Wirtschafts- und Finanzpolitik und konzertierte Aktion von Regierung, Arbeitgeberverbänden und Gewerkschaft die ökonomische Rezession in einen »Aufschwung nach Maß« transformieren und die – zweitens – durch Lösung schwerwiegender politischer Probleme (Oder-Neiße-Grenze, Ostpolitik, Verhältnis zu Frankreich, innerdeutscher Bildungsnotstand) den parlamentarischen Institutionen wieder Ansehen verschaffen, insbesondere dem sich in Form der NPD vorsichtig äußernden Rechtsradikalismus eine demokratische Antwort geben soll [187]. Erreicht hat die Große Koalition dann auf jeden Fall zweierlei: die – wenn auch, wie sich seitdem

183 Auf den strukturellen Zusammenhang zwischen Entwicklung des Parteiensystems und Entwicklung des – durch ein bestimmtes Verhältnis von Politik zu Ökonomie geprägten – staatlich organisierten Kapitalismus wird in den folgenden Abschnitten eingegangen.

184 E. Fraenkel, Strukturdefekte der Demokratie und deren Überwindung, in: E. Fraenkel, Deutschland und die westlichen Demokratien, Stuttgart 1964, S. 49.

185 W. Kaltefleiter, a. a. O., S. 111.

186 Vgl. dazu E. Mandel, Die deutsche Wirtschaftskrise, Frankfurt 1969, S. 5 ff.

187 Vgl. dazu zusammenfassend R. Kühnl et al., Die NPD . . ., a. a. O.

zeigt, anscheinend nur vorübergehende – Stabilisierung der ökonomischen Situation und, das allerdings weniger absichtlich, die Etablierung einer relativ breiten Außerparlamentarischen Opposition, die sich insbesondere an einer Maßnahme der Koalition, an der im Parlament durchgesetzten Verabschiedung der Notstandsverfassung, entzündete [188].

Wie gesagt – die Wirtschaftsmisere von 1965/66 hat die Große Koalition nur vorübergehend bereinigen können. Im Wahljahr 1969 deutet sich eine zweite, stark währungspolitisch akzentuierte Krise an, die zunächst noch unter der Frage »Aufwertung oder Nicht-Aufwertung der DM« [189] diskutiert, aber auch schon in Form eines nicht zu bremsenden, harte Preissteigerungen nach sich ziehenden Booms antizipiert wird. »Nachdem es nun schon die Spatzen von den Dächern pfeifen, daß wir in den größten Boom seit Kriegsende hineingeschaukelt wurden, von einer tatenlosen Regierung, die sich gerühmt hat, das modernste Instrumentarium der Konjunkturlenkung geschaffen zu haben, wächst die Unruhe in der Bevölkerung. Die Preise werden steigen, darüber sind sich alle einig, die Gewerkschaft und die Wirtschaft, die Professoren und die Kaufleute. Nur die Regierung streitet es noch ab, ausgenommen neuerdings der Wirtschaftsminister. Ein Sprecher des Deutschen Industrie- und Handelstages – und das ist der Dachverband aller Industrie- und Handelskammern in der Bundesrepublik – kündigt Preissteigerungen in großem Maße für das zweite Halbjahr 1969 an.« [190] Ähnlich argumentiert auch die Wirtschaftsredaktion des ›Spiegels‹, wenn sie schreibt: »Unter großen Kinderaugen verspricht die CDU in ihrem jüngsten Inserat, sie kämpfe für die Sicherheit des Arbeitsplatzes, für die Stabilität der D-Mark und der Preise. Doch statt, wie sie ebenfalls behauptet, sicher in die 70er Jahre, führt Kiesinger das deutsche Volk eher in die nächste Wirtschaftskrise – wie Ludwig Erhard 1966.« [191] Abgesehen von der problematischen Personalisierung gesellschaftlicher Probleme im letztzitierten Kommentar zeigen beide Äußerungen die Enttäuschung über den bundesrepublikanischen Versuch, den fortgeschrittenen Kapitalismus und die in ihm ablaufenden Prozesse staatlich zu planen, zumindest in einen Rahmen zu stellen, innerhalb dessen drohende Krisen frühzeitig erkannt und behandelt sowie der objektiv vorhandene Klassencharakter und dadurch bedingte prinzipiell undemokratische Zustand der westdeutschen Gesellschaft perfekt verschleiert werden können. Die Gründe für das offensichtliche Versagen staatlicher Wirtschaftspolitik legt Elmar Altvater in seiner Analyse der »Konjunkturlage Westdeutschlands Anfang 1970« klar. Er schreibt dort – auch im Hinblick auf die seit September 1969 amtierende SPD-FDP-Regierung und

188 Vgl. dazu D. Sterzel, Zur Entstehungsgeschichte der Notstandsgesetze, in: D. Sterzel (ed.), a. a. O., S. 7 ff.

189 Vgl. dazu E. Altvater, Die Krise der europäischen Währungen, in: Sozialistische Politik 2–1969, S. 2 ff.

190 W. Slotosch, Wem nützt die Nichtaufwertung?, in: Süddeutsche Zeitung Nr. 170 vom 17. 7. 1969, S. 3.

191 Der Spiegel, 23. Jahrgang Nr. 29 vom 14. 7. 1969, S. 21.

deren Chancen für ein sozialliberales Krisenmanagement –: »Die staatliche Konjunkturpolitik kann letztlich nur die Tendenzen stützen, die sich sowieso aus den Eigenbewe-
gungen des Kapitals ergeben. In der Krise kann sie den Aufschwung beschleunigen,
also den Eintritt in die Depression wie nach 1930 verhindern oder zumindest abkür-
zen. In der Hochkonjunktur kann sie den Abschwung nicht verhindern, sondern ihn
nur ›gleichmäßiger‹ gestalten, d. h. die Auswirkungen in Form von Bankrotten und
Konkursen minimieren.«[192] Und das Entscheidende (was im folgenden Kapitel weiter-
verfolgt wird): Die staatliche Wirtschaftspolitik ist nicht einmal fähig, »die Widersprüche des Kapitals vorübergehend zu lösen«, weil sie »sich dort bricht, wo die Regulierung des kapitalistischen Akkumulationsprozesses eigentlich einsetzen müßte: bei
den Verwertungsbedingungen des Kapitals im Produktionsprozeß«[193].

Am Ende der absichtlich deskriptiv gehaltenen Skizze von Entwicklung und Qualität
der deutschen Gesellschaft im 19. und 20. Jahrhundert bleiben zwei Fragen, die im
nächsten Abschnitt weiter verfolgt werden sollen: Erstens – besteht zwischen dem
sozusagen absolutistisch formierten Kapitalismus im Preußen-Deutschland des 19.
und beginnenden 20. Jahrhunderts und dem staatlich regulierten Kapitalismus, wie er
in Westdeutschland nach 1945 auftritt, ein qualitativer Unterschied? Und zweitens
– wenn ein solcher Unterschied existiert, wie hängt dann die oft konstatierte Krise des
traditionellen Parlamentarismus mit dem Tatbestand der staatlichen Regulierung des
kapitalistischen Wirtschaftsprozesses zusammen? Insbesondere die Antwort auf die
zweite Frage ist von zentraler Bedeutung für die adäquate Einschätzung von Position
und Funktion der Massenkommunikation, die ja im Modell der parlamentarischen
Demokratie als wesentliches Mittel zur Aufrechterhaltung des gesellschaftlichen Pluralismus sowie der Balance von Konsensus und Konflikt fungiert.

(b) Der Strukturwandel des Kapitalismus und das Verhältnis von Politik zu Ökonomie

Es liegt zunächst nahe, absolutistisch formierten und staatlich regulierten Kapitalismus
im Hinblick auf das jeweils aktualisierte Verhältnis von Politik und Ökonomie unter-
schiedslos zu interpretieren. Das wäre jedoch insofern ein Fehlschluß, als der so titu-
lierte absolutistisch formierte Kapitalismus im Deutschland des 19. und frühen 20.
Jahrhunderts nicht durch eine politische Herrschaft geprägt wurde, die dieses Wirtschaftssystem sichern, sondern die die Privilegien insbesondere der preußischen Feudalaristokratie vor der bürgerlichen Gesellschaft schützen wollte. Das Modell dieser bürgerlichen Gesellschaft jedoch, das – wie vor allem die Zeit der Verfassungskämpfe in
Deutschland gezeigt hat – auch der deutschen bürgerlichen Klasse den Horizont ihres

192 E. Altvater, Zur Konjunkturlage Westdeutschlands Anfang 1970, in: Sozialistische Politik 5–1970, S. 44.
193 E. Altvater, a. a. O., S. 44.

gesellschaftlichen Aufstiegs vorgab, ging gerade davon aus, daß der ökonomische Prozeß prinzipiell von staatlichen Eingriffen – und das waren zu Beginn der bürgerlichen Revolution eben Interventionen einer feudalaristokratischen Bürokratie – frei zu sein hat. Dem Modell nach sollte solche Liberalität im Ökonomischen Demokratie im Politischen insofern garantieren, als von der Institution des freien Marktes, auf dem die Besitzer der Produktionsmittel konkurrieren und die Eigentumslosen ihre Arbeitskraft verkaufen, und der damit verankerten privaten Verfügung über die Mittel der Produktion und deren Resultate Möglichkeiten politischer Selbstbestimmung und sozialer Herrschaft erhofft wurden, die nicht mehr durch eine zumeist metaphysisch verbrämte und personengebundene Fähigkeit zur Ausübung physisch und psychisch wirksamer Gewalt, sondern durch Legitimation aus dem System gesellschaftlicher Arbeit gesichert sein würden. In dieser Gesellschaftskonzeption ließ sich der Bereich der Politik so deshalb als Teil eines von jenem System gesellschaftlicher Arbeit relativ abhängigen Überbaus interpretieren, weil die persönliche Entfaltung des einzelnen – der Wert der bürgerlichen Sozialordnung schlechthin – mit dem Privateigentum an Produktionsmitteln oder wenigstens mit der freien Verfügung über die eigene Arbeitskraft zusammengebracht und der institutionelle Rahmen der Gesellschaft, in dem die persönliche Entfaltung des einzelnen sich vollziehen sollte, den Produktionsverhältnissen gleichgesetzt wurde. Dem bürgerlichen Staat fiel in diesem Zusammenhang die Aufgabe zu, die gesellschaftlichen Randbedingungen so zu gestalten, daß die Prozesse der kapitalistischen Ökonomie auf keinerlei Widerstände stießen und die in der Ideologie des ökonomischen Individualismus, des Privateigentums an Produktionsmitteln und Arbeitskraft, vorweggenommene Emanzipation der bürgerlichen Klasse vom absolutistischen Dirigismus der Aristokratie durch eine gesellschaftliche Praxis realisiert werden könnte, in der autonomräsonnierende Privatleute den institutionellen Rahmen von Gesellschaft bestimmen würden. Die bürgerliche Klasse deutscher Provenienz hat dieses Gesellschaftsmodell nur mangelhaft realisiert: Sie war – wie in dem vorangegangenen historiographischen Exkurs kurz dargestellt worden ist – nicht in der Lage, die emanzipatorischen Momente ihrer Produktionsverhältnisse voll gegen den Zwangscharakter der preußischen Agrararistokratie und deren militärisch-bürokratisches Regime durchzusetzen [194].

Es wäre so in zweifacher Hinsicht falsch, von einem sozusagen staatsfreien Kapitalismus im Deutschland des 19. und beginnenden 20. Jahrhunderts zu sprechen: einmal – weil auch die bürgerliche Gesellschaft zur Sicherung ihrer Existenzbedingungen staatliche Institutionen brauchte; zum anderen – weil solche Sicherungsfunktionen in der deutschen bürgerlichen Gesellschaft in sehr rigider Weise von einer sozialen Gruppe wesentlich mitbestimmt wurde, die zwar die politische Herrschaft ausübte, deren Inter-

194 Vgl. dazu zusammenfassend L. Bergsträsser, Die Entwicklung des Parlamentarismus in Deutschland, in: K. Kluxen (ed.), Parlamentarismus, Köln Berlin 1967, S. 138 ff.; vgl. dazu weiter A. Görlitz, Demokratie im Wandel, Köln Opladen 1969, S. 26.

essen aber nicht die der bürgerlichen Klasse waren. Mit dem Ende des Ersten Weltkrieges (Liquidation des feudalaristokratischen Absolutismus) und der bis dahin gegangenen ökonomischen Entwicklung in Deutschland (Kapitalkonzentration; Monopolisierung ökonomischer Potenz in den Händen weniger) änderten sich allerdings die Bedingungen, unter denen jene Sicherungsfunktionen durch politische Herrschaft zu erfüllen waren derart, daß schon von einem qualitativen Unterschied zwischen diesem Stadium der kapitalistischen Entwicklung und dem Kapitalismus im 19. Jahrhundert gesprochen werden muß. »Die Ökonomie kann ... auch nach der radikalen liberalen Theorie keineswegs ohne Politik bestehen. Zumindest braucht man Zölle, Steuern, Armeen und Polizei. Aber in der Periode der Konzentration braucht man mehr als das. Das ökonomische System wird stark und damit krisenempfindlicher. Großzügige Subventionspolitik wird erforderlich ...«[195]. Franz Neumann deutet mit dieser Bemerkung, die aus einer Arbeit über die polit-ökonomischen Grundlagen des deutschen Nationalsozialismus stammt, zweierlei an: einmal die anscheinend unausweichliche Notwendigkeit für den Kapitalismus, an einem bestimmten Punkt seiner Geschichte — bei einem spezifischen Grad privater Monopolisierung ökonomischer Macht und dem daraus resultierenden Zusammenbruch der liberalistischen Ideologie des Äquivalententausches — aus Gründen der Systemstabilisierung eine politische Autorität zu produzieren, die — anders als im 19. Jahrhundert mit Hilfe von Privatrechtsordnung und allgemeinen Ordnungsgarantien — durch Dauerregulierung des wirtschaftlichen Kreislaufs das Gesellschaftsgefüge vor Krisen schützt; und zum anderen die Notwendigkeit für jene, die privat über die Produktionsmittel und den mit ihrer Hilfe erwirtschafteten Reichtum verfügen, eine politische Autorität zu haben, die — obwohl sie unmittelbar in den Leistungs- und Verteilungszusammenhang eingreift — dennoch das prinzipielle, Profit und Privilegien garantierende Herrschaftsverhältnis von Kapital und Arbeit unangetastet läßt. Der Weimarer Parlamentarismus hat beiden Notwendigkeiten nicht gerecht werden können: aus Gründen, die teils im politischen System lagen (Parteienzersplitterung, instabile Koalitionsregierungen; Dualismus »Reichstag-Reichspräsident«), teils in den unkontrollierbaren Abhängigkeiten der deutschen Wirtschaft von den Siegerstaaten des Ersten Weltkrieges (Reparationen; Kapitalabhängigkeit der Industrie durch Dawes- und Young-Plan). Der Nationalsozialismus, im wesentlichen das Ergebnis der nicht gelungenen parlamentarisch-demokratischen Organisation des fortgeschrittenen Kapitalismus, ist jenen beiden Notwendigkeiten dagegen so nachgekommen, daß der Ruin der deutschen Gesellschaft die Folge war. Erst der Übergang zur sozial- und rechtstaatlich verfaßten, oligopolistisch strukturierten Industriegesellschaft der Bundesrepublik hat auch in Deutschland zu einer Sozialordnung geführt, die organisierten Kapitalismus zu nennen man sich gewöhnt hat[196].

195 F. Neumann, Ökonomie und Politik im zwanzigsten Jahrhundert, in: F. Neumann, Demokratischer und autoritärer Staat, Frankfurt 1968, S. 255.
196 Vgl. dazu M. Dobb, Der Kapitalismus zwischen den Kriegen, in: M. Dobb, Organisierter Kapitalismus, Frankfurt 1966, S. 158; J. Agnoli, Zur Parlamentarismus-

In seinem Buch ›Zur Strategie der Arbeiterbewegung im Neokapitalismus‹ zeigt André Gorz, daß ein wesentlicher Zug des organisierten Kapitalismus die erfolgreiche materielle wie ideologische Integration der lohn- und gehaltsabhängigen Massen auf Grund einer immensen Steigerung der Produktivität durch Anwendung von Wissenschaft und Technik im Herstellungs- und Verwaltungsprozeß ist [197]. Der von Gorz angedeutete Tatbestand weist auf zweierlei hin: auf die strukturelle Veränderung des Kapitalismus und die gewandelten Mechanismen, mit denen insbesondere die Klasse der Lohn- und Gehaltsabhängigen diesem System eingefügt wird [198]. Die Veränderung des Kapitalismus wurde bereits diskutiert und – modellhaft gesprochen – als zentrales Moment die Ablösung der von Privatrechtsordnung und allgemeinen Ordnungsgarantien des bürgerlichen Staates zusammengehaltenen privatwirtschaftlichen Kapitalverwertung durch einen staatlich dauerregulierten, oligopolistisch bestimmten Wirtschaftsprozeß herausgestellt. Konsequent beginnt dieser Ablösungsprozeß sich nach 1914 durchzusetzen. »Erst im ersten Weltkrieg werden umfassende Eingriffe des Staates in das System der Güterherstellung und -verteilung notwendig ... Der Staat entwickelt sich zum Sozialstaat, die Verwaltung wird ... vom Ordnungsgaranten zum Leistungsträger. Die Reproduktion der Gesellschaft ... in diesem Stadium ... bedarf der Balancierung durch staatlichen Eingriff. Der Gesetzgebung und Verwaltung fallen weite Bereiche kollektiver Daseinsvorsorge zu; sie übernehmen Funktionen, die bis dahin in privater Hand lagen; sie könnten beim gegenwärtigen Stand der Entwicklung, der Kapitalkonzentration und der oligopolistischen Organisation der wichtigsten Märkte, nur bei Strafe des Untergangs dem freien Spiel der Kräfte überlassen werden.«[199] Dabei übernehmen die modernen interventionistischen Maßnahmen des Staates Gestaltungsfunktionen – und zwar solche, die für Schutz und Entschädigung ökonomisch schwächerer Bevölkerungsgruppen sorgen [200], die Strukturwandlungen vornehmen helfen, eine gleichgewichtige Wirtschaftsentwicklung ermöglichen und schließlich öffentliche Dienstleistungen gewähren sollen [201].

Der staatliche Interventionismus hat demnach seinen wesentlichen Grund in den organisatorischen Problemen der kapitalistischen Produktionsweise unter der Bedingung einer forcierten Kapitalkonzentration und -zentralisation. Allgemein wird nun als charakteristisch für die Ablösung des Kapitalismus des 19. Jahrhunderts durch den

diskussion in der Bundesrepublik, in: Sozialistische Politik 1–1969, S. 3–4; vgl. dazu weiter G. Leibholz, Der Strukturwandel der modernen Demokratie, a. a. O., S. 86.

197 Vgl. dazu A. Gorz, Zur Strategie der Arbeiterbewegung im Neokapitalismus, Frankfurt 1967, S. 91.

198 Vgl. dazu W. Hofmann, Über die Notwendigkeit einer Demokratisierung des Parlaments, in: Sozialistische Politik 2–1969, S. 49 ff.

199 J. Habermas, Reflexionen über den Begriff der politischen Beteiligung, in: J. Habermas – L. v. Friedeburg – Ch. Oehler – F. Weltz, Student und Politik, Neuwied Berlin 1961, S. 21.

200 Vgl. dazu W. Friedmann, Law and Social Change, London 1951, S. 298.

201 Vgl. dazu J. Habermas, a. a. O., S. 22 und W. Stützel, a. a. O., S. 92 ff.

staatlich organisierten, oligopolistisch verfaßten Kapitalismus und für diesen selber angesehen, daß die fortlaufende Akkumulation des Kapitals – dessen Konzentration – zunehmend mit dem Mechanismus der Zentralisation gekoppelt wird [202]. Zentralisation meint dabei das Zusammenfassen bisher selbständig arbeitender Produktionseinheiten unter eine ökonomische Entscheidungsagentur – also die Etablierung von Konzernen, Kartellen, Fusionen [203]. Das heißt mit anderen Worten, die Vermehrung des Kapitals und damit die Steigerung der Profitchancen werden zu erreichen versucht durch Kombination von bislang eigenständigen Unternehmen und konzentrierter Ausnutzung der so zu einem Großmarkt vereinigten Teilmärkte [204]. In seiner Studie ›Ursachen der Konzentration‹ hat Hans Otto Lenel allerdings nachdrücklich betont, daß gegenwärtig – Lenel verwendet in seiner Arbeit vor allem Material über die bundesrepublikanische Szene – mehrere »Wege der Konzentration« [205] eingeschlagen werden: »a) Vergrößerung der bestehenden Betriebe; b) Errichtung neuer Betriebe durch bestehende Unternehmen; c) Verdrängung von Unternehmen durch Konkurs und Liquidation; d) Zusammenfassung bestehender Unternehmen: (1) Erwerb von Anteilen eines Unternehmens durch ein anderes durch Kauf oder durch Tausch anläßlich einer Fusion; (2) Kauf aller oder einzelner, wesentlicher Vermögensgegenstände eines Unternehmens durch ein anderes; (3) Bildung von Interessengemeinschaften mehrerer Unternehmen; (4) Verpachtung eines Unternehmens an ein anderes; (5) Langfristige Bindung eines Unternehmens durch ein anderes über Lieferungs- und Leistungsverträge (in der Regel mit Ausschließlichkeitsbindung) oder andere Verträge, durch welche

202 Vgl. zum Unterschied von Konzentration und Zentralisation K. Marx, Das Kapital I, Kapitel 23, Frankfurt 1967.

203 Eine weitere Form der Zentralisation hat Karl-Heinz Stanzick in seinem Beitrag »Der ökonomische Konzentrationsprozeß«, in: G. Schäfer, C. Nedelmann (eds.), Der CDU-Staat, München 1967, herausgearbeitet und an Beispielen aus der Chemie-, Elektro-, Automobil- und Stahlindustrie demonstriert: die Kooperation – »ein elastisches ... Instrument enger Unternehmensintegration«; dem Bedürfnis nach »größerer Sicherheit in der Marktstrategie« angepaßt; »ohne den Manövrierspielraum zu sehr einzuengen«; zur »gegenseitigen Unterrichtung über die geplanten Investitionsvorhaben«; »die Vorstufe für weitgehende Absprachen und Arbeitsteilungen« (K. H. Stanzick, a. a. O., S. 31 und ff.). Eine der neuesten Kooperationen besteht seit Juli 1969 zwischen dem Raum- und Luftfahrtkonzern Messerschmitt-Bölkow-Blohm und der Siemens AG – siehe dazu Süddeutsche Zeitung Nr. 182 v. 31. 7. 1969, S. 1 (Meldung: Goppel für Firmenverband von europäischem Zuschnitt).

204 Vgl. P. A. Baran–P. M. Sweezy, Monopolkapital, Frankfurt 1968, S. 23 ff.; P. M. Sweezy, Theorie der kapitalistischen Entwicklung, Köln 1959, S. 200 ff.; P. Heß, Die ökonomischen Grundlagen und Triebkräfte der formierten Gesellschaft, in: H. Meißner (ed.), Bürgerliche Ökonomie im modernen Kapitalismus, Berlin 1967, S. 176; W. Abendroth, Antagonistische Gesellschaft und politische Demokratie, Neuwied Berlin 1967, S. 470.

205 Entsprechend der oben vorgenommenen Unterscheidung zwischen Konzentration und Zentralisation geht es hier nicht nur um Konzentration, sondern auch um Zentralisation des Kapitals.

eines oder mehrere der beteiligten Unternehmen ihre wirtschaftliche Stellung weitgehend aufgeben; (6) Zusammenfassung von Befugnissen gegenüber in sonst keiner Weise miteinander verbundenen Unternehmen in den Händen einer Person, z. B. durch Besetzung von Aufsichtsratsposten«[206]. Genauso detailliert hat Lenel versucht, unterschiedliche Ursachen der Zentralisations- und Konzentrationsbewegung im gegenwärtigen kapitalistischen Wirtschaftssystem herauszufinden: Entwicklung des technischen Wissens[207], marktpolitische Überlegungen in den Unternehmungen[208]; Finanzierungsvorteile[209]; Aufforderung zur Zentralisation (und Konzentration) durch Rechts-, insbesondere Steuerrechtsordnung[210]; und persönliche Motive der an den Zentralisations- und Konzentrationsvorgängen beteiligten Unternehmer und Manager — wie Machtstreben, Geltungsbedürfnis, Sicherheitsverlangen[211]. Lenel gibt allerdings nicht an, wie diese konzentrations- und zentralisationsdeterminierenden Faktoren zusammenhängen und welche induzierende, welche nur intervenierende Variablen sind. Daher bleibt seine Schlußthese auch problematisch: »Bei den mannigfachen Förderungen, die der Konzentrationsprozeß erfuhr, besteht kein Anlaß, sich über sein Ausmaß zu wundern. Andererseits ist aber unter diesen Umständen auch kein Grund zu der Ansicht gegeben, der Konzentrationsprozeß sei ein Faktum, dem wir machtlos gegenüberstehen. Wenn es gelingt, den Klein- und Mittelunternehmen ausreichende und günstige Finanzierungsmöglichkeiten zu geben und die Marktorganisation zu verbessern, und wenn die öffentliche Meinung und die Rechtsordnung dem Konzentrationsprozeß nicht mehr so freundlich gegenüberstehen wie ehedem, wird dieser Prozeß nicht weitergehen wie bisher. Gewiß sollte man tüchtige Unternehmer nicht hindern ihr Unternehmen zu vergrößern. Man braucht aber deshalb nicht die Vergrößerung zu fördern und damit auch diejenigen Konzentrationsvorgänge zu begünstigen, die nicht auf echten Leistungen für die Volkswirtschaft beruhen.«[212]

Diese These bleibt deshalb problematisch, weil sie in Widerspruch steht zu dem — auch von Lenel nicht falsifizierten — Argument: »a) Das Monopol ist das logische und unvermeidliche Endergebnis des Konkurrenzkampfes, der ja notwendig mit dem Sieg des Stärkeren und dem Untergang aller Schwächeren endigt. b) Dieser Prozeß aber bedeutet primär äußerste Konzentration der Produktion, äußerste Kostendegression, äußerste Markttransparenz, somit zuletzt Maximierung des Sozialprodukts ...«[213] Und selbst wenn man dieser Argumentation nicht folgen will, ist Lenels Optimismus

206 H. O. Lenel, Ursachen der Konzentration unter besonderer Berücksichtigung der deutschen Verhältnisse, Tübingen 1968 (2. Auflage), s. S. 350.

207 Vgl. dazu H. O. Lenel, a. a. O., S. 57 ff.

208 Derselbe a. a. O., S. 145 ff.

209 Derselbe a. a. O., S. 279 ff.

210 Derselbe a. a. O., S. 311 ff.

211 Derselbe a. a. O., S. 322 ff.

212 H. O. Lenel, a. a. O., S. 430–431.

213 M. Kröll, Walter Eucken und die Theorie der Wirtschaftslenkung, in: Jahrbuch für Sozialwissenschaft 17. Band, 1966, S. 320.

angesichts der im Verlaufe jenes Zentralisations- und Konzentrationsprozesses erwachsenen Ballung von schwergewichtigen Interessen immer noch mehr als fragwürdig. Lenel selbst weist, indem er die vom Bundesamt für gewerbliche Wirtschaft vorgenommene Enquete zitiert, die Intensität dieser Interessenkombination nach:

Tabelle 1: Anteile der 10 größten Unternehmen am Umsatz der jeweiligen Industriegruppe: 1954 und 1960

Industriegruppe	Gruppen-umsatz 1960 Mrd. DM	1954 %	1960 %	Erhöhung gegenüber 1954 (Punkte)
Mineralölverarbeitung und Kohlenwertstoffindustrie	8,6	72,6	91,5	18,9
Tabakverarbeitende Industrie	6,1	68,8	84,5	15,7
Fahrzeugbau	16,8	58,6	67,0	8,4
Bergbau	12,0	34,6	42,0	7,4
Eisenschaffende Industrie	18,5	51,6	57,8	6,2
Chemische Industrie	22,8	37,5	40,6	3,1
Elektrotechnische Industrie	20,2	37,8	38,4	0,6
Ernährungsindustrie	31,1	11,7	12,0	0,3

(Quelle: H. O. Lenel, a. a. O., S. 22)

Dabei zeigt sich die Vehemenz des Konzentrations- und Zentralisationsprozesses in der Bundesrepublik [214] erst deutlich, wenn zu Tabelle 1 zweierlei hinzugefügt wird: einmal der Tatbestand, daß bereits 1960 die 100 (50) größten Konzerne 38,8% (22,8%) des gesamten industriellen Umsatzes verbuchen konnten; und zum anderen der Sachverhalt, daß nicht die bloße Quantität der in einer Branche führenden Konzerne, sondern deren wirtschaftliche Potenz ausschlaggebend ist: »So wäre zum Beispiel der für die Chemie-Industrie angegebene Konzentrationsgrad [215] von etwa 40 v. H. nicht sonderlich auffällig und mit lebhafter Firmenrivalität durchaus vereinbar. Zusätzliche Erläuterungen jedoch, wie die des Vorstandsvorsitzenden der Farbwerke Hoechst AG, Karl Winnacker, lassen die Größenproportionen in einem anderen Licht erscheinen. Danach vereinigen nur drei der 2300 im Chemie-Verband zusammengeschlossenen Firmen einen Umsatzanteil von einem Drittel auf sich. Die nächste Unternehmensgruppe mit einem Jahresumsatz von 500 Millionen bis 2 Milliarden DM unterhalb der Großen der Chemie-Industrie beansprucht zusammen ein weiteres Vier-

214 Vgl. dazu auch H. Arndt, Die Konzentration in der westdeutschen Wirtschaft, Pfullingen 1966 – eine Studie, die ebenfalls auf dem Material der Zentralisationsenquete basiert.
215 Auch hier geht es nicht nur um den Konzentrations-, sondern auch um den Zentralisationsgrad.

tel des Industrieumsatzes. Die große Zahl der übrigen Firmen teilt sich demnach den verbleibenden Umsatzrest von etwa 40 v. H. Bei Berücksichtigung dieser Zahlen wäre es wirklichkeitsfremd, die drei Nachfolgegesellschaften des ehemaligen I. G. Farben-Trusts, die Badische Anilin- und Soda-Fabrik AG, die Farbenfabriken Bayer AG und die Farbwerke Hoechst AG, den anderen Chemieunternehmen als ebenbürtige Marktkonkurrenten gegenüberzustellen.«[216] Nimmt man zu den solchermaßen ergänzten Daten der Tabelle 1 noch die Skizze der Vermögensstruktur in der Bundesrepublik[217]

Tabelle 2: Vermögen der natürlichen Personen nach Vermögensgruppen: 1966 (Vermögens*steuer*statistik)

Vermögensgruppe	Personen	Gesamtvermögen in Mill. DM	Anteile der Personen an der Gesamtzahl	der jeweiligen Vermögensgruppe am Gesamtvermögen
			%	%
unter 30 000	19 311	674	4,2	0,5
30– 50 000	55 343	2 903	12,1	2,1
50–100 000	143 112	12 941	31,5	9,3
100–250 000	150 035	27 925	33,0	20,2
250 000–1 Mill.	71 478	37 803	15,7	27,3
1 Mill. u. mehr	15 147	56 269	3,4	40,6

(Quelle: H. Marcus, Wer verdient schon was er verdient, Düsseldorf 1969, S. 133)

hinzu und fügt man dieser Statistik wiederum bei, daß in der Bundesrepublik »1,7 % aller Haushalte ... 70 % des Betriebs- und Kapitalvermögens (besitzen)«[218], so werden Umfang und Stärke, Vehemenz und Brisanz der Konzentrations- und Zentralisationsbewegung im ökonomischen System Westdeutschlands[219] wenigstens umrißhaft klar. Es wird angesichts dieser Bewegung und vor allem angesichts dessen, was an dieser Bewegung wirtschaftstechnisch rational ist, allerdings auch klar, daß eine realistische Konzentrations- und Zentralisationspolitik weder in einer generellen Entflechtung noch in einer allgemeinen Zerschlagung von Großunternehmen oder Konzernen bestehen kann. Aber – wie Helmut Arndt – eine solche Politik lediglich an die Forderung

216 K. H. Stanzick, a. a. O., S. 26–27.
217 Vgl. für die US-amerikanische Szene G. Kolko, Besitz und Macht, Frankfurt 1967; E. Kefauver, In wenigen Händen, Frankfurt 1967; F. Lundberg, Die Reichen und die Superreichen, Hamburg 1969.
218 J. Huffschmid, Die Politik des Kapitals, Frankfurt 1969, S. 33.
219 Vgl. dazu das Datenmaterial in: H. Schäfer, Lohn, Preis und Profit heute, Frankfurt 1969, Anhang.

zu binden, Konzentrationen und Zentralisationen, die zu Produktivitätssteigerungen und Verbesserungen des Lebensstandards führen, zuzulassen, wenn nur Vorsorge gegen den Mißbrauch der akkumulierten ökonomischen Macht getroffen worden ist[220], scheint dann doch zu optimistisch zu sein. Denn die Realisierung dieser Forderung setzt eine sehr detaillierte volkswirtschaftliche Planung voraus, in deren Rahmen die Arndtschen Vorschläge (Strategie der Gegenzentralisation und -konzentration; Einrichtung von Hearings zur Datensammlung; Etablierung gerichtlicher Instanzen; Installierung einer unabhängigen Sachverständigenkommission zur Ausarbeitung von Empfehlungen)[221] erst einen Effektivität versprechenden Stellenwert bekämen. Eine solche volkswirtschaftliche Gesamtplanung, die sich gegen sehr schwergewichtige Interessen der ökonomisch herrschenden Klasse richten muß, ist jedoch bei der gegenwärtigen Machtkonstellation in der Bundesrepublik parlamentarisch nicht durchsetzbar. Einige Gründe hierfür beschreibt Karl-Heinz Stanzick am Schluß seiner bereits zitierten Studie folgendermaßen — wobei die einzelnen Argumente zuvor sorgfältig belegt worden sind: »Trotz der nur bedingten Aussagekraft statistischer Meßziffern über den Grad der Konzentration wirft die Mitteilung des Konzentrationsberichts, daß 1960 die Gruppe der 50 größten Konzerne einen Anteil von etwa einem Viertel des westdeutschen Industrieumsatzes direkt kontrollierte, ein Schlaglicht auf den weit fortgeschrittenen Stand der wirtschaftlichen Strukturveränderungen. Zahlreiche Klein- und Mittelunternehmen, obgleich scheinbar noch selbständig und deshalb dem Umsatzteil der Großkonzerne nicht zugerechnet, sind de facto zu Satellitenunternehmen dieser Konzerne degeneriert. Querverbindungen zwischen dem Großbankensektor und den Industriekonzernen geben der Herrschaft einer kleinen Zahl von Unternehmensfunktionären über den Produktions- und Verteilungsapparat der Volkswirtschaft eine machterhöhende, quantitativ nicht erfaßbare Variante. Zur Stärkung dieser Wirtschaft hat wesentlich beigetragen, daß die oft behauptete Kontrolle der Konzernbürokratie durch die Masse der kleinen Aktiensparer nicht zutrifft und von den tatsächlichen Zuständen ablenkt. Das wirtschaftliche Direktorat der führenden Machtgruppe droht heute bereits die Handlungsfähigkeit jeder Regierung zu paralysieren. Die Entscheidung über Prioritäten bei der Zuweisung von volkswirtschaftlichen Mitteln und der Beschäftigung von Arbeitnehmern bei der Erzeugung von Gütern und Leistungen verlagert sich zunehmend zu einer kleinen Zahl wirtschaftlicher Kontrollgruppen. Außerhalb der verfassungsmäßigen Gewaltenteilung ist dem Gemeinwesen in der Großwirtschaft eine Macht entstanden, deren Existenz Legislatur- und Regierungsperioden überdauert. Die Entscheidungen und Irrtümer der kapitalverwaltenden Manager-Oligarchie zwingen den Staatsapparat zwar zu Anpassungsreaktionen und Korrekturen, jedoch zum Verzicht auf eine vorausschauende und rationale Wirtschaftspolitik.«[222] Das hiermit angeschnittene Problem des Zusammenhangs von Politik und

220 Vgl. dazu H. Arndt, a. a. O., S. 79.
221 Derselbe, a. a. O., S. 80 ff.
222 K. H. Stanzick, a. a. O., S. 45–46; vgl. dazu T. Prager, a. a. O., S. 125 ff.

Ökonomie unter den Bedingungen einer oligopolistisch strukturierten Wirtschaftsordnung soll anschließend genauer behandelt werden.

Im folgenden wird der – gewiß nicht originelle – Versuch gemacht, das gegenwärtige Verhältnis von Politik zu Ökonomie ausgehend von der These zu interpretieren, daß das politische Herrschaftssystem eine Antwort – in Form institutioneller Arrangements – darstellt auf die Probleme des wirtschafts- und sozialstrukturellen Datenkranzes einer Gesellschaft [223]. Politische Herrschaft in kapitalistischen Gesellschaften ist dann zu verstehen als ein institutionelles Arrangement, das den Grundwiderspruch dieser Gesellschaften: den Widerspruch zwischen gesellschaftlicher Produktions- und privater Aneignungsweise mit spezifischen Mitteln zu lösen hat. Im vorliegenden Zusammenhang bilden die Entwicklung von Großunternehmen auf dem Wege der Kapitalkonzentration und -zentralisation sowie die damit indizierte Ausprägung einer oligopolistisch strukturierten Industriegesellschaft die entscheidenden sozio-ökonomischen Bedingungen [224] für das politische System. Eine Analyse von dessen Grenzen und Möglichkeiten kann so nicht darin bestehen, die Veränderungen innerhalb dieses Systems – also die Erscheinungen, die man als Funktionsverlust des Parlaments und Funktionsgewinn der Exekutive bezeichnet – einfach auf die zunehmende Komplizierung industrieller Gesellschaften zurückzuführen und sie abstrakt einer Tendenz zu steigender Bürokratisierung aller gesellschaftlichen Prozesse zuzurechnen. Denn es läßt sich ohne Schwierigkeiten nachweisen, daß sich die staatliche Bürokratie seit Ende des 19. Jahrhunderts insbesondere durch das Entstehen von Verwaltungsbehörden und Regierungsressorts mit wirtschaftspolitischen Aufgaben sowie durch den Aufbau sich selbstverwaltender Organisationen der Sozialversicherung ausweitete [225]. Wenn man sich dazu als weiteres Beispiel die von 1949 bis 1961 durch die westdeutschen Ministerien erlassenen Rechtsverordnungen ansieht, dominieren auch hier eindeutig die wirtschafts- und finanzpolitischen Ressorts mit einem Anteil von zirka 60 Prozent [226]. Beide Tatbestände offenbaren, daß der Funktionsgewinn der Exekutive auf Kosten des Parlaments und damit das, was Michael Kidron »parliamentary sclerosis« [227] nennt, nicht aus einer generellen Tendenz zur Bürokratisierung, sondern aus dem Zwang zum staatlichen Eingreifen in den kapitalistischen Produktionsprozeß resultieren [228].

223 Vgl. dazu G. Brandt et al., a. a. O., S. 68 ff.; vgl. dazu weiter D. Lockwood, Social Integration and System Integration, in: G. Zollschan–W. Hirsch (eds.), Exploration in Social Change, London 1964, S. 244 ff.
224 Vgl. dazu den Begriff der »restriktiven Bedingung« in: O. Kirchheimer, Restriktive Bedingungen und revolutionäre Durchbrüche, in: O. Kirchheimer, Politische Herrschaft, Frankfurt 1967, S. 30 ff.
225 Vgl. dazu J. Habermas, a. a. O., S. 21.
226 Vgl. dazu G. Loewenberg, a. a. O., S. 334.
227 M. Kidron, Western Capitalism since the War, London 1968, S. 110.
228 Vgl. dazu W. Abendroth, Wirtschaft, Gesellschaft und Demokratie in der Bundesrepublik, Frankfurt 1965, S. 66; K. Loewenstein, a. a. O., S. 343 und H. J. Spiro,

In ähnlicher Weise kann auch ein zweiter Aspekt der Entmachtung des Parlaments, der sich in Position und Funktion der großen Parteiorganisationen und Interessenverbände zeigt, erklärt werden: Die Entwicklung dieser Organisationen lief parallel dem Zusammenschluß des industriellen Proletariats als Reaktion auf die Konzentration kapitalistischer Verfügungsgewalt; die Umwandlung der bürgerlichen Fraktionen in Weltanschauungs- und später Integrationsparteien folgte dem Vorbild der sozialistischen Parteien; die Interessenorganisationen der Privatwirtschaft formierten sich gegen die Gewerkschaften. Zusammenfassend läßt sich so sagen: »Im historischen Kontext stellen sich mithin die entscheidenden Aspekte des politischen Strukturwandels als spezifische Reaktionen und Antworten auf Veränderungen der Wirtschafts- und Sozialstruktur, genauer gesagt, auf die Aufhebung des sich selbst regulierenden Marktsystems im Zuge der Kapitalkonzentration und -zentralisation heraus.«[229]

In der gegenwärtigen Diskussion um den Parlamentarismus in der Bundesrepublik schlägt sich der Funktionsgewinn der Exekutive auf zweierlei Weise nieder[230]: (1) als Klage über den Verlust der Eigenständigkeit parlamentarischer Institutionen – Indiz hierfür ist vor allem die von der Bundesregierung ausgiebig genutzte Möglichkeit zur Gesetzesinitiative; von den zwischen 1949 und 1965 verkündeten 1904 Gesetzen gingen 1411 vom Kabinett aus[231]; (2) als Enttäuschung über die Verwandlung des Parlaments in eine Versammlung von Interessenvertretern, die die Richtlinien ihrer jeweiligen Auftraggeber befolgen – Indizien hierfür sind die oft festgestellte finanzielle Abhängigkeit der Parteien insbesondere von der privaten Wirtschaft[232]; die ebenfalls wiederholt konstatierte Herrschaft von öffentlich nicht kontrollierbaren, durch die Gemeinsame Geschäftsordnung der Bundesministerien der Gesetzesvorbereitung eingefügten Verbänden[233]; und der Sachverhalt, daß beispielsweise während der Periode 1957 bis 1961 30,4 % der Abgeordneten (CDU – 40,0; CSU – 38,2; SPD –

The German Political System, in: S. H. Beer–A. B. Ulam (eds.), Patterns of Government, New York 1965 (2. rev. ed.), S. 572.

229 G. Brandt et al., a. a. O., S. 71; vgl. dazu M. Kidron, a. a. O., S. 102 ff.

230 Vgl. dazu J. Agnoli, Die Transformation der Demokratie, in: J. Agnoli, P. Brückner, Die Transformation der Demokratie, Frankfurt 1968, S. 57 und K. D. Bracher, Gegenwart und Zukunft der Parlamentsdemokratie in Europa, in: K. Kluxen (ed.), a. a. O., S. 77 ff.

231 Vgl. dazu G. Loewenberg, a. a. O., S. 328; vgl. dazu weiter W. Abendroth, Antagonistische Gesellschaft . . ., a. a. O., S. 41; D. Sternberger, Gewaltenteilung und parlamentarische Regierung in der Bundesrepublik, in: K. Kluxen (ed.), a. a. O., S. 327–328.

232 Vgl. dazu U. Schleth, Die Finanzen der CDU, in: E. K. Scheuch, R. Wildenmann (eds.), a. a. O., S. 215 ff.; G. Braunthal, Wirtschaft und Politik. Der Bundesverband der Deutschen Industrie, in: Politische Vierteljahresschrift 1963; U. Düber, Parteifinanzierung in Deutschland, Köln Opladen 1962; H. J. Varain, Das Geld der Parteien, in: Geschichte in Wissenschaft und Unterricht 8–1961.

233 Vgl. dazu Th. Eschenburg, Herrschaft der Verbände? Stuttgart 1963 (2. Auflage); W. Hennis, Verfassungsordnung und Verbandseinfluß, in: W. Hennis, Politik als praktische Wissenschaft, a. a. O., S. 188 ff.; W. Hirsch-Weber, a. a. O., S. 171.

20,4; FDP – 37,2) ausdrücklich als Interessenvertreter im Bundestag saßen[234] und 32 % der Mitglieder sämtlicher Bundestagsausschüsse zur gleichen Kategorie zählten, wobei eine Aufschlüsselung dieser Durchschnittszahl anhand einer Liste der Ausschüsse besonders interessant ist.

Tabelle 3: Anteil der Interessenvertreter in einigen Bundestagsausschüssen: 1957–1961

Ausschuß	Interessenvertreter (%)
Kommunalpolitik und Sozialhilfe	38
Finanzen	38
Wirtschaft	41
Außenhandel	45
Mittelstand	45
Landwirtschaft	59
Sozialpolitik	66
Arbeit	52
Wohnungswesen	41

(Quelle: G. Loewenberg, a. a. O., S. 242–243)

Beide Momente der Parlamentarismuskritik führen bei manchen Autoren dann zu dem Urteil, daß »der Prozeß der Entmachtung und Entleerung des Bundestages als des parlamentarischen Teils unseres Regierungssystems ... die tolerierbare Grenze längst überschritten (hat)«[235]. Dennoch betrachten viele Kritiker des bundesrepublikanischen Parlamentarismus dessen problematische Situation lediglich als »die Folge reparabler organisatorischer Mängel und einer verfehlten geistigen Einstellung der Abgeordneten zu ihrer parlamentarischen Aufgabe«[236]. Sie glauben, daß sich die Misere des Parlaments durch eine Reform seiner Organisation und des in ihm praktizierten Arbeitsstils bereinigen ließe[237]. Hinweise darauf, daß die »eigentliche Ursache der zunehmenden Entmachtung des Parlaments tief im staatsmonopolistischen Herrschaftssystem«[238] stecke, werden zumeist kurzerhand als Ausflüsse primitiver Konspirations-

234 Vgl. dazu G. Loewenberg, a. a. O., S. 162.
235 W. Hennis, Der deutsche Bundestag, in: Die Zeit 22. 10. 1965, S. 7.
236 W. Euchner, Zur Lage des Parlamentarismus, in: G. Schäfer, C. Nedelmann (eds.), a. a. O., S. 69; vgl. dazu W. Hennis, Der deutsche Bundestag 1949–1965, in: Der Monat 18. Jg. 1966, S. 28.
237 Vgl. dazu H. Apel, Der deutsche Parlamentarismus, Hamburg 1968, S. 246; E. Fraenkel, a. a. O., S. 55; Th. Ellwein, 4 Thesen über Parlamentsreform, in: Gewerkschaftliche Monatshefte April 1969, S. 193 ff.; vgl. dazu weiter die mit dem 1. 10. 69 in Kraft getretenen Änderungen der Geschäftsordnung des Bundestags, in: Süddeutsche Zeitung (Artikel: Der Bundestag reformiert sich), 18. 6. 1969, S. 1.
238 M. Schmidt, Der westdeutsche Parlamentarismus heute, in: Einheit – Zeitschrift für Theorie und Praxis des wissenschaftlichen Sozialismus 3–1966, S. 369.

spekulation[239] oder staatsbürgerlichen Defätismus[240] abgetan, indem der Begriff »staatsmonopolistischer Kapitalismus« als ideologische Floskel gewertet, damit aber auch das veränderte Verhältnis von Politik und Ökonomie undiskutiert gelassen wird. Verzichtet man jedoch darauf, den Zusammenhang zwischen oligopolistischer Verfassung des modernen Kapitalismus und gegenwärtiger Krise der parlamentarischen Demokratie in die Argumentation über eine Renovierung des Parlamentarismus einzubeziehen, dürfte sich kaum eine Chance bieten, den Bundestag in den Stand zu setzen, »die Stätte der politischen Führung (zu) werden, von hier ... die Impulse ausgehen (zu lassen), die die Regierung zum Handeln anregen, von hier ... die Meinungsbildung in die gesamte Bevölkerung ausgehen (zu lassen), um in weiteren Auseinandersetzungen von ihr wiederum beeinflußt zu werden«[241].

Maier hat mit seinem Beitrag ›Probleme einer demokratischen Tradition in Deutschland‹ die Krisenpunkte des gegenwärtigen Parlamentarismus in der Bundesrepublik dadurch zu relativieren versucht, daß er insbesondere die mit den Begriffen »Parteienstaat« und »Kanzlerdemokratie« verbundenen Probleme als solche herausstellt, die für die Geschichte der deutschen Demokratie nicht neu sind[242]. Dieses Argument ist insofern mehr als bedenklich, als die dann bei Maier vorgenommene Verbindung zwischen Problemen des modernen Parteienstaats und »Prinzip und Praxis ständischer Repräsentation«[243], zwischen Art der Kanzlerdemokratie und Qualität einer aufgeklärtabsolutistischen Monarchie[244] ohne Bezug auf die jeweilige gesamtgesellschaftliche Situation erscheint und die Bestimmung der betreffenden Form politischer Herrschaft in einer historisch-konkreten Datenkonstellation zugunsten einer lediglich dem Bereich politischer Ideen und deren Realisationen immanenten Beschreibung von Entwicklungen vernachlässigt wird. An anderer Stelle hat Maier selbst – anläßlich einer Diskussion der nationalsozialistischen Bewegung – die Notwendigkeit betont, nach dem Zustand der Gesellschaft und ihren Vorstellungen von politischer Ordnung zu fragen und über ein nur »machtpolitisches oder funktionelles Analysieren«[245] hinauszugehen, wenn eine spezifische Form politischer Herrschaft erklärt werden soll. Ähnlich argumentiert auch Hennis, indem er die beiden wesentlichen Entwicklungsphasen des westeuropäischen Parlamentarismus aus den entscheidenden Problemen der bürgerlichen Gesellschaft ableitet und die Organisierung der Rechtsverhältnisse zwischen

239 Vgl. dazu H. Apel, a. a. O., S. 235.
240 Vgl. dazu A. Morkel, Das Parlament als öffentliches Forum, in: Aus Politik und Zeitgeschichte. Beilage zur Wochenzeitung ›Das Parlament‹ 40–1966, S. 17 und F. Schäfer, Aufgaben einer Parlamentsreform, in: Die neue Gesellschaft 12. Jg. 1965, S. 689 ff.
241 F. Schäfer, a. a. O., S. 690.
242 Vgl. dazu H. Maier, a. a. O., S. 193 ff.
243 H. Maier, a. a. O., S. 195.
244 Vgl. dazu H. Maier, a. a. O., S. 196.
245 H. Maier, Zur Lage der politischen Wissenschaft nach dem Zweiten Weltkrieg, in: H. Maier, Politische Wissenschaft, a. a. O., S. 109.

Staat und Individuum sowie die damit verbundene Auseinandersetzung von Liberalen und Konservativen als erste, die Einrichtung einer kapitalistisch produzierenden, Chancengleichheit aller propagierenden Sozialordnung sowie den daran geknüpften Konflikt zwischen Liberalen und Sozialisten als zweite Phase anführt [246]. Und ähnlich argumentiert auch Walter Euchner, der in seiner Skizze ›Zur Lage des Parlamentarismus‹ drei Stadien in der Entwicklung der bundesrepublikanischen Demokratie unterscheidet, welche er mit den jeweils dominierenden strukturellen Schwierigkeiten der westdeutschen Gesellschaft zusammenbringt: »War die erste Phase charakterisiert durch den Kampf der beiden großen politischen Lager um die soziale Ausgestaltung des vom Grundgesetz vorgezeichneten institutionellen Rahmens, die zweite durch das Ringen aller gesellschaftlichen Gruppen um die Verteilung des in der Hochkonjunktur anschwellenden Sozialprodukts auf der Basis der Sozialen Marktwirtschaft, so ist es die dritte durch das Bemühen, den Status quo zu stabilisieren. In der Zeit der sinkenden Profitrate und des zurückgehenden Steueraufkommens ist die Stunde der Exekutive gekommen.«[247]

Der erste dieser drei Entwicklungsabschnitte, die Axel Görlitz im Anschluß an Euchner als Konsolidierungs-, Verteilungs- und Stabilisierungsphase bezeichnet [248], wurde geprägt durch die Auseinandersetzung zwischen zwei großen Gruppierungen – den Unionsparteien und den Freien Demokraten auf der einen, der Sozialdemokratie auf der anderen Seite –, die durchaus noch jeweils ein spezifisches Klasseninteresse vertraten und dementsprechend einer alternativen Programmatik folgten. »Das parlamentarische System entsprach zu jener Epoche dem Modelle des nachliberalen Parlamentarismus, in dem nicht mehr Honoratioren, die die verschiedenen Gruppierungen des Bürgertums repräsentierten, um den Vorteil ihrer Gruppe und die Wahrung der gemeinsamen Interessen der Bourgeoisie rangen, sondern parteigebundene Fraktionen konfrontiert waren, die das Parlament dazu benutzten, ihre an unterschiedlichen Klasseninteressen orientierten Ziele durchzusetzen oder doch wenigstens durch einen Kompromiß das Beste für die von ihnen vertretenen gesellschaftlichen Schichten herauszuholen.«[249] Zwei Momente problematisierten von Beginn an diese erste Phase in der Entwicklung der bundesrepublikanischen Demokratie und sorgten nachdrücklich dafür, daß die Realisation der im Grundgesetz angelegten Möglichkeiten – nämlich entweder Etablierung eines bürgerlichen Rechtsstaates im traditionellen Verstande auf rein kapitalistischer Basis oder aber Ausbildung einer sozialen Demokratie durch Sozialisierung, Wirtschaftsplanung und Wirtschaftsdemokratie – sehr schnell in eine bestimmte Richtung lief. Das eine belastende und die folgenden Phasen des Parlamentarismus in der Bundesrepublik wesentliche präjudizierende Moment lag – wie schon

246 Vgl. dazu W. Hennis, Parlamentarische Opposition und Industriegesellschaft, in: W. Hennis, Politik . . ., a. a. O., S. 121–122.
247 W. Euchner, a. a. O., S. 74.
248 Vgl. dazu A. Görlitz, a. a. O., S. 64.
249 W. Euchner, a. a. O., S. 70.

ausgeführt – darin, daß die Demokratisierung der westdeutschen Gesellschaft nach 1945 von den westlichen Alliierten oktroyiert und damit eine Tradition autoritativer Formierung gesellschaftlichen Lebens fortgesetzt wurde, die – im Nationalsozialismus kulminierend – die gesamte Entwicklung der bürgerlichen Gesellschaft in Deutschland gekennzeichnet hatte. Das andere Moment, das die Reduktion der grundgesetzlich gegebenen Möglichkeiten auf die Faktizität der Kanzlerdemokratie förderte, resultierte daraus, »daß beträchtliche Teile der Eliten, die das Dritte Reich getragen hatten, bald wieder in die Führungspositionen der Bundesrepublik einrückten: in der staatlichen Bürokratie und der Justiz, der Polizei und der Armee, den Massenmedien und dem Erziehungswesen, vor allem aber in der Wirtschaft übten jene Kräfte einen maßgebenden Einfluß aus, deren Denk- und Verhaltensformen im Dritten Reich geprägt worden waren und noch heute überwiegend konservativ-autoritär bestimmt sind.«[250] Beide Momente trugen entscheidend dazu bei, daß innerhalb des bundesrepublikanischen Parlamentarismus ein – um mit Loewenstein zu sprechen – in seiner Substanz demo-autoritäres Regime entstehen konnte[251]. Damit ist man allerdings – historisch gesehen – bereits in der zweiten Euchnerschen Phase, die die Auseinandersetzung zwischen liberal- und radikaldemokratischen Parteien um die Ausgestaltung der bundesrepublikanischen Demokratie überführte in das Stadium der »staatlich gelenkten Umverteilung des Nationaleinkommens«[252]. Letzteres war Mitte der fünfziger Jahre sowohl notwendig wie möglich geworden: notwendig insofern, als mit der Konsolidierung eines oligopolistisch geformten Kapitalismus ausgedehnter Großunternehmen Strukturkrisen vor allem im Bereich von Landwirtschaft und Klein- wie Mittelgewerbe drohten und die Eingliederung der westdeutschen Ökonomie in die Europäische Wirtschaftsgemeinschaft staatliche Koordination nötig machte[253]; möglich insofern, als mit der Steigerung der Produktion, der Gewinne und auch der Löhne die Steuereinnahmen rapide zunahmen und in Gestalt des vom damaligen Bundesfinanzminister Schäffer akkumulierten »Juliusturmes« zur Disposition standen[254]. Diese zweite Phase endete – wie schon an früherer Stelle geschildert – aufgrund einer sich permanent (und systemnotwendig) vergrößernden Diskrepanz zwischen ständig sich erweiternder Produktionskapazität und nachhinkender Konsumtionskraft der Massen[255] sowie einer zwar

250 R. Kühnl, Der neue Faschismus in der Bundesrepublik, in: Tribüne 30–1969, S. 3217; vgl. dazu W. Zapf, Wandlungen der deutschen Elite, München 1965, S. 122 ff. und 138; R. Dahrendorf, Gesellschaft und Demokratie, a. a. O., S. 256; K. M. Bolte et al., Deutsche Gesellschaft im Wandel, Opladen 1966, S. 322; vgl. dazu weiter R. Wildenmann, Eliten in der Bundesrepublik, Mannheim 1969 (Manuskript).

251 Vgl. dazu K. Loewenstein, a. a. O., S. 93–94; vgl. dazu weiter W. Gottschalch, Die Depravierung des Parlamentarismus zum demoautoritären System, in: W. Gottschalch, Parlamentarismus und Rätedemokratie, Berlin 1968, S. 15 ff.

252 A. Görlitz, a. a. O., S. 40.

253 Vgl. dazu W. Euchner, a. a. O., S. 71; K. H. Stanzick, a. a. O., S. 30; E. Mandel, Die deutsche Wirtschaftskrise, a. a. O., S. 8–9.

254 Vgl. dazu W. Euchner, a. a. O., S. 71.

255 Vgl. dazu E. Mandel, a. a. O., S. 14.

wählerorientiert, nicht aber problemrational gehandhabten Subventionspolitik der seit 1949 amtierenden CDU- respektive CDU-FDP-Regierungsmehrheiten [256] mit einer Wirtschaftskrise, die noch verstärkt wurde durch das gleichzeitige Abflauen der internationalen Konjunktur (damit verbunden: Stagnation, teilweise gar Rezession der Auslandsnachfrage) [257] und das Auftreten struktureller Schwierigkeiten vor allem im Bergbau und Stahlindustrie [258]. Sozusagen vermittelt durch diese Krise kamen dann die Qualitäten des bundesrepublikanischen Parlamentarismus zum Vorschein, durch die dessen dritte Phase sich kennzeichnen läßt: große Koalition sowie konzertierte Aktion mit einem Arsenal wirtschafts- und finanzpolitischer Instrumente zur Regulierung des gefährdeten kapitalistischen Systems. »Unter den heutigen und künftigen Bedingungen kann die Effizienz des marktwirtschaftlichen Systems und damit der unternehmerischen Freiheit nur gewährleistet werden durch eine ergänzende globale Steuerung der wichtigsten Aggregate des gesamtwirtschaftlichen Kreislaufs. Nur so kann eine gleichgewichtige Entwicklung der Volkswirtschaft und damit das marktwirtschaftliche System auf Dauer gesichert werden.« [259] Mit der Verabschiedung des sogenannten Stabilitätsgesetzes, das die in der Rezession problematisierten Ziele der ›Sozialen Marktwirtschaft‹: Vollbeschäftigung und gleichgewichtiges Wachstum – erreichen helfen soll, ging formell die Ära der »pluralistischen Verbandsgesellschaft« zu Ende. Die Konzeption einer »Formierten Gesellschaft gemeinwohlorientierter ›befestigter‹ Gruppen« [260], die von »Spezialisten für allgemeine Interessen« (Ludwig Erhard) verwaltet wird, begann sich endgültig durchzusetzen [261], damit aber auch die Erkenntnis, daß die Sicherung eines reibungslosen Ablaufs der gesamten Prozesse in einer oligopolkapitalistischen Volkswirtschaft sowie in internationalen Zusammenhängen – eine Grundvoraussetzung für die Rentabilität hart kalkulierender Großunternehmen – nicht privaten Wirtschaftssubjekten überlassen bleiben kann, sondern durch eine Instanz organisiert und geleitet werden muß, deren – systemstabilisierende und Gruppeninteressen gratifizierende – Entscheidungen allgemeine Verbindlichkeit beanspruchen, mit Zwangsmitteln durchgesetzt werden und somit eine soziale Ordnung garantieren können, die trotz zunehmender Vergesellschaftung von Produktion und Distribution die private Verfügung über die ökonomischen Mittel und die daraus resultierende private Aneignung des erwirtschafteten Gewinns gewährleisten [262].

256 Vgl. dazu W. Euchner, a. a. O., S. 71; A. Görlitz, a. a. O., S. 40; W. Abendroth, Wirtschaft, Gesellschaft und Demokratie . . ., a. a. O., S. 66–67; W. Stützel, a. a. O., S. 95–96.
257 Vgl. zur Abhängigkeit der westdeutschen Industrie vom Exportgeschäft E. Altvater, a. a. O., S. 2 ff.
258 Vgl. dazu K.-H. Stanzick, a. a. O., S. 33.
259 Bundesminister für Wirtschaft (ed.), Stabilität und Wachstum. Das Gesetz zur Förderung der Stabilität und des Wachstums der Wirtschaft, Bonn 1967, S. 5.
260 R. Altmann, Das Erbe Adenauers, München 1963, S. 132.
261 Vgl. dazu W. Euchner, a. a. O., S. 75 f.
262 Vgl. dazu W. Abendroth, Antagonistische Gesellschaft . . ., a. a. O., S. 481 f.

Noch kann – wie die amtierende SPD-FDP-Koalition zeigt – diese Formierung der bundesrepublikanischen Gesellschaft durch eine sozialliberale Form politischer Herrschaft betrieben werden. Aber die Tendenz der Formierten Gesellschaft zu einem apolitischen expertokratischen Etatismus im Dienst des Kapitals ist unverkennbar – wenn sie auch von vielen nicht gesehen wird. »Die einstige Verknüpfung von Freiheit, Pluralismus und Demokratie wird von den Tatsachen rascher aufgelöst, als gesellschaftliche Selbstverständigung und öffentliches Bewußtsein folgen können. Für Gegner wie Freunde des Pluralismus leben wir weiter in einer pluralistischen Gesellschaft, in der nur an die Stelle des früher stilisierten Spiels der Kräfte... die Gemeinschaftlichkeit der neu formierten konzertierten Aktion tritt.«[263] Die Konsequenz, die sich daraus für den Parlamentarismus ergibt, ist deutlich: Das Parlament stellt nunmehr einen »Transmissionsriemen der Entscheidungen politischer Oligarchien«[264] und eng mit diesen verflochtener ökonomischer Machtgruppen [265] dar. »Im Etatismus der Formierten Gesellschaft setzt sich die Sachgesetzlichkeit des Wirtschaftsprozesses durch – es geht darum, daß ohne Behinderung durch organisierte Interessen Investitions- und Konjunkturpolitik, kurz, Planung der Marktwirtschaft mit dem Zweck der Erhaltung und Maximierung des Sozialprodukts, betrieben werden kann. Die Rolle, die das Parlament als Repräsentation des Volkes hierbei spielen kann, ist zwangsläufig gering. Allenfalls verbleibt ihm, an der Disposition über jenen Teil des Sozialprodukts mitzuwirken, der verteilt werden kann, ohne daß damit eine weitere Maximierung des Sozialprodukts gefährdet wird. Dabei werden auch... Parlamentsreformen... kaum verhindern können, daß auch die Funktion des Clearing der Interessen an die Ministerialbürokratie und die Regierung übergeht, die die Vorentscheidung über die Verteilung des disponiblen Teils des Sozialprodukts treffen. Politische Entscheidungen, welche die etablierten Machtverhältnisse, die grundsätzlich auf die Begünstigung des großen Eigentums durch Investitionshilfen und Konjunkturpflege hinauslaufen, verändern könnten, sind vom Parlament nicht zu erwarten.«[266] Ernst Forsthoff glaubt ähnliches prognostizieren zu können. Auch für ihn gilt: »Die Zeit der großen Reformen ist auf der erreichten Entwicklungsstufe der industriellbürokratischen Gesellschaft und des ihr verbundenen Staates vorbei; die möglichen kleinen Reformen bedürfen der

und O. Reinhold, Zur gegenwärtigen Entwicklungsphase der marxistischen politischen Ökonomie, in: W. Euchner–A. Schmidt (eds.), Kritik der politischen Ökonomie heute – 100 Jahre ›Kapital‹, Frankfurt 1968, S. 133 ff.; vgl. dazu auch J. K. Galbraith, Die moderne Industriegesellschaft, Düsseldorf 1968, S. 358.

263 G. Schäfer, Leitlinien stabilitätskonformen Verhaltens, in: G. Schäfer, C. Nedelmann (eds.), a. a. O., S. 243.

264 J. Agnoli, Die Transformation ..., a. a. O., S. 68.

265 Vgl. dazu W. Abendroth, Wirtschaft, Gesellschaft und Demokratie ... a. a. O., S. 67 und J. Agnoli, a. a. O., S. 60; vgl. dazu weiter E. Kogon, Wirkungen der Konzentration auf die Demokratie, in: H. Arndt et al., Die Konzentration in der Wirtschaft, Band III, Berlin 1960, S. 1721 ff.

266 W. Euchner, a. a. O., S. 76–77.

Hand des Fachmannes und entziehen sich der politischen Sinnfälligkeit.«[267] Die Gefahr einer solchen Beurteilung der gegenwärtigen Parlamentarismusproblematik ist offensichtlich: Es wird damit eine Dichotomie zwischen den Prinzipien »Zweckrationalität« und »Demokratie« propagiert und mit der Argumentation für das erste Prinzip das zweite tendenziell liquidiert; die Krise des Parlamentarismus wird abstrakt einem Industrialisierungs- und Bürokratisierungsprozeß zugeordnet, der – ohne Reflexion auf die ihn bestimmenden sozio-ökonomischen Bedingungen (faktische Organisation des Leistungs- und Verteilungszusammenhangs; tatsächlich realisierte Form politischer Herrschaft) – als unausweichlich erscheint. Es wird nicht gesehen, daß der verstärkte staatlich-bürokratische Interventionismus – der Grund für die Krise des gegenwärtigen Parlamentarismus – »ein spezieller Ausdruck neuer Wechselbeziehungen zwischen Politik, Ökonomie und Klassenkampf«[268] ist.

Die Konsequenz einer derartigen Interpretation besteht nicht nur in einer diskussionslosen Anerkennung dieses Industrialisierungs- und Bürokratisierungsprozesses, sondern auch und gerade in der stillschweigenden Hinnahme der entscheidenden Organisationsprinzipien der Gesellschaft, in deren polit-ökonomischer Bedingungskonstellation jener Prozeß abläuft. Gesucht wird demzufolge nicht eine Lösung des Problems, ob sich Demokratie als eine Form politischer Herrschaft, die tendenziell auf die realisierte Chancengleichheit aller bei der Partizipation am gesellschaftlich produzierten Potential von Lebensmöglichkeiten und bei der normativen Regulierung des Leistungs- und Verteilungszusammenhangs einer Gesellschaft hinauslaufen muß, überhaupt unter den Bedingungen des fortgeschrittenen Kapitalismus verwirklichen läßt. Gesucht wird dann vielmehr eine Antwort auf die Frage, welches politische System besser als das bisher geltende auf die gewandelten sozio-ökonomischen Verhältnisse paßt. »Müßte man unter diesen Bedingungen ... nicht erwägen, ob nicht das schweizerische oder amerikanische System konsequenter Gewaltenteilung eine für unsere Epoche angemessene Verfassung ist? Die relative Unabhängigkeit des auf Zeit gewählten Präsidenten in den Vereinigten Staaten, des Bundesrates in der Schweiz sichert in der heutigen politischen und soziologischen Konstellation die politische Führung in größerem Maße und beim Inhaltsverlust der politischen Richtungen in legitimerer Weise als das parlamentarische Regierungssystem.«[269] Richtig hieran dürfte sein, daß eine oligopolkapitalistisch verfaßte Industriegesellschaft, die stetiges wirtschaftliches Wachstum, relative Kaufkraftstabilität und Vollbeschäftigung zu zentralen Maximen erhoben hat, mit einem Regierungssystem ausgerüstet sein könnte, das den Erfor-

267 E. Forsthoff, Rechtstaat im Wandel, Stuttgart 1964, S. 202.
268 K. Schumacher, Neue Funktionen des Staates bei der Regulierung der Klassenbeziehungen, in: L. Maier et al., Spätkapitalismus ohne Perspektive, Frankfurt 1969, S. 229.
269 W. Hennis, Parlamentarische Opposition ..., a. a. O., S. 124; vgl. dazu W. Steffani, Amerikanischer Kongreß und deutscher Bundestag – ein Vergleich, in: K. Kluxen (ed.), a. a. O., S. 230 ff.

dernissen einer solchen Gesellschaft (inklusive der Aufrechterhaltung der Privilegien der Machtgruppen in Wirtschaft und Politik) eher entspricht als der bundesrepublikanische Parlamentarismus. Verschleiernd wirkt das zitierte Argument jedoch insofern, als es undiskutiert läßt, welche Konsequenzen ein solcher Übergang zu einem noch stärker von Exekutive und Administration bestimmten politischen System für das Verständnis von Demokratie hat, das im Grundgesetz der Bundesrepublik angelegt ist. Denn in jenem Argument wird nicht sichtbar, daß die vorgeschlagene Transformation der Demokratie »sowohl Modernisierung des Staates im Sinne einer Angleichung an neue Formen kollektiven Lebens (an die sogenannte Massengesellschaft), als auch Verbesserung im Sinne der Modernisierung von Herrschaftsmitteln«[270] bedeuten kann[271]. Gerade diese Ambivalenz, die die Transformation des liberalen in einen von der Exekutive deutlich kontrollierten Parlamentarismus kennzeichnet, weist nämlich auf einen spezifischen Aspekt des gegenwärtigen Verhältnisses von Politik zu Ökonomie in kapitalistisch organisierten Gesellschaften hin: auf einen anscheinend vorhandenen, für fortschreitende Demokratisierung solcher Gesellschaften nutzbar zu machenden Spielraum von Politik, der offenkundig weder in intakten bürgerlichen Gesellschaften auf Grund der dort gegebenen Identität von politisch und ökonomisch herrschender Klasse, noch in Deutschland auf Grund der eigentümlichen Verkettung von konservativ-autoritären, ja faschistischen Prinzipien mit ökonomischem Individualismus vorhanden war[272].

Die angebliche Chance zu einem solchen Spielraum von Politik wird zumeist aus drei Bedingungen abgeleitet: (1) aus der Notwendigkeit permanenter staatlicher Intervention in den Prozeß privatwirtschaftlicher Kapitalverwertung und die Verteilung des Sozialprodukts – einer Intervention, die – um den Status der Besitzer und Kontrolleure sichern zu können – in bestimmten Umfang die Interessen der Lohn- und Gehaltsabhängigen beachten muß[273]; (2) aus dem Tatbestand, daß – trotz der erheblichen Verflechtung der funktionalen Eliten aus Politik und Ökonomie – die öffentliche Gewalt in fortgeschrittenen kapitalistischen Gesellschaften nicht glatt als Agentur einer auf verbindlicher Interessensolidarität basierenden herrschenden Klasse interpretierbar ist; und schließlich (3) aus der durch gelungene Aktionen zur Wahrung wirtschaftlicher Stabilität und geglückte Sozialreformen bestätigten Erkenntnis, daß die immanenten Tendenzen der Entwicklung kapitalistischer Gesellschaften durchaus beeinflußbar sind. Die entscheidenden restriktiven Bedingungen, die jenen Spielraum betreffen und gegen

270 J. Agnoli, Die Transformation . . ., a. a. O., S. 10.

271 Vgl. dazu K. Loewenstein, a. a. O., S. 93; vgl. dazu weiter den Begriff ›Involution‹, der den komplexen gesellschaftlichen Prozeß der Rückbildung demokratischer in antidemokratische Herrschaftsformen bezeichnen soll – siehe dazu J. Agnoli, a. a. O., S. 10, Fußnote 1.

272 Vgl. dazu A. Görlitz, a. a. O., S. 26 f.

273 Vgl. dazu W. G. Hoffmann, Allgemeine Wirtschaftspolitik, in: K. Hax, T. Wessels (eds.), Handbuch der Wirtschaftswissenschaften II, Köln Opladen 1959, S. 107 ff. und E. Schneider, Einführung in die Wirtschaftstheorie I, Tübingen 1956 (6. Auflage), S. 16 f.

die seine Inanspruchnahme beispielsweise zum Zwecke einer zunehmend gerechteren Verteilung von materiellen und immateriellen Lebenschancen durchgesetzt werden müßte, machen besagten Spielraum jedoch zu einem scheinbaren. Die hier vorgetragene Argumentation schließt sich – wie zuvor angedeutet – dabei der These an, daß diese restriktiven Bedingungen im Zwang zur Erhaltung privater Verfügungsgewalt über die Produktionsmittel und in der Wahrung der daran geknüpften sozialen Hierarchie liegen. »(Das) System dieser Gesellschaft (gemeint ist die bundesrepublikanische – H. H.) ist auf die Dauer nur funktionsfähig, wenn bestimmte Voraussetzungen erfüllt sind. Zu diesen Voraussetzungen gehört, daß die gesellschaftliche Stellung der Unternehmer und aller derjenigen, die mit Unternehmerfunktionen ausgestattet sind, unversehrt bleibt, daß die wirtschaftliche Expansion anhält und daß die Gesellschaft frei bleibt von sozialen Spannungen, die in offene Konflikte umzuschlagen drohen.«[274] Die Beachtung dieser Voraussetzungen stellt eindeutig eine Notwendigkeit für das politische System dar, der es entsprechen muß – einen Zwang »im Sinne eines Imperativs, ganz bestimmte Schlüsselpositionen und ihnen entsprechende wirtschafts- und sozialpolitische Desiderate nicht in Frage zu stellen«[275]. Etwas konkreter gesagt heißt das: Die entscheidenden restriktiven Bedingungen politischen Handelns sind heute die private Verfügungsgewalt über die industriellen Großunternehmen und die aus dieser Verfügungsgewalt resultierenden Investitionsentscheide sowie die daran geknüpften Einflüsse auf Stabilität und Wachstum der Gesamtwirtschaft. So meint auch Abendroth, der »geplante Kapitalismus«[276] lasse zwar bestimmte Formen gesamtgesellschaftlicher Programmierung zu, schränke sie aber nachdrücklich »durch Begrenzung der Planungsträger auf Angehörige der Leitungsschichten des organisierten Kapitalismus und Begrenzung der Planungsinhalte auf die Sicherung der Profitmöglichkeiten für seine Wirtschaftsgroßgebilde«[277] ein. Das bedeutet jedoch weiter, daß auch heute das Klassenverhältnis, das sich aus der Möglichkeit respektive Unmöglichkeit der Verfügung über Produktionsmittel und des, an diese Verfügung gebundenen, effektiven Zugangs zu den Zentren politischer Macht[278] ergibt, den Rahmen politischer Herrschaft stellt[279]. Die veränderte Qualität des Verhältnisses von ökonomischem zu politischem System darf zwar einerseits nicht vernachlässigt werden; sie darf aber andererseits auch nicht zu einer Ideologie des befriedeten, von Klassenant-

274 H. Marcus, a. a. O., S. 272.
275 G. Brandt, et al., a. a. O., S. 72.
276 Vgl. dazu A. Shonfield, Geplanter Kapitalismus. Wirtschaftspolitik in Westeuropa und USA – Mit einem Vorwort von Karl Schiller, Köln 1968.
277 W. Abendroth, Antagonistische Gesellschaft . . ., a. a. O., S. 481–482.
278 Vgl. dazu J. Agnoli, Autoritärer Staat und Faschismus, in: D. Claussen, R. Dermitzel (eds.), Universität und Widerstand, Frankfurt 1968, S. 49–50.
279 Was hier mit dem Terminus »Klassenverhältnis« umschrieben wird, bedarf für konkretere Untersuchungen zweifellos einer weiteren Differenzierung. Vgl. dazu die Relation von Klasse zu Schicht bei W. Hofmann, Grundelemente der Wirtschaftsgesellschaft, Hamburg 1969, S. 34 ff.

agonismen befreiten Kapitalismus stilisiert werden. Was Paul Mattick in seiner Kritik an Marcuse herausgestellt hat, ist hier ebenfalls nachdrücklich zu betonen: »Der Kapitalismus ist grundsätzlich eine Zweiklassengesellschaft, ungeachtet der zahlreichen Statusdifferenzierungen innerhalb jeder einzelnen Klasse. Die herrschende Klasse fällt die Entscheidungen: die andere Klasse unterliegt ungeachtet ihrer Differenzierungen diesen Entscheidungen, die die allgemeinen gesellschaftlichen Verhältnisse determinieren, obwohl sie im Hinblick auf die besonderen Bedürfnisse des Kapitals getroffen werden.«[280]

In § 4 des bereits zitierten Stabilitätsgesetzes sind die Ziele formuliert, an denen sich die wirtschafts- und sozialpolitischen Entscheidungen des Staates zu orientieren haben: Stabilität des Preisniveaus, hoher Beschäftigungsgrad, außenwirtschaftliches Gleichgewicht und angemessenes Wirtschaftswachstum[281]. Insbesondere aus zwei Gründen, die noch einmal nachdrücklich durch die Krise von 1966/67 in Erinnerung gebracht worden sind, ist der Staat heute gezwungen, stetiges Wachstum unter der Bedingung der Vollbeschäftigung (zumindest eines hohen Beschäftigungsgrades) zu garantieren: (1) Seit der Depression der dreißiger Jahre gehören Preisstabilität und Vollbeschäftigung zu den verfestigten Erwartungen der lohn- und gehaltsabhängigen Massen[282] – auch nur eine geringe, aber sichtbare Arbeitslosenquote führt bereits, wie der Aufstieg der NPD wieder zeigte, zu unliebsamen Wählerreaktionen mit dysfunktionalen politischen Konsequenzen; dazu kommt, daß eine Reservearmee von Arbeitslosen den Vertretern des Kapitalismus die Legitimitätsbasis entzieht, von der aus sie gegen die sozialistischen Gesellschaften argumentieren[283]. (2) Der oligopolistisch organisierten Wirtschaft ist die Gefahr der Stagnation inhärent – konventionell argumentiert heißt das: »Entgegen den im konkurrenzwirtschaftlichen Modell unterstellten Verhaltensweisen sind oligopolistische Unternehmen nicht gezwungen, auf eine Konjunkturabschwächung mit Preissenkungen zu reagieren; auch bei reduzierter Produktmenge können noch Gewinne erzielt werden. Vermöge ihrer Marktstellung werden Prozeßinnovationen den technisch bedingten Abschreibungsfristen der Produktionsanlagen angepaßt; im Vergleich zu Konkurrenzverhältnissen wird ein geringerer Teil des eingesetzten Kapitals entwertet und ausgeschieden«[284]; dadurch entstehen – bezogen

280 P. Mattick, Kritik an Herbert Marcuse, Frankfurt 1969, S. 61; vgl. dazu R. Steigerwald, Herbert Marcuses dritter Weg, Köln 1969, S. 299 ff.

281 Vgl. dazu W. Breuer, Der geplante Kapitalismus – Garant für Stabilität und Wachstum?, in: F. Hitzer, R. Opitz (eds.), Alternativen der Opposition, Köln 1969, S. 116, vgl. weiter zur allgemeinen und speziellen Entwicklung der Wirtschaftslenkung in der Bundesrepublik J. Huffschmid, a. a. O., S. 137 ff.

282 Vgl. dazu die empirischen Belege in: E. Noelle, E. P. Neumann (eds.), Jahrbuch der öffentlichen Meinung 1965–1967, Allensbach Bonn 1967, S. 152–153.

283 Vgl. dazu G. Brandt et al., a. a. O., S. 74; W. Stützel, a. a. O., S. 92; J. Bergmann, a. a. O., S. 52

284 G. Brandt et al., a. a. O., S. 74.

auf die verfügbare Kaufkraft – tendenziell Überkapazitäten mit dem Risiko von Unter-
beschäftigung, Arbeitslosigkeit und Nachfrageausfall [285]. Aufgrund dieser beiden Tatbestände läßt sich dann sagen: »Konzentration und Zentralisation des Kapitals, oligopolistisch und monopolistisch strukturierte Märkte erzwingen ... die staatliche Dauerintervention«[286] – und zwar eine Dauerintervention, die mit Hilfe eines finanz-,
steuer- und arbeitsmarktpolitischen Instrumentariums sowie einer langfristigen Planung der öffentlichen Haushalte vor allem imstande ist, durch staatlich gesicherte Kre-
ditschöpfung und autonome, von Rentabilitätserwägungen freie Nachfrage auftretende
Lücken in der Gesamtnachfrage zu schließen[287]. In diesem Sinne stellt auch Maurice
Dobb für die Wirtschaft Großbritanniens nach dem Zweiten Weltkrieg fest, daß der
Staat seinen Einfluß auf die Ökonomie weniger durch direkte Lenkung und Beteiligung
an der Produktion, sondern weit stärker durch Ausweitung der Staatsausgaben mehrte;
»mittels dieser Ausgaben wirkt er ein auf den Markt, auf die Produktionsmittel und
die Investitionsgüter-Industrie«[288]. Doch obwohl die staatliche Ausgabenpolitik[289],
in der insbesondere die Aufwendungen für Rüstung und – vor allem in den USA –
für Raumfahrt einen dominierenden Platz einnehmen[290], wesentlichen Anteil an der
Regulierung des ökonomischen Prozesses hat, behalten private Interessen dennoch das
Primat vor öffentlichen, kollektiven. Denn »solange wie private Unternehmen in einer
Wirtschaft vorherrschen, solange wird der Zug zur privaten Kapitalakkumulation der

285 Vgl. dazu W. Breuer, a. a. O., S. 108 ff.; P. A. Baran, P. M. Sweezy, a. a. O.,
S. 63 ff.; M. Dobb, Vollbeschäftigung und Kapitalismus, in: M. Dobb, a. a. O., S. 51.
286 G. Brandt et al., a. a. O., S. 75.
287 Vgl. dazu C. Napoleoni, Grundzüge der modernen ökonomischen Theorie,
Frankfurt 1968, S. 66 ff.; vgl. dazu weiter W. Hoffmann, Die säkulare Inflation, Berlin
1962, S. 29 ff. Dabei zeigen insbesondere die postkeynesianischen Wachstumstheorien,
daß die staatlichen oder vom Staat induzierten Investitionen progressiv zunehmen
müssen – auch wenn keine ambitionösen Wachstumsprogramme zu finanzieren sind –,
vgl. dazu ausgehend von Kapitel 2.4 in: J. M. Keynes, Allgemeine Theorie der
Beschäftigung, des Zinses und des Geldes, München 1936, das von R. F. Harrod,
Towards a Dynamic Economic, London 1949, und E. D. Domar, Capital Expansion
and Employment, in: American Economic Review 1947, entwickelte Vollbeschäfti-
gungsmodell und dessen Weiterentwicklung bei J. R. Hicks, A Contribution to the
Theory of Trade Cycle, Oxford 1950; M. Kalecki, Theory of Economic Dynamics,
London 1954; N. Kaldor, A Model of Economic Growth, in: Economic Journal 1957;
J. Robinson, Die Akkumulation des Kapitals, Wien Frankfurt 1966.
288 M. Dobb, Der Kapitalismus zwischen den Kriegen, a. a. O., S. 159.
289 Vgl. zur allgemeinen Problematik der staatlichen Ausgabenpolitik, P. A. Sa-
muelson, Volkswirtschaftslehre, Köln 1955 (3. Auflage), S. 119 ff.
290 Vgl. zum Zusammenhang von Rüstungspolitik und Vollbeschäftigung F. Vilmar, Rüstung und Abrüstung im Spätkapitalismus, Frankfurt 1965, S. 27 ff.; F. Vilmar, Spätkapitalismus und Rüstungswirtschaft, in: Das Argument 3–1966, S. 217 ff.;
M. Dobb, Vollbeschäftigung und Kapitalismus, a. a. O., S. 50–51; W. Breuer, a. a. O.,
S. 109 f. und J. Gillman, Prosperität in der Krise, Frankfurt 1968, S. 276 ff.

kontrollierende Faktor der Investitions- und Beschäftigungsrate bleiben«[291]. Die Entscheidung beispielsweise darüber, ob der technische Fortschritt auf Rüstung und Weltraumforschung oder aber auf zivile Bedürfnisse ausgerichtet wird, liegt durchaus im Bereich politischen Handelns. Solange jedoch davon auszugehen ist, daß der Dispositionsspielraum der privaten Unternehmen grundsätzlich nicht aufgehoben werden darf und das Befinden über Umfang wie qualitative Struktur der eigentlich wachstumsfördernden Investitionen privaten, an bestimmten Profiterwartungen orientierten Interessen überlassen werden muß, bleibt die Rücksichtnahme auf diese Prinzipien die Conditio sine qua non der staatlichen Wirtschafts- und Sozialpolitik. Allerdings wird der Druck dieser Conditio etwas gemildert durch die aus der Systemkonkurrenz von kapitalistischen und sozialistischen Gesellschaften resultierende Notwendigkeit, zur Beschwichtigung von Unzufriedenheit in den unterprivilegierten Bevölkerungsgruppen die wohlfahrtsstaatlichen Einrichtungen auszubauen und dadurch eine (wenn auch klar begrenzte) gerechtere Verteilung von Lebenschancen vorzunehmen.

Demzufolge konstatiert Bergmann: »Die Entwicklungstendenz der industriellen Gesellschaften ist zwieschlächtig: einerseits dominieren nach wie vor die partikularen, an Profit orientierten Interesssen; andererseits verhindert die Konkurrenz zum kommunistischen Gesellschaftssystem, daß die dominierenden Interessen mit den materiellen Interessen der übergroßen Mehrheit in einen unlösbaren Konflikt geraten. Signatur dieser Situation ist einerseits die permanente Steigerung des technischen Fortschritts, der Produktivität und des Lebensstandards, andererseits die Verschwendung von Produktivkräften und Produktionsmitteln für Rüstung und aufwendig-unsinnige Weltraumprojekte.«[292] Joseph Gillman hat nun in seinem Buch ›Prosperität in der Krise‹, das übrigens fast zur gleichen Zeit, ausgehend von ähnlichem Material, entstand und teilweise zu den nämlichen Folgerungen kommt wie das ›Monopolkapital‹ von Paul A. Baran und Paul M. Sweezy, auf einen Umstand hingewiesen, der dem vorliegenden Zusammenhang einen zusätzlichen Akzent gibt. Gillman geht dabei von der These aus, daß in einer hochentwickelten kapitalistischen Ökonomie – gekennzeichnet durch konzentrierte Großindustrie und kapitalsparende Technologien, fortschreitende Rationalisierung des Produktionsprozesses und zunehmende Arbeitsproduktivität – einerseits der »soziale Surplus«[293] ständig steigt; andererseits der Anteil des sozialen Sur-

291 J. Gillman, a. a. O., S. 279.
292 J. Bergmann, a. a. O., S. 53.
293 J. Gillman, a. a. O., S. 18; vgl. dazu J. Gillman, a. a. O., S. 276: »Wir haben sozialen Surplus als den Wert definiert, der vom Volkseinkommen einer kapitalistischen Wirtschaft nach Abzug der Zahlungen an die produktiven Arbeiter des Systems und für den persönlichen Konsum der Kapitalisten übrigbleibt. Wir bezeichnen diesen Anteil des Volkseinkommens als das Sparpotential der Gemeinschaft. Der soziale Surplus ist daher der Wert, der möglicherweise für die Kapitalexpansion der Wirtschaft zur Verfügung steht, für die Erhaltung des Staates und für die sozialen Dienste der Gemeinschaft.« Vgl. weiter zum Unterschied von produktiver und unproduktiver Arbeit – J. Gillman, a. a. O., S. 21 ff.

plus, der profitbringend investiert werden kann, zu fallen neigt [294]. Daß diese Disparität bisher noch nicht eine Krise in dem Ausmaß der Depression von 1929 verursacht hat, führt Gillman vor allem auf »die steigende Absorption der übermäßigen Ersparnisse durch Ausgaben für das Militär neben anderen Formen des unproduktiven... Konsums«[295] zurück. Ob das die These bestätigt, die spätkapitalistische Ökonomie bedürfe aus strukturellen Gründen der Verschwendung produktiver Leistungen [296], soll hier nicht weiter verfolgt werden. Nicht zu bestreiten ist jedoch, daß staatliche Rüstungsplanung die objektive Funktion hatte und hat, das Wirtschaftswachstum zu fördern und Arbeitslosigkeit zu verhindern [297]. Wenn aber die staatliche Nachfrage nach Rüstungsgütern ein solch brauchbares Mittel zur Wahrung wirtschaftlicher Sta-

294 Vgl. dazu J. Gillman, a. a. O., S. 276 und – als empirischen Beleg – S. 166 ff.; vgl. dazu weiter P. A. Baran, P. M. Sweezy, a. a. O., S. 58 ff.; J. Bergmann, Technologische Rationalität und spätkapitalistische Ökonomie, in: J. Habermas (ed.), Antworten auf Herbert Marcuse, Frankfurt 1968, S. 101 und P. A. Baran, Politische Ökonomie und wirtschaftliches Wachstum, Neuwied Berlin 1966, S. 82–83. An anderer Stelle (J. Gillman, Das Gesetz des tendenziellen Falls der Profitrate, Frankfurt Wien 1969) hat Gillman den *Zusammenhang* zwischen tendenziellem Fall der Profitrate und tendenziellem Anstieg des – in seinen Worten – sozialen Surplus gezeigt, so daß ihn der gegen Baran–Sweezy (P. Mattick, Marxismus und ›Monopolkapital‹, in: F. Hermanin et al. [eds.], Monopolkapital, Frankfurt 1969, S. 31 ff.) gerichtete Vorwurf, den tendenziellen Fall der Profitrate durch den tendenziellen Anstieg des sozialen Surplus zu *ersetzen*, nicht trifft. In ähnlicher Weise wie Gillman hat vor kurzem auch Claus Rolshausen (C. Rolshausen, Monopolkapital und Werttheorie, in: F. Hermanin et al. [eds.], a. a. O., S. 5 ff.) Zusammenhang und Differenz zwischen den Bewegungsgesetzen der Profitrate und jenen der Mehrwertrate diskutiert. Rolshausen geht dabei von der Stelle im ›Kapital‹ aus, an der Marx – ausgehend davon, daß steigende Rate des Mehrwerts und fallende Rate des Profits nur eine besondere Form sind, worin sich die wachsende Produktivität der Arbeit kapitalistisch ausdrückt – schreibt: »Das Gesetz des fortschreitenden Falls der Profitrate... schließt in keiner Weise aus, daß die absolute Masse der vom gesellschaftlichen Kapital in Bewegung gesetzten und exploitierten Arbeit, daher auch die absolute Masse der von ihm angeeigneten Mehrarbeit wächst; ebensowenig, daß die unter dem Kommando der einzelnen Kapitalisten stehenden Kapitale eine wachsende Masse von Arbeit und daher von Mehrarbeit kommandieren, letztere selbst wenn die Anzahl der von ihnen kommandierten Arbeiter nicht wächst... Der Fall der Profitrate entsteht nicht aus einer absoluten, sondern aus einer nur relativen Abnahme des variablen Bestandteils des Gesamtkapitals, aus ihrer Abnahme, verglichen mit dem konstanten Bestandteil« (K. Marx, Das Kapital III, Frankfurt 1967, S. 226–227).
295 J. Gillman, a. a. O., S. 277.
296 Vgl. dazu N. Moszkowska, Die Kriegskapitalistische Ära, in: Arbeit und Wirtschaft 11, 1952, S. 6 ff. und E. Mandel, Traité d'Economie Marxiste, II, Paris 1962, S. 178 ff.
297 Vgl. dazu das illustrative Zahlenmaterial bei M. Kidron, a. a. O., S. 38 ff.; und J. Robinson, Jenseits der Vollbeschäftigung, in: J. Robinson, Kleine Schriften zur Ökonomie, Frankfurt 1968, S. 32; vgl. dazu weiter J. Bergmann, Konsensus und Konflikte, a. a. O., S. 52 und W. Abendroth, Wirtschaft, Gesellschaft und Demokratie..., a. a. O., S. 64–65.

bilität ist, stellt sich die Frage: »Angenommen, es werde Frieden, wie er früher oder später kommen muß, wenn die menschliche Rasse nicht in einem Atomkrieg vernichtet werden soll, und die hohen Militärausgaben als ein Absorptionsmittel des sonst nicht-investierbaren sozialen Surplus fallen fort. Welche zivilen Ausgaben können sie dann ersetzen, wenn wir die Bedingungen der Massenarbeitslosigkeit vermeiden wollen?«[298] Die konsequente Antwort auf diese Frage ist für Gillman die Forderung nach groß-zügigem Ausbau des Wohlfahrtsstaates (Vergrößerung und Verbesserung des Schul- und Gesundheitswesens, Intensivierung der Stadt- und Verkehrsplanung, Einrichtung kultureller Institutionen), der somit als Absorptionsmittel für den anderweitig nicht investierbaren sozialen Surplus fungieren kann [299]. Doch Gillman selbst bestreitet (zu Recht), daß diese Möglichkeit innerhalb des kapitalistischen Systems realisierbar ist. »Wir haben ... gefunden, daß die kapitalistische Klasse den Aufbau des Wohlfahrts-staates ablehnt. Unabhängig davon, ob er aus den direkten oder indirekten Steuern bezahlt wird, gehen die Kosten zu Lasten des Mehrwertes, des kapitalistischen Ge-winns. Alle Steuern, alle Kosten des Staates sind ... letztlich eine Belastung des Mehr-werts.«[300] Dabei geht Gillman nicht so sehr von einer unmittelbaren Abhängigkeit der Zentren politischer Macht von den ökonomisch Herrschenden aus; er kalkuliert viel-mehr ein, daß möglicherweise weniger die konsistent formulierten Interessen einer konsequent organisierten herrschenden Klasse, sondern eher die – dem Mechanismus privatwirtschaftlicher Kapitalverwertung auf oligopolistisch strukturierten Märkten eingefügten – Stabilitätsrisiken und Wachstumsstörungen die staatlichen Entscheidun-gen und Maßnahmen so beeinflussen, daß diese und die sie realisierenden politischen Instanzen, deren Existenz wiederum von den ökonomisch Herrschenden abhängt, mit den Forderungen der (privaten) Kapitalkontrolleure konvergieren. Solche Forderungen müssen dann nicht einmal ausgesprochen und vorgebracht werden, denn – wie ge-sagt – im organisierten Kapitalismus agieren politische Institutionen »im Schnittpunkt vorwiegend ökonomischer, monopolistisch organisierter Machtgruppen und in einem Entscheidungsspielraum, der von den restriktiven Bedingungen limitiert ist, die be-stimmte Machtgruppen setzen. Um die Institutionen politischer Entscheidungen herum ist ein Kranz von Machtgruppen angeordnet, deren Einfluß weniger in einer aktiven Verfolgung spezifischer Interessen, als schlicht darin besteht, daß sie auf Grund ihrer Bedeutung für das Überleben des Gesamtsystems die Verweigerung bestimmter An-sprüche und Bedürfnisse mit Sanktionen beantworten können, welche die politische Aufgabe des umsichtigen crisis management ... unerfüllbar machen würden.«[301] Die hiermit gleichzeitig unterstellte Möglichkeit, daß das politische System tatsächlich

298 J. Gillman, a. a. O., S. 277.

299 Zum Versagen der Entwicklungshilfe als effektvolles Absorptionsmittel des nicht investierbaren sozialen Surplus und der Demonstration dieses Versagens am Beispiel der USA – vgl. J. Gillman, a. a. O., S. 264 ff.

300 J. Gillman, a. a. O., S. 278.

301 G. Brandt et al., a. a. O., S. 82–83.

imstande ist, faktische und potentielle Krisen des kapitalistischen Systems nicht nur kurz-, sondern auch langfristig zu beherrschen und zu bereinigen[302], muß jedoch auf Grund der effektiven Interventionschancen des politischen Systems in den Prozeß der Kapitalverwertung entschieden in Zweifel gezogen werden. Denn: »Die Kategorien, an denen die staatliche Wirtschaftspolitik anzusetzen versucht, sind vor allem monetärer Art: Preise, Löhne, Zinsen, Geldmenge, Steuern und Staatsausgaben. Hinzu kommen noch allgemeine Rahmenbestimmungen wie Wettbewerbsvorschriften, Außenhandelsbestimmungen usw. Das bedeutet aber, daß die Wirtschaftspolitik gar nicht dort ansetzen kann, wo die sie beschäftigenden Widersprüche entstehen: im Produktionsprozeß. In dieser prinzipiellen Problematik liegt ... ihre Begrenztheit, die durch noch so weitgehende Verfeinerungen ... nicht aufgehoben werden kann: sie kann aus der Zirkulationssphäre nicht heraus und ist daher darauf angewiesen, ›indirekt‹ zu steuern. Daß ihr diese indirekte Steuerung überhaupt möglich ist, liegt an dem einerseits relativ selbständigen Charakter der Zirkulationskategorien und andererseits an ihrer Bedingtheit durch und für den Produktionsprozeß des Kapitals ... (Es) manifestiert sich hier eine typische Asymmetrie wirtschaftspolitischer Möglichkeiten: In der Krise ist der Staat durchaus in der Lage, die ›Wirtschaft anzukurbeln‹, indem er dafür sorgt, daß die Verwertungsbedingungen des Kapitals sich wieder verbessern. Er kann dies durch Limitierung von Lohnsteigerungen, durch steuerliche Maßnahmen (Abschreibungsvergünstigungen), niedrige Zinsen ... und durch staatliche Aufträge ... (Dagegen) ist (der Staat) in der Hochkonjunktur kaum in der Lage, die wirtschaftliche Entwicklung zu steuern ... Er müßte nämlich einerseits die Profite beschneiden, indem er für Preisstabilität sorgt, andererseits den Produktionsprozeß auf dem erreichten Niveau halten, also trotz steigender Kapazitäten und tendenziell zunehmender Löhne für gleichbleibende Profitraten sorgen. Letztlich ist ihm beides unmöglich, und das Kapital vollführt, ohne auf seinen Dompteur zu achten, doch seine ihm angeborenen Kapriolen.«[303]

Es wurde an früherer Stelle betont, daß auch im organisierten Kapitalismus das Klassenverhältnis den Rahmen für politische Herrschaft setzt[304]. Es wurde allerdings ebenfalls betont, daß dieses Klassenverhältnis gegenüber dem sozusagen klassischen Fall der Marxschen Theorie einige zusätzliche Momente zeigt – Momente, die sich aus dem veränderten Zusammenhang von Politik und Ökonomie ableiten lassen. So kann beispielsweise das faktische Ausmaß sozialer Ungleichheit nicht länger als unmittelbares Ergebnis der ökonomischen Machtverhältnisse betrachtet werden, da der Staat durch redistributive Maßnahmen – wenn auch oft nur minimal – korrigierend wirkt. Das heißt allerdings auf gar keinen Fall, daß die sozio-ökonomische Unterprivilegiert-

302 Vgl. dazu J. Bergmann, Konsensus und Konflikt, a. a. O., S. 53–54 und J. Huffschmid, a. a. O., S. 132 ff.

303 E. Altvater, a. a. O., S. 42–44.

304 Vgl. zu dem Folgenden C. Offe, Politische Herrschaft und Klassenstrukturen, in: G. Kress – D. Senghaas (eds.), Politikwissenschaft, Frankfurt 1969, S. 155 ff.

99

heit weiter Teile der Bevölkerung unbedenklich geworden ist. Im Gegenteil: sie ist nicht nur zur Erhaltung ausreichender Profitraten und stetiger Investitionsbereitschaft nötig, sondern auch – vor allem in ihrer Manifestation als Einkommens- und Ausbildungsunterschiede – zur Aufrechterhaltung von Statusdifferenzen und Gruppenhierarchien[305]. Der sich in den vorliegenden Daten zur sozialen Ungleichheit innerhalb der bundesrepublikanischen Bevölkerung offenbarende Klassencharakter der westdeutschen Gesellschaft läßt sich – um es noch einmal zu betonen – so durch staatliche Redistribution wohl mildern (und das womöglich nur kurzfristig), nicht aber aufheben. »Wir müssen ... festhalten, daß die ausgleichenden Rückübereignungen, die der Wohlfahrtsstaat vornimmt, innerhalb des Kapitalismus niemals die ursprüngliche und fortdauernde Übertragung (der Arbeitskraft von Eigentumslosen an die Kontrolleure und Besitzer von Produktionsmitteln – H. H.) ausgleichen können. Das wird durchaus auch von den überzeugtesten Verfechtern des Kapitalismus anerkannt, die einigermaßen zu Recht vortragen, daß, wenn die Wohlfahrtsleistungen so groß würden, daß sie die Profite auffräßen, es für kapitalistische Unternehmen keinen Anreiz mehr gäbe und dies in der Konsequenz für die kapitalistischen Unternehmen das Ende bedeute. Solange wir also die Leistungen des Kapitalismus genießen, müssen wir uns auch mit der Zwangsübereignung eines Teils dessen, was den Nichteigentümern zustünde, an die Eigentümer abfinden.«[306] Die sich in dieser Zwangsübereignung ausdrückende soziale Ungleichheit wird heute, und damit kommt man zu einem weiteren Punkt, der eine bestimmte Modifikation der Marxschen Klassentheorie impliziert, auf Grund des gewandelten Verhältnisses von Politik und Ökonomie sogar noch deutlicher sichtbar als früher, und zwar trotz der unleugbaren Steigerung der Realeinkommen der Lohn- und Gehaltsabhängigen[307] und des so vermittelten Genusses der zuvor apostrophierten Leistungen des Kapitalismus durch die Mehrheit der Bevölkerung. Diese sozusagen neue Qualität sozialer Ungleichheit ergibt sich daraus, daß die staatlich vorgenommenen Korrekturen der Einkommensverteilung wenn überhaupt, dann lediglich für den Erwerb individuell kaufbarer Güter und Dienstleistungen relevant sind, diese Güter und Dienstleistungen aber nur einen Ausschnitt aus der

305 Vgl. als Daten zur sozialen Ungleichheit und damit zum Klassencharakter der westdeutschen Gesellschaft: D. Claessens, A. Klönne, A. Tschoepe, Sozialkunde der Bundesrepublik Deutschland, Düsseldorf Köln 1965, S. 65; E. K. Scheuch, Sozialprestige und soziale Schichtung, in: D. V. Glass, R. König (eds.), Soziale Schichtung und soziale Mobilität. Sonderheft 5 der Kölner Zeitschrift für Soziologie und Sozialpsychologie, Köln Opladen 1960, S. 68 ff.; K. M. Bolte et al., a. a. O., S. 316; H. Moore, G. Kleining, Das soziale Selbstbild der Gesellschaftsschichten in Deutschland, in: Kölner Zeitschrift für Soziologie und Sozialpsychologie 1960, S. 86 ff.; H. Marcus, a. a. O., S. 26, 29, 35, 248; Informationen des Statistischen Bundesamtes, Daten aus dem jährlichen Mikrozensus, Wiesbaden 1969, S. 56–57.

306 C. B. Macpherson, a. a. O., S. 70.

307 Hier ist an die relative Konstanz der Lohnquote und daran zu erinnern, daß der Anstieg der Realeinkommen zuvörderst auf der Zunahme des Sozialprodukts beruht – vgl. dazu K. W. Rothschild, Märkte, Löhne, Außenhandel, Wien 1966, S. 101 ff.

Gesamtheit der Lebensbedürfnisse befriedigen. »(Wenn) man heute herumhört und fragt, was wirklich als unangenehm empfunden wird, wo wirklich in den kommenden fünfzehn oder zwanzig Jahren eine Verbesserung erwartet wird, so wird man entdecken, daß manche der in Mode gekommenen Erfolgsindices der Wirtschaftspolitik, das private Realeinkommen etwa, schon heute nicht das messen, was die Leute sich wirklich wünschen. Natürlich sind sehr viele Menschen erst mitten drin in dem ›Auchhaben-Wollen‹, mit dem Schwerpunkt ›Schöne Wohnung haben wollen‹. Das fangen unsere überkommenen Indices noch ein. Was aber kommt, wenn man weiter fragt? Was gilt als wirklich unangenehm? Es werden, wie Einzelumfragen zeigen, viele Dinge genannt . . .: An schönen Freizeittagen lange suchen müssen, bis man einen passablen Rastplatz oder Spazierweg findet – In häßlicher Gegend wohnen – Einen langen Weg zum Arbeitsplatz haben, also pendeln müssen – Zu viele Verkehrstote – Nach Dienst nicht kaufen können wegen konformer, nicht umsichtiger Ladenschlußregelung – Stinkende Luft, unreine Gewässer – In Krankenhäusern schlecht behandelt werden – Nicht die Ausbildung haben, die man zum Berufsaufstieg braucht. Und viele halten, darauf befragt, die Beseitigung dieser Mißstände . . . für wichtiger als ein wesentlich höheres Privateinkommen.«[308] Aus der Logik der vom Staat im oligopolistisch organisierten Kapitalismus vorzunehmenden kollektiven, vor allem: kollektiv zu finanzierenden »Daseinsvorsorge« (Ernst Forsthoff) folgt, daß wichtige Befriedigungschancen für solche und ähnliche Lebensbedürfnisse durch politische, tendenziell alle betreffende Entscheidungen determiniert sind. Die Entscheidungen wiederum werden jedoch – wie bereits angemerkt – innerhalb einer Konstellation insbesondere ökonomischer Machtgruppen gefällt, die auf Grund ihrer Potenz eine Sanktionsgewalt gegenüber den politischen Institutionen haben, der diese sich – wenn sie nicht Stabilitätsrisiken für das Gesamtsystem (und damit Risiken für ihre eigene Position im Gesamtsystem) eingehen oder sich zumindest nicht dem Vorwurf, solche Risiken zu provozieren, aussetzen wollen – bei Formulierung und Ausführung von wohlfahrtsstaatlichen Maßnahmen zwangsläufig unterwerfen müssen. Für Exekutive und Administration resultiert daraus »ein konzentrisches Prioritätsschema von gesellschaftlichen Bedürfnissen und Problembereichen, in dem diese um so näher beim Zentrum der höchsten Dringlichkeitsstufe stehen, je mehr die Verletzung der entsprechenden Ansprüche die ökonomischen Stabilitätsvoraussetzungen in Frage stellen würden. Umgekehrt liegen jene gesellschaftlichen Bedürfnisse an der Peripherie des staatlichen Aktionsbereiches, die keine Sanktionsgewalt für sich mobilisieren und organisieren können.«[309] Dadurch stellt sich eine Ungleichzeitigkeit in der materiellen Entwicklung der verschiedenen gesellschaftlichen Bereiche und daran gebundenen Lebensbedürfnissen der Bevölkerung her – eine Ungleichzeitigkeit, die sich in der forcierten Verwendung staatlich disponibler Mittel für die Gewährung möglichst störungsfreier Kapitalverwertung und ausreichender effektiver Nachfrage sowie die Erhaltung von Außen-

308 W. Stützel, a. a. O., S. 97.
309 G. Brandt et al., a. a. O., S. 83–84.

handelspositionen und eines schlagkräftigen Militärapparates einerseits, in der mangelhaften Realisation des technischen Fortschritts im Bereich von Gesundheits-, Bildungs-, Verkehrs-, Regionalplanung und ähnlichen Sektoren andererseits offenbart. So läßt sich die These formulieren, daß im staatlich regulierten Kapitalismus nicht der Klassenantagonismus allein die Lage der Bevölkerung bestimmt, sondern daß dieser Antagonismus mit einer Form sozialer Ungleichheit gekoppelt ist, die in der disparaten Ausstattung der einzelnen gesellschaftlichen Lebensbereiche gründet. Damit wird die – gemessen an den Lebens- und Entscheidungschancen der gesellschaftlichen Spitzengruppen – offenkundige Diskriminierung der Mehrheit der Bevölkerung noch verstärkt, da »die in der klassischen Phase des Kapitalismus unterprivilegierten Gruppen und Schichten auch am ehesten die Leidtragenden jener Systemdefekte sein werden, die die gleichmäßige Entfaltung der Produktivkräfte und der Freiheitschancen in allen Bereichen des gesellschaftlichen Lebens unterbinden«[310].

Das Problem, das sich nach dieser Diskussion des Verhältnisses von Politik zu Ökonomie im staatlich organisierten Kapitalismus stellt, kann folgendermaßen umschrieben werden: Stimmt die gegebene Charakterisierung gegenwärtiger demokratisch verwalteter Industriegesellschaften, werden wesentliche Argumente der früher referierten Soziologie der Demokratie fragwürdig – sie entpuppen sich größtenteils als Ergebnisse einer einseitigen Selektion von Tatbeständen der traditionellen Innenpolitik. Einmal ist »die These vom pluralistischen Charakter der industriellen Gesellschaft . . . überholt, wenn abseits der vordergründigen öffentlichen Auseinandersetzung und einer manipulativ bestimmten Propaganda die gesellschaftlich mächtigsten Gruppen und Interessen kooperieren, um die gegenwärtige gesellschaftliche Struktur zu stabilisieren«[311]. Und zum andern wird das Theorem von Konsensus und Konflikt inhaltslos; denn selbst wenn man konzidiert, daß dieses Theorem insofern die gegenwärtige Situation des Parlamentarismus reflektiert, als es ein doch beträchtliches Maß an Übereinstimmung der Parteien wie sonstigen Interessengruppen hinsichtlich der Formalia politischen Handelns impliziert, wird jenes Theorem als Instrument zur Analyse der vorliegenden politökonomischen Probleme unbrauchbar. Denn solcher Konsensus bezieht sich ja nicht nur auf einen Satz von Regeln demokratischen Wohlverhaltens, sondern auch und vor allem auf die Prinzipien ökonomischer Organisation und politischer Herrschaft, die den oligopolkapitalistischen Wohlfahrtsstaat zusammenhalten. Insbesondere dadurch wird aber dann jene – für die soziologische (und politologische) Konzeption von Demokratie zentrale – Einrichtung in Frage gestellt, die vor allem die Balance zwischen Konsensus und Konflikt garantieren und gleichzeitig das entscheidende Agens sozialen Wandels ausmachen soll: die im parlamentarischen System institutionalisierte Opposition.

310 G. Brandt et al., a. a. O., S. 85.
311 J. Bergmann, Konsensus und Konflikt, a. a. O., S. 53–54.

(c) Zum Problem prinzipiell-politischer Opposition im organisierten Kapitalismus

Im Anschluß an eine Diskussion der Problematisierung, die das Prinzip der Gewalten-
trennung vor allem durch die Stärkung der Exekutive im staatlich organisierten Kapitalismus erfahren hat, schreibt Siegfried Landshut: »Bleibt von der ursprünglichen
Pluralität konkurrierender und zugleich komplementärer politischer Gewalten, dem
A und O freiheitlicher Gemeinwesen nur noch ein Allerletztes übrig: die Parteien im
Parlament... Die parlamentarische Opposition gegenüber dem Inhaber der Herr-
schaftsgewalt ist also der letzte uns verbleibende Wächter der Freiheit.«[312] Ähnlich
optimistisch hinsichtlich der Fähigkeiten politischer Opposition im gegenwärtigen
Parlamentarismus Westeuropas und der Vereinigten Staaten äußert sich auch Robert
A. Dahl in einem Epilog zu dem von ihm edierten Band ›Political Oppositions in
Western Democracies‹. Dahl sieht dabei durchaus, daß Position und Funktion parlamentarischer Opposition im organisierten Kapitalismus mit dem Schwinden der
sozialstrukturell vermittelten Weltanschauungskämpfe problematisiert und limitiert
werden. Er schreibt diesem Tatbestand allerdings keine zentrale Bedeutung zu, da er
den eigentlichen Grund für die zukünftige – die Realisation des Prinzips Demokratie
garantierende – Qualität parlamentarischer Opposition in ein invariantes Moment der
menschlichen Natur verlegen zu können glaubt. »To be sure, the traditional ideologies
that have played so great a role in Western politics in the past century show every
sign of being well on the way to ultimate extinction. But democracies have not eli-
minated all causes of political conflict; and if we agree with James Madison that the
latent causes of faction are sown in the nature of man, than democracies will not
and cannot eliminate all causes of political conflict. If democracies cannot eliminate
all the causes of conflict, is it not reasonable to expect that with the passage of time
the clash of governments and oppositions... will generate – and will be generated
by – new political perspectives that we cannot now accurately foresee?«[313] Daß Dahl
in dieser anthropologischen Weise versucht, die Möglichkeiten moderner parlamentarischer Oppositionsparteien als Agenturen der Demokratisierung von Gesellschaft
zu beschwören, läßt sich ohne Schwierigkeiten als Rationalisierung eines Tatbestandes
interpretieren, der eben nicht nur peripherer, sondern prinzipieller Natur ist[314]. In
Richtung auf eine solche Argumentation bewegt sich beispielsweise Hennis, indem er
die Chance zu einer grundsätzlichen, gegen die Organisationsprinzipien einer bestehenden Gesellschaft gerichteten Opposition – zu einer, wie sie Kirchheimer nennt,

312 S. Landshut, Formen und Funktionen der parlamentarischen Opposition, in:
S. Landshut, a. a. O., S. 345.

313 R. A. Dahl, Epilogue, in: R. A. Dahl (ed.), Political Oppositions in Western
Democracies, New Haven London 1966, S. 401.

314 Vgl. dazu O. Kirchheimer, The Transformation of Western European Party
Systems, in: R. C. Macridis – B. E. Brown (eds.), Comparative Politics, Homewood
1968 (3. ed.), S. 268 ff.

»Opposition aus Prinzip«[315] – in den gegenwärtigen westlichen Demokratien gering schätzt. »Wir bewegen uns hin auf eine Industriegesellschaft, die durch ein bisher unbekanntes Ausmaß gesellschaftlicher Gleichheit charakterisiert ist, in der es zwar erhebliche, ja ungeheuerliche Machtunterschiede gibt, aber in viel geringerem Maße als in früheren Epochen ständische, bildungsmäßig weltanschaulich oder wie immer bedingte Gliederungen der Gesamtgesellschaft. In einer solchen Gesellschaft verwischen sich die klassischen, sei es sozial, sei es weltanschaulich bedingten Unterschiede zwischen den Parteien von Tag zu Tag ... In einer solchen Gesellschaft kann eine Opposition nicht mehr ein grundsätzlich anderes Programm entwickeln, sie ist vielmehr auf eine Opposition ad hoc angewiesen, die ihr allenfalls erlaubt zu sagen, was sie während der nächsten Jahre besser oder anders machen will.«[316] Hennis meint zwar – entsprechend dem politologisch-soziologischen Theorem von Konsensus und Konflikt – einerseits auf ein Mindestmaß an Übereinstimmung zwischen den politischen Kontrahenten als funktionalem Erfordernis einer Demokratie nicht verzichten zu können[317], glaubt andererseits aber auch, »daß ... eine gewisse Teilung der Nation in zwei große Lager – nicht nur in zwei große Interessengruppen, sondern ... in zwei weltanschauliche Lager – Voraussetzung für das richtige Funktionieren des parlamentarischen Regierungssystems ist«[318]. Wie das vorhergehende Zitat belegt, leitet Hennis die prekäre Lage parlamentarisch institutionalisierter Opposition aus dem Prozeß sozialer Angleichung ab, der in den westlichen Industriegesellschaften zwar nicht die immer noch (respektive mehr denn je) vorhandenen Privilegien der Spitzengruppen innerhalb jener Gesellschaften beseitigt, wohl aber durch deutliche Verbesserung der Lebenschancen einer Vielzahl von Menschen eine breite sogenannte Mittelschicht produziert hat. Hennis' Argumentation ist daher insofern plausibel, als diese Mittelschicht – trotz der beispielsweise in ihr vertretener Heterogenität von Berufsgruppen – ein relativ einheitliches Aspirationsniveau und Situationsdeutungsmuster aufweist, an denen sich jede Partei orientieren muß, die die entscheidenden Massen der Wähler hinter sich bringen will. Manfred Friedrich hat in seinem bekanntgewordenen Beitrag ›Opposition ohne Alternative?‹ diesen Umstand ebenfalls herausgestellt – dabei allerdings deutlicher als Hennis die in diesem Zusammenhang

315 O. Kirchheimer, Deutschland oder der Verfall der Opposition, in: O. Kirchheimer, a. a. O., S. 58.

316 W. Hennis, Parlamentarische Opposition ..., a. a. O., S. 120.

317 Es stellt sich hier die Frage, inwieweit Kirchheimers Definition dessen, was er unter Opposition aus Prinzip versteht (»Wir sprechen von Opposition aus Prinzip, wenn das Verhalten des Bewerbers erkennen läßt, daß er sich Ziele gesteckt hat, die mit den Verfassungsregeln eines gegebenen Systems unvereinbar sind« – O. Kirchheimer, a. a. O., S. 58), Raum läßt für den von Hennis geforderten Minimalkonsensus Es wird im vorliegenden Zusammenhang aufgrund der Intentionen und Tendenzen der Kirchheimerschen Schriften angenommen, daß die Existenz eines solchen Minimalkonsensus in der zitierten Definition impliziert ist.

318 W. Hennis, a. a. O., S. 121.

wichtige Funktion des Wohlfahrtsstaates angesprochen: »Der Wohlfahrtsstaat kennt nicht mehr eine geborene Opposition, die von bestimmten Outsider-Schichten getragen wird und damit von vornherein einer gewissen Resonanz sicher sein kann. Die Opposition muß sich vielmehr, was eigentlich ihrem Begriff widerspricht, auf arrivierte Schichten stützen, und dies mildert notwendig ihre Gegensätze zur Regierung ab. Wenn nun die Interessen dieser arrivierten Schichten in zunehmendem Maße noch auf gleiche inhaltliche Forderungen gehen, so entfällt für die Opposition auch noch die Chance, durch ein inhaltlich anderes Gegenprogramm mit der Regierung zu konkurrieren.«[319]

Die Konsequenzen einer solchen Angleichung von Regierung (Regierungspartei) und Opposition sind beispielsweise für die Bundesrepublik in zweifacher Hinsicht beschrieben worden: (1) als Reduzierung des politischen Kampfes auf eine Diskussion um Prioritäten innerhalb eines von allen gleichermaßen akzeptierten Katalogs gesellschaftlicher Probleme und auf eine daran geknüpfte Debatte über Mittel und Methoden zur Lösung der als vorrangig klassifizierten Fragen; (2) als Verkümmerung der möglichen Übernahme des Regierungsamtes durch die Opposition zu einem bloßen Austausch von ähnlich programmierten Führungsgarnituren. Insbesondere Ernst Fraenkel hat diese beiden Sachverhalte deutlich als Strukturdefekte der bundesrepublikanischen Demokratie geschildert – als Defekte, die die Realisierung des angeblichen Kernstücks jeder Konzeption von Demokratie – die Realisierung der »Konkurrenztheorie der Demokratie« – gefährden. »Ich glaube, daß eine Demokratie an einem Strukturdefekt leidet, der gar nicht ernst genug genommen werden kann, wenn (die) Wahlen sich zu einer Art beauty contest entwickeln, bei dem es maßgeblich darauf ankommt, welcher der Kandidaten photogen ist, wer die einschmeichelndere Radiostimme besitzt, von welchem der Bewerber um das höchste Staatsamt am Fernsehschirm der stärkere sex-appeal ausgeht, weil er entweder dank seines Alters dem Sekuritätsbedürfnis oder dank seiner Jugend dem Betätigungsdrang eines Großteils der Wählerschaft besser entspricht. Die richtig verstandene Konkurrenztheorie der Demokratie besagt vielmehr, daß durch die Wahlen nicht nur der künftige Regierungschef bestimmt, sondern auch eine Entscheidung über Alternativlösungen getroffen werden soll, ein Verdikt über die Politik, die die Mehrheitspartei befolgt, und zugleich ein Verdikt über die Politik, die die Minderheitspartei befürwortet hat.«[320] Doch statt so gearteten Wahlkämpfen, die als Fortsetzungen konfliktreicher Parlamentsdebatten mit anderen Mitteln zu begreifen wären, sieht Fraenkel politische Auseinandersetzungen, die tendenziell in Scheingefechte zwischen Augurenlächeln zur Schau tragenden Kontrahenten und – durch den von Regierungs- wie Oppositionspartei unternommenen Versuch, das gesamte Stimmungspotential anzusprechen – in entpolitisierte Spektakel für die zumeist wahlentscheidende, wenn auch politisch uninteressierte und indifferente Gruppe der soge-

319 M. Friedrich, Opposition ohne Alternative?, in: K. Kluxen (ed.), a. a. O., S. 425.
320 E. Fraenkel, a. a. O., S. 65.

nannten Randschichtenwähler verwandelt zu werden drohen[321]. Ähnliches befürchtet auch Dahrendorf, der am Ende seiner Bestandsaufnahme ›Gesellschaft und Demokratie in Deutschland‹ zu einem Schluß kommt, der auch für das Verhältnis von Regierung und Opposition gelten könnte. »Parlamentarische Institutionen bestehen fort, ohne noch mit dem Leben erfüllt zu sein, für das sie einmal ersonnen waren. Auch sonst wird das Ritual der demokratischen Prozedur durchaus beachtet. Aber es ist eben ein bloßes Ritual geworden, hinter dem weder eine soziale noch eine politische Wirklichkeit steht.«[322]

Während nun Dahrendorf und Fraenkel glauben, daß es sich bei diesen Problemen mehr oder weniger um spezielle Resultate der deutschen Demokratietradition handelt[323], die durch eine dem politischen System der Bundesrepublik immanente Parlamentsreform korrigiert werden können, gehen Friedrich und – teilweise – Hennis von einem Zusammenhang zwischen jenen Schwierigkeiten parlamentarischer Opposition und den Bedingungen eines als Wohlfahrtsstaat auftretenden Kapitalismus aus, die in allen industriegesellschaftlichen Demokratien aufzufinden sind und deren Analyse daher auch die strukturellen Gründe für die von Dahrendorf, Fraenkel und anderen[324] ermittelten Defekte des bundesrepublikanischen Parteiensystems freilegen dürfte[325]. Der Ausgangspunkt einer solchen Analyse ist bereits von Lipset gesehen, wenn auch in seinen soziologischen Arbeiten nicht weiter berücksichtigt worden. »Representatives of the lower strata are now part of the governing groups, members of the club. The basic political issue of the industrial revolution, the incorporation of the workers into the legitimate body politic, has been settled. The key domestic issue today is collective bargaining over differences in the division of the total product within the framework of a Keynesian welfare state . . .«[326] In gleicher Weise formuliert beispielsweise Görlitz das Problem für die Situation in der Bundesrepublik: »Der Ausbau des Sozialstaates zum Wohlfahrtsstaat verringert die gesellschaftlichen Gegensätze und verkleinert damit den Raum für grundsätzliche politische Alternativen. Es gibt keine Meinungsverschiedenheiten mehr darüber, daß der Staat die Aufgaben hat, die persönliche Entfaltung seiner Gewaltunterworfenen rechtlich und wirtschaftlich zu garantieren, die

321 Vgl. dazu M. Friedrich, a. a. O., S. 435–436; vgl. weiter zum Problem der Randschichtenwähler in der Bundesrepublik, M. Kaase, Analyse der Wechselwähler in der Bundesrepublik, in: E. K. Scheuch – R. Wildenmann (eds.), a. a. O., S. 113 ff.

322 R. Dahrendorf, Gesellschaft und Demokratie . . ., a. a. O., S. 477.

323 Vgl. dazu R. Dahrendorf, a. a. O., S. 473 ff. und E. Fraenkel, Historische Vorbelastungen des deutschen Parlamentarismus, in: E. Fraenkel, a. a. O., S. 13 ff.

324 Vgl. dazu H. Maier, Probleme einer demokratischen Tradition . . ., a. a. O., S. 192 und K. D. Bracher, Gegenwart und Zukunft der Parlamentsdemokratie . . ., a. a. O., S. 77 ff.

325 Vgl. dazu M. Friedrich, a. a. O., S. 432 und W. Hennis, Parlamentarische Opposition . . ., a. a. O., S. 120 ff.

326 S. M. Lipset, Political Man, a. a. O., S. 92–93; vgl. dazu S. M. Lipset, Some Social Requisites of Democracy, in: R. E. Macridis, B. E. Brown (eds.) a. a. O., S. 161 ff.

wissenschaftlichen und ökonomischen Strukturveränderungen politisch zu bewältigen oder die technologische Entwicklung zu fördern. Die Gegensätze zwischen Privilegierten und Unterprivilegierten, Marktwirtschaft und Planwirtschaft oder Rechtsstaat und Sozialstaat wurden durch den Wandel zum modernen Staat so weit eingeebnet, daß sie das politische Leben nicht mehr in Bewegung zu halten vermögen. Es geht etwa nur noch darum, wie und auf welche Weise Vermögen umverteilt, in welchem Umfang konkurriert und inwieweit geplant oder bis zu welchem Fixpunkt Daseinsvorsorge getrieben wird.«[327]

Der tiefere Grund, weshalb die Etablierung des Wohlfahrtsstaates Position und Funktion politischer Opposition problematisiert, ist im vorigen Abschnitt aufgezeigt worden. Er liegt – noch einmal kurz zusammengefaßt – in folgendem: Das politische System hat im organisierten Kapitalismus zwar einerseits formal einen Aktionsspielraum, um die ihm – auf Grund der oligopolistischen Verfassung des gegenwärtigen Kapitalismus und deren Konsequenzen für die Stabilität des gesamten Gesellschaftsgefüges – von der herrschenden Klasse zugeschanzte Aufgabe der Systemintegration leisten zu können; andererseits jedoch ist dieser Spielraum durch die Abhängigkeit des politischen Systems von den ökonomischen Machtgruppen und deren Fähigkeit, ihren Ansprüchen durch Provokation von Systemrisiken Nachdruck verleihen und die Ausrichtung staatlicher Aktivität auf die Erhaltung ökonomischer Stabilität unter der Bedingung oligopolistisch organisierter Kapitalverwertung erzwingen zu können, klar limitiert. Daher beinhalten diese Restriktionen einen Imperativ zur Anerkennung der die Gesellschaft zusammenhaltenden Organisationsprinzipien und zur Vermeidung von Diskussionen über Alternativlösungen. Das heißt hinsichtlich der Aufgabe von politischer Opposition, die nach der Konzeption des traditionellen Parlamentarismus gerade in einer grundsätzlichen, an die Organisationsprinzipien von Gesellschaft rührenden Auseinandersetzung mit den politisch Herrschenden bestehen sollte: diese Aufgabe reduziert sich auf Kritik und Formulierung von Präventivmaßnahmen innerhalb eines prinzipiell nicht antastbaren Rahmens. Das, was demokratische Willensbildung eigentlich heißt: nämlich die konsequente Auseinandersetzung gesellschaftlicher Klassen über Sinn und Zweck gegebener institutioneller Bedingungen sowie deren Weiterentwicklung – wird dadurch überflüssig und vor allem höchst dysfunktional. Denn nicht nur die in einem solchen Willensbildungsprozeß auftauchenden Argumente, auch die Formen dieses Prozesses erschweren entscheidend die Aufgabe der Stabilitätsgarantie, da sie Ansprüche und Handlungsaufforderungen in die politischen Institutionen tragen, die deren – an crisis management und Konfliktvermeidung orientierten – Aktivitäten zuwiderlaufen und möglicherweise nur schwer (oder gar nicht) den Stabilisierungsstrategien eingefügt werden können. Insbesondere problematisch wird diese Entdemokratisierung von Partei- und Regierungspolitik, so man sie mit dem Tatbestand in Zusammenhang bringt, der im vorigen Abschnitt als ein wichtiges Moment

327 A. Görlitz, a. a. O., S. 74.

kapitalistischer Wohlfahrtsstaaten herausgestellt und als disparitätische materielle Ausstattung der einzelnen Sektoren von Gesellschaft bezeichnet worden war. »In (der) funktional erforderlichen Limitierung des politischen Zentrums auf administrative, demokratisch nicht motivierbare Regelfunktionen liegt ein Defekt des politischen Institutionensystems, der die Disparität des Entwicklungsniveaus in den verschiedenen Bereichen des gesellschaftlichen Lebens weiter verschärft: denn nur durch die solidarische Formulierung allgemeiner Bedürfnisse in Institutionen der Öffentlichkeit wäre es möglich, den strukturellen Entwicklungsrückstand in jenen Bereichen rational zu verarbeiten und einzuholen, die nicht das Privileg unmittelbarer Relevanz für den Kapitalverwertungsprozeß genießen.«[328]

Es ist oft darauf hingewiesen worden[329], daß noch eine wesentliche Voraussetzung erfüllt sein muß, wenn die politischen Institutionen des Erfolgs ihrer Krisen- und Konfliktbereinigungen relativ sicher sein wollen: Die Mehrheit der Bevölkerung, damit also die Masse der Lohn- und Gehaltsabhängigen, muß dazu gebracht werden, sich mit den vorgegebenen institutionellen Bedingungen und dem, was innerhalb ihres Rahmens an Befriedigung materieller wie immaterieller Bedürfnisse zu erreichen ist, zu arrangieren. Bedingung dafür wiederum ist, daß die Mehrheit der Bevölkerung in einer Weise ihre Lebenschancen garantiert sieht, die sie ihre Existenz als eine befriedigende Situation interpretieren läßt. Es kann nun nicht bestritten werden, daß die Weiterentwicklung und immanente Veränderung des kapitalistisch organisierten Gesellschaftssystems tiefgreifende Verbesserungen in der Lebenssituation seiner Mitglieder nach sich gezogen haben. Diese Verbesserungen betreffen einmal den, wenn auch nur bis zu einer bestimmten Grenze möglichen Abbau der finanziellen und damit kulturellen Unterprivilegiertheit der meisten Lohn- und Gehaltsabhängigen und zum anderen die zumindest partielle Freilassung von Triebwünschen, die bisher im Namen der nachdrücklich verinnerlichten Leistungsideologie mehr oder minder intensiv reprimiert wurden. So befindet sich gegenwärtig die Majorität der Lohn- und Gehaltsabhängigen in einer − eigene Initiative stark bremsenden, möglicher Manipulation aber sehr entgegenkommenden − Lage: zwischen der Hoffnung auf die vom Produktions- und Distributionsapparat suggerierte Omnipotenz in Sachen Bedürfnisbefriedigung und der − durch ihre Stellung im Leistungs- und Verteilungszusammenhang und das daran geknüpfte Erlebnis prinzipieller Abhängigkeit − bedingten Angst vor dem Verlust dieser Quelle der Befriedigungen[330]. In seinem Beitrag ›Über den Zusammenhang zwischen Angst und politischer Apathie‹ hat Klaus Horn − anschließend an die

328 G. Brandt et al., a. a. O., S. 85.
329 Vgl. zu dem Folgenden beispielsweise H. Marcuse, Der eindimensionale Mensch, Neuwied Berlin, 1968 (4. ed.); J. Habermas, Technik und Wissenschaft als ›Ideologie‹ in: J. Habermas, Technik und Wissenschaft als ›Ideologie‹, Frankfurt 1968 und R. Reiche, Sexualität und Klassenkampf, Frankfurt 1969.
330 Vgl. dazu H. Holzer, Sexualität und Herrschaft, in: Soziale Welt 2–3 1969, wo die sozialpsychologische Dimension des hier angeschnittenen Problems ausführlich behandelt wird.

eindrucksvollen Experimente von Stanley Milgram über die Manipulationschancen technokratisch auftretender Autoritäten[331] – die fatalen Konsequenzen einer solchen Situation für die Persönlichkeitsstrukturen der Betroffenen herausgestellt – einer Situation, die ihre Konturen erst richtig erhält, wenn man die Berufspraxis und die durch deren Verhaltensanforderungen provozierte Anpassungsproblematik eines Arbeiters, Angestellten, Beamten konkret bedenkt: »Die Palette der Befriedigungsmöglichkeiten für kurzfristig zu stillende Bedürfnisse ist groß, solange einer sich anpaßt. Weil auch diese Lust auf dem Niveau der Sucht nach Ewigkeit verlangt, werden politische Alternativlösungen als beunruhigend, ja als gefährlich empfunden. Sie sind häufig mit der Phantasie verknüpft, daß es einem dann materiell schlechter gehen wird. Politische Apathie entspricht unter den gegebenen gesellschaftlichen Verhältnissen dem Lustprinzip auf einer sehr niedrigen Entwicklungsstufe des Ichs. Die Konservierung des sozialen status quo, ja dessen Rationalisierung im Sinne einer Optimalisierung der vorhandenen Mittel im gegebenen Herrschaftsrahmen – und das heißt: die technokratische Lösung sozialer Konflikte – entspricht dem Bedürfnis der Süchtigen, denen der Zugang zur Realität in ihrer Vermittlung zugunsten eines konkretistischen Berufs verlorenging. Die technologische Lösung sozialer Konflikte erscheint als der Versuch der Ritualisierung süchtiger Lust und hat die Aufgabe, archaische Ängste zu übertönen ... Dieses archaische Zusammenspiel zwischen Triebbedürfnissen und Rollenaufgaben ist ein großes Experiment mit der sozialen Angst.«[332] Die hier von Horn in ihrer soziopsychologischen Problematik skizzierte Tendenz zu politischer Apathie hat – soweit man sich auf Meinungsumfragen verlassen kann – offensichtlich weite Teile der bundesrepublikanischen Bevölkerung befallen[333].

Die vorliegenden Ergebnisse aus der Meinungsforschung illustrieren plastisch, in welchem Maß die strukturell bedingte Funktion von Politik im organisierten Kapitalismus mit der Bewußtseinsverfassung der überwiegenden Mehrheit der Bevölkerung zusammenpaßt – wie in der Bundesrepublik die zur Aufgabe der Systemstabilisierung zählende, »die Loyalität der lohnabhängigen Massen sichernde Entschädigungs- und das heißt: Konfliktvermeidungspolitik«[334] von den politisch Herrschenden mit Erfolg

331 Vgl. dazu S. Milgram, Einige Bedingungen des »Autoritätsgehorsams« und seiner Verweigerung, in: H. Wiesbrock (ed.), Die politische und gesellschaftliche Rolle der Angst, Frankfurt 1967, S. 170 ff.

332 K. Horn, Über den Zusammenhang zwischen Angst und politischer Apathie, in: H. Marcuse et al., Aggression und Anpassung in der Industriegesellschaft, Frankfurt 1968, S. 77–78; vgl. dazu K. Horn, Zur Formierung der Innerlichkeit, in: G. Schäfer–C. Nedelmann (eds.), a. a. O., S. 196.

333 Vgl. dazu – um nur einige Quellen zu nennen – Emnid-Informationen 8-1967, 3–4 1968, 3 1969; Infratest, Spiegel-Untersuchung 1965, München 1965; E. Noelle–E. P. Neumann (eds.), Jahrbuch der öffentlichen Meinung, Bonn Allensbach 1967; vgl. zur US-amerikanischen Szene R. A. Dahl, Who governs? Democracy and Power in an American City, New Haven 1961 und A. Wildavsky, Leadership in a Small Town, Totowa 1964.

334 J. Habermas, Technik und Wissenschaft als ›Ideologie‹, a. a. O., S. 84.

gehandhabt wurde und wird. Der Erfolg ist – zusammenfassend gesagt – daran abzulesen, in welchem Umfang große Teile der Bevölkerung von einer entscheidungsrele-
vanten Diskussion über den institutionellen Rahmen einer Gesellschaft ausgeschlossen
sind (und sich selber ausschließen), deren ökonomischer und politischer Apparat zwar
eine materielle Verbesserung ihrer Lebenssituation gebracht hat, sie selbst aber in extremer – von ihnen sogar akzeptierter – Fremdbestimmung verharren läßt und ihre Per-
sönlichkeitsstruktur in eine solche Verfassung bringt, die die ökonomische Herrschaft
und politische Gewalt in der Bundesrepublik nicht bedroht. Welche Mechanismen diesen Tatbestand ermöglichen und welchen Part dabei die Massenkommunikation spielt,
wird im nächsten Kapitel erörtert. Zuvor sollen jedoch noch einmal an einem konkreten Beispiel die tendenzielle Liquidation politischer Opposition im staatlich regulierten
Kapitalismus und die entpolitisierenden Konsequenzen für die Bevölkerung diskutiert
werden. Paradigmatisch läßt sich diese Problematik nämlich an der Entwicklung der
Sozialdemokratischen Partei Deutschlands nach 1945 veranschaulichen.

Zur Zeit der Gründung der Bundesrepublik und in den unmittelbar darauffolgenden
Jahren war jene Problematik längst nicht in Sicht. Im Gegenteil: Gegenüber den in-
stabilen Verhältnissen der Weimarer Republik schien – mit Hilfe eines auf innere
Festigkeit angelegten Parteiensystems – endlich ein brauchbarer Rahmen für die Demokratisierung wenigstens eines Teils von Deutschland geschaffen worden zu sein.
So konnte Ludwig Bergsträsser noch für die Zeit um und nach 1949 sagen: »Der be-
deutendste Unterschied zwischen der Weimarer Zeit und der Gegenwart ist wohl der,
daß heute eine unbedingt verfassungstreue Partei, die CDU, die Regierung führt,
während eine ebenso unbedingt verfassungstreue Partei, die SPD, die Opposition
führt. – Infolgedessen wird die Entwicklung, die für die Weimarer Republik so be-
zeichnend ist, daß die staatstragende Mitte ... von rechts und von links erfolgreich
bekämpft wurde, daß sie sich in der Regierung allmählich zu einer Minderheit ab-
nutzte, so lange nicht eintreten, als die Oppositionsstellung der SPD bleibt.«[335] Doch
die Oppositionsstellung der SPD, die unter Kurt Schumacher durchaus eine Gesellschaftskonzeption propagierte, welche sich – trotz des Aalener Programms der CDU –
prinzipiell von den Auffassungen der anderen Parteien in der Bundesrepublik unterschied, wurde in dem Moment prekär, als die Erhardsche Soziale Marktwirtschaft ihre
ersten Erfolge verbuchte und damit die Überwindung der entbehrungsreichen Nach-
kriegszeit signalisierte. »Die von (der SPD) vorgeschlagene Wirtschaftspolitik, Wirtschaftsplanung und Verstaatlichung der Grundstoffindustrie, schien von den Erfolgen
der ... Sozialen Marktwirtschaft ad absurdum geführt worden zu sein.«[336] Auf Grund
der Entwicklung eines Kapitalismus in der Bundesrepublik, der anscheinend allen
sozialen Gruppen etwas zu bieten vermochte, wurde es für die SPD – vor allem auf
Grund des von ihr vehement praktizierten Antikommunismus – aber auch im Bereich

335 L. Bergsträsser, Geschichte der politischen Parteien in Deutschland, München
1960 (10. Auflage), S. 334–335.
336 W. Euchner, a. a. O., S. 71.

der Innen- und Außenpolitik schwer, Alternativen zu den Vorschlägen der dominierenden CDU zu formulieren und zu vertreten. Denn breite Wählerschichten der SPD profitierten genauso von dem wirtschaftlichen Aufschwung wie die CDU-Anhänger, so daß eine innen- wie außenpolitische Absicherung dieses Aufschwungs und der damit erzielten Verbesserung des Lebensstandards im Interesse der überwiegenden Mehrheit der Bevölkerung zu liegen schien. Dennoch attackierte die SPD nachdrücklich die – insbesondere von der CDU verfochtene – Remilitarisierung der Bundesrepublik und deren Integration in die Politik der westeuropäischen Länder und der Vereinigten Staaten. Aber gegen das Argument, Remilitarisierung wie Westintegration seien die solidesten Formen einer Absicherung des in der Bundesrepublik Erreichten, konnte die SPD schließlich nichts ausrichten; ihre Bemühungen um eine andere gesellschaftspolitische Organisation der Bundesrepublik wurden von den Wählern nicht honoriert. Inwieweit diese Reaktion der Wähler auch darauf zurückzuführen ist, daß die SPD auf Grund des verfassungsrechtlich legitimierten Verbots einer gegen die Prinzipien der freiheitlich-demokratischen Grundordnung gerichteten rechts- wie insbesondere linksradikalen Opposition und auf Grund der Etablierung der sozialistischen Alternative in Form eines zweiten deutschen Staates nicht gezwungen war respektive sich außerstande sah, konsequent auf ihren Forderungen zu bestehen und sie geschickter zu vertreten, mag dahingestellt bleiben [337]. Auf jeden Fall hat die SPD sehr schnell aus ihrer prekären Situation die Konsequenzen gezogen und mit dem Godesberger Programm von 1959 – Ergebnis von zwei Wahlniederlagen – die Flucht nach vorn, in Richtung auf die Möglichkeit einer sogenannten Mitverantwortung des politischen Geschehens angetreten. »1959 ... lieferte (die SPD) mit ihrem Godesberger Programm, jedenfalls mit dessen Thesen zur Gesellschaft und Ökonomie, ein Bündel von Perspektiven und Vorschlägen für eine expandierende Gesellschaft – eine dem amerikanischen Vorbild nachgeahmte strategische Sozialpolitik, die durch vage Formulierung der Sachverhalte sowohl die Bevölkerung insgesamt als auch die Interessen bestimmter einzelner Gruppen zufriedenstellen sollte. Obwohl der Entwurf den traditionellen Anhängerkreis der Partei unter Arbeitern einigermaßen berücksichtigte, wurde im ganzen sehr geschickt vermieden, Empfehlungen für eine genau definierte Gesellschaftsorganisation auszusprechen. Ausdrücklich verworfen wurden nur jene Systeme, welche die freie Entfaltung der menschlichen Persönlichkeit behindern. Damit war die Haltung der Oppositionspartei gegenüber der Regierung zu einer rein taktischen Angelegenheit geworden.«[338]

Dieser Prozeß der Angleichung von Regierungs- und Oppositionspartei hat allerdings bereits während der ersten Periode des Bundestages begonnen. Wolfgang Kralewski und Karlheinz Neunreither haben mit einer informativen Studie nachgewiesen, daß schon in der Zeit von 1949–1953 eine ganz erhebliche Zahl von Gesetzentwürfen

337 Vgl. dazu O. Kirchheimer, Deutschland oder der Verfall der Opposition, a. a. O., S. 61.
338 O. Kirchheimer, a. a. O., S. 68.

– vor allem im Bereich von Landwirtschafts-, Finanz-, Innen-, Kultur-, Arbeits-, Sozial- und Wirtschaftspolitik – mit den Stimmen der SPD verabschiedet wurden [339].

Tabelle 4: Anzahl der Gesetzentwürfe, die von 1949–1953 gegen die Stimmen der SPD verabschiedet wurden (Basis: Gesamtheit der im betreffenden Sektor verabschiedeten Gesetze)

Haushalt	78,9 %
Außenpolitik	55,0 %
Landwirtschaft	19,4 %
Finanz (ohne Haushalt)	15,4 %
Innenpolitik, Polizei, Kultur	14,6 %
Arbeits- und Sozialpolitik	11,8 %
Wirtschaft	7,4 %

(Quelle: W. Kralewski – K. Neunreither, Oppositionelles Verhalten im ersten deutschen Bundestag 1949–1953, Köln Opladen 1967, S. 92.)

Die strukturellen Bedingungen des Wohlfahrtsstaates hatten auch von der SPD ihren Tribut gefordert: Der vom staatlich regulierten Kapitalismus scheinbar weggenommene Antagonismus zwischen den gesellschaftlichen Klassen und Schichten konnte auch von der SPD nicht mehr als Vehikel ihrer Politik benutzt werden; der Klassenkonflikt, in dem die Möglichkeit prinzipieller politischer Opposition festgemacht war, hatte sich auch für die SPD in eine Auseinandersetzung um Prioritäten hinsichtlich der zeitlichen Reihenfolge von Lösungen transformiert, die innerhalb eines von allen politischen Gruppen akzeptierten Kranzes institutioneller Bedingungen zu gesellschaftlichen Problemen gefunden werden müssen, welche alle politischen Gruppen in ähnlicher Weise sehen und interpretieren. Willy Brandt, 1961 erstmals Kanzlerkandidat der SPD, formulierte das kurz nach der Verabschiedung des Godesberger Programms: »In einer gesunden und sich fortentwickelnden Demokratie ist es nichts Ungewöhnliches, sondern dort ist es das Normale, daß die Parteien auf einer Reihe von Gebieten ähnliche, sogar inhaltsgleiche Forderungen vertreten. Die Frage der Prioritäten, der Rangordnung der zu lösenden Aufgaben, die Methoden und Akzente, das wird immer mehr zum Inhalt der politischen Meinungsbildung.« [340] Die Führungselite der SPD – insbesondere Herbert Wehner – trug dieser Erkenntnis ab 1960 konsequent Rechnung, indem sie einen Kurs einschlug, der die Partei bei allen bedeutenden Interessengruppen zum (Wahl-) Erfolg führen sollte. Denn am Beispiel der CDU war abzulesen, daß die Befriedigung der Wünsche, die die einfluß- und wahlstimmenreichsten Interessengruppen vorbrachten, ein effektvolles Instrument der Machtgewinnung und -erhaltung dar-

339 Bei der Rubrik »Haushalt« in Tabelle 4 ist zu beachten, daß die Ablehnung des Haushaltsplanes durch die SPD mehr oder minder formalen Charakter hat; sie zeigt die offizielle Opposition der Partei an (Vgl. dazu O. Kirchheimer, a. a. O., S. 90).

340 W. Brandt, Plädoyer für die Zukunft, Frankfurt 1961, S. 20.

stellte. So versuchte auch die SPD zu beweisen, wie nachdrücklich sie die Interessen dieser oder jener Stimmenpotential versprechenden Gruppen vertrat; doch »dabei hatte die Opposition außer Worten nichts zu bieten, denn die Kasse verwalteten die anderen«[341]. Daß die SPD in diesem Dilemma nicht im Alleingang auf längst fällige Reformen im Städtebau und Verkehrswesen, im Gesundheits- und Bildungssektor sowie auf eine Neuorientierung insbesondere der Ostpolitik drängte und mit einem so ausgestatteten Alternativprogramm die Regierungsmehrheit bekämpfte, kann nicht verwundern. Vielmehr war es durchaus logisch für die SPD, einen Frontalzusammenstoß vor allem mit der CDU vermeiden zu wollen und statt dessen erst einmal daranzugehen, eine Vermehrung ihrer politischen Macht durch offizielle Mitwirkung an der Verteilung der staatlichen Mittel zu erreichen. Von dieser Taktik wich die SPD selbst dann nicht ab, als sich Ende 1965 schon offenbarte, in welche haushalts- und wirtschaftspolitische Krise die bisherige Politik von CDU/CSU und auch FDP führen würde: Die Opposition wagte weder den direkten Schritt zur Regierungsübernahme noch den Umweg über eine kleine Koalition mit der FDP. Beides wären riskante Lösungen gewesen – das kann nicht bestritten werden. Aber der – wie gesagt – nicht ans Versagen von einzelnen Personen gebundene, sondern gesellschaftsstrukturell bedingte Verzicht auf eine konsequente Opposition hat Folgen gebracht, deren erste die Große Koalition, deren dann akute die nahezu völlige Entpolitisierung der Bevölkerung im – fast nur durch hochgespielte Randerscheinungen (Proteste gegen Franz Josef Strauß, Polizeieinsatz bei NPD-Veranstaltungen) populären und weitgehend auf wirtschaftstechnische Details (Aufwertung, Mittel der Konjunkturdämpfung) reduzierten – Wahlkampf 1969 war. Wolf Dieter Narr hat in seiner Analyse von Programm und Praxis der beiden großen Parteien in der Bundesrepublik – eine Analyse, die 1966 publiziert wurde, aber die weitere Entwicklung andeutete – die SPD dafür hart kritisiert: »Die SPD hat den Staat bzw. ihre Regierungs-Mit-Fähigkeit und die Interessengruppen z. T. gewonnen, sie hat darüber ihr gesellschaftliches Prinzip verloren. Und es ist heute nicht ausgemacht, ob letzteres in dem Maße nötig war, um einmal die Mehrheit zu erringen ... War es das unmarxistische große Versäumnis der alten Sozialdemokraten gewesen, die Politik, das Politische, auf die bloße Sozialpolitik reduziert zu haben, hinter der keine ausdrückliche Konzeption stand, sondern ein utopisches Zielgefühl, so tritt nun ein gesellschaftlich abstrakter, qualitativ entleerter Begriff des Politischen an diese Stelle. Mit anderen Worten, die Politik der Demokratie wird Mittel des bloßen Machterwerbs, des Machterhalts und der Stabilität der Verhältnisse.«[342] Daß die SPD mit ihrer Argumentations- und Vorgehensweise insofern erfolgreich war, als sie auch in Wählerschichten eingedrungen ist, die früher eher eine Domäne der CDU bildeten, kann – gerade aufgrund der Wahl vom September 1969 – nicht bestritten werden. Ein Resultat aus einer Studie des Instituts für Demoskopie Allensbach, die Mitte 1969 im

341 W. Euchner, a. a. O., S. 72.
342 W. D. Narr, CDU–SPD, Stuttgart 1966, S. 234.

Auftrag des Nachrichtenmagazins ›Der Spiegel‹ vorgenommen wurde, verdeutlicht das überzeugend.

Graphik 5: Die sozialen Merkmale der Anhängerschaft von CDU und SPD: 1961 und 1969

1961	1969

Angestellten-Anteil in der Anhängerschaft der:

	1961		1969
CDU	19 %	CDU	23 %
SPD	15 %	SPD	24 %

darunter leitende Angestellte:

	1961		1969
CDU	5 %	CDU	6 %
SPD	3 %	SPD	6 %

Anteil der gehobenen Sozialschichten:

	1961		1969
CDU	25 %	CDU	24 %
SPD	12 %	SPD	19 %

Anteil der Arbeiter:

	1961		1969
CDU	36 %	CDU	42 %
SPD	69 %	SPD	58 %

(Quelle: Der Spiegel, 33, 1969, S. 39.)

Daß eine solche Entwicklung nicht auf eine – sich in den Parteien äußernde – klassen- und schichtenspezifische Dichotomisierung der Gesellschaft, sondern aufs genaue Gegenteil hinausläuft, dürfte keine allzu gewagte Prognose darstellen. Und daß damit die klassische soziale Konstellation für den konsequenten Antagonismus zwischen Regierung und Opposition verschwunden, dafür aber die Transformation der Bundesrepublik in einen – unter relativ einheitlicher Leitung stehenden – »politisch und psychologisch rationalisierten Großbetrieb«[343] mit autoritativ betriebener Problemlösung und ebenso autoritativ betriebener Zuweisung von Sozialleistungen angekurbelt worden ist, dürfte gleichfalls keine allzu realitätsferne Deutung der vorliegenden Situation sein[344]. Dahrendorf spricht in diesem Zusammenhang von einer »Demokratie ohne Freiheit unter der Herrschaft einer politischen Klasse, die ... in die Lage gedrängt wird, zu regieren ohne zu kämpfen«[345]; Loewenstein von der »Krise der Freiheitsrechte in der kontrollierten Demokratie«[346]; Fraenkel von der Herrschaft eines »über-

343 K. Horn, Zur Formierung der Innerlichkeit, a. a. O., S. 199.
344 Vgl. dazu M. Kidron, a. a. O., S. 122.
345 R. Dahrendorf, Gesellschaft und Demokratie ..., a. a. O., S. 473–474.
346 K. Loewenstein, a. a. O., S. 348.

zwischenparteilichen Patronagekartells«[347]; eine Gruppe von Kommentatoren der 1968 verabschiedeten Notstandsgesetze von einer verschärften Formierung der Gesellschaft durch das gebrauchsfertig vorliegende innenpolitische Machtinstrument »Notstandsverfassung«[348]; Agnoli schließlich von der Ablösung der »konkurrenzartigen (gewaltsamen oder friedlichen) Zirkulation von offen gegeneinander kämpfenden und sich offensichtlich ausschließenden Eliten« durch »eine assimilative Zirkulation, die ... zur durchgängigen Assimilation der (schein-) konkurrierenden Parteien und ihrer gemeinsamen Beteiligung an der Staatsgewalt (treibt) – sei es im Zusammenspiel von Mehrheit und Minderheit, sei es in Form einer Großen Koalition«[349].

In diesem Abschnitt sollte – zuletzt noch einmal etwas konkreter am Beispiel der SPD – gezeigt werden, auf welche Schwierigkeiten konsequente, eine striktes Alternativprogramm verfolgende Opposition im staatlich regulierten Kapitalismus stößt; welche strukturell bedingten Provokationen zur Entpolitisierung der Bevölkerung in der wohlfahrtsstaatlichen Demokratie angelegt sind und wie dadurch ein wesentliches Element der traditionellen soziologischen und politologischen Konzeption von Demokratie – eben die Institution der politischen Opposition – fragwürdig wird. Dieser Abschnitt sollte damit Tendenzen skizzieren, die – wie in jeder westlichen Industriegesellschaft – gegenwärtig auch in der Bundesrepublik auszumachen sind. Dieser Abschnitt sollte dagegen nicht beweisen, daß sich in der Bundesrepublik sozusagen als politische Überformung einer bestimmten ökonomischen Organisation bereits ein monolithischer Machtblock etabliert hat, der – kurzgeschlossen mit den profit- und wahlstimmenorientierten Interessen der entscheidenden Vetogruppen in Wirtschaft und Politik – in Gestalt eines sozialtechnisch omnipotenten Systemstabilisators die Masse der Bevölkerung zu einem integrierten, seiner Entfremdung gewissermaßen entfremdeten Bestandteil des politischen und ökonomischen Status quo macht und die gesellschaftspolitischen Antagonismen mit Hilfe einer technokratischen Ideologie der Zweckrationalität prinzipiell stillegt[350]. Ein derart geschlossenes Gesellschaftssystem stellt die Bundesrepublik zweifellos nicht dar, kann sie als kapitalistische, notwendigerweise in sich widersprüchliche nicht darstellen; es gibt in ihr genug – systemnotwendige –

347 E. Fraenkel, Strukturdefekte der Demokratie ..., a. a. O., S. 67.
348 Vgl. dazu W. Abendroth, Notstandsverfassung – ein innenpolitisches Machtinstrument, in: W. Hofmann, H. Maus (eds.), Notstandsordnung und Gesellschaft in der Bundesrepublik, Hamburg 1967, S. 111 ff.; H. K. Ridder, Notstandsordnung und Demokratie, in: W. Hofmann, H. Maus (eds.), a. a. O., S. 23 ff.; W. Mallmann, Notstand und Informationsfreiheit, in: W. Hofmann, H. Maus (eds.), a. a. O., S. 63 ff.; und W. Fabian, Die Presse- und Meinungsfreiheit in der Notstandsgesetzgebung, in: H. K. Ridder et al., Notstand der Demokratie, Frankfurt 1967, S. 49 ff.
349 J. Agnoli, Transformation der Demokratie, a. a. O., S. 38; vgl. dazu J. Habermas, Reflektionen ..., a. a. O., S. 32.
350 Vgl. dazu C. Offe, Technik und Eindimensionalität. Eine Version der Technokratiethese?, in: J. Habermas (ed.), a. a. O., S. 85.

Krisenpunkte, von denen eine oppositionelle, tiefgreifende Demokratisierung dieser Gesellschaft intendierende, politische Aktivität ausgehen könnte. Dabei ist nicht nur an die prinzipielle, systemimmanent bedingte Tendenz des fortgeschrittenen Kapitalismus zur Instabilität zu denken, sondern auch an die weiterhin hart spürbaren Auswirkungen der vertikalen (Einkommens- und Vermögensverteilung) und die immer deutlicher werdenden Konsequenzen der horizontalen sozialen Ungleichheit (unterschiedliche materielle Ausstattung der einzelnen gesellschaftlichen Bereiche). »(Es wäre) eine utopische Illusion, wenn man ... annehmen wollte, daß eines Tages (die Verdichtung des Wohlfahrtsstaates) ... (und) ... (der Fortschritt in den modernen Sozialwissenschaften) jede innenpolitische Auseinandersetzung überflüssig machen wird ... Diese Befürchtung überschätzt doch zu sehr die relative soziale Harmonie, über die auch künftig die wohlfahrtsstaatliche Entwicklung nicht hinausgehen wird, verkennt ihre Abhängigkeit von konjunkturellen Schönwetterperioden und ignoriert vor allem das Faktum, daß die einzelnen Schichten nicht pari passu von der beständigen Ausweitung der wohlfahrtsstaatlichen Errungenschaften profitieren, sondern einige Schichten immer vorauseilen, während sich andere gerade im Hintertreffen fühlen.«[351] Daß solchermaßen durchaus politisch verwertbare Frustrationen in nicht unerheblichen Teilen der Bevölkerung provoziert werden können, die innerhalb des herrschenden Blocks aus Regierungs- und (loyaler) Oppositionspartei nicht ohne weiteres auffangbar sind, der Aufschwung der NPD[352], aber auch die Entwicklung der so titulierten Außerparlamentarischen Opposition mit ihren teilweise neuen Organisations- und Aktionsformen erkennen lassen[353]. Während die rechtsradikale Reaktion auf einer forciert autoritär-restaurativen Kanalisierung der zunächst noch unspezifischen Aggressivität bestimmter Sozialgruppen basiert, orientiert sich die außerparlamentarische Bewegung – jedenfalls was die Intentionen der Mehrzahl ihrer Anhänger betrifft[354] – an den Möglichkeiten, die gerade im fortgeschrittenen Kapitalismus auf Grund seiner immensen, durch Anwendung von Wissenschaft und Technik potenzierten Produktivkräfte zur Herstellung zumindest jenes Maßes an materieller sozialer Gerechtigkeit und Freiheit bereitstehen, das die wesentlichen Prinzipien beispielsweise des Grundgesetzes der

351 M. Friedrich, a. a. O., S. 431.

352 Vgl. dazu K. D. Bracher, Die deutsche Diktatur, a. a. O., S. 520 ff.; R. Kühnl et al., a. a. O., S. 289 ff.; K. Lenk, Speerspitze der Reaktion, in: Tribüne 30-1969, S. 3209 ff.; vgl. dazu weiter H. Maier, NPD – Struktur und Ideologie einer »nationalen Rechtspartei«, München 1967.

353 Vgl. dazu G. Brandt et al., a. a. O., S. 86; W. Abendroth, Wirtschaft, Gesellschaft und Demokratie ..., a. a. O., S. 70–71; H. H. Holz, Utopie und Anarchie, Köln 1969, S. 79.

354 Dabei kann durchaus nicht unterstellt werden, diese Mehrheit wäre deshalb auch der Meinung, »daß (der) Widerspruch (zwischen) gesamtgesellschaftlicher Produktion und privater Aneignung heute nicht mehr – weder objektiv noch subjektiv – nach einer revolutionären Lösung drängt« (P. Gäng, R. Reiche, Modell der kolonialen Revolution – Beschreibung und Dokumente, Frankfurt 1967, S. 159).

Bundesrepublik implizieren. Die zweifellos berechtigte Frage dabei ist allerdings, ob solche Fortschritte in Richtung auf eine Realdemokratie oder – konsequenter argumentiert –: in Richtung auf eine sozialistische Gesellschaft möglich sein werden unter Umgehung der herrschenden, immer noch weitgehend dem traditionellen Parlamentarismus verpflichteten politischen und quasi-politischen Institutionen. Und ebenso berechtigt ist die Frage, ob solche Fortschritte möglich sein werden auf Grund einer lediglich von außen vorgebrachten theoretischen wie praktischen Kritik an diesen Institutionen. Zumindest müßte – das haben die 1969 gelaufenen Bundestagswahlen wieder deutlich offenbart – eine erfolgversprechende Strategie der Demokratisierung die sogenannte Außerparlamentarische Opposition durch eine (jenen politischen und quasi-politischen Institutionen interne) systematisch organisierte, Öffentlichkeit und Mitbestimmung bei der Entscheidungsfindung wie -realisation fordernde Politik ergänzt werden. Gegen eine derartige Argumentation erhebt sich oft, vor allem in Parteien, Interessenverbänden und ähnlichen Organisationen, der Einwand, ein bestimmter Zuwachs an Demokratisierung würde sich sozusagen zwangsläufig daraus ergeben, daß sich die in Politik und Ökonomie faktisch Herrschenden – wenn auch notgedrungen – permanent den Forderungen der Bevölkerung nach vermehrter Mitbestimmung und vermehrten materiellen wie immateriellen Gratifikationen in beträchtlichem Maße anpassen müssen, wenn sie ihren Status behaupten wollen. Das ist zwar nicht ganz falsch, zum größten Teil aber mehr als zynisch: denn daß die gegebene Asymmetrie zwischen den gesellschaftlichen Institutionen und ihren Mitgliedern – ein Verhältnis, das dadurch gekennzeichnet ist, daß die Macht der Institutionen auf der Ohnmacht ihrer Mitglieder basiert –, daß diese Asymmetrie sowie die durch sie realisierten ökonomischen und politischen Interessen einen solchen gleichgewichtigen »transactional process«[355], bei dem jede Seite die nämlichen Chancen der Bedürfnisartikulation und -befriedigung hat, illusorisch machen, ist offensichtlich. Es kann daher kaum angenommen werden, daß auf eine derart angepaßte, im Grund nur den eigenen Machtinteressen gegenüber aufgeschlossene Weise irgendeine rationale Form von Demokratie entsteht. Letztere wird sich, im Gegenteil hierzu, wahrscheinlich nur herstellen lassen, wenn Gruppen aus Institutionen, die – wie beispielsweise immer noch die Sozialdemokratische Partei oder die Gewerkschaften – ein bestimmtes Potential an demokratisierenden Aktivitäten mobilisieren könnten, konzentriert und konsequent, dazu in Auseinandersetzung mit anderen demokratisch-sozialistischen Organisationen (beispielsweise mit der Deutschen Kommunistischen Partei) auf dieses Ziel losgehen würden. Daß die kürzlich etablierte SPD-FDP-Koalition in dieser Hinsicht aktiv werden wird, ist allerdings – bei Beachtung der zuvor diskutierten Argumente und angesichts der eklatanten Wahlniederlage der FDP wie der doch sehr auf Verbesserung, nicht aber grundsätzliche Veränderung des bundesrepublikanischen Status quo

355 Vgl. dazu F. Naschold, Systemsteuerung, Stuttgart Berlin Köln Mainz 1969, S. 107.

festgelegten Politik der SPD – schwer vorstellbar: Einen demokratischen, ›humanen‹ Kapitalismus – wie ihn die SPD propagiert – kann es nicht geben [356].

Bei einer Reflexion über Chancen für eine Politisierung der Bevölkerung und eine Demokratisierung von Gesellschaft in der Bundesrepublik muß die Analyse der Institution eine wichtige Stelle einnehmen, die im Zentrum dieser Arbeit steht: die Massenkommunikation. Sie muß diese Stelle einnehmen, da sie nach den soziologischen und politologischen Konzeptionen von Demokratie einen entscheidenden Beitrag zum Funktionieren der Balance zwischen Konsensus und Konflikt sowie zur Herstellung demokratischer, zu Selbstbestimmung und Eigenverantwortlichkeit fähiger Charaktere liefern soll. Sie muß diese Stelle aber insbesondere auf Grund der bisherigen Diskussion einnehmen, weil sie, im Sinne jener theoretischen Konzeptionen argumentiert, um so zentrale Bedeutung erlangt, je mehr die übrigen Elemente dieser Konzeptionen problematisiert werden. Vor allem bekommt jedoch die Institution der Massenkommunikation insofern eine besondere Relevanz, als sie in demokratisch organisierten Industriegesellschaften die öffentliche Diskussion der Bevölkerung verwaltet und damit wesentlich über deren anpasserische Immunisierung oder emanzipatorische Mobilisierung gegen gravierende Probleme des Sozialsystems entscheidet. Oder wie es Habermas prononcierter formuliert: »Eine neue Konfliktzone kann, anstelle des virtualisierten Klassengegensatzes und abgesehen von Disparitätskonflikten am Rande des Systems, (. . .) dort entstehen, wo sich die spätkapitalistische Gesellschaft mittels Entpolitisierung der Masse der Bevölkerung gegen das Infragestellen einer technokratischen Hintergrundsideologie immunisieren muß: eben im System der durch Massenmedien verwalteten Öffentlichkeit. Denn (. . .) hier kann eine systemnotwendige Verschleierung der Differenz zwischen Fortschritten in Systemen zweckrationalen Handelns und emanzipativen Veränderungen des institutionellen Rahmens – zwischen technischen Fragen und praktischen befestigt werden.«[357] Es gilt deshalb im folgenden zu untersuchen, ob und inwieweit die Institutionen der Massenkommunikation nur dazu dienen, öffentlich zu definieren, was ein möglicherweise angenehmes, aber blind systemkonformes Leben ausmacht, und damit die Frage zu stornieren, »wie wir leben

356 Daß diese Frage der Demokratisierung nicht auf eine nationalgesellschaftliche Dimension reduziert werden kann, sondern in einem weltpolitischen Kontext zu sehen ist, der entscheidend von der Auseinandersetzung zwischen den entwickelten Industriestaaten und den Ländern der Dritten Welt geprägt wird und der dann das Problem aufwirft, »ob das vorhandene Potential an technologischem Wissen im Ernst als ausreichend betrachtet werden kann, ein im strikten Sinne befriedetes Dasein der Menschen zu ermöglichen« (C. Offe, a. a. O., S. 85), soll hier zumindest Erwähnung finden (vgl. dazu C. B. Macpherson, a. a. O., S. 65–66 und 90 ff.).

357 J. Habermas, Technik und Wissenschaft . . ., a. a. O., S. 100. Bei Habermas steht an den durch (. . .) gekennzeichneten Stellen das Wort »nur«; dem Verfasser erscheint eine solche Akzentuierung als eine nicht gerechtfertigte Präjudizierung politischer und wissenschaftlicher Arbeit.

möchten, wenn wir im Hinblick auf erreichbare Potentiale herausfänden, wie wir leben könnten«[358].

3 Befunde von Massenkommunikation in der Bundesrepublik [359]

Das Problem, das das folgende Kapitel behandelt, läßt sich in die Frage fassen: Welchen Beitrag leisten die Massenmedien Presse, Rundfunk, Fernsehen für eine demokratische Gesellschaft, wie sie durch die Verfassungsprinzipien des Grundgesetzes der Bundesrepublik beschrieben wird? Diese Frage soll auf dreierlei Art erörtert werden: (1) in Form einer Beschreibung des Verhältnisses, in dem die vom Grundgesetz indirekt verlangten Qualitäten der Medien zu deren tatsächlichem Angebot stehen; (2) in Form einer Analyse der Reaktionen und Einstellungen, die die (auf ihre Korrespondenz mit den Postulaten einer demokratischen Verfassung geprüften) Publikationen von Presse, Rundfunk und Fernsehen bei ihrem Publikum auslösen; und (3) in Form einer − an die Abschnitte über die Problematik des Parlamentarismus im staatlich regulierten Kapitalismus anschließenden − Darstellung des Zusammenhangs zwischen oligopolistischer Organisation der Wirtschaftsordnung, entpolitisierenden Tendenzen der wohlfahrtsstaatlichen Demokratie und gesellschaftlicher Position und Funktion der Massenmedien. Daraus ergeben sich fünf, in die Abfolge ihrer Bearbeitung gebrachte Diskussionspunkte:

● Quantitative Beschreibung der Institutionen der Massenkommunikation in der Bundesrepublik;

● Sozialstatistik des massenmedialen Publikums;

● Quantitative und qualitative Untersuchung der von den massenkommunikativen Institutionen offerierten Kommuniqués (der formalen und inhaltlichen Merkmale) von Zeitungen, Zeitschriften, Rundfunksendungen und Fernsehprogrammen;

● Soziologische und sozialpsychologische Studien des Zusammenhangs zwischen Form und Inhalt des Medienangebots und den durch dieses Angebot provozierten Publikumsreaktionen;

● Versuch einer Klärung der sozio-ökonomischen und politischen Bedingungen, die einerseits Organisationsform, Arbeitstechnik der Medien und Quantität wie Qualität der von Presse, Rundfunk, Fernsehen publizierten Kommuniqués − andererseits die Lebens- und damit Kommunikationssituation des massenmedialen Publikums bestimmen.

358 Derselbe, a. a. O., S. 100.
359 Der folgende Abschnitt ist in veränderter Form bereits veröffentlicht worden: im Verlag C. W. Leske, Opladen 1969 unter dem Titel ›Massenkommunikation und Demokratie in der Bundesrepublik‹. Vgl. zu dem folgenden empirischen Material die Datensammlung von Ralf Zoll und Eike Hennig, Massenmedien und Meinungsbildung, München 1970.

(a) Einige grundlegende quantitative Daten [360]: Die massenmedialen Institutionen und ihre Produkte – Die Reichweite der Massenmedien – Die sozialen Merkmale des Publikums

Zunächst sollen einige Daten zu Anzahl und Reichweite der massenmedialen Institutionen sowie zu den sozialen Merkmalen des Publikums gebracht werden. Diese Daten haben insofern fundierende Bedeutung, als an ihnen die weiteren Aussagen über Massenmedien und Publikum zu relativieren sind.

Es gibt in der Bundesrepublik rund 2200 (registrierte) Unternehmen, die den Prozeß der Massenkommunikation durch ihre Redaktions- und Anzeigenangebote bestimmen. Diese Zentren unterscheiden sich in quantitativer und qualitativer Hinsicht beträchtlich voneinander; denn in der genannten Zahl ist die monopolgleiche Rundfunkanstalt genauso enthalten wie der kleine Informationsdienst eines Verbandes, der konzernartige Großverlag genauso wie der ökonomisch leichtgewichtige Verlag einer wissenschaftlichen Fachzeitschrift. In Tabelle 5 sind die Institutionen aus den Mediengattungen Presse, Rundfunk und Fernsehen zusammengestellt.

Tabelle 5: Massenmedien in der Bundesrepublik 1966/67

Institution	Anzahl	Bemerkung
Landesrundfunkanstalt	9	Diese Rundfunkanstalten strahlen das TV-Programm der ARD aus
Gemeinschaftliche Fernsehanstalt der Länder	1	Diese Fernsehanstalt produziert das Programm des ZDF
Bundesrundfunkanstalt	2	Die Anstalten sind: Deutsche Welle und Deutschlandfunk
Ausländische Rundfunkstationen mit überregionalem deutschsprachigem Programm	1	Diese Anstalt ist der in Berlin stationierte Sender: RIAS
Rundfunkdienst für die ausländischen Stationierungsstreitkräfte	4	Diese Dienste sind: AFN BFN CFN RFB
Ausländische Rundfunkorganisation mit fremdsprachigem Programm	4	Die Organisationen sind: Radio Free Europe, Voice of America, BBC Köln, Radio Liberty
		Quelle der bisher genannten Zahlen: Bundesministerium des Innern, Bericht der Kommission zur Untersuchung der Wettbewerbsgleichheit von

360 Bei sämtlichen in diesem Kapitel angegebenen quantitativen Daten ist folgendes zu beachten: Die Daten werden interpretiert, wie es die benutzten Auswahl- und Auswertungsverfahren (Sample-Technik, Fehler- und Signifikanzberechnungen) erlauben. Hinweise, die anzeigen, in welchem Fehlerspielraum und mit welcher Zuverlässigkeit die ermittelten Ergebnisse gelten, werden nicht eigens aufgeführt; sie können in den zitierten Studien ohne Schwierigkeiten nachgesehen werden.

Institution	Anzahl	Bemerkung
		Presse, Rundfunk und Film (Bundesdrucksache V 1 2120, Bonn 1967, im folgenden zitiert als »Wettbewerbskommission«), S. 1
Nachrichtenagentur	8	Diese Agenturen sind: dpa, DIMITAG, epd, KNA, VWD, AP (deutschsprachiger Dienst), UPI (deutschsprachiger Dienst), AFP (deutschsprachiger Dienst) Quelle: H. Meyn, a. a. O., S. 67 f.
Informationsdienst Pressestelle	rd. 900	Diese Dienste geben täglich, wöchentlich oder monatlich Bulletins heraus Quelle: H. Meyn, a. a. O., S. 68
Zeitung	547	Von den Wochenzeitungen haben
Tageszeitung	493	lediglich 15 überregionalen Charak-
Wochenzeitung	54	ter. Die Zahlen stellen den Jahresdurchschnitt dar Quelle: Statistisches Bundesamt, Statistisches Jahrbuch für die Bundesrepublik Deutschland 1967, Stuttgart, Mainz 1967, S. 109
Zeitschrift	790	Die Zahlen stellen den Jahresdurch-
Publikumszeitschrift	244	schnitt dar
Fachzeitschrift	497	Quelle: Statistisches Bundesamt,
Kundenzeitschrift	49	a. a. O., S. 102
Rundfunk- oder Fernsehwerbegesellschaft		Diese Gesellschaften sind:
	7	BWF (Bayerisches Werbefernsehen GmbH) Bl. WF (Berliner Werbefunk GmbH) NWF (Norddeutsches Werbefernsehen GmbH) RFW WiSWF (Rundfunkwerbung GmbH; Werbung im SWF GmbH) WS (Werbefunk Saar GmbH) WIR (Werbung im Rundfunk GmbH) WWF (Westdeutsches Werbefernsehen GmbH) Quelle: Wettbewerbskommission, a. a. O., S. 39

Die in Tabelle 5 zusammengestellten Institutionen haben sich nach 1945 entwickelt – zunächst bis 1949 innerhalb des von den Alliierten eingerichteten Lizenzierungs- und Kontrollsystems und dann im Rahmen der neu formierten, sozial-marktwirtschaftlich und repräsentativ-demokratisch konzipierten Bundesrepublik. Während der Bereich der Presse sich ohne Vorbehalt auf privatkapitalistischer Basis organisieren und sich in

Form von berufsständischen Gremien [361] selbst kontrollieren konnte, wurden Rundfunk und Fernsehen als öffentlich-rechtliche Anstalten etabliert. Diesen Status haben sie bis heute behalten, wenn auch, wie später zu zeigen sein wird, insbesondere die Entwicklung des Werbefernsehens den öffentlich-rechtlichen Charakter hat fragwürdig werden lassen. »Die von der Fachaufsicht durch die Exekutive freigestellten, mit Selbstverwaltungsrecht ausgestatteten, sich ursprünglich allein aus Gebühren, heute zum Teil auch aus Werbeeinnahmen finanzierten Rundfunkanstalten sind durch Länder- und Bundesgesetze sowie Staatsverträge entstanden.« [362] Als Anstalten des öffentlichen Rechts unterstehen sie jedoch der Haushaltskontrolle durch den Bundesrechnungshof sowie teilweise – nämlich der Norddeutsche, der Westdeutsche Rundfunk, der Südwestfunk, der Saarländische Rundfunk und die Bundesanstalten – der staatlichen Rechtsaufsicht. Außerdem hängen alle Anstalten – da die Kulturhoheit bei den Ländern liegt – von den jeweiligen Landtagen ab [363]. In welcher Weise das der Fall ist, zeigt das Beispiel des Westdeutschen Rundfunks, der 1954 auf Grund des Gesetzes über den WDR Köln installiert wurde:

Landtag von Nordrhein-Westfalen

wählt

Rundfunkrat (21 Mitglieder)

wählt

Verwaltungsrat (7 Mitglieder)

wählt

Intendanten

In den Programmbeirat (20 Mitglieder) wählt der Rundfunkrat 19 der Beiratsmitglieder – das restliche Mitglied wird von der Landesregierung ernannt.

Dieses Beispiel läßt die charakteristische Struktur der Rundfunk- und Fernsehanstalten in der Bundesrepublik erkennen und deren wesentlichen dynamischen Aspekt: das Zusammenspiel zwischen dem Intendanten, den Gremien zur Programmüberwachung (Rundfunkrat, Programmbeirat) und jenen der Geschäftsführungskontrolle (Verwaltungsrat) sowie den in diesen Gremien erscheinenden Repräsentanten der verschiedenen gesellschaftlichen Machtgruppen (Partei, Kirche, Gewerkschaft usw.).

1950 haben sich die Rundfunkanstalten zu einer Arbeitsgemeinschaft der Rundfunkanstalten Deutschlands (ARD) zusammengeschlossen, einer Institution, die seit 1953 auch das Programm des Deutschen Fernsehens koordiniert [364]. 1961 wurde dann auf Grund eines Staatsvertrages zwischen den Bundesländern (ausgenommen: Saarland) eine weitere Fernsehanstalt gegründet: das Zweite Deutsche Fernsehen (ZDF); und seit 1964 haben die in der ARD zusammengeschlossenen Rundfunkanstalten begonnen,

361 M. Löffler, Selbstkontrolle . . ., a. a. O., S. 61 ff.

362 H. Meyn; a. a. O., S. 77.

363 Vgl. dazu H. Meyn, a. a. O., S. 78 ff. und A. Silbermann, Vorteile und Nachteile des Kommerziellen Fernsehens, Düsseldorf Wien 1968, S. 74 ff.

364 Vgl. dazu H. Meyn, a. a. O., S. 76.

sogenannte dritte Programme auszustrahlen. Diese Programme ähneln zumeist dem, was in den USA educational television heißt[365] und – aus Steuern und Spenden finanziert – neben dem sogenannten commercial television existiert. Das amerikanische Fernsehen kommerzieller Provenienz ist allerdings nicht mit den deutschen Rundfunkanstalten zu vergleichen. Es ist ausschließlich privatwirtschaftlich organisiert und wird weitgehend beherrscht von den Rundfunk- und Fernsehkonzernen ABC, CBS und NBC, wobei beispielsweise ABC und NBC je fünf TV-Stationen besitzen und jeweils über 200 angeschlossene Sender mit Programmen versorgen[366].

Fragt man nach dem Ausmaß, in dem Presse, Rundfunk und Fernsehen heute in der Bundesrepublik Publikationen und Programme produzieren, so bietet sich ein recht imposantes Bild, dessen harmloser oder bedrohlicher Charakter hier noch nicht zu diskutieren ist.

Tabelle 6: Verbreitung der Massenmedien in der Bundesrepublik 1966/67

Medium	Verbreitung	Bemerkung
Zeitung (n = 547)	21 925 000	Verkaufte Auflage –
Tageszeitung (n = 493)	20 720 000	Jahresdurchschnitt 1966
Wochenzeitung (n = 54)	1 205 000	Quelle: Statistisches Bundesamt a. a. O., S. 109
Zeitschrift (n = 790)	82 717 000	Verkaufte Auflage –
Publikumszeitschrift (n = 244)	48 498 000	Jahresdurchschnitt 1966
Fachzeitschrift (n = 497)	16 555 000	Quelle: Statistisches Bundesamt
Kundenzeitschrift (n = 49)	17 664 000	a. a. O., S. 109
Rundfunk	18 232 100	Anzahl der Genehmigungen, Stand 1967 Quelle: Wettbewerbskommission a. a. O., S. 33
Fernsehen	12 719 600	Anzahl der Genehmigungen, Stand 1967 Quelle: Wettbewerbskommission a. a. O., S. 33

Die Konturen des Bildes in Tabelle 6 verschärfen sich, wenn die Reichweite dieser Medien klar wird, wenn klar wird, wie umfangreich der Anteil derjenigen an der Bevölkerung zwischen 14 und 70 Jahren ist, den die betreffende Mediengattung anspricht.

365 Vgl. dazu H. Sturm, Masse, Bildung, Kommunikation, Stuttgart 1968, S. 161 ff.
366 Vgl. dazu A. Silbermann, Bildschirm und Wirklichkeit, Berlin 1966, S. 53–54 und M. Hintze, Massenbildpresse und Fernsehen, Gütersloh 1966, S. 169 ff.; vgl. dazu weiter L. Bogart, American TV: A brief survey of findings, in: Journal of Social Issues 2, 1962, S. 76 ff.

Tabelle 7: Reichweite der Medien in der Bundesrepublik 1966/67

Medium	Leser pro Nummer Hörer pro Tag Zuschauer pro Tag in Millionen[367]	Reichweite in % der Bevölkerung von 14 bis 70 Jahren = 42,44 Millionen	Bemerkung
Tageszeitung	33,87	79,8	Einschließlich Boulevardzeitungen Quelle: Bund Deutscher Zeitungsverleger e. V., Der Zeitungsleser 1966, Bad Godesberg 1966 (im folgenden zitiert als »Zeitungsleser 66«), S. 14
Publikums-zeitschrift	35,69	83,4	Quelle: Arbeitsgemeinschaft Leseranalyse e. V., Der Zeitschriftenleser 1967, Essen-Haidhausen 1967 (im folgenden als »Zeitschriftenleser 1967«), Tabelle 13a
Rundfunk	35,50 **	83,0	** Anzahl der Personen, die zu
Fernsehen	30,90 **	73,0	Hause am eigenen Gerät das Rundfunk- bzw. Fernsehprogramm verfolgen können. Quelle: E. Noelle–E. P. Neumann a. a. O., S. 114

Berücksichtigt man, daß über 60 % der Bevölkerung zwei oder mehr Medien nutzen[368], ergibt sich: »Insgesamt erreichen die drei Medien (Presse, Rundfunk, Fernsehen – H. H.) an einem Durchschnittswerktag (Mo.–Sa.) 93 % der Bevölkerung. Im Durchschnitt verwendet jeder Bundesbürger pro Tag drei Stunden und zehn Minuten für die Nutzung der drei Medien.«[369] Diesen eindrucksvollen Reichweiten-Ergebnissen ist dreierlei hinzuzufügen: (1) Die erstaunliche Reichweite der Tagespresse resultiert aus der Verbreitung der regionalen Tageszeitungen und vor allem der Boulevardpresse – die großen Journale wie Süddeutsche Zeitung, Frankfurter Allgemeine, Die Welt spielen dabei einen untergeordneten Part[370]; sie erfassen lediglich 6 % der Bevölke-

367 Leser pro Nummer, Hörer pro Tag, Zuschauer pro Tag = Hörer, Leser, Zuschauer, die am Stichtag mindestens einen Kontakt mit dem betreffenden Medium hatten; der Anteil dieser Leser, Hörer, Zuschauer an der Bevölkerung von 14–70 Jahren stellt die Reichweite des betreffenden Mediums dar.

368 Vgl. dazu Arbeitsgemeinschaft der öffentlich-rechtlichen Rundfunkanstalten der Bundesrepublik Deutschland (ed.), Rundfunkanstalten und Tageszeitungen. Dokumentation 4 – Meinungsfragen und Analysen, Frankfurt 1966 (im folgenden zitiert als »ARD II«), S. 9.

369 ARD II, a. a. O., S. 8 vgl. dazu J. P. Robinson, Television and Leisure, in: Public Opinion Quaterly 2 1969, S. 210 ff.

370 Vgl. dazu E. Noelle–E. P. Neumann, a. a. O., S. 106, 108.

rung. (2) Die Reichweite der Illustrierten beruht im wesentlichen auf der Verbreitung von drei Typen – den Aktuellen Illustrierten, den Programm- und den Frauenzeitschriften[371]; Kulturzeitschriften und politisch ambitionierte Magazine haben dagegen relativ wenig zu bestellen. (3) Die gegenüber Presse- und Rundfunkverbreitung geringere Reichweite des Fernsehens hängt vor allem mit seinem Nachzügler-Charakter zusammen; das Fernsehen mußte in den bestehenden, von festgefügten Gewohnheiten und Erwartungen des Publikums bestimmten Leser- und Hörermarkt eindringen[372]. Sämtliche neueren Statistiken weisen jedoch auf die zunehmende Bedeutung des Fernsehens für alle Bevölkerungsgruppen hin. (Daß die bundesrepublikanischen Fernsehstationen (ARD und ZDF) schon gegenwärtig auf Grund ihrer technischen Apparatur imstande sind, mehr Personen zu erreichen, als ihnen anzusprechen bisher gelungen ist, und daß sie damit im internationalen Vergleich relativ gut abschneiden, ist vor kurzem nachgewiesen worden[373].)

Zu dem bisher Gesagten fügt die Beantwortung der Frage, welcher Prozentsatz der einzelnen sozialen Gruppen in der Bundesrepublik durch die Massenmedien erreicht wird, weitere Details hinzu[374]. Für die gesamte Tagespresse kann diese Frage folgendermaßen beantwortet werden[375]: Nimmt man regional und national verbreitete Tageszeitungen sowie Boulevardblätter zusammen, zeigt die Presse quer durch alle sozialen Gruppen eine relativ große Verbreitung – wobei Angehörige sogenannter gehobener Berufe, hoher Einkommensklassen und damit oberer Bevölkerungsschichten etwas intensiver erreicht werden als der Durchschnitt. Dieses Ergebnis läßt sich differenzieren, wenn man aus dem Block »Gesamte Tagespresse« die Bereiche der national verbreiteten Tageszeitungen und Boulevardblätter – in diesem Fall repräsentiert durch die Bild-Zeitung – ausgegliedert und gegeneinandergestellt betrachtet. Dabei zeigt sich deutlich zweierlei: erstens, daß der Grad der Verbreitung der Tagespresse entscheidend bestimmt wird durch die Reichweite der Boulevardblätter – und da vor allem der Bild-Zeitung; und zweitens, daß sich die beiden Zeitungsarten auf ganz bestimmte soziale Gruppen konzentrieren – die seriöse Tagespresse auf die Mitglieder der Funktionseliten in Ökonomie und Politik und deren intellektuelle Adlati, die Boulevardpresse auf die mittleren und unteren Schichten der Lohn- und Gehaltsabhängigen. Im Bereich der Illustriertenpresse finden sich, was die Verbreitung in den einzelnen sozialen Gruppen betrifft, folgende Daten – die angegebenen Werte beziehen sich allerdings nicht auf sämtliche in der Bundesrepublik erscheinenden Zeitschriften, sondern nur auf die 56 Illustrierten, die der jährlichen Untersuchung der Arbeitsgemeinschaft »Leseranalyse« zugrunde liegen[376]: Insgesamt gesehen sind die Illustrierten in ähnlich ausgedehntem Maße in den einzelnen sozialen Gruppen verbrei-

371 Vgl. dazu E. Noelle–E. P. Neumann, a. a. O., S. 110.
372 Vgl. dazu G. Maletzke, Fernsehen im Leben der Jugend, Hamburg 1959, S. 32 ff.
373 Vgl. dazu A. Silbermann, Vorteile und Nachteile, a. a. O., S. 51–52.
374 Vgl. dazu für die amerikanische Szene M. L. de Fleur, a. a. O., S. 20, 66, 72 und R. E. Chapin, Mass Communication. A. Statistical Analysis, East Lansing 1957, S. 9–13.
375 Vgl. dazu E. Noelle–E. P. Neumann, a. a. O., S. 106 und 107.
376 Vgl. zu dem Folgenden »Zeitschriftenleser 1967«, a. a. O., Tab. 13a.

tet, wie die Tageszeitungen; und wie bei der Tagespresse ist auch bei den Zeitschriften deren Reichweite in Gruppen mit hohem sozialen Status und fortgeschrittener Urbanisierung am ausgeprägtesten. Im Gegensatz zur Tagespresse erfaßt die Illustriertenpresse allerdings wesentlich nachdrücklicher die niedrigen Altersklassen. Greift man sich einmal die vier wichtigsten Zeitschriftentypen heraus – die Aktuellen Illustrierten, die Programmzeitschriften, die Frauenzeitschriften und die Wochenendblätter der sogenannten Regenbogen- oder Soraya-Presse –, ergibt sich weiter: (1) Die Aktuellen Illustrierten erreichen durchschnittlich 40 % der Bevölkerung zwischen 14 und 70 Jahren – dabei eher Männer als Frauen, eher jugendliche und mittlere Jahrgänge als alte, eher die Angehörigen der oberen und vor allem mittleren Schichten als solche der unteren; eher die Bewohner von Mittel- und Großstädten als die von kleineren Städten und Dörfern; (2) die Programmzeitschriften erreichen durchschnittlich 48 % der Bevölkerung zwischen 14 und 70 Jahren – dabei eher Frauen als Männer, eher junge und mittlere Jahrgänge als alte, eher Angehörige der oberen Schichten (vor allem aber der unteren Mitte) als solche des gesellschaftlichen Parterre, eher Bewohner von Groß- als von Mittel- und Kleinstädten; (3) die Frauenzeitschriften erreichen durchschnittlich 36 % der Bevölkerung zwischen 14 und 70 Jahren – dabei selbstverständlich eher Frauen als Männer (obwohl immerhin 24 % aller bundesdeutschen Männer Mit-Konsumenten dieser Illustrierten sind), eher junge Jahrgänge als mittlere und alte, eher Angehörige der oberen und mittleren Schichten als solche der unteren; (4) die Wochenendblätter schließlich erreichen durchschnittlich 36 % der Bevölkerung zwischen 14 und 70 Jahren – dabei eher Frauen als Männer, eher junge Jahrgänge als mittlere und alte, eher Angehörige der unteren Schichten als solche der mittleren und oberen.

Bei der durchschnittlichen Reichweite von Rundfunk und Fernsehen fällt gegenüber Zeitungen und Illustrierten insbesondere auf, wie intensiv vor allem in den mittleren sozialen Gruppen – den mittleren Jahrgängen, den mittleren Einkommensklassen, den mittleren Berufssparten – Rundfunk und Fernsehen verbreitet sind. Unterschiede zwischen beiden Medien gibt es besonders hinsichtlich der Altersgruppe der 16- bis 29jährigen, in der klar der Rundfunk dominiert; hinsichtlich der Beamten, Angestellten und Landwirte, bei denen ebenfalls der Rundfunk einen Reichweite-Vorteil hat; hinsichtlich der niedrigsten und höchsten Einkommensklasse, wo auch wieder der Rundfunk weiter verbreitet ist; und hinsichtlich der Abhängigkeit der Reichweite vom Urbanisierungsgrad – wobei sich zeigt, daß in mittleren und größeren Städten Rundfunkhören immer noch verbreiteter ist als Fernsehen.

Vergegenwärtigt man sich zum Abschluß der Skizze von Verbreitung und Reichweite der Massenmedien in der Bundesrepublik noch kurz die Entwicklung, die zur Etablierung dieser Institutionen geführt hat, so wird die zweifellos stark übertreibende Behauptung, Presse, Rundfunk und Fernsehen besäßen hierzulande eine gesellschaftliche Aktualität und Relevanz wie sonst nirgendwo, zumindest verständlich[377]. Denn jene Entwicklung von Verbreitung und Reichweite der Medien zeigt – greift man einmal den Zeitraum von 1955/56 bis 1966/67 heraus – deutlich die Vehemenz, mit der insbesondere die Sektoren »Presse« (ausgenommen allerdings die sogenannte seriöse Tagespresse) und »Fernsehen« an Bedeutung gewonnen haben. Verglichen mit

377 K. Pawek, Boulevardblätter und Illustrierten, in: H. Pross (ed.) Deutsche Presse nach 1945, Bern München 1965.

der Zunahme der erwachsenen Bevölkerung im gleichen Zeitabschnitt nahmen Verbreitung und Reichweite dieser beiden Medien in stark überproportionaler Weise zu[378]. Dagegen gingen Verbreitung und Reichweite des Rundfunks – wiederum in Relation zum Wachstum der Bevölkerung – zurück[379]. Damit läßt die bundesrepublikanische Entwicklung einen ähnlichen Verlauf erkennen wie – natürlich um einige Jahre verschoben – die für die USA kennzeichnende: Rückgang von Verbreitung und Reichweite des Rundfunks, Stagnation im Bereich der seriösen Tagespresse[380] und Expansion auf dem Gebiet von Boulevardzeitungen, Zeitschriften und Fernsehen.

Die Reichweiten-Diskussion hat zwar die Frage beantwortet, in welchem Ausmaß die einzelnen Gruppen der Bevölkerung durch Presse, Rundfunk und Fernsehen erreicht werden. Sie konnte jedoch nicht klären, wie das Publikum dieser Medien in sich strukturiert ist – wie die einzelnen sozialen Gruppen in diesem Publikum repräsentiert sind. Während man also beim Problem »Reichweite« von der Gesamtbevölkerung ausgeht und danach fragt, wieviel Prozent dieser – nach bestimmten Merkmalen gegliederten – Bevölkerung von den Medien erfaßt werden, setzt man beim Problem »Publikumsstruktur« an den Leser-, Hörer-, Seher-Kreisen an und sucht danach, in welcher Weise spezifische Merkmale dort ausgeprägt sind. Zur Beantwortung der Frage nach der Wirkung massenmedialer Angebote und nach der Einstellung des Publikums zu dieser Wirkung ist die Kenntnis der sozialen Zusammensetzung des jeweils angesprochenen Publikums unerläßlich; denn – das kann nach vorliegenden Ergebnissen als gesichert unterstellt werden – diese Wirkung hängt in ganz entscheidendem Maße von der sozialen Situation der Adressaten ab[381], und diese Situation spiegelt sich zunächst einmal in den sozio-ökonomischen Attributen der Leser, Hörer und Seher wider. Deshalb werden im folgenden die relevantesten sozialen Merkmale – Geschlecht, Alter, Schulbildung, Beruf, Einkommen, Größe des Wohnortes – herausgegriffen und kurz auf ihre Ausprägung in den einzelnen Publikumskreisen untersucht[382].

378 Vgl. dazu Statistisches Bundesamt, Statistisches Jahrbuch für die Bundesrepublik Deutschland 1957, Stuttgart Mainz 1957, S. 100; Statistisches Bundesamt, Jahrbuch 1967 . . ., a. a. O., S. 109; Wettbewerbskommission, a. a. O., S. 33 und 64.

379 Vgl. dazu E. Noelle–E. P. Neumann, a. a. O., S. 111 und 114.

380 Vgl. dazu Wettbewerbskommission, a. a. O., S. 64.

381 Vgl. dazu J. T. Klapper, »What we know about the effects of mass communications«, in: Public Opinion Quarterly 4 1957/58, S. 453 ff.

382 Die im folgenden beigebrachten Daten entstammen den Quellen: Tagespresse – »Zeitungsleser 1966«; Zeitschriften – »Zeitschriftenleser 1967«; Rundfunk – Institut für Demoskopie, Werbefernsehen, Werbefunk, Film, Allensbach 1967; Fernsehen – Contest, Der Goldene Schuß, Frankfurt 1967, Anhang und Institut für Demoskopie, a. a. O.; Gesamtbevölkerung – Statistisches Bundesamt, a. a. O., und »Zeitschriftenleser 1967«.

Die Variable: Geschlecht

Bis auf den Bereich der Tagespresse dominieren, wenn auch nicht allzu deutlich und durchaus noch im Rahmen ihres Anteils an der Gesamtpopulation, im massenmedialen Publikum die Frauen. Außerdem täuscht die Gleichheit der Anteile von Frauen und Männern am Publikum der Tageszeitungen etwas über die tatsächlichen Verhältnisse hinweg. Denn differenziert man den Sektor ›Tagespresse‹ in regionale und lokale Abonnement-Zeitungen, überregionale Abonnement-Zeitungen (Die Welt, Frankfurter Allgemeine, Süddeutsche Zeitung usw.) und Kaufzeitungen (Bild usw.), wird klar, daß die Frauen zwar bei sehr vielen Zeitungen mit kleiner Auflage einen leichten Vorsprung haben, aber ansonsten in der Leserschaft der Tagespresse teilweise recht deutlich hinter den Männern zurückstehen. So beträgt ihr Anteil am Publikum der nationalen Abonnement-Zeitungen 36 % und an dem der Straßenverkaufszeitungen 42 %. Eine Differenzierung der Zeitschriften nach Typen und einzelnen Objekten ergibt weitere Aufschlüsse über die unterschiedliche Verteilung der Geschlechter in spezifischen Leserschaften. Im Publikum der Aktuellen Illustrierten und Programmzeitschriften sind die Frauen etwa so repräsentiert wie in der Gesamtbevölkerung; überproportional vertreten sind sie selbstverständlich in der Leserschaft der Frauen- und Modezeitschriften; im Publikum der politisch und kulturell ambitionierten Journale dominieren dagegen oft recht klar (Spiegel, Die Zeit) die Männer [383].

Die Variable: Alter

Der Altersaufbau der Leserschaften der Tagespresse entspricht weitgehend dem der Gesamtbevölkerung, während im Publikum der Zeitschriften die jüngeren Jahrgänge über- und die älteren unterrepräsentiert sind. Die Hörer- und Zuschauerkreise dagegen sind deutlich durch die Dominanz der mittleren Altersklassen gekennzeichnet. Splittet man die Leserschaft der Tagespresse nach ihrer Vorliebe für einzelne Zeitungsarten auf, läßt sich weiter sagen, daß zwar das Publikum der regionalen und lokalen Abonnement-Zeitungen eine Altersstruktur aufweist, die der Gesamtbevölkerung ähnelt, daß aber sowohl die Leser der national verbreiteten wie die der Kaufzeitungen (Boulevardblätter) hinsichtlich ihrer Altersgliederung nicht der bundesrepublikanischen Population entsprechen. Es zeigt sich vielmehr, daß im Publikum der überregionalen Tageszeitungen die Klasse der 14- bis 19- wie die der 60- bis 70jährigen klar unterrepräsentiert ist und dafür die Gruppe der 20- bis 29jährigen einen relativ großen Platz einnimmt; und es zeigt sich weiter, daß die 60- bis 70jährigen im Kreis der Bezieher von Straßenverkaufszeitungen ebenfalls deutlich hinter ihrem Anteil an der Gesamtbevölkerung zurückbleiben und von den 20- bis 29jährigen sozusagen ersetzt werden.

Auch die Differenzierung des Komplexes »Zeitschriften« nach einzelnen Typen bringt zusätzliche Erkenntnisse. Denn hier ist ebenfalls festzustellen, daß der Altersaufbau des Publikums sehr mit der Zeitschriftengattung variiert. Tendenziell sind zwar bei den meisten Gattungen die jüngeren Altersgruppen bevorzugt vorhanden, aber insgesamt sind die Unterschiede zwischen den einzelnen Zeitschriftentypen doch so stark, daß von einer einigermaßen einheitlichen Altersstruktur der Illustrierten-leserschaften kaum gesprochen werden kann.

383 Vgl. dann Infratest, Untersuchung zur LA-Frage nach der Leser-Blatt-Bindung, München 1966, S. 20.

Die Variable: Schulbildung

Auch hier entspricht wieder am ehesten die Leserschaft der Tagespresse der Gesamtbevölkerung, während das Publikum von Rundfunk und Zeitschriften etwas, das des Fernsehens schon deutlich abweicht. Für den Bereich der Tagespresse läßt sich dieses globale Ergebnis allerdings noch präzisieren. Während die Schulbildung der Leserschaft von regionalen und lokalen Zeitungen weitgehend der der Gesamtbevölkerung gleicht, sieht es bei den Beziehern der überregionalen und der Kaufzeitungen anders aus: Die Leser der Kaufzeitungen – also vornehmlich der Boulevardblätter – sind sichtbar auf die Klasse der Volksschulgebildeten beschränkt; dagegen ist es beim Publikum der überregionalen Tagespresse fast umgekehrt – es dominieren augenfällig die Absolventen der höheren Bildungsanstalten. Auch im Bereich des Zeitschriftenpublikums gibt es sehr unterschiedliche Ausprägungen des Merkmals »Schulbildung«. Generell gesprochen bestimmen zwar die Gruppen mit Volksschulbildung die Leserschaften, aber doch – bezogen auf die Zeitschriftengattungen – mit wechselnder Intensität: beim Publikum der Wochenendblätter am stärksten und bei dem der Aktuellen Illustrierten und Programm-Zeitschriften etwa so, wie es für die Gesamtbevölkerung charakteristisch ist. Bei den Lesern der Frauen-, Wochen-, Kultur-, Sport- und Hobby-Zeitschriften ist die Gruppe der Volksschulabsolventen leicht, bei den Beziehern der Modezeitschriften sichtbar unterrepräsentiert, und zwar jeweils eindeutig zugunsten der Leser mit mittlerer Reife. Greift man dazu bestimmte Zeitschriften heraus, läßt sich noch zusätzlich erkennen, daß die Volksschulgebildeten desto unterrepräsentierter und die Oberschul- wie Universitätsabsolventen desto überrepräsentierter erscheinen, je politisch und kulturell anspruchsvoller die Zeitschrift ist.

Die Variable: Berufsposition [384]

Im Publikum der Tagespresse erscheint – gemessen an ihrem Anteil an der Gesamtbevölkerung – keine Berufsgruppe bevorzugt oder benachteiligt; dagegen sind im Kreis der Rundfunkhörer die Angestellten und Beamten deutlich unter-, die Inhaber landwirtschaftlicher Berufe klar überrepräsentiert. Am sichtbarsten weicht die Berufsstruktur der Fernseh-Teilnehmer von der der Gesamtpopulation ab; denn hier sind die Angehörigen der oberen Berufsgruppen unverhältnismäßig stark, die Arbeiter und in der Landwirtschaft Tätigen aber relativ schwach vertreten. Differenziert man die Leserschaft der Tagespresse nach ihrer Vorliebe für bestimmte Zeitungsarten, fällt auf, in welchem Maße die Inhaber gehobener und vor allem mittlerer Berufspositionen die Leserschaft der überregionalen Tagespresse beherrschen; der Anteil der Angestellten und Beamten an der Gesamtbevölkerung beträgt 34 %, der am Publikum der national verbreiteten Tageszeitungen 66 %. Es fällt weiter auf, in welchem Umfang dagegen Facharbeiter in der Leserschaft der Straßenverkaufszeitungen – insbesondere der Bild-Zeitung – vertreten sind. Auch das Zeitschriftenpublikum hat keine sehr einheitliche Berufsstruktur. Durchweg unterrepräsentiert sind die landwirtschaftlichen Berufe; die Verteilung des Publikums auf die anderen Berufskategorien ist dagegen in den einzelnen Zeitschriftentypen recht unterschiedlich. Sie spricht bei Aktuellen Illustrierten und Programmzeitschriften, zum Teil auch bei Frauen-, Wochen- und Kulturzeitschriften der bundesdeutschen Berufsgliederung – beim Publikum der Mode-, Kulturzeitschriften und Hobby-Zeitschriften rücken jedoch die Angestellten

384 Die Berufsposition bezieht sich dabei entweder auf die Leser, Hörer, Zuschauer selber oder – so diese berufslos sind – auf die Vorstände der Haushalte.

und Beamten (respektive deren Familienangehörige) in den Vordergrund und bei der Leserschaft der Wochenblätter die Arbeiter (respektive deren Familienangehörige).

Die Variable: Einkommen

Die Einteilung des Publikums von Presse, Rundfunk und Fernsehen in Einkommensklassen ergibt – solange man nur die globale Scheidung in die Bereiche Tagespresse, Zeitschriften, Rundfunk und Fernsehen vornimmt – keine größeren Unterschiede zwischen der Einkommensstruktur der massenmedialen Konsumenten und der der Gesamtbevölkerung. Auch eine detaillierte Analyse der Leserschaft der Tagespresse bringt nicht viel mehr; sie zeigt lediglich, daß die Leser der überregionalen Zeitungen zum größten Teil – nämlich 60 % – 1000 DM und mehr verdienen. Das Publikum der Illustrierten – differenziert nach Zeitschriftentypen – ist dem der überregionalen Zeitungen insofern etwas ähnlich, als auch bei diesen die Leser, die 1000 DM und mehr verdienen, durchweg leicht überrepräsentiert, die, die bis 600 DM zur Verfügung haben, ebenso leicht unterrepräsentiert sind (im Vergleich zu ihrem Anteil an der Gesamtbevölkerung). Insgesamt gesehen erscheint also das Einkommen als Variable für Wahl oder Ablehnung von Medien vor allem hinsichtlich überregionaler Tages- und Wochenzeitungen, aber auch hinsichtlich Aktueller Illustrierten und Frauenzeitschriften von Bedeutung zu sein; denn deren Leserschaften rekrutieren sich in großem Umfang aus den höheren Einkommensgruppen.

Die Variable: Größe des Wohnortes

Gemessen an den Wohnortgrößenverhältnissen der Gesamtbevölkerung bieten lediglich die Daten für die Leserschaft der Tagespresse ein entsprechendes Bild. Die Rundfunkhörer konzentrieren sich dagegen anscheinend auf Klein- und Mittelstädte – über die Hälfte der bundesdeutschen Radio-Hörer stammen dorther; während das Fernsehpublikum zu einem unverhältnismäßig großen Teil aus Bewohnern von Mittelstädten besteht. So sind beim Rundfunkpublikum die Einwohner der größeren Städte, bei den Fernsehteilnehmern die Kleinstädter teilweise stark unterrepräsentiert. Letzteres gilt auch für die Leserschaft der Zeitschriften; auch hier sind die Klein- gegenüber den Großstädtern geringer vertreten. Eine differenzierende Betrachtung des Sektors Tagespresse macht deutlich, in welchem Maße die Leser der überregionalen Tagespresse aus mittleren und insbesondere großen Städten kommen; letzteres gilt zum Teil auch für die Bezieher der Straßenverkaufszeitungen – allerdings nicht für die Bild-Leser. Im Zeitschriftenpublikum sind ebenfalls – bis auf die Leser der Sportzeitschriften – die Einwohner kleiner Gemeinden unter-, dafür – wieder bis auf die Leser der Sportzeitschriften – die Großstädter überrepräsentiert – am ausgeprägtesten trifft das auf das Publikum der Mode- und Kulturzeitschriften zu. Die Daten für die Leserschaften ausgewählter Zeitschriften lassen das noch klarer zutage treten – insbesondere bilden die Stern-, Spiegel- und Zeit-Leser ein prononciert großstädtisches Publikum.

Überblickt man die Ergebnisse der skizzierten Sozialstatistik, zeigt sich eines klar – wobei zusätzliche Nuancen im Detail nicht verkannt werden sollen –: Das Publikum von Presse, Rundfunk und Fernsehen rekrutiert sich vorwiegend aus dem Bereich, der schichtsoziologisch als mittlere und untere Mittel- sowie obere Unterschicht bezeichnet wird und – wie die Diskussion der Variablen »Berufsposition« bloßlegte [385] – vor allem die Klasse der einfachen Angestellten und Beamten, Fach- und angelernten Industriearbeiter umfaßt; dieses Publikum läßt sich weiter dadurch charakterisieren, daß die meisten seiner Mitglieder nur Volksschulbildung haben und durchweg über ein monatliches Netto-Einkommen von 600 bis 1000 DM verfügen. Damit entspricht das massenmediale Publikum – mit Ausnahme der Leserschaft der großen überregionalen Tageszeitungen sowie der politisch und kulturell ambitionierten Zeitschriften und Wochenblätter – im wesentlichen der Gesamtbevölkerung der Bundesrepublik. Somit wird mit den publikumsanalytischen Argumenten der folgenden Abschnitte nicht nur die Lage der Leser, Hörer und Seher beschrieben, sondern gleichzeitig – demonstriert an einem spezifischen gesellschaftlichen Problem – die Situation weiter Teile der westdeutschen Bevölkerung.

(b) Die dominanten Aktivitäts- und Funktionsbereiche der Massenmedien: Ausgewählte Ergebnisse zur informatorischen und unterhaltenden Aktivität und Funktion von Presse, Rundfunk, Fernsehen

Wie zu Beginn dieses Kapitels bereits gesagt – geht es bei der Diskussion des Verhältnisses von Massenkommunikation und Demokratie in der Bundesrepublik *zunächst* um das Problem, inwieweit Presse, Rundfunk und Fernsehen für eine demokratische Gesellschaft, wie sie durch das Grundgesetz definiert ist, funktional sind, also die Bewahrung und Stabilisierung der »freiheitlichen demokratischen Grundordnung« fördern. Dazu verfügen die Massenmedien generell über drei Aktivitäten: Information, Praktische Hilfe und Unterhaltung – Aktivitäten, die nicht nur in den theoretischen und empirischen Arbeiten zur Massenkommunikationssoziologie vordringlich behandelt werden, sondern auch im Selbstverständnis der massenmedialen Institutionen zentralen Stellenwert besitzen [386]. Anschließend an die Darstellung des im Grundgesetz fixierten demokratischen Wertesystems lassen sich dann zwei Fragen formulieren: (1) Wie müßte sich der Inhalt der Medien auf die Aktivitätsbereiche Information, Praktische Hilfe, Unterhaltung verteilen, wenn er jenem demokratischen Wertesystem und dem dort postulierten Verhalten des einzelnen entsprechen soll? (2) Wie hätte das Angebot von Information, Praktischer Hilfe, Unterhaltung konkret auszusehen, wenn seine Qualität ebenfalls jenem demokratischen Wertesystem und dem dort postulierten Verhalten des einzelnen entsprechen soll [387]? Als Einleitung zu dem Versuch, das zuletzt gestellte Problem zu lösen, soll zunächst kurz auf das erstgenannte eingegan-

385 Vgl. dazu K. M. Miller–M. A. Nicol, Occupational Status, Sex and Age as Factors of Radio Program Choice, Hobart 1958.

386 Vgl. ARD I, a. a. O., S. 389, vgl. dazu weiter H. Holzer, Illustrierte und Gesellschaft, Freiburg 1967, S. 46 ff. und H. Meyn, a. a. O., S. 6 ff.

387 Vgl. dazu F. Neidhardt, a. a. O., S. 213.

gen werden. Wenn man – wie das Grundgesetz – unterstellt, daß ein demokratisches Wertesystem vom einzelnen Fähigkeiten zur Selbstbestimmung und Eigenverantwortlichkeit sowie Beiträge zur moralisch und technologisch rationalen Gestaltung des gesellschaftlichen Lebens verlangt, ergibt sich – vor allem bei Berücksichtigung der an früherer Stelle ausgiebig zitierten Kommentare zu Artikel 5 Grundgesetz – die Forderung an die Massenmedien, ihrem Publikum ein Angebot zu offerieren, das ein hohes Maß an gesellschaftsrelevanten, die gegebene soziale Situation beschreibenden wie erklärenden Daten und einen geringen Anteil von unterhaltend-ablenkendem Stoff, von »escapist material«[388] aufweist. Stellt man dieser Forderung die empirischen Ergebnisse gegenüber, so zeigt sich:

Bei Analysen westdeutscher Tageszeitungen wurden Umfang einzelner Sparten und Häufigkeit bestimmter Themen ermittelt. Dabei stellte sich heraus, daß fast 40 % des Inhalts aus Anzeigen bestanden und von dem übrigen Zeitungsangebot oft weniger als die Hälfte politischen, wirtschaftlichen, kulturellen Ereignissen gewidmet war[389].

Bei einer Inhaltsanalyse Aktueller Illustrierten – von Zeitschriften also, die sich weitgehend auch als politische Magazine verstehen – ergab sich, daß rund 50 % des redaktionellen Teils dem Bereich Unterhaltung zufielen, wobei zu bedenken ist, daß dieser redaktionelle Teil nur 40 bis 50 % des Gesamtangebots der Illustrierten ausmacht[390]. Ähnliche Verteilungen finden sich auch in anderen Illustriertengattungen, so vor allem in Frauen- und Jugendzeitschriften[391]; wobei vor allem für die erstgenannte Kategorie zu beachten ist, daß hier das Anzeigenvolumen oft mehr als 70 % des Gesamtangebots einnimmt[392].

Gegenüber solchen deutlich unterhaltungsorientierten Inhaltsstrukturen sehen die Rundfunkprogramme der bundesdeutschen Sendestationen etwas anders aus. Denn einmal spielt hier der Faktor »Werbung« – was das Ausmaß der Sendezeit betrifft – eine geringe Rolle und zum anderen ist durch das Vorhandensein von jeweils drei Programmen die Möglichkeit gegeben, die einzelnen Aktivitätsbereiche dieses Mediums in eine relativ ausgewogene, nicht einseitig auf Unterhaltung abgestellte Kombination zu bringen. Trotzdem zeigt sich im Angebot der Rundfunkanstalten – ins-

388 J. T. Klapper, The Effects . . ., a. a. O., S. 204.

389 Vgl. dazu M. Kuhlmann, Der Weg der Wirtschaftsnachrichten und ihre Stellung im Wirtschaftsteil der Tageszeitung, Quakenbrück 1957, S. 89; J. Rink, Zeitung und Gemeinde, Düsseldorf 1963, S. 98; G. Kunz, Untersuchung über Funktionen und Wirkungen von Zeitungen in derem Leserkreis, Köln Opladen 1967, S. 33 ff.: vgl. dann weiter M. Janowitz, The Community Press, London Chicago 1967 (2. ed.), S. 74 und 95.

390 Vgl. dazu H. Holzer, a. a. O., S. 298.

391 Vgl. dazu Contest, Institut für angewandte Psychologie und Soziologie, Zur Situation der Frauenzeitschriften in der Bundesrepublik, Frankfurt 1963, S. 57 ff. und Contest, Institut für angewandte Psychologie und Soziologie, Inhaltsanalytische Studie der Zeitschrift Film + Frau, Frankfurt 1965, S. 42; vgl. dazu weiter H. Holzer–R. Kreckel, Jugend und Massenmedien. Eine Inhaltsanalyse der Zeitschriften Bravo und Twen, in: Soziale Welt 2–3 1967, S. 204.

392 Vgl. dazu für die US-amerikanische Szene: M. Hintze, a. a. O., S. 54 ff.

besondere auf Grund des Blocks an populärer Musik (40–60 %/o der Sendungen) – ein nicht übersehbarer Hang zur Unterhaltung [393].

1964 ergab sich bei einer international vergleichenden Fernseh-Untersuchung, daß das Programm der ARD respektive des ZDF zu 66 respektive 68 %/o aus »nichtinformativem« [394] Material bestand. Zwar nimmt auch in den Fernsehangeboten der Bereich der Werbung keinen großen Raum ein – über die finanzpolitische Relevanz dieses Gebietes wird später zu diskutieren sein –, aber die ausgeweitete Berücksichtigung von Quizsendungen, Kriminalspielen, Spielfilmen, Sportberichten usw. im Gesamtprogramm weist doch deutlich auf die intensive Unterhaltungsorientiertheit des Fernsehens hin [395].

Diese wenigen Resultate inhaltsanalytischer Forschung deuten bereits an, wie intensiv die Medien, die ihre Existenz durchweg mit ihrer informatorischen Aktivität rechtfertigen, sich in ihren redaktionellen Programmen auf unterhaltende Elemente stützen. Dieser Sachverhalt wird besonders dann fragwürdig, wenn man berücksichtigt, daß ein großer Teil der massenmedialen Kommuniqués aus Anzeigen besteht [396].

Interessant ist nun, wie sich die solchermaßen charakterisierbaren Medien dem Publikum darstellen [397]. Um ein Globalergebnis gleich vorwegzunehmen: Die Reaktion der Leser, Hörer, Zuschauer auf die Medien ist äußerst positiv. In einer Repräsentativ-Studie, die die Institute DIVO und Infratest 1964/65 vornahmen, findet sich folgender Einstellungsvergleich, der deutlich zeigt, warum – in diesem Fall – Tageszeitung, Fernsehen und Rundfunk so geschätzt werden (siehe Graphik 6, S. 134).

Interpretiert man diesen Einstellungsvergleich etwas grob, so läßt sich sagen: (1) Die Tageszeitung erscheint als ein Medium, das einen relativ engen Bezug zur Alltagswelt des Lesers hat, einen Überblick über alle wichtigen Ereignisse gibt, klar und verständlich über diese Ereignisse berichtet und vieles bringt, worüber man sich mit anderen unterhalten kann; (2) das Fernsehen wird vor allem als eine Institution erlebt, die neueste Informationen besonders schnell vermittelt, für ausgiebige Unterhaltung sorgt und – ebenfalls wie die Tageszeitung – reichlichen Gesprächsstoff liefert; (3) am Rundfunk schließlich wird insbesondere geschätzt, daß er – wie das Fernsehen – neueste Nachrichten schnell bringt sowie zur Unterhaltung beiträgt und daß er – wie

393 Vgl. dazu Statistisches Bundesamt, a. a. O., S. 107.

394 A. Silbermann, Bildschirm und Wirklichkeit, a. a. O., S. 37.

395 Vgl. dazu A. Silbermann, a. a. O., S. 37 und Statistisches Bundesamt, a. a. O., S. 108.

396 Vgl. dazu D. Just, Der Spiegel, Hannover 1967, S. 62: Auch bei dem Nachrichtenmagazin ›Der Spiegel‹ betrug 1965 und 1966 der Anzeigenteil über 50 %/o des Gesamtangebotes.

397 Da die Daten vieler Publikumsanalysen nicht aufgeschlüsselt nach einzelnen sozialen Gruppen vorliegen, ist bei den Argumentationen stets hinzuzudenken, was zuvor an sozialstatistischen Hinweisen für Leser, Hörer und Zuschauer gegeben wurde.

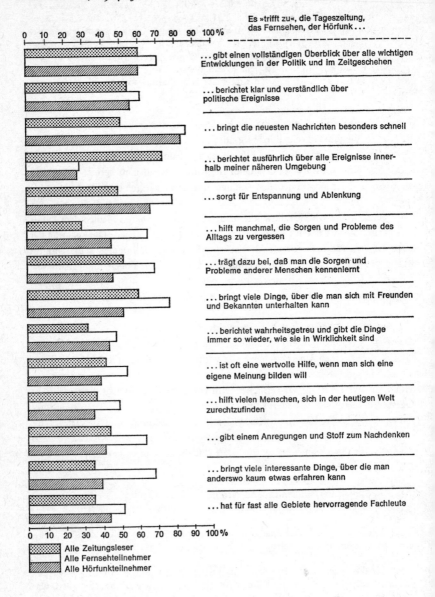

Graphik 6: Einstellung der Befragten zu »ihrem« Medium (Tageszeitung, Fernsehen und Hörfunk): 1964/65

Es »trifft zu«, die Tageszeitung,
das Fernsehen, der Hörfunk...

... gibt einen vollständigen Überblick über alle wichtigen Entwicklungen in der Politik und im Zeitgeschehen

... berichtet klar und verständlich über politische Ereignisse

... bringt die neuesten Nachrichten besonders schnell

... berichtet ausführlich über alle Ereignisse innerhalb meiner näheren Umgebung

... sorgt für Entspannung und Ablenkung

... hilft manchmal, die Sorgen und Probleme des Alltags zu vergessen

... trägt dazu bei, daß man die Sorgen und Probleme anderer Menschen kennenlernt

... bringt viele Dinge, über die man sich mit Freunden und Bekannten unterhalten kann

... berichtet wahrheitsgetreu und gibt die Dinge immer so wieder, wie sie in Wirklichkeit sind

... ist oft eine wertvolle Hilfe, wenn man sich eine eigene Meinung bilden will

... hilft vielen Menschen, sich in der heutigen Welt zurechtzufinden

... gibt einem Anregungen und Stoff zum Nachdenken

... bringt viele interessante Dinge, über die man anderswo kaum etwas erfahren kann

... hat für fast alle Gebiete hervorragende Fachleute

Alle Zeitungsleser
Alle Fernsehteilnehmer
Alle Hörfunkteilnehmer

(Quelle: ARD II, a. a. O., S. 63)

die Tageszeitung – einen Überblick über die wesentlichen Ereignisse des Zeitgeschehens gibt.

Solche und ähnliche positive Reaktionen des Publikums auf die Medien sind immer wieder festgestellt worden: für Rundfunk [398] und Fernsehen [399] genauso wie für Illustrierte[400], Tageszeitungen [401] und Boulevardblätter [402]. Dabei ist zusätzlich zu beachten, daß das Publikum nicht nur auf das redaktionelle Angebot der Medien, sondern auch auf die dort publizierte Werbung positiv reagiert. Es kann so aufgrund der vorliegenden publikumsanalytischen Ergebnisse gesagt werden, daß die Leser, Hörer und Seher die Unterhaltungsfixiertheit und – was insbesondere die Massenpresse betrifft – Anzeigenorientiertheit der Medien kaum als Problem sehen, sondern diese Medien eigentlich so beurteilen, wie es dem Selbstverständnis der Produzenten von Presse, Rundfunk und Fernsehen entspricht. Das Publikum ist offenbar nicht imstande, den durch Anzeigen- und Unterhaltungsorientiertheit indizierten Warencharakter des massenmedialen Angebots zu durchschauen – zumindest nicht in einer Weise, die zur Kritik provoziert. Es ist zu vermuten, daß solche Kritik vor allem deshalb nicht aufkommt, weil das Publikum offensichtlich meint, die Massenmedien hülfen ihm, wesentliche, an seine Existenz rührende Bedürfnisse zu befriedigen [403]. Die Tendenz der Leser, Hörer, Seher zu einer solchen Haltung gegenüber den Massenmedien weist auf die entscheidenden Probleme hin, die jeder Analyse von Presse, Rundfunk und Fernsehen zugrunde liegen sollten; sie weist hin auf den Warencharakter des massenmedialen Angebots und dessen Wirkung auf das Bewußtsein des Publikums.

Die sich anschließenden, die Aktivitäts- und Wirkungsbereiche Information und Unterhaltung [404] einzeln analysierenden Abschnitte haben so folgendes zu leisten:

- die Darstellung des redaktionellen Angebots von Presse, Rundfunk und Fernsehen;
- die Beurteilung dieses Angebots hinsichtlich ihrer positiven oder negativen Konsequenzen für die Realisierung der Prinzipien, die laut Grundgesetz die westdeutsche Gesellschaft zu einer demokratischen machen sollen;
- die Analyse der Publikumsreaktionen auf die Medieninhalte und die zu ihrer Vermittlung benutzten journalistischen Techniken.

398 Vgl. dazu E. Noelle–E. P. Neumann, a. a. O., S. 11.
399 Vgl. dazu A. Silbermann, a. a. O., S. 120 ff.
400 Vgl. dazu Infratest, Qualität 67, München 1967, Tabelle 23; vgl. dazu weiter Emnid-Institute, Imageanalyse von 24 Zeitschriften, Bielefeld 1966, S. 6 ff. und 44 ff.
401 Vgl. dazu Divo-Institut, Die Welt – Konsumgewohnheiten und Konsumstil der Oberschicht, Hamburg 1967, S. 18.
402 Vgl. dazu Verlagshaus A. Springer, Qualitative Analyse der Bild-Zeitung, Hamburg 1965 (im folgenden zitiert als »Qualitative Analyse«), S. 152.
403 Vgl. B. Berelson–G. A. Steiner, Human Behavior, New York 1964, S. 519 ff. und H. Bessler–F. Bledjian, System der Massenkommunikation, Stuttgart 1968, S. 48 ff.
404 Der Bereich »Praktische Hilfe« wird – da für ihn kaum Daten vorliegen – zusammen mit der informierenden Aktivität und Wirkung der Medien diskutiert.

Um diese Aufgabenstellung konzentriert bearbeiten zu können, wird zu Beginn der Abschnitte über Information und Unterhaltung jeweils ein funktionalistisches Argument formuliert, das sozusagen als Arbeitshypothese dienen soll; es enthält eine Annahme darüber, in welcher Weise der jeweilige Aktivitätsbereich von den Massenmedien interpretiert sowie inhaltlich und formal gestaltet sein müßte, wenn er dem grundgesetzlich fixierten Wertesystem und einer — diesem Wertesystem verpflichteten — Gesellschaft entsprechen will.

(1) Die informatorische Funktion und Aktivität der Massenmedien

Wird davon ausgegangen, daß — laut Grundgesetz der Bundesrepublik — Demokratie durch Eigenverantwortlichkeit und Selbstbestimmung des einzelnen, praktiziert innerhalb einer rechts- und sozialstaatlich organisierten Gesellschaft, gekennzeichnet ist, dann haben Massenmedien, die diesen Kriterien entsprechen wollen, den Aktivitätsbereich »Information« derart zu gestalten, daß zumindest folgendes gewährleistet ist [405]: (1) Orientierung und Aufklärung über die wesentlichen, die grundlegenden Postulate eines demokratischen Wertesystems (Gleichheit vor dem Gesetz; soziale Gerechtigkeit) betreffenden gesellschaftlichen Probleme; (2) Bildung einer rational begründbaren Meinung des einzelnen zu bestimmten gesellschaftlichen Tatbeständen und Herbeiführung eines demokratisch-orientierten öffentlichen Konsensus über diese Tatbestände; (3) Kritik und Kontrolle — im Namen einer so konstituierten Öffentlichkeit — von Persönlichkeiten, Institutionen, Normen und Wertvorstellungen. Solche Forderungen richten nun Presse, Rundfunk und Fernsehen auch an die eigene Adresse; ihr Selbstverständnis ist durchaus das enragiert demokratischer Institutionen. Der Bund Deutscher Zeitungsverleger besteht auf seiner »Verantwortung für die freiheitlich-demokratische Staats- und Gesellschaftsordnung« [406], die Rundfunk- und Fernsehintendanten machen das »Funktionieren einer parlamentarischen Demokratie« vom Vorhandensein eines »eigenständigen Rundfunks« [407] abhängig; und die Illustriertenredakteure versichern nachdrücklich, bei ihnen würden weder geschäftliche und öffentliche Interessen sich unerfreulich verquicken noch die verfassungsrechtlich delegierten journalistischen Aufgaben zugunsten des sogenannten Publikumsgeschmacks gelöst [408]. Angesichts einer derart prägnanten demokratischen Gesinnung scheint die einst an das Magazin ›Der Spiegel‹ gerichtete Frage von einem unberech-

405 Vgl. dazu die Abschnitte 2,3 und 3,1 c dieser Arbeit.
406 ARD I, a. a. O., S. 389.
407 ARD I, a. a. O., S. 215, vgl. dazu Ch. Wallenreiter, Rundfunk: Auftrag und Instrument der Gesellschaft, in: Der Mensch und die Technik — Technisch-Wissenschaftliche Blätter der Süddeutschen Zeitung, 11. Jahrgang 155. Ausgabe (28. 8. 1969), S. 1.
408 Vgl. dazu H. Holzer, a. a. O., S. 16 ff.

tigten Vorurteil auszugehen: die Frage nämlich, ob die Massenmedien bei der Einnahme einer solch vehement demokratischen Position nicht Figuren abgeben, die an allem zweifeln außer an sich selbst und durch inquisitorische Gestik ersetzen, was ihnen an kritischer Potenz fehlt [409].

Wie bereits dargestellt, steht der Bereich der Information – insbesondere der der politischen Information [410] – zumeist einem massiven Block von diversen anderen Inhaltselementen gegenüber.

Tabelle 8: Anteil der politischen Information am gesamten redaktionellen Angebot von Fernsehen und Tageszeitungen: 1965
(Basis: das redaktionelle Angebot einer Woche im Januar/Februar)

Medien	Gesamtredaktionelles Angebot Umfang (in Sek./Zeilen)	davon politische Informationen Umfang (in Sek./Zeilen)	davon politische Informationen Zahl der Informationen
1. Fernsehen*:			
ARD-Gemeinschaftsprogramm			
(werktags ab 20 Uhr, samstags a)	125 655 (100 %)	34 603 (28 %)	207
ganztägig) b)	110 505 (100 %)	19 483 (18 %)	206
2. Tageszeitung:			
überregional { Welt	75 298 (100 %)	28 247 (38 %)	402
{ Frankfurter Allg. Zeitung	63 802 (100 %)	25 041 (39 %)	405
regional { Kölner Stadt-Anzeiger	70 215 (100 %)	17 234 (25 %)	242
{ Braunschweiger Zeitung	58 742 (100 %)	10 944 (19 %)	197
standortgebunden { Ludwigsburger Kreiszeitung	45 708 (100 %)	9 360 (20 %)	233
{ Hellweger Anzeiger	65 833 (100 %)	9 851 (15 %)	173

(Quelle: ARD II, a. a. O., S. 68)

* Für das Fernsehen wurden aus folgendem Grunde zwei Nennungen ausgewiesen: Während des Untersuchungszeitraums (am 30. 1. 1965) erfolgte die vollständige Übertragung des Churchillbegräbnisses (a = mit / b = ohne Begräbnis).

409 Vgl. dazu H. M. Enzensberger, Die Sprache des Spiegel, a. a. O., S. 90 ff.; vgl. dazu weiter den Abschnitt »Pseudodemokratische Elemente im Selbstverständnis der Presse«, in P. Glotz–W. R. Langenbucher, Der mißachtete Leser, Köln Berlin 1969, S. 19 ff.
410 Politische Information umfaßt hier auch sozio-ökonomische und kulturelle Nachrichten, die in irgendeiner Weise eine politische Dimension enthalten.

Am günstigsten schneiden dabei offensichtlich, was den Umfang ihres Angebotes an politischen Informationen betrifft, die nationalen Tageszeitungen ab. Dieser Tatbestand scheint allerdings für die Beurteilung der Tagespresse durch das massenmediale Publikum keine allzu deutlichen Konsequenzen zu haben [411]. Bereits 1956 konnte bei einer Betrachtung der Kölner Bevölkerung festgestellt werden, daß auf die Frage nach der besten und zuverlässigsten Informationsmöglichkeit durchaus nicht die Zeitung genannt wurde. Diese tauchte höchstens dann als bestes und zuverlässigstes Informationsmedium auf, wenn es um die Unterrichtung über lokale Probleme und Ereignisse ging [412]. Auch die Ergebnisse einer 1964 veranstalteten Repräsentativbefragung bestätigen das. Allerdings tritt jetzt als wesentlicher Konkurrent der Tageszeitung das Fernsehen auf, während der Rundfunk mittlerweile noch schlechter als die Tageszeitung abschneidet. Am ehesten trauen noch die älteren Jahrgänge und die Hochschulgebildeten der Zeitung [413], obwohl bei diesen Gruppen ebenfalls das Fernsehen eindeutig als das glaubwürdigste Medium angegeben wird [414]. Auch die Antworten auf die bei einer Repräsentativerhebung gestellte Frage, wo das meiste an politischen Informationen zu holen sei, fallen nicht zugunsten der Tageszeitung aus – wieder wird das Fernsehen bevorzugt: 63 % der Befragten glaubten, dem Fernsehprogramm »sehr viel« beziehungsweise »viele« politische Informationen entnehmen zu können – gleiches sagten von der Tageszeitung nur 48 %, vom Rundfunk gar nur 19 % der Interviewten [415].

Der Widerspruch zwischen den objektiven Gegebenheiten der Medien – umfangreicheres (Tageszeitung) gegen begrenzteres (Fernsehen) Angebot an (politischen) Informationen – und der Perzeption dieser Gegebenheiten durch das Publikum läßt sich in zweierlei Hinsicht erklären: einmal aus der Plastizität und der Dichte der optisch-akustischen Darbietungsweise des Fernsehens; und zum anderen durch die möglicherweise nur vordergründige, auf jeden Fall für die Zuschauer zunächst vorhandene Vielfalt des Fernsehprogramms. Denn das relativ breite Angebot an politischen Informationen läßt die Tageszeitung einerseits zwar weniger in diverse Inhaltselemente zersplittert und dadurch einheitlicher erscheinen, als das beispielsweise bei Fernsehprogrammen und Illustrierten der Fall ist; aber gerade diese Breite nimmt der Tageszeitung die Chance, sich als ein über alles und jedes berichtendes Medium zu bezeichnen. Gerade als solche Allround-Media geben sich aber sowohl Fernsehen wie Illustrierte aus. Eine Inhaltsanalyse von Fernsehprogrammen zeigt, in welchem Maße das Angebot in einzelne Partikel zerfällt.

411 Vgl. dazu die andersartigen Verhältnisse in den USA: B. Berelson, What »Missing the News-paper« means, in: W. Schramm (ed.), The Process ..., a. a. O., S. 36 ff. P. Kimball, People without papers, in: Public Opinion Quarterly 3 1959, S. 389 ff.

412 Vgl. dazu J. Rink, a. a. O., S. 75 und 122.

413 Vgl. dazu A. Silbermann, a. a. O., S. 137.

414 Vgl. dazu J. L. Arranguren, Soziologie der Kommunikation, München, Verona 1967, S. 153.

415 Vgl. dazu Infratest, a. a. O., Tabelle 13.

Tabelle 9: Themenstruktur des ARD-Programms und der WDR-Regionalsendungen:
1965 (Basis: das redaktionelle Angebot von sechs Wochen im April und Mai)
(SE = Sendeeinheit von fünf Minuten)

Kategorien	Stationen							
	bis 18 Uhr		18–20 Uhr		nach 20 Uhr		Ges.-Angebot	
	SE	(%)	SE	(%)	SE	(%)	SE	(%)
1. Oper, Operette, Musical	24	1,0	6	0,3	97	2,4	127	1,5
2. Ballett	–	–	6	0,3	34	0,8	40	0,5
3. Konzert	8	0,3	14	0,8	26	0,6	48	0,6
4. Schauspiel	31	1,2	11	0,6	327	7,9	369	4,3
5. Literatur	–	–	6	0,3	9	0,2	15	0,2
6. Malerei	–	–	–	–	–	–	–	–
7. Bildhauerei	–	–	–	–	–	–	–	–
8. Kunsthandwerk	–	–	–	–	–	–	–	–
9. Kunstporträt und -diskussion	30	1,2	50	2,7	140	3,4	220	2,6
10. Religiöse Sendungen, Theologie, Philosophie	97	3,8	52	2,8	39	1,0	188	2,2
11. Soziologie, Psychologie	6	0,2	–	–	15	0,4	21	0,2
12. Wirtschaft, Technik, Recht	103	4,1	44	2,4	159	3,9	306	3,6
13. Medizin, Biologie, Zoologie	34	1,3	63	3,4	66	1,6	163	1,9
14. Archäologie, Geographie, Länder, Sitten	74	2,9	86	4,7	87	2,1	247	2,9
15. Politik, pol. Diskussionen	78	3,1	49	2,7	170	4,1	297	3,5
16. Nachrichten, Tagesgeschehen	64	2,5	318	17,3	657	15,9	1039	12,2
17. Magazinsendungen	159	6,3	549	29,3	216	5,2	914	10,8
18. Historie	37	1,5	15	0,8	220	5,3	272	3,2
19. Königin-Besuch	397	15,6	13	0,7	70	1,7	480	5,7
20. Porträt	43	1,7	23	1,3	111	2,7	177	2,1
21. Prakt. Lehrsendungen	101	4,0	14	0,8	15	0,4	130	1,5
22. Programmvorschau	133	5,2	12	0,7	–	–	145	1,7
23. Spiel- u. Fernseh-Film	46	1,8	92	5,0	467	11,3	605	7,1
24. Volks- und Fernsehspiel	31	1,2	128	7,0	416	10,1	575	6,8
25. Varieté, Kabarett, Zirkus	15	0,6	6	0,3	135	3,3	156	1,8
26. Quiz, Lotterie	54	2,1	30	1,6	115	2,8	199	2,3
27. Schlager, Show	50	2,0	63	3,4	66	1,6	179	2,1
28. Kriminalfilm	–	–	32	1,7	101	2,5	133	1,6
29. Western	19	0,8	–	–	–	–	19	0,2
30. Kinder- u. Jugendstd.	485	18,1	15	0,8	–	–	500	5,9
31. Sport	419	16,5	151	8,2	364	8,8	934	11,0
Summe	2538	100,0	1838	100,0	4122	100,0	8498	100,0

(Quelle: A. Silbermann, Vorteile und Nachteile . . ., a. a. O., S. 122)

Ähnliches läßt sich auch an den redaktionellen Angeboten von Illustrierten demonstrieren[416].

Tabelle 10: Themenstruktur Aktueller Illustrierten: 1964
(Basis: die thematischen Elemente des redaktionellen Angebots)

	Quick % (3341 = 100)	Revue % (2850 = 100)	Stern % (3152 = 100)
Politik	7,2 (= 100)	6,4 (= 100)	14,8 (= 100)
Deutschland	64,0	54,6	68,9
Westliches Ausland	21,1	23,5	17,4
Östliches Ausland	8,3	9,9	7,3
Entwicklungsländer	6,6	12,0	6,4
Wirtschaft	2,1 (= 100)	1,7 (= 100)	2,4 (= 100)
Deutschland	85,5	74,5	71,2
Westliches Ausland	7,2	12,8	14,4
Östliches Ausland	4,4	10,6	13,1
Entwicklungsländer	2,9	2,1	1,3
Wissenschaft	2,4 (= 100)	1,0 (= 100)	2,3 (= 100)
Naturwissenschaft	26,7	100,0	74,3
Sozialwissenschaft	43,0	–	12,2
Kulturwissenschaft	30,3	–	13,5
Technik	1,1	1,7	2,7
Religion	0,6	2,5	0,8
Massenkommunikation	1,4	0,5	1,2
Kunst und Populärkunst	1,3	1,5	1,6
Mode	1,5	2,0	1,8
Sport	1,2	0,8	0,9
Hobby und Freizeit	6,9	7,6	9,2
Unterhaltung für Kinder	–	0,1	1,7
Klatsch und Tratsch	8,8	6,6	3,6
Kriminalistik und Verbrechen	6,8	7,5	7,3
Krieg und Katastrophen	3,0	4,8	3,4
Prominenz	15,5	14,1	12,6
Individuelle Lebensprobleme	20,8	20,3	16,2
Haushalts- und Familienprobleme	3,9	7,5	3,9
Probleme zwischenmenschlicher Beziehungen	15,5	13,4	13,6
	100,0	100,0	100,0

(Quelle: H. Holzer, a. a. O., S. 130)

Die relativ breite Streuung des redaktionellen Angebots über sehr heterogene Inhaltskategorien verschafft diesen Medien in der Meinung des Publikums einen Allround-

416 Vgl. dazu H. Holzer–R. Kreckel, a. a. O., S. 204.

Charakter, der äußerst werbewirksam ist, weil er zweierlei suggeriert: einmal die Vorstellung, die Medien hätten den Interessen aller gesellschaftlichen Gruppen gleichermaßen etwas zu bieten[417], und zum anderen die Ansicht, sie lieferten ein getreues Spiegelbild der sozialen Realität. Daß diese doppelte Suggestion beim Publikum ankommt und – zumindest was das Fernsehen betrifft – das Urteil der Empfänger positiv prägt, ist bereits vorgeführt worden. Daß es aber auch begründete Zweifel an der Fähigkeit der Massenmedien, insbesondere eine unverfälschte Wiedergabe sozialer Realität leisten zu können, gibt, wird sich im folgenden zeigen. Festzuhalten bleibt zunächst nur, daß die informierende Aktivität der Massenmedien vor dem Hintergrund eines deutlich unterhaltungsorientierten und – was insbesondere die Massenpresse betrifft – anzeigendurchsetzten Gesamtangebotes zu sehen ist, das zudem in sich äußerst inhomogen ist. Dazu ist ferner zu beachten, daß weder die Unterhaltungs- und Anzeigenorientiertheit noch die Inhomogenität dieses Angebots bei den Lesern, Hörern und Sehern negative Reaktionen auslösen.

Wie sieht nun das offerierte Informationsmaterial, zunächst nur hinsichtlich seiner quantitativen Verteilung auf verschiedene Sachgebiete, aus? Graphik 7 gibt in Verbindung mit der zuvor dargestellten Themenstruktur Aktueller Illustrierten darauf eine Antwort (siehe S. 142).

Der Vergleich der Ergebnisse für Zeitungen, Fernsehprogramme und Illustrierte zeigt relativ klar medienspezifische Aufteilungen: In den Fernsehprogrammen[418] und Illustrierten dominiert eindeutig die Berichterstattung über das politische Geschehen – in den Zeitungsspalten stehen sich die Bereiche »Politik« und »Sozio-Ökonomisches« gegenüber, wobei die letztgenannte Kategorie sogar etwas stärker besetzt ist – und bei der Boulevardpresse drängen Sport- und sonstige Nachrichten die politischen wie die sozio-ökonomischen Informationen zurück[419].

Faßt man sämtliche, im engen Sinn des Wortes, politischen Informationen, die verschiedene Massenmedien innerhalb eines bestimmten Zeitraums liefern, zusammen, so

417 Vgl. dazu L. W. Doob, a. a. O., S. 452 und H. Sturm, a. a. O., S. 104.
418 Ein internationaler Vergleich gibt zu erkennen, daß das ARD-Programm mit seinen 46,43 % an politischer Information die wichtigsten europäischen Fernsehprogramme aussticht.

ARD Deutschland	46,43 %	RTB français Belgien	42,15 %
BRT flamand Belgien	45,71 %	BBC I England	37,68 %
Nederland I	45,18 %	BBC II England	33,96 %
ZDF Deutschland	44,54 %	RTF Frankreich	28,00 %
ITV England	42,21 %		

(Quelle: A. Silbermann, Bildschirm und Wirklichkeit, a. a. O., S. 80)
419 Vgl. dazu J. Z. Namenwirth, Marks of Distinction: An Analysis of British Mass and Prestige Papers, in: British Journal of Sociology 4 1969, S. 1 ff.

Graphik 7: Der Anteil der Kategorien an der Gesamtzahl der Informationen der Medien: 1964 (Basis: die während der Monate Mai und Juni angebotene Information)

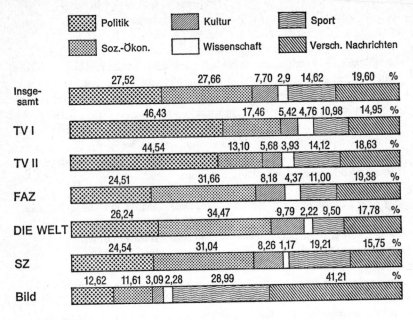

(Quelle: A. Silbermann, a. a. O., S. 52)

ergibt sich: Den Hauptanteil dieses Angebotes an politischen Informationen liefern die großen überregionalen Tageszeitungen (20–25 %), gefolgt von den Fernsehanstalten (13–15 %); die Bild-Zeitung, als Beispiel für die Straßenverkaufspresse, hat dagegen einen verschwindend geringen Anteil (5 %)[420]. Auf Grund einer Gegenüberstellung dieses Resultates mit jenem aus Tabelle 8 läßt sich so sagen: »Insgesamt gesehen ist die Tageszeitung das ›politische‹ Medium: der Anteil des politisch Informierenden am redaktionellen Gesamtangebot ist bei der Tageszeitung größer als beim Fernsehen. Dieser Unterschied reduziert sich aber beträchtlich, wenn Fernsehen und Lokalpresse miteinander verglichen werden: bei dieser Zeitungsgattung ist der Anteil der politischen Information ... am gesamten redaktionellen Angebot nicht größer als beim Fernsehen.«[421] Die hier zitierte Divo/Infratest-Studie ermittelte noch einen wesentlichen Unterschied zwischen den Medien: »Das Informationsangebot des Fernsehens ist konzentrierter als das der Tageszeitungen und stellt inhaltlich eine starke Selektion aus dem Gesamt der politischen Meldungen dar. Dieser konzentrierten Aus-

420 Vgl. dazu A. Silbermann, a. a. O., S. 56.
421 ARD II, a. a. O., S. 79.

wahl ... steht ein breiteres Informationsangebot der Tageszeitungen gegenüber ... Es ist aber auch hier einzuschränken: Bei der Lokalpresse finden sich Meldungen über politisches Geschehen ... nicht in gleicher Breite wie in überregionalen und großen regionalen Zeitungen.«[422] Daß die Massenpresse dabei noch weit hinter den Lokalzeitungen rangiert, bedarf keiner besonderen Erwähnung. Interessant ist in diesem Zusammenhang weiter, daß die Tageszeitungen für ihr Angebot an politischen Informationen weit eher den Anspruch der Exklusivität von Meldungen machen können als das Fernsehen. Während 19 % der in der zitierten Studie erfaßten politischen Ereignisse in beiden Medien publiziert wurden, erschienen 53 % jener Ereignisse exklusiv in den Tageszeitungen, aber nur 28 % allein im Fernsehen. Dazu kommt, daß die politische Exklusiv-Information durch das Fernsehen sich vor allem auf Geschehnisse »geminderter... Aktualität«[423] und sogenannte telegene Vorkommnisse bezieht[424].

Betrachtet man weiter die thematische Verteilung innerhalb der Kategorie »Politische Information«, so ergeben sich zwischen den Medien keine signifikanten Differenzen.

Tabelle 11: Verteilung der politischen Informationen nach politisch-geographischen Bereichen: 1965 (Basis: siehe Tabelle 8)

Basis	Ge-samt	Fern-sehen	Tages-zei-tung	Tageszeitung		
				über-regio-nal	regio-nal	stand-ortge-bunden
	1859 %	207 %	1652 %	807 %	439 %	406 %
Welt	17	20	17	19	15	15
Außereuropäische Länder	11	12	11	12	9	14
Europa ohne Ostblock	9	10	9	11	9	7
Ostblockstaaten	4	4	4	3	5	4
Außenpolitik BRD	18	14	18	16	21	17
Innenpolitik BRD	31	33	29	27	30	33
Länderpolitik BRD	4	2	5	5	5	4
BRD–SBZ	2	1	2	2	2	1
SBZ mit Ostberlin	2	1	3	3	2	3
Westberlin–SBZ	2	3	2	2	2	2
Summe	100	100	100	100	100	100

(Quelle: ARD II, a. a. O., S. 76)

Geographisch gesehen zentriert sich das Angebot auf die politische Szene der Bundesrepublik – die sozialistischen Gesellschaften und die Dritte Welt haben geringe

422 ARD II, a. a. O., S. 79.
423 ARD II, a. a. O., S. 71.
424 ARD II, a. a. O., S. 71.

Bedeutung. Das gilt für Tageszeitungen[425], Fernsehen und Illustrierte[426] gleichermaßen. Auch die Verteilung der politischen Informationen auf einzelne Sachgebiete läßt keine größeren Unterschiede zwischen den Medien erkennen.

Tabelle 12: Verteilung der politischen Informationen nach Sachgebieten: 1965
(Basis: siehe Tabelle 8)

Basis	Ge-samt	Fern-sehen	Tages-zei-tung	Tageszeitung über-regio-nal	regio-nal	stand-ortge-bunden
	1859 %/0	207 %/0	1652 %/0	807 %/0	439 %/0	406 %/0
Außenpolitik*	23	23	24	23	24	23
Innenpolitik*	12	10	12	12	12	12
Wirtschaft, allgemein	14	16	15	18	9	11
Landwirtschaft	3	5	3	3	3	3
Kultur	3	5	3	3	3	3
Justiz	13	10	14	11	15	18
Sozialpolitik	3	5	3	3	4	3
Gesundheitswesen	1	2	1	2	1	1
Verkehr, Bauwesen	2	0	2	2	2	4
Wehrpolitik	6	4	6	6	7	5
Militärische Aktionen	1	1	0	0	0	0
Raumfahrt	1	2	0	0	0	1
Entwicklungshilfe	1	0	1	1	1	0
Religion	2	1	2	3	3	1
Wiedervereinigung	3	3	3	3	4	3
BRD–SBZ, allgemein	4	4	4	3	4	4
Parteipolitik, intern	1	1	1	1	1	1
Churchill	7	8	6	6	7	7
Summe	100	100	100	100	100	100

(Quelle: ARD II, a. a. O., S. 77)

* Die Sachgebiete wurden nur dann gecodet, wenn keine eindeutige Zuordnung zu einem anderen Sachgebiet möglich war.

Beiträge zur bundesdeutschen Außen-, Innen- und Wirtschaftspolitik sowie Jurisdiktion überwiegen deutlich ein ansonsten stark zersplittertes Angebot. Einen besonderen Akzent erhält dieses Resultat dadurch, daß beispielsweise Aktuelle Illustrierte

425 Vgl. dazu P. Glotz–W. R. Langenbacher, a. a. O., S. 47 ff., wo handfeste Belege für das, was die Autoren »Außenpolitische Informationsdefizite« (S. 47) nennen, gegeben werden.
426 Vgl. dazu H. Holzer, a. a. O., S. 191; vgl. dazu auch die Ergebnisse für das Nachrichtenmagazin ›Der Spiegel‹, in: D. Just, a. a. O., S. 80 und 87.

im Bereich »Innenpolitik« vor allem Themen behandeln, die Regierung und Ministerien, Bürokratie und Verwaltung sowie Gerichtsverhandlungen betreffen. Ob dieses Ergebnis [427] auch für die anderen Medien gilt, kann stichhaltig nicht behauptet werden. Das Resultat gibt jedoch einen Hinweis, der auf Grund der täglichen Primärerfahrung mit Presse, Rundfunk und Fernsehen sehr plausibel erscheint – zumal seine Interpretation einen einleuchtenden Zusammenhang zwischen den massenmedialen Kommuniqués und der in ihnen reflektierten gesellschaftlichen Situation herzustellen erlaubt. Denn in den Beiträgen, die in jenen Bereich fallen, manifestiert sich möglicherweise die problematische Existenz des Publikums in einer verwalteten Welt [428]. Eine solche – hier bewußt in kulturkritischem Jargon gehaltene – Argumentation führt allerdings bereits über eine vornehmlich quantitative Analyse hinaus. Bevor dieser notwendige Schritt getan wird, ist zunächst nach dem Verhältnis des massenmedialen Publikums zur politischen Information von Presse, Rundfunk und Fernsehen zu fragen.

1964/65 wurden laut Infratest und Divo durch die politische Information des Fernsehens 42 %, durch die Tageszeitung 46 % und durch die des Hörfunks 47 % der bundesrepublikanischen Bevölkerung zwischen 14 und 70 Jahren erreicht [429]. Betrachtet man dieses Ergebnis etwas näher – nämlich differenziert nach einzelnen Gattungen politischer Beiträge und nach dem Merkmal, ob die Befragten nur sagten, regelmäßig beziehungsweise häufig diese Beiträge zu nutzen, oder aber ob die Befragten angaben, diese Beiträge an einem bestimmten Stichtag tatsächlich empfangen zu haben –, ergibt sich folgendes repräsentatives Bild.

Tabelle 13: Reichweite der politischen Information von Fernsehen, Tageszeitungen und Hörfunk: 1964/65

I. Fernsehen	Von allen TV-Teilnehmern gaben an, regelmäßig/häufig zu sehen %	TV-Teilnehmer pro Tag haben laut Stichtagserhebung gesehen %
Nachrichtensendungen	86	85
Sonstige politische Sendungen	33	8
Zeitkritische Sendungen	48	26
Regionalsendungen	54	26

427 Vgl. dazu H. Holzer, a. a. O., S. 193.
428 Vgl. dazu H. Marcuse, Eros und Kultur, Stuttgart 1957, S. 100; F. H. Tenbruck, Jugend und Gesellschaft, Freiburg 1962, S. 17–18; U. Sonnemann, Das Land der unbegrenzten Zumutbarkeiten, Hamburg 1962, S. 11; H. Freyer, Theorie des gegenwärtigen Zeitalters, Stuttgart 1958, S. 224.
429 Vgl. dazu ARD II, a. a. O., S. 14.

II. Tageszeitung	Von allen Personen, die zumindest hin und wieder eine Tageszeitung lesen, gaben an, regelmäßig oder häufig zu lesen %	Leser pro Tag haben laut Stichtagserhebung gelesen %
Politische Meldungen	60	62
Kommentare, Leitartikel	43	29
Zeitkritische Beiträge	37	10
Lokalteil	84	81

III. Hörfunk	Von allen Personen, die zumindest hin und wieder Hörfunk hören, gaben an, regelmäßig oder häufig zu hören %	Hörer pro Tag haben laut Stichtagserhebung gehört %
Nachrichtensendungen	74	66
Sonstige politische Sendungen	20	18
Zeitkritische Sendungen	12	32
Regionalsendungen	26	15

(Quelle: ARD II, a. a. O., S. 14, 15, 16)

Von den zumeist relativ kurzen Nachrichtensendungen in Radio und Fernsehen sowie den politischen Meldungen der Tageszeitungen werden demnach relativ viele Personen erreicht, während von der übrigen Radio- und Fernseh-Information sowie den Kommentaren und Leitartikeln (vor allem insofern sie zeitkritisch sind) nicht einmal die Hälfte, oft nicht einmal ein Drittel der Befragten angesprochen werden. Interessant ist weiter, in welchem Maß politische Informationen genutzt werden, die den engeren Lebensbereich der Befragten berühren – die Attraktivität des Lokalteils in den Zeitungen und der Regionalsendung im Fernsehen demonstriert das deutlich [430]. Aus den in Tabelle 13 angegebenen Daten wird weiter ersichtlich, daß hinsichtlich der Reichweite der Informationen die drei Medien offensichtlich kaum miteinander konkurrieren. Wenn überhaupt, dann scheint am ehesten der Rundfunk hier ein Problem zu haben. Diese Möglichkeit legen vor allem Ergebnisse für die amerikanische Situa-

430 Die Unterschiede in den Ergebnissen – je nachdem, ob sie aus allgemeinen oder aus Stichtagserhebungen stammen – lassen sich, da keine Angaben über mögliche Einflüsse auf das Verhalten des Publikums an den Stichtagen vorliegen, nur schwer interpretieren. Möglicherweise stellen die Stichtagsergebnisse die zuverlässigeren Werte dar, da sie aus Fragen resultieren, die die Interviewten zu einer relativ konkreten und den Eindruck guter Nachprüfbarkeit suggerierenden Auskunft zwingen.

tion nahe, die – oft sehr drastisch – erkennen lassen, daß insbesondere das Fernsehen die Beschäftigung des einzelnen mit anderen Massenmedien teilweise erheblich herabsetzt [431]. Für bundesrepublikanische Verhältnisse ist ein solcher Tatbestand bisher nur andeutungsweise festgestellt worden [432]. Es hat sich vielmehr gezeigt, daß hier eher von Komplementärrelationen zwischen Fernsehen, Hörfunk und Tageszeitungen gesprochen werden kann [433]. Dieser Sachverhalt läßt sich insbesondere an der Art und Weise ablesen, wie Informationen aufgenommen werden. »In der Mehrzahl der Fälle wird der Informationsprozeß eingeleitet durch eine erste Informationsaufnahme im Fernsehen oder Hörfunk. Nur in wenigen Fällen ist mit diesen Erstkontakten der Informationsprozeß abgeschlossen. In der Regel aber wird die Informationsaufnahme wiederholt, beziehungsweise es werden nun zusätzliche Informationen zum gleichen Gegenstand eingeholt. Als weiterinformierendes Medium dominiert eindeutig die Tageszeitung ... Das Bedürfnis, sich über ein bestimmtes politisches Ereignis weiter zu unterrichten ..., besteht bei mehr als der Hälfte der Befragten ...«[434]

Der hier so genannte Informationsprozeß darf nicht verwechselt werden mit dem, was in der amerikanischen Massenkommunikationssoziologie »flow of information« heißt. Dieser Informationsfluß bezeichnet den Weg einer Nachricht vom ersten Kommunikator bis zum letzten Kommunikanten; er war und ist ein wesentliches Problem der amerikanischen Forschung – in bundesdeutschen Untersuchungen wurde er bisher nur andeutungsweise behandelt. Die entscheidende und mittlerweile relativ gut abgesicherte Hypothese über jenen Informationsfluß sagt, daß die Informationen, die in Massenmedien erscheinen, oft durch sogenannte Meinungsführer an weniger aktive Teile der Bevölkerung weitergegeben werden [435]. Diese Hypothese wurde vor allem in den großen massenkommunikationssoziologischen Studien der vierziger Jahre entwickelt und geprüft [436]. Sie hat im wesentlichen zwei Implikationen: einmal die Zweistufigkeit des Informationsflusses und zum anderen die Bedeutung interpersonaler Kontakte für Weitergabe und Wirkung massenmedialer Nachrichten [437]. Die Ergeb-

431 Vgl. dazu G. Maletzke, a. a. O., S. 52; M. Hintze, a. a. O., S. 192; vgl. dazu weiter W. A. Belson, The Effects of TV on the Reading and Buying of Newspapers and Magazines, in: Public Opinion Quarterly 3 1961, S. 366 ff.

432 Vgl. dazu ARD II, a. a. O., S. 53.

433 Vgl. dazu J. Rink, a. a. O., S. 158.

434 ARD II, a. a. O., S. 158.

435 Vgl. dazu E. Katz, a. a. O., S. 61.

436 Vgl. dazu P. F. Lazarsfeld – B. Berelson – H. Gaudet, The People's Choice, New York 1948 (2. d.); R. K. Merton, Patterns of Influence, in: P. F. Lazarsfeld – F. N. Stanton (eds.), Communication Research, New York 1949; E. Katz – P. F. Lazarsfeld, Personal Influence, a. a. O., S. 25 ff. und 309 ff.; B. Berelson – P. F. Lazarsfeld – W. N. McPhee, Voting. A Study of Opinion Formation in a Presidential Campaign, Chicago 1954; H. Menzel – E. Katz, Social Relations and Innovations in the Medical Profession, in: Public Opinion Quarterly 1955, S. 337 ff.

437 Vgl. dazu M. L. De Fleur, a. a. O., S. 129 ff.; M. L. De Fleur – O. N. Larsen, a. a. O., S. 31 und 163 ff.; J. T. Klapper, The Effects ..., a. a. O., S. 8.

nisse der Studien zu der Hypothese von »two-step flow of information«[438] zeigen dabei, daß von Meinungsführern immer nur in bezug auf relativ kleine Gruppen (Familie, Freundeskreis, Mitarbeiterteam) gesprochen werden kann; daß diese Meinungsführer sich zwar im Wissen, aber nicht in der Interessenlage von den anderen Gruppenmitgliedern unterscheiden; daß die Funktion der Meinungsführer vor allem darin besteht, die Gruppenmitglieder mit Ereignissen in Berührung zu bringen, die jenseits von deren unmittelbarem Erfahrungshorizont liegen; und daß die Meinungsführer die Massenmedien zwar intensiver nutzen, als die anderen Mitglieder der betreffenden Gruppe, aber ebenfalls in ausgeprägtem Maße durch interpersonale Kommunikation beeinflußt werden[439].

Wie gesagt – für bundesdeutsche Verhältnisse ist die Hypothese vom »two-step flow of information« nur andeutungsweise geprüft worden[440]; sie kann daher keinesfalls generell auf die hiesige Situation übertragen werden – schon deshalb nicht, weil eine wesentliche Bedingung für die Gültigkeit der Hypothese das amerikanische »community life« mit seinem Netz sehr persönlicher Beziehungen sein dürfte[441]. Ein Moment dieser Hypothese jedoch, nämlich der Tatbestand, daß Meinungsführer häufiger Massenmedien nutzen als andere Mitglieder des Publikums – hat sich auch für die Bundesrepublik bestätigen lassen. Die Befragung eines bundesdeutschen Bevölkerungsquerschnitts erbrachte die in Tabelle 14 wiedergegebenen Daten (siehe S. 149).

Es ist deutlich zu sehen, daß die sogenannten opinion leaders (Meinungsführer), also jene Leser, Hörer, Seher, die in Fragen der Politik von anderen um Meinung und Rat gebeten werden, bei der Nutzung der Medien dem übrigen Publikum einiges voraus haben. Insbesondere die Beschäftigung mit zeitkritischen Sendungen in Fernsehen und Rundfunk sowie mit Leitartikeln und Kommentaren in den Tageszeitungen ist bei ihnen häufiger zu finden als bei den übrigen Lesern, Hörern und Sehern. Welche Wirkungen und Einflüsse von diesen opinion leaders ausgehen und in welcher Art von Informationsfluß sie stehen, hat eine Untersuchung der bundesdeutschen Situation bis jetzt nicht herausgebracht[442].

438 M. L. De Fleur – O. N. Larsen, a. a. O., S. 164.
439 Vgl. dazu E. Katz, a. a. O., S. 77; B. Berelson – G. A. Steiner, a. a. O., S. 550.
440 Vgl. dazu J. Rink, a. a. O., S. 157 ff. und C. Hofmann, Der Kommunikationsfluß von einer Gewerkschaftsleitung zu ihren Funktionären, in: H.-D. Ortlieb – B. Molitor (eds.), Hamburger Jahrbuch für Wirtschafts- u. Gesellschaftspolitik 1968, Tübingen 1968, S. 318 ff.
441 Vgl. dazu M. Janowitz, a. a. O., S. 169 ff.; vgl. dazu B. O. Andersen – C. O. Melen, Lazarsfeld's Two-step Hypothesis. Data from some swedish surveys, in: Acta Sociologica 2 1959, S. 20 ff.; V. C. Troldahl, A Field Test of a Modified »Two-Step Flow of Communication«-Model, in: Public Opinion Quarterly 1966, S. 609 ff.; und A. Sicinski, A Two-Step Flow of Communication: Verification of a Hypothesis in Poland, in: Polish Sociological Bulletin 7 1963, S. 33 ff.
442 Vgl. dazu ARD II, a. a. O., S. 15 und K. D. Baldus, Konzentration auf dem Pressemarkt und Kommunikationssoziologische Diskussion, in: Publizistik 2–3–4

Tabelle 14: Opinion leaders und Nutzung des politischen Informationsangebotes: 1964/65

I. Fernsehen	Alle Fernsehteilnehmer	Opinion leaders (Fernsehteilnehmer, die um politische Meinung und Rat gebeten werden)	Übrige Fernsehteilnehmer
Basis	1391 (100 %)	384 (100 %)	1007 (100 %)
Regelmäßiges/häufiges Sehen von:			
Politischen Nachrichtensendungen	86 %	88 %	84 %
Politisch/zeitkritischen Sendungen	56 %	73 %	49 %

II. Tageszeitungen	Alle Zeitungsleser	Opinion leaders (Zeitungsleser, die um politische Meinung und Rat gebeten werden)	Übrige Zeitungsleser
Basis	1829 (100 %)	490 (100 %)	1329 (100 %)
Regelmäßiges/häufiges Lesen von:			
Politischen Nachrichten aus dem In- und Ausland	60 %	86 %	50 %
Politischen Leitartikeln und Kommentaren (zeitkritische Beiträge)	33 %	79 %	43 %

III. Hörfunk	Alle Radiohörer	Opinion leaders (Radiohörer, die um politische Meinung und Rat gebeten werden)	Übrige Radiohörer
Basis	1964 (100 %)	499 (100 %)	1465 (100 %)
Regelmäßiges/häufiges Hören von:			
Politischen Nachrichtensendungen	74 %	74 %	74 %
Politisch/zeitkritischen Sendungen	25 %	42 %	20 %

(Quelle: ARD II, a. a. O., S. 33–34)

Bevor nun die qualitativ wesentlichen Momente des massenmedialen Inhalts und seine Auswirkung auf Leser, Seher, Hörer analysiert werden, ist das Wichtigste zum Problem der Information durch Massenmedien noch einmal kurz zusammenzufassen: (1) Das informatorische Material von Presse, Rundfunk und Fernsehen ist in Zusammenhang mit der ausgeprägten Unterhaltungs- und (was die Presse betrifft) Anzeigenorientiertheit des Gesamtangebotes zu sehen und zu werten. (2) Greift man die für das vorliegende Thema wichtige Abteilung der politischen Information heraus, zeigt sich, daß die – gemessen am Gesamtangebot – ohnehin nicht sehr zahlreichen politischen Beiträge in ausgeprägtem Maße die bundesdeutsche Gesellschaft, da wieder vor allem den Bereich der Innenpolitik und dort insbesondere die Sektoren Regierung, Bürokratie, Rechtsprechung betreffen. (3) Bei der Konfrontation einer so weitgehend spezialisierten politischen Information mit einem breiten, später detailliert zu analysierenden Block an Unterhaltung tauchen Zweifel an der positiven Bedeutung der politischen Information für ein demokratisches Wertesystem und die hierin implizierte Forderung nach allseitiger Orientiertheit der Staatsbürger auf – Zweifel, die auch dann nicht geringer werden, wenn man die Beiträge der Medien zur Wirtschaft und Kultur hinzunimmt. (4) Unterstellt man aber einmal, das politisch informierende Angebot der Medien habe trotz allem eine – in Grenzen – demokratisierende Wirkung, weil es dem einzelnen zumindest einige Kenntnisse von seiner gesellschaftlichen Existenz und damit die Möglichkeiten zu selbstbestimmendem, situationsgerechtem Handeln gibt, so kommen andere Zweifel auf. Diese gründen in dem Tatbestand, daß die – soweit überhaupt mit den referierten Studien feststellbare – tatsächliche Nutzung der politischen Information doch auf eine relativ kleine Gruppe von Lesern, Hörern und Sehern beschränkt bleibt, die sich zudem vorwiegend aus einem engen sozialen Bereich – dem der oberen Mittelschicht [443] – rekrutiert. (5) Dabei sind zwei, vielleicht nicht unbedeutende Ausnahmen zu machen: einmal das offensichtlich recht intensive Interesse an Nachrichtensendungen in Fernsehen und Rundfunk sowie das nachdrückliche Engagement am Lokalteil der Tageszeitung; zum anderen der Umfang, in dem sich die –

1968, S. 105. Ebensowenig ist bis jetzt für bundesrepublikanische Verhältnisse die sogenannte »gatekeeper«-Hypothese exakt überprüft worden. Diese Hypothese besagt, daß es in bestimmten sozialen Systemen Inhaber spezifischer Positionen gibt, die die Kommunikation mit anderen Systemen prägen, ohne selbst Instanzen mit Entscheidungsbefugnis darzustellen: vgl. dazu H. Reimann, Kommunikationssysteme, Tübingen 1968, S. 142 f. und – als Beispiele für empirische Untersuchungen – R. Carter, Newspaper »gate keepers« and the sources of news, in: Public Opinion Quarterly 2 1958, S. 133 ff. und L. Donohew, Newspaper Gatekeepers and Forces in the News Channel, in: Public Opinion Quarterly 1 1967, S. 61 ff. Vgl. dazu weiter den Zusammenhang der »gatekeeper«-Hypothese mit dem Konzept der funktionalen Autorität bei H. Hartmann, Funktionale Autorität, Stuttgart 1964, S. 6 ff. und den als pilot study zu wertenden Versuch von M. Rühl, Die Zeitungsredaktion als soziales System, Bielefeld 1969.

443 Vgl. dazu J. O. Glick–S. J. Levy, a. a. O., S. 112 und G. H. Stempel, Selectivity in Readership of Political News, in: Public Opinion Quarterly 3 1961, S. 400 ff.

wenn auch enge – Gruppe der Meinungsführer den einzelnen Medien und deren politischer Information widmet.

Allerdings läßt sich über die Qualitäten des bisher nur quantitativ aufgeschlüsselten massenmedialen Angebots an politischen Daten und dessen Wirkung auf das Publikum noch nichts sagen. Erst die Analyse dieser Qualitäten der Massenmedien wie des Publikums, verbunden mit den bereits erhaltenen quantitativen Resultaten, ermöglicht jedoch eine Beurteilung des Beitrags, den insbesondere die politische Information durch Rundfunk, Presse und Fernsehen zur Realisation der demokratischen Prinzipien leistet. Deshalb wird im folgenden versucht, die wesentlichen Punkte der massenmedialen Beiträge zum Bereich »Politik« in einer qualitativen Argumentation herauszupräparieren und sie mit den entscheidenden Reaktionen des Publikums auf die so qualifizierte politische Information zu konfrontieren.

A. Politik in Massenmedien I: Zentrale Mechanismen der journalistischen Artikulation von Zeitgeschichte

An früherer Stelle wurde gesagt, Massenmedien mit demokratischem Selbstverständnis – und Presse, Rundfunk und Fernsehen betonen ausdrücklich, solche Institutionen zu sein – hätten durch politische Information Orientierung und Aufklärung, Bildung einer öffentlichen Meinung sowie Kritik und Kontrolle zu leisten. Es kann nun keineswegs bestritten werden, daß die Medien durchaus gesellschaftsrelevante politische Themen aus dem nationalen und internationalen Bereich bieten und daß es Publikationen gibt wie Spiegel, Stern; Fernsehsendungen wie Panorama, Report, (früher) Monitor; und Zeitungen wie Frankfurter Rundschau, Die Zeit, Süddeutsche Zeitung, die das vordringlich und oft journalistisch hoch qualifiziert tun. Eine genauere Analyse der Beiträge in der Rubrik »Politik« offenbart jedoch einige problematische Stellen, die nicht zu übersehen sind, weil sie die Gesamtheit dieser Beiträge prinzipiell in Frage stellen.

Sieht man sich beispielsweise massenmediale Beiträge an, die Orientierung, Aufklärung ermöglichen und damit auf die Entscheidungsfähigkeit der Mitglieder einer demokratischen Gesellschaft positive Wirkung ausüben sollen, fällt zweierlei auf: (1) die Personalisierung gesellschaftlicher Tatbestände; (2) die betonte Vermischung von individuellen Lebensproblemen und öffentlichen Angelegenheiten. Was das im einzelnen heißt, haben zahlreiche inhaltsanalytische Studien offengelegt[444]. Es heißt

444 Vgl. dazu H. M. Enzensberger, Journalismus als Eiertanz; Die Sprache des Spiegel; Scherbenwelt, in: H. M. Enzensberger, a. a. O., S. 18 ff.; O. Gmelin, Philosophie des Fernsehens, Pfullingen 1967, S. 75 ff.; H. Holzer, a. a. O., S. 94 ff.; H. Holzer – R. Kreckel, a. a. O., S. 208 ff.; W. Thomsen, Zum Problem der Scheinöffentlichkeit – inhaltsanalytisch dargestellt an der Bildzeitung (unveröffentlichtes Manuskript), Frankfurt 1960; J. Ritsert, Das Berliner Modell im Urteil der Massenmedien,

zunächst, daß in solchermaßen auf- und zubereiteten Informationen gesellschaftspolitische Probleme vornehmlich als solche von Personen und deren psychischer Verfassung erscheinen; nicht sozialstrukturelle Ursachen bestimmter Tatbestände diskutiert und analysiert, sondern lediglich deren – oft auch noch sehr periphere – Symp-
tome hingestellt werden. Die Absicht, die hinter einer derartigen Konzeption von
politischer Information steht, ist klar: Weder das Publikum noch irgendeine andere
für die Medien relevante Gruppe soll durch Informationen provoziert werden, die die
Herrschaftsverhältnisse und Privilegienhierarchie in der bundesrepublikanischen Gesellschaft tangieren. Man will zwar – als sich demokratisch gebende Institution –
politische Probleme ansprechen, gleichzeitig aber niemandem ernstlich zu nahe treten –
außer vielleicht denen, die einem sowieso nichts anhaben können [445]. Auch das oft
gebrachte Argument, die betonte Personalisierung gesellschaftlicher Tatbestände und
die deutliche Vermischung von Privatem und Öffentlichem würden nur dazu dienen,
brisante Nachrichten schneller und leichter dem Empfänger zu übermitteln [446], macht
die Attitüde der Medien nicht überzeugender. Denn zumeist stellt das persönliche
Moment nicht den sogenannten Aufhänger der Artikel und Sendungen dar; es wird
vielmehr dazu benutzt, Stimmung zu erzeugen und dadurch Entscheidungen zu prä-
judizieren, die der Adressat im Grunde erst nach einer ausführlichen Information über
den betreffenden Tatbestand fällen könnte. So werden Politiker oft als volkstümlich-
vertrauenerweckende Vaterfiguren aufgebaut, deren patriarchalisch-autoritärer Pose
gegenüber sich der Leser, Hörer oder Zuschauer zu Kritiklosigkeit angehalten sieht;
gleichzeitig verleiht die eingängige, auf Persönliches abgezogene Beschreibung solcher
Politiker – man braucht in diesem Zusammenhang nur die Primärerfahrungen zu
bemühen, die man bei der Zelebrierung von Illustrierten- oder Fernseh-Prominenz
leicht sammeln kann – den betreffenden Beiträgen einen hohen Grad von Unverbind-
lichkeit [447]. Noch problematischer sind jedoch politische Informationen, die den human
interest mit weinerlicher Sentimentalität oder knackigem 08/15-Humor garnieren.
Solche Informationen, die bilderreich und nichtssagend, simplifizierend und bagatelli-
sierend sich vor allem in der Massenpresse finden [448], ermuntern den Empfänger dazu,

in: L. v. Friedeburg et al., Freie Universität und politisches Potential der Studenten,
Neuwied Berlin 1968, S. 483 ff.; D. Just, a. a. O., S. 123 ff.; M. Steffens, Das Geschäft
mit der Nachricht, Hamburg 1969, S. 59 ff.

445 Daß es sehr wohl Ausnahmen von dieser Tendenz der Massenmedien gibt,
zeigte beispielsweise die im August 1969 abgelaufene Auseinandersetzung um das
Fernsehmagazin »Panorama« wegen eines kritischen Berichts über Ex-Kanzler Kiesinger und Ex-Finanzminister Strauß.

446 Vgl. dazu H. M. Hughes, Human Interest Stories and Democracy, in: B. Berelson – M. Janowitz (eds.), a. a. O., S. 325; vgl. dazu auch die spezifische Problematik,
die dieses Verfahren bei einer politisch so ambitionierten Zeitschrift wie dem Spiegel
zeitigt, in: D. Just, a. a. O., 138–139.

447 Vgl. dazu H. Holzer, a. a. O., S. 109 ff. und W. Albig, a. a. O., S. 482.

448 Vgl. dazu H. Holzer, a. a. O., S. 102 ff. und 156 ff.; W. Thomsen, a. a. O.,
S. 30 und H. H. Holz, a. a. O., S. 27–28.

»das politische Geschehen und die politischen Nachrichten und Verhaltensweisen als Verbrauchsgüter zu betrachten«[449] und die tatsächlichen Probleme, die sich nicht in persönlichen Schicksalen erschöpfen, zu vergessen. Die Information erscheint als »Ware, Spiel, Unterhaltung, Zerstreuung«; der Leser, Hörer oder Zuschauer wird als »Käufer, Spieler, Zuschauer oder müßiger Beobachter«[450] angesprochen. Eine derartige Ausstattung des massenmedialen Angebots an politischer Information mit human interest und sonstigen unterhaltenden Elementen führt zu einer Verwandlung der jeweils zugrunde liegenden gesellschaftspolitischen Thematik in individuelle Lebensproblematik oder – wie insbesondere beim Fernsehen – recht und schlecht gespielte Prominententheatralik[451]. Gerade die Repräsentation der politischen Prominenz in den Massenmedien ist ein augenfälliger Beleg für die ideologischen Konsequenzen einer Information, die durch Personalisierung gesellschaftlicher Tatbestände und Intimisierung öffentlicher Angelegenheiten gekennzeichnet werden kann. Beide Verfahren tragen nämlich hier zur Etablierung eines Persönlichkeitskultes[452] und zur Vermittlung eines Geschichtsbildes bei, aus dem alle Klassenantagonismen und Gruppenkonflikte zugunsten sehr persönlicher Launen von Politikern eliminiert sind[453]. Daß solche Kritik nicht an alle publizierten politischen Informationen in gleicher Weise zu richten ist, braucht sicher nicht ausführlich erörtert zu werden – auf Informationen, die von der skizzierten Problematik nicht betroffen sind, kommt es in diesem Zusammenhang jedoch nicht an. Denn sie müssen sich in einem Rahmen zur Geltung bringen, der eindeutig von unterhaltenden Elementen und jenen pseudopolitischen Beiträgen bestimmt wird. Es sollte allerdings nicht übersehen werden, daß dieser Befund bis jetzt nur für die Massenpresse und – etwas weniger systematisch – für das Fernsehen herausgearbeitet worden ist und sich nicht ohne weiteres auf die überregionale Tages- (Süd-

449 D. Riesman, Die einsame Masse, Hamburg 1958, S. 202; vgl. dazu A. Görlitz, a. a. O., S. 52.

450 D. Riesman, a. a. O., S. 202; vgl. dazu A. Gehlen, Anthropologische Forschung, Hamburg 1961, S. 127 und H. Schelsky, Gedanken zur Rolle der Publizistik in der modernen Gesellschaft, a. a. O., S. 315.

451 Vgl. dazu W. Albig, a. a. O., S. 482; G. Anders, The Phantom World of TV, in: B. Rosenberg – D. Manning White (eds.), Mass Culture, Glencoe 1957, S. 365; J. Trenaman – D. Mc Quail, Television and the Political Image, London 1961, S. 227 ff.

452 Vgl. dazu H. M. Enzensberger, Die Sprache des Spiegel, a. a. O., S. 74 ff.; H. Holzer, a. a. O., S. 185 ff.; H. A. Walter, Schizoidität als journalistisches Prinzip, in: Frankfurter Hefte 3–4, 1965, S. 162.

453 Vgl. dazu H. Holzer, a. a. O., S. 168. Ein illustratives Beispiel für die Konsequenzen dieses Verfahrens gibt Reinhard Kühnl, wenn er schreibt: »Daß das ›Volk‹ der Quick-Leser den Prinzen Louis Ferdinand mit großem Vorsprung zum Bundespräsidenten gewählt wissen will und die Bild-Zeitung gar eine absolute Mehrheit bei den Hohenzollern ermittelte, ist das logische Resultat dieses Verdummungsprozesses« (R. Kühnl et al., a. a. O., S. 277). Vgl. dazu auch R. Kühnl, Das Dritte Reich in der Presse der Bundesrepublik, Frankfurt 1966.

deutsche Zeitung, FAZ, Welt) wie Wochenpresse (Die Zeit) und den Rundfunk übertragen läßt.

Die forcierte personenorientierte und auf private Aspekte der politischen Prominenz
ausgerichtete Information über gesellschaftsrelevante Probleme kann – und damit
kommt man zu dem Moment von Wahrheit in dieser massenmedialen Ideologie – als
eine Reaktion auf eine gesellschaftliche Situation interpretiert werden, deren orga-
nisiertes und bürokratisiertes, von monopolistisch formierten Interessen in Ökonomie
und Politik gesteuertes System gerade der überwiegenden Mehrheit des massenmedialen Publikums die Möglichkeit nimmt, in ein Verhältnis effektiver Mitbestimmung
zu den politischen Institutionen zu treten, die ihr Leben entscheidend bestimmen [454].
Durch ihr ausgedehntes Angebot an »menschlich-interessanten« inside stories im Bereich politischer Information verschleiern die Massenmedien die in der kapitalistischen
Organisation der Gesellschaft liegenden Gründe für diesen Tatbestand, wodurch sie
ihrem Publikum die Chance nehmen, sich mit entscheidenden gesellschaftlichen Bedingungen seiner Existenz rational auseinanderzusetzen. Eine weitere Konsequenz, die
jener Rekurs aufs Individuell-Menschliche mit sich bringt, liegt darin, daß das Bild
einer Gesellschaft suggeriert wird, in der es nurmehr individualpsychische, aber keine
sozialstrukturell bedingten Probleme gibt [455] und in der dem persönlichen Raum des
einzelnen, nicht aber dessen tiefgreifender Abhängigkeit von seiner Klassenlage und
schichtspezifischen Situation die entscheidende Bedeutung zukommt. Ideologiekritisch
argumentiert heißt das: »(Die Sphäre des privaten Lebens) verdeckt mit dem Schein
von Wichtigkeit und Autonomie, daß sie nur noch als Anhängsel des Sozialprozesses
sich fortschleppt.« [456] Dieser Schein ist allerdings gesellschaftlich notwendig; notwendig
insofern, als er es vor allem den ökonomisch und politisch Abhängigen leichter macht,
sich sozialen Strukturen und Prozessen anzupassen, die sie nur als abstrakte und an-
onyme erfahren [457] – und notwendig insofern, als jener Schein diese Abhängigen
daran hindert, die nicht selten absichtlich produzierte Undurchschaubarkeit und da-
hinterliegende Unzumutbarkeit bestimmter gesellschaftlicher Zustände und Vorgänge
zu beseitigen [458].

---

454 Vgl. dazu H. Schelsky, Der Mensch in der Zivilisation, Köln Opladen 1961,
S. 41.

455 Vgl. dazu E. K. Scheuch, Theorie des Rechtsradikalismus, in: H.-D. Ortlieb – B.
Molitor (eds.), Hamburger Jahrbuch für Wirtschafts- und Gesellschaftspolitik 1967,
Tübingen 1967, S. 17.

456 T. W. Adorno, Kulturkritik und Gesellschaft, in: T. W. Adorno, Prismen,
Frankfurt 1963, S. 21, vgl. dazu F. H. Tenbruck, a. a. O., S. 18.

457 Vgl. dazu E. Fromm, Die Furcht vor der Freiheit, Zürich 1945, S. 109; A. Gehlen, a. a. O., S. 135; D. Riesman, a. a. O., S. 319; H. Schelsky, a. a. O., S. 40 f.

458 Vgl. dazu E. Becker, Das Bild der Frau in den Illustrierten, in: M. Horkheimer
(ed.), Zeugnisse, a. a. O., S. 434; J. T. Klapper, The Effects . . ., a. a. O., S. 203,
H. Plessner, Das Problem der Scheinöffentlichkeit und die Idee der Entfremdung,
Göttingen 1960, S. 12–13.

So bekommt das Publikum der Massenmedien gerade in vielen Beiträgen, die das zu leisten vorgeben, kein realitätsgerechtes Verhältnis zum eigenen Leben wie zu dem Herrschaftszusammenhang der Gesellschaft gezeigt; es wird vielmehr in eine Scheinwelt geführt, in der Probleme wie Bedürfnisse des einzelnen isoliert von ihren sozialstrukturellen Bedingungen halt »da« sind. Doch da diese Probleme wie Bedürfnisse (und damit die Menschen selber) losgelöst von ihrer gesellschaftsmaterialen Basis erscheinen, das Vorhandensein jener Probleme und Bedürfnisse aber irgendwie erklärt werden muß, nistet sich im Informationsangebot der Medien an vielen Stellen eine Art Schicksalsideologie ein, eine Ideologie, die insbesondere für die Massenpresse charakteristisch ist[459]: Nicht eine spezifische Organisation gesellschaftlichen Lebens produziert die diagnostizierten Individualprobleme, sie fallen sozusagen – gleichsam schicksalhaft – vom Himmel. In der Bundesrepublik hat vor allem die Bild-Zeitung diese Hypostasierung gesellschaftlicher zu irrational-naturwüchsigen Abhängigkeiten des einzelnen geradezu bis zur Perfektion und damit höchst gefährlichen Perversion getrieben[460]. Hier wird die sehr reale Abhängigkeit der Menschen von der sie umgebenden und prägenden sozialen Situation zur Abhängigkeit gegenüber einer ungreifbaren Macht, der sich der einzelne hilflos ausgeliefert sieht. (Welche Folgen das beispielsweise für die Identifikation der Bild-Leser mit ihrer Zeitung hat, wird später erörtert.) Zwar gelangt auf solchem Umweg eminent Gesellschaftliches in die als scheinhaft zu entlarvende Welt der Massenmedien, jedoch in einer Form, die ein rationales, auf Einsicht in die sozialstrukturelle Bestimmtheit der eigenen Existenz gegründetes Verhältnis zur Gesellschaft illusorisch macht[461]. Stellen Massenmedien aber einmal exakt reale Abhängigkeiten des einzelnen von der Gesellschaft dar, beispielsweise das Mißverhältnis zwischen Macht der Institutionen und Ohnmacht der von ihnen Betroffenen, so werden auch da wieder Mechanismen eingebaut, die eine orientierende und aufklärende, kritisierende und kontrollierende Information über gegebene gesellschaftliche Zustände verhindern. In der zitierten Illustrierten-Analyse wurden die quantitativ recht zahlreichen redaktionellen Beiträge zum Thema »Beziehungen des einzelnen zu Gruppen und Institutionen« auf solche Mechanismen hin untersucht. Es war hierbei festzustellen, daß zwar öffentlich-relevante Probleme (Ver-

459 Vgl. dazu H. Holzer, a. a. O., S. 148 f.; W. Thomsen, a. a. O.; H. D. Müller, a. a. O., S. 309 f.

460 Vgl. dazu W. Thomsen, a. a. O., S. 308; vgl. dazu insbesondere das von Heinz Grossmann und Oskar Negt herausgegebene Buch ›Die Auferstehung der Gewalt – Springerblockade und politische Reaktion in der Bundesrepublik‹, Frankfurt 1969, aus dessen einzelnen Partien deutlich hervorgeht, wie wenig sich ein der oben vorgebrachten Kritik ähnliches Argument mit einzelnen Bildzeitungsartikeln belegen läßt – wie sehr ein solches Argument vielmehr nur aus dem Gesamtzusammenhang der Zeitung ableitbar ist; vgl. dazu vor allem den in dem angegebenen Buch abgedruckten Aufsatz von Heiner Schäfer: Die BILD-Zeitung – eine Ordnungsmacht im Spätkapitalismus (S. 19 ff.).

461 Vgl. dazu G. Anders, The Phantom World of TV, a. a. O., S. 363 ff.

hältnis Bundeswehr–Soldat, Krankenhaus–Patient, Fürsorge–Jugendliche) [462] in ihren Konsequenzen für das private, persönliche Schicksal veranschaulicht und kritisiert werden, daß aber zugleich sehr deutlich zur Anpassung an die gegebenen, wenn auch monierten Zustände aufgerufen wird, indem der einzelne zumeist als Opfer jener Zustände erscheint [463].

Diese Ergebnisse liegen – wie gesagt – in mehr oder weniger systematischer Weise bis jetzt nur für Illustrierte vor. Die erwähnten Studien aus dem Bereich von Fernsehen und sonstiger Massenpresse lassen jedoch ähnliches vermuten. Zumindest verwehren sie nicht die Schlußfolgerung, daß auch hier wieder das demokratisch orientierte Anspruchsniveau der Massenmedien hart mit dem Zwang kollidiert, eine Ware produzieren zu müssen, deren Qualität nicht die Gesetze einer kritischen Reflexion, sondern jene des Marktes prägen. Es soll mit dieser Argumentation keineswegs bestritten werden, daß die Medien – in quantitativ wie qualitativ unterschiedlichem Ausmaß – auch politisch informierende Beiträge enthalten, die mit sachlich aufbereiteten und präzis kommentierten Daten eine gesellschaftsadäquate Orientierung und Aufklärung leisten und so Voraussetzungen für eine kritisch reflektierende Diskussion der gesellschaftlichen Realität schaffen [464]. Aber die vorliegenden Studien zeigen recht deutlich, wie solche Beiträge beim »journalistischen Eiertanz« [465] zwischen der Absicht, gesellschaftsrelevante Information zu liefern, und dem tatsächlichen oder vermeintlichen Zwang, diversen – insbesondere ökonomischen – Pressure-groups nachzugeben, beschädigt werden oder völlig im »escapist material« untergehen [466]. Das bedeutet jedoch – da die negativen Aspekte politischer Information vor allem in der Massenpresse und, trotz gegenteiliger Hoffnung [467], im Fernsehen [468] zu erkennen sind –, daß ein großer Teil

462 Vgl. dazu H. Holzer, a. a. O., S. 206 ff.

463 Vgl. dazu H. Holzer, a. a. O., S. 209.

464 Es soll auch nicht behauptet werden, daß im Vergleich zur ausländischen Presse »die Bundesrepublik einen Tiefpunkt in den westlichen demokratischen Staaten darstellt« (S. Pausewang, Öffentliche Meinung und Massenmedien, in: W. Abendroth – K. Lenk [eds.], Einführung in die politische Wissenschaft, München 1968, S. 316) – vgl. dazu auch U. Jaeggi – R. Steiner – W. Wyninger, Der Vietnam-Krieg und die Presse, Zürich 1966. Einen Beleg für die »Tiefpunkt-These« bietet allerdings sehr überzeugend G. Amendt, China. Der deutschen Presse Märchenland, Frankfurt 1968.

465 H. M. Enzensberger, Journalismus als Eiertanz, a. a. O., S. 18.

466 Vgl. dazu R. Lenz, DIE WELT als Wille und Vorstellung, in: B. Jansen – A. Klönne (eds.), Imperium Springer, Köln 1969, S. 114 ff.; R. Augstein, Show Business, in: Der Spiegel 40, 1964, S. 25; H. Holzer, a. a. O., S. 144 ff. und 287 ff., H. A. Walter, a. a. O., S. 162.

467 Vgl. dazu H. M. McLuhan, Die magischen Kanäle, Düsseldorf Wien 1968, S. 351; G. Cohen – Seat, P. Fougeyrolles, Wirkungen auf den Menschen durch Film und Fernsehen, Köln Opladen 1966, S. 88 f.; A. Montagu, Television and the New Image of Man, in: F. W. Matson – A. Montagu (eds.), Human Dialogue, New York 1967, S. 159 ff.

468 Vgl. dazu O. Gmelin, a. a. O., und die vorzügliche Studie von J. Trenaman – D. Mc Quail, a. a. O.

der Bevölkerung bei dem Versuch, die neuralgischen Punkte wie die positiven Möglichkeiten seiner gesellschaftlichen Existenz zu erkennen, von den Medien im Stich gelassen wird. Die Konsequenz der Personalisierung gesellschaftlicher Tatbestände und der Vermischung von Öffentlichem und Privatem für die Qualität massenmedialer Information können daher nicht bagatellisiert werden. Den Vorwurf, in beträchtlichem Maße »Alkovenpublizistik«[469] zu treiben, vermag insbesondere die Massenpresse nicht zu entkräften. Die Bedeutung der Medien für eine demokratische Gesellschaft kann davon nicht unberührt bleiben. »Öffentlichkeit (wandelt sich in den Massenmedien) zur Sphäre der Veröffentlichung privater Lebensgeschichten, sei es, daß die zufälligen Schicksale des sogenannten kleinen Mannes oder die planmäßig aufgebauten Stars Publizität erlangen, sei es, daß die öffentlich-relevanten Entwicklungen und Entscheidungen ins private Kostüm gekleidet und durch Personalisierung bis zur Unkenntlichkeit entstellt werden. Sentimentalität gegenüber Personen und der entsprechende Zynismus gegenüber Institutionen, die sich mit sozialpsychologischer Zwangsläufigkeit daraus ergeben, schränken dann natürlich die Fähigkeit des kritischen Räsonnements gegenüber der öffentlichen Gewalt, wo es objektiv noch möglich wäre, subjektiv ein.«[470] Die praktizierte Koppelung von sozialstrukturellen und institutionellen Problemen mit individuellen Lebensschicksalen sowie die teilweise notwendig damit verbundene, teilweise dazu ergänzende Verfremdung und Entschärfung politischer Information durch Personalisierung gesellschaftlicher Tatbestände führen so die massenmediale Ideologie, die orientierende und aufklärende, kritisierende und kontrollierende Aktivität der Medien stelle die Fortsetzung des staatsbürgerlichen Unterrichts mit journalistischen Mitteln dar, glatt ad absurdum.

B. Politik in Massenmedien II: Resultate der politischen Sozialisation durch die Massenmedien

Im folgenden soll anhand von Material aus Analysen der westdeutschen Fernsehzuschauer [471] die Verbindung zwischen einer solchermaßen zu qualifizierenden politischen Information und einem Publikum gezogen werden, dessen entscheidende Gruppe die der einfachen Angestellten und Beamten, Gewerbetreibenden und Arbeiter mit Volksschulbildung und einem monatlichen Einkommen von 600 bis 1000 DM ist. In einer Repräsentativ-Untersuchung aus dem Jahre 1966, bei der das Institut Infratest

469 Vgl. dazu H. Pross, Eigentümlichkeiten der bundesdeutschen Meinungsbildung, in: H. Pross, Vor und nach Hitler, Olten Freiburg 1962, S. 34.
470 J. Habermas, Strukturwandel der Öffentlichkeit, a. a. O., S. 189–190.
471 Der Bereich »Fernsehen« wird deshalb gewählt, weil für ihn die meisten Ergebnisse vorliegen. Vgl. dazu J. P. Kob, Zur Soziologie des Fernsehens, in: H. D. Ortlieb – B. Molitor (eds.), Hamburger Jahrbuch für Wirtschafts- und Gesellschaftspolitik 1964, Tübingen 1964, S. 100 ff.

die Publikumsreaktion auf die Nachrichtensendungen Tagesschau (ARD) und Heute (ZDF) analysierte, wurde zur Bekanntheit und Sehbeteiligung an allgemeinpolitischen Sendereihen folgendes ermittelt[472].

Tabelle 15: Bekanntheit und Nutzung politischer Sendereihen des 1. und 2. Fernsehprogramms
(Basis: alle TV-Zuschauer mit Wahlmöglichkeit): 1966

	Bekanntheit[473] %	Nutzung[474] %
Sendereihen der ARD		
Panorama	84	34[475]
Report	78	27[475]
Der internationale Frühschoppen	71	28
Monitor	65	19[475]
Sendereihen des ZDF		
Journalisten fragen – Politiker antworten	57	15
Blickpunkt	39	10
Zur Person	32	8
Zur Sache	28	5

(Quelle: Infratest, Politik im Fernsehen, München 1966, S. 47)

472 Bei der sich anschließenden Vorführung empirischer Ergebnisse ist zweierlei zu bedenken: erstens kann, da anderes Material nicht vorliegt, das Verhalten des Publikums gegenüber den Fernsehprogrammen nur an der Sehbeteiligung und der Präferenz für Sendungen politischen Inhalts abgelesen werden; zweitens kann, da Material hierfür lediglich in kleinerem Umfang vorliegt, eine Differenzierung der einzelnen Ergebnisse nach sozialstatistischen Merkmalen des Publikums nur hin und wieder erfolgen. Beide Mängel sowie das in Fußnote 471 genannte Problem erschweren eine präzise Argumentation – das wird sich vor allem in dem Abschnitt »Die Ökonomisierung von Presse, Rundfunk, Fernsehen und die soziopsychische Lage des Publikums« zeigen – eine systematische Formulierung von Hypothesen.

473 TV-Zuschauer, die schon eine (oder mehrere) Sendung(en) dieser Reihe gesehen haben.

474 TV-Zuschauer, die nach persönlichen Angaben im allgemeinen mindestens 5 von 10 Sendungen dieser Reihe sehen.

475 Es gibt allerdings auch andere Werte, ebenfalls von Infratest, die eine größere Sehbeteiligung zeigen: für Panorama 42 % (Jahresdurchschnitt 1966), Report 36 % (Jahresdurchschnitt 1966), Monitor 27 % (Jahresdurchschnitt 1966). Vgl. dazu Infratest, Die Sendereihen Panorama, Report und Monitor, München 1966, S. 7 ff. Der Unterschied läßt sich folgendermaßen erklären: Die im Text genannten Werte wurden bei einer Befragung ermittelt, wo die Interviewten sozusagen ihr intellektuelles Beteiligtsein angaben, also angaben, die Sendungen tatsächlich angeschaut zu haben; die in der Fußnote angeführten Daten wurden dagegen auf rein mechanischem Weg festgehalten – nämlich durch ein am TV-Apparat montierbares Gerät, das Ein- und Abschalten registriert. Solche Geräte hat Infratest in 625 repräsentativ ausgewählten

Durch Tabelle 15 wird im wesentlichen bestätigt, was sich an früherer Stelle bereits andeutete: Die Fernseh-Information über Politik wird von einer relativ kleinen Zuschauergruppe beansprucht; so schauen die Sendung PANORAMA lediglich 34 % der Fernsehteilnehmer regelmäßig an. Etwas höher wird die Sehbeteiligung an solchen Politik-Programmen, die ein bestimmtes Maß unmittelbarer Aktualität haben; so stellte Infratest anläßlich der TV-Übertragung der Bundestagsdebatte über die Regierungserklärung des Kabinetts Erhard fest, daß ungefähr die Hälfte (ARD) respektive ein Fünftel (ZDF) einer repräsentativen Auswahl von Fernsehzuschauern mindestens einen Teil dieser Übertragung gesehen hatte. Aufgeschlüsselt nach der Anzahl verfolgter Sendungen ergibt sich dann:

Tabelle 16: Zahl der gesehenen Übertragungen einer Bundestagsdebatte: 1966

Basis	Alle Befragten	Alle Befragten in Fernsehhaushalten m. Wahlmöglichkeit ARD/ZDF
	400	297
Im 1. Programm (ARD)		
1 Sendung	11 %	9 %
2 Sendungen	17 %	16 %
3 Sendungen	8 %	7 %
4 und mehr Sendungen	9 %	9 %
Keine Sendung gesehen bzw. weiß nicht in welchem Programm	55 %	58 %
	100 %	99 %
im 2. Programm (ZDF)		
1 Sendung	7 %	8 %
2 Sendungen	6 %	8 %
3 Sendungen	2 %	3 %
4 Sendungen und mehr	3 %	3 %
Keine Sendung gesehen bzw. weiß nicht in welchem Programm	83 %	78 %
	101 %	100 %

(Quelle: Infratest, Die Bundestagsdebatte zur Regierungserklärung, München 1966, S. 9)

Haushalten der Bundesrepublik aufgestellt; diese Geräte werden regelmäßig abgelesen und liefern damit die Werte der Sehbeteiligung des Fernseh-Publikums. Diese Werte sagen also nichts darüber aus, ob eine Sendung tatsächlich angeschaut wird, sie geben nur an, ob ein TV-Apparat zu einer bestimmten Zeit ein- oder ausgeschaltet ist (Tammeter-Methode).

Besser sieht es – was die Sehbeteiligung betrifft – bei den Zuschauern der Nachrichtensendungen Tagesschau (ARD) und Heute (ZDF) aus.

Tabelle 17: Sehbeteiligung an den Sendungen Tagesschau (ARD) und Heute (ZDF): 1966

Basis	Es sehen von ... Personen, die das ARD- und ZDF-Programm empfangen können, die Sendung ...	
	Tagesschau	Heute
	1334 (%)	1334 (%)
An 7 von 7 Tagen	34	8
An 6 von 7 Tagen	12	4
An 5 von 7 Tagen	14	4
An 4 von 7 Tagen	13	9
An 3 von 7 Tagen	12	16
An 2 von 7 Tagen	7	15
An 1 von 7 Tagen An weniger als 1 von 7 Tagen	5	31

(Quelle: Infratest, Politik im Fernsehen, a. a. O., Tabelle 6)

Nimmt man als Kriterium für regelmäßiges (oder häufiges) Zuschauen, daß mindestens viermal wöchentlich die Sendungen gesehen werden, zeigt sich: 73 % der Fernsehteilnehmer zählen zum engeren Zuschauerkreis der Tagesschau – bei der Sendung Heute sind es 25 %, womit dieses Nachrichtenmagazin immerhin das gefragteste politisch-informierende Programm des ZDF ist. Diese Vorliebe der Zuschauer für die Nachrichtensendungen deutet ein Publikumsverhalten an, das beispielsweise auch bei Lesern von Tageszeitungen und Hörern von politischen Rundfunkprogrammen ermittelt wurde: »Sogenannte ›manifeste Meinungsformen‹, also Kommentare, wertende Analysen des politischen Geschehens u. ä. werden ... wesentlich seltener genützt als die reine Information.«[476] Um allerdings präziser beurteilen zu können, warum gerade solche Nachrichtensendungen als Möglichkeiten politischer Information bevorzugt werden, wäre es wichtig, genauer zu wissen, welche Qualität jene angeblich ›reine Information‹ hat. Leider liegen keine inhaltsanalytischen Ergebnisse zu Tagesschau und Heute vor, so daß man nur die Primärerfahrungen, die sich täglich beim Betrachten dieser Sendungen einstellen, bemühen kann. Aus solchen Erfahrungen läßt sich jedoch die plausible Annahme ableiten, daß die Tagesschau weniger wegen ihres rein informatorischen Charakters geschätzt wird als vielmehr aufgrund der dort ausgiebig praktizierten Personalisierung gesellschaftlicher Tatbestände. Denn für Tagesschau (und ebenfalls für Heute) ist kennzeichnend, was auch als ein

476 ARD II, a. a. O., S. 52.

wesentliches Merkmal der Wochenschauen herausgearbeitet worden ist [477] – politische Ereignisse werden fast immer durch Personen repräsentiert und mit diesen identifiziert. Eine solche Interpretation der Vorliebe, die das Publikum gegenüber TAGESSCHAU und HEUTE zeigt, wird auch dadurch gestützt, daß die Sendung PANORAMA wahrscheinlich ebenfalls aufgrund dieser – gegenüber REPORT und MONITOR (ARD) wie insbesondere gegenüber BLICKPUNKT, ZUR PERSON und ZUR SACHE (ZDF) [478] – bei ihr sehr deutlich hervortretenden Tendenz, gesellschaftliche Probleme zu personalisieren, soziale Tatbestände in ihren Auswirkungen auf persönliche Schicksale zu demonstrieren, bevorzugt. Allerdings wird gerade bei PANORAMA diese journalistische Methode oft benutzt, um den Zuschauer zu einem unmittelbar Betroffenen zu machen und zu kritischer Reflexion anzuregen. Auch diese Argumente können sich wieder nur auf Primärerfahrungen stützen – abgesicherte Ergebnisse liegen dazu nicht vor. Untersuchungen zu dem Punkt sind jedoch unbedingt vonnöten; denn hier kann eine Antwort auf die Frage gefunden werden, ob eine Personalisierung gesellschaftlicher Tatbestände prinzipiell von Übel ist oder ob unter bestimmten Voraussetzungen (zum Beispiel in einer hochgradigen Entfremdungssituation des Publikums) dieses Verfahren (respektive gerade dieses Verfahren) auch politische Information vermitteln kann, die eine kritisch-reflektierende Realitätseinschätzung ermöglicht.

Die Beteiligung der Zuschauer an politischen Programmen hängt jedoch nicht nur von solchen inhaltlichen Momenten ab, sondern auch von recht äußerlichen Faktoren. Einen wesentlichen Faktor stellt dabei die Sendezeit dar – insbesondere, ob sie vor oder nach 21 Uhr liegt. In einer 1967 publizierten Studie »Das Fernsehspiel im Urteil der Zuschauer« hat Infratest gefunden, daß die Sehbeteiligung nach 21 Uhr rapide abnimmt.

Tabelle 18: Sehbeteiligung vor und nach 21 Uhr (Random Sample): 1965/66 (Durchschnittswerte aus zwei Jahren)

	ARD		ZDF	
	20–21 Uhr %/0	nach 21 Uhr %/0	20–21 Uhr %/0	nach 21 Uhr %/0
Politische Sendungen	35	15	14	8
Kultur- und Dokumentarsendungen	33	10	18	12

(Quelle: Infratest, Das Fernsehspiel im Urteil der Zuschauer, München 1967, S. 4 und 8)

477 Vgl. dazu H. M. Enzensberger, Scherbenwelt, a. a. O., S. 106 ff.
478 Dabei ist zu beachten, daß PANORAMA und REPORT fast zum gleichen Zeitpunkt (1961/62) ihre Sendelaufbahn begannen. Das heißt, die Konkurrenz zwischen den beiden Programmen ist nicht dadurch verzerrt worden, daß die eine Sendung vor der anderen einen zeitlichen Vorsprung hatte, ein Tatbestand, der vor allem die Bevor-

Auch bei diesem Ergebnis ist wieder zu beklagen, daß es nicht nach einzelnen politischen Programmen und sozialen Merkmalen der Zuschauer aufgeschlüsselt vorliegt. Denn es wäre wichtig zu wissen, bei welchen politischen Sendungen der Zuschauerschwund besonders ausgeprägt vorkommt und ob unter den gerätabschaltenden Zuschauern bestimmte soziale Gruppen überrepräsentiert sind – beispielsweise die, die einen harten Arbeitstag hinter sich oder einen frühen Arbeitsbeginn vor sich haben und die schon aus diesem Grunde morgens sich lieber mit der BILD-Zeitung befassen als abends mit einem politischen Programm. Bereits aus diesem Detail spricht eindeutig – wenn man so will – der Klassencharakter des Fernsehens: Die, die gesellschaftspolitische und lebenspraktische Information am nötigsten brauchen, werden – und das läßt sich spielend nachweisen – durch derartige sendetechnische Tricks ausgeschlossen und nicht zuletzt damit in die Fänge eben jenes Journals getrieben.

Um aber wieder zu dem vermuteten Zusammenhang zwischen inhaltlicher Qualität politischer Sendungen und der Sehbeteiligung zurückzukehren, sei noch ein weiterer Hinweis für die Plausibilität der Annahme erwähnt, daß personalisierende und intimisierende Informationen besonders geschätzt werden. Im Rahmen der bereits zitierten Infratest-Studie über die Nachrichtensendungen des bundesdeutschen Fernsehens antworteten die Zuschauer auf die Frage, wie die politisch-informierenden Sendereihen ihnen gefielen, wie folgt:

Tabelle 19: Beurteilung politisch-informierender Sendereihen: 1966

	Früh-schop-pen	Pan-orama	Re-port	Moni-tor	Blick-punkt	Zur Person	Zur Sache	Jour-nali-sten, Poli-tiker
Basis	948 (%)	1122 (%)	1044 (%)	863 (%)	517 (%)	440 (%)	374 (%)	769 (%)
Ausgezeichnet	22	13	10	8	5	9	6	16
Gut	47	49	51	44	41	33	33	44
Zufriedenstellend	19	25	29	34	39	36	38	26
Mäßig	8	10	8	10	10	15	17	10
Sehr schlecht	2	2	1	1	1	3	1	2
Keine Angabe	2	2	1	2	4	3	5	2
	100	101	100	99	100	99	100	100

(Quelle: Infratest, Politik im Fernsehen, a. a. O., Tabelle 11 d)

zugung der ARD- gegenüber den ZDF-Programmen nicht unwesentlich bestimmen dürfte (hinzu kommt hier noch, daß nicht alle ARD-Zuschauer auch die ZDF-Sendungen empfangen können).

Es zeigt sich also, daß – nimmt man die Prädikate »ausgezeichnet« und »gut« als die entscheidenden positiven Beurteilungen der Programme – die Sendungen FRÜH-SCHOPPEN, PANORAMA, REPORT und JOURNALISTEN / POLITIKER am besten gefallen. Das bedeutet: Es werden Programme besonders geschätzt, die dem Zuschauer persönliches Engagement erlauben; sei es aufgrund einer – oft allerdings aufklärerisch motivierten – Personalisierung gesellschaftlicher Tatbestände, sei es aufgrund ihrer rein formalen Gegebenheiten. Ersteres gilt vor allem für PANORAMA und – in etwas geringerem Maße – für REPORT; letzteres trifft insbesondere auf die Diskussionsrunden FRÜHSCHOPPEN und JOURNALISTEN / POLITIKER zu, die beide schon von ihrer Form her eine Identität von behandelten Problemen und debattierenden Partnern suggerieren und aufgrund ihrer Aura als Expertengespräche Kulisseninformationen, inside stories versprechen. Die besondere Wertschätzung gerade solcher Programme läßt sich auch an dem folgenden Beispiel illustrieren, das aus der Infratest-Studie über die TV-Übertragung der Bundestagsdebatte zum Programm der Regierung Erhard entnommen wurde.

Tabelle 20: Beurteilung der Übertragung einer Bundestagsdebatte: 1966

	Alle Befragten, die mindestens eine Sendung im 1. Programm gesehen haben	Alle Befragten in Fernsehhaushalten mit Wahlmöglichkeit ARD/ZDF, die mindestens eine Sendung im 2. Programm gesehen haben
Basis	187	64
Ausgezeichnet	9 %	16 %
Gut	61 %	63 %
Zufriedenstellend	17 %	14 %
Mäßig	5 %	3 %
Keine Beurteilung	6 %	4 %
Sehr schlecht	2 %	–
	100	100

(Quelle: Infratest, Die Bundestagsdebatte . . ., a. a. O., S. 19)

Die relativ hohe Einschätzung dieser Sendungen dürfte ebenfalls darauf zurückzuführen sein, daß hier dem Zuschauer einmal die Konfrontation mit Problemen durch debattierende Personen vermittelt und zum anderen die Vorstellung suggeriert wird, er wäre bei wesentlichen, alle angehenden Entscheidungsprozessen unmittelbarer Zeuge [479]. Interessant ist an Tabelle 20 noch die deutlich bessere Beurteilung der

479 Vgl. dazu A. H. Eagley–M. Manis, Evaluation of Message and Communication

ZDF-Programme. Das dürfte daran liegen, daß zwischen diese Programme zwei spezielle Sendungen zu jener Bundestagsdebatte eingefügt wurden: Sendungen, die als Zusammenfassungen verschiedener Originalübertragungen mit anschließender Journalistendiskussion eingerichtet waren – also als Mischung aus tagesschau-ähnlicher Komprimierung der Ereignisse und diesem »Nachrichten«-Programm nachgeschalteter Expertendiskussion per- und rezipiert werden konnten.

Doch abgesehen von den leichten Vorteilen solcher Sendungen wurden eigentlich alle hier angeführten politisch-informierenden Programme relativ günstig beurteilt. Das provoziert allerdings gleich die Frage, wie diese Programme eingeschätzt werden, wenn die befragten Zuschauer sie mit anderen – insbesondere unterhaltenden – Sendungen vergleichen können. Tabelle 21 gibt darauf eine deutliche Antwort.

Tabelle 21: Beurteilung von verschiedenen Fernsehprogrammen: 1966

2. Programm (ZDF)					
Ausgezeichnet	Gut	Zufriedenstellend	Mäßig	Sehr schlecht	Keine Angabe, sehe diese Sendung nicht
Basis 1288 (%)	(%)	(%)	(%)	(%)	(%)
Politische Sendungen 5	32	30	17	6	10
Filme/Fernsehspiele 14	56	21	6	1	2
Unterhaltungssendungen 16	51	20	10	1	1
Sportsendungen 24	37	16	11	3	8
Kriminalstücke 26	44	15	8	2	3

Basis 1313 1. Programm (ARD)					
Politische Sendungen 6	30	31	20	6	7
Filme/Fernsehspiele 10	48	27	13	1	1
Unterhaltungssendungen 19	48	20	9	2	1
Sportsendungen 17	41	18	12	4	6
Kriminalstücke 22	45	17	10	2	3

(Quelle: Infratest, Politik im Fernsehen, a. a. O., Tabelle 5)

In der Konfrontation mit Unterhaltungsprogrammen schneiden die politischen Sendungen sichtbar schlecht ab – insbesondere gegenüber den Sportberichten und Kriminalstücken. Letztere finden rund 60 bis 70 % der Befragten gut und ausgezeichnet –

as a Function of Involvement, in: Journal of Personal and Social Psychology 4 1966, S. 483 ff.

politische Sendungen dagegen nur zirka ein Drittel der Fernsehteilnehmer. Dieses Ergebnis nur als Indikator für besonders kritisches Verhalten des Publikums gegenüber politischen Sendungen interpretieren zu wollen, erscheint angesichts des festgestellten Desinteresses weiter Kreise der Bevölkerung an Politik[480] mehr als gewagt. Plausibler dürfte sein, das Ergebnis als Hinweis auf die Unterhaltungsorientiertheit der Zuschauer zu nehmen. Zur Unterstützung dieser Annahme liegt ein illustratives Resultat vor, das in einer Untersuchung der Sendereihe »Das Dritte Reich« (ARD – 1960/1961) ermittelt wurde. Dort ließ sich nämlich feststellen, daß die Sehbeteiligung an den einzelnen Sendungen der Reihe je nach der Attraktivität der Nachbarprogramme schwankte – nachfolgende Unterhaltungsstücke (in diesem Falle: Kriminalfilme und Sportberichte) förderten, nachfolgende Kulturprogramme (in diesem Falle: Berichte über ägyptische Kunst und Ballett) senkten die Sehbeteiligung.

Tabelle 22: Abhängigkeit der Sehbeteiligung an Sendungen von deren Nachbarprogrammen: 1960/61

Sendetermin	Sendetitel (I)	Nachfolgendes Programm (II)	Sehbeteiligung	
			I (%)	II (%)
21. 10. 1960	Die Machtergreifung	Es ist soweit (I) (Kriminalfilm)	69	50
4. 11. 1960	Die Gleichschaltung	Es ist soweit (V) (Kriminalfilm)	64	62
27. 1. 1961	Die Blitzkriege	Eiskunstlauf	64	66
16. 12. 1960	Die Generalproben	Ballettimpression	48	25
19. 5. 1961	Das Ende	5000 Jahre ägyptische Kunst	42	10

(Quelle: Infratest, Die Sendereihe »Das Dritte Reich«, München 1961, S. 1–2)

Die Unterhaltungsorientiertheit des Fernseh-Publikums, die sich in dem letzten Ergebnis anzeigt, wird von den Sendeanstalten und den diesen dienstbaren Forschungsinstituten allerdings nur in günstiger Perspektive gesehen: »Der hohe Anteil an Unterhaltendem im Gesamtangebot des Fernsehens beeinflußt die Bewertung und Nutzung des politischen Teils nicht negativ, sondern eher positiv. Das Fernsehen wird von gleichen Teilnehmergruppen in gleichem Maße als Informations- und Unterhaltungsmedium genutzt. An Unterhaltung Desinteressierte sind auch weniger an Information interessiert.«[481] Die hinter dieser Feststellung stehenden Probleme – nämlich die Fragen, ob das Interesse an Unterhaltung und die sozusagen beiläufige Mitnahme der politischen Informationen auf dem Weg zum Amüsement das Publikum tendenziell unfähig macht, sich mit Politik sachlich zu beschäftigen; und ob das Fernsehen

480 Vgl. dazu Kapitel 2, Abschnitt 2 (c) dieser Arbeit.
481 ARD II, a. a. O., S. 53.

als ökonomisches Unternehmen gezwungen ist, sich dieser nicht zuletzt von ihm selber produzierten Unfähigkeit anzupassen und Information als Konsumgut aufzubereiten –, diese Probleme werden kaum diskutiert und demzufolge selten oder gar nicht systematisch untersucht [482]. Die Frage, ob auf unterhaltende Weise politische Information vermittelt werden kann, darf allerdings auch nicht vorschnell negativ entschieden werden; denn es gibt durchaus Beispiele, in denen sich zumindest die Möglichkeit, »eine Unterhaltungssendung als Instrument gesellschaftspolitischer Bewußtseinsbildung« [483] interpretieren zu können, andeutet. So kam bei einer Untersuchung der Zuschauerreaktionen auf das Fernsehspiel »Ein Tag – Bericht aus einem deutschen Konzentrationslager«, das immerhin eine – auf die Gesamtzahl der Teilnehmer am ARD-Programm bezogene – Sehbeteiligung von 46 % aufwies und von 45 % des zuschauenden Publikums positiv beurteilt wurde [484], zur Frage: »Finden Sie es gut, daß ein solches Thema im Fernsehen behandelt wird?« – folgendes heraus:

Tabelle 23: Einstellung zu dem sozialkritischen Fernsehspiel »Ein Tag«: 1965

| | Gesamt | Aufgliederung nach Geschlecht | | Aufgliederung nach Altersgruppen | | |
		Männer	Frauen	14–29 Jahre	30–49 Jahre	50 J. und älter
Basis	425	224	201	116	155	154
ja	60 %	65 %	56 %	74 %	57 %	54 %
nein	39 %	35 %	42 %	26 %	42 %	45 %
Keine Angabe / weiß nicht	1 %	–	1 %	–	1 %	1 %
	100 %	100 %	99 %	100 %	100 %	100 %

(Quelle: Infratest, Die Zuschauerreaktion auf die Fernsehsendung vom 6. Mai 1965 »Ein Tag – Bericht aus einem deutschen Konzentrationslager«, München 1965, S. 24)

Begründungen, die die Zuschauer für ihre positive Beurteilung der Sendungen gaben, zeigen relativ deutlich, daß der informierende und aufklärende Charakter solcher Fernsehspiele eine nicht zu unterschätzende Variable für die Reaktion auf diese Spiele darstellen dürfte.

482 Vgl. dazu – sozusagen als verpaßte Gelegenheit – H. K. Platte, Soziologie der Massenkommunikation, München 1965, S. 147 ff.
483 T. Brocher, Die Unterhaltungssendung als Instrument gesellschaftspolitischer Bewußtseinsbildung, in: C. Longolius (ed.), Fernsehen in Deutschland, Mainz 1967, S. 283 und ff.
484 Vgl. dazu Infratest, Die Zuschauerreaktion auf die Fernsehsendung vom 6. Mai 1965 »Ein Tag – Bericht aus einem deutschen Konzentrationslager«, München 1965, S. 4.

Tabelle 24: Gründe für die Einstellung zu dem sozialkritischen Fernsehspiel »Ein Tag«: 1965

	Ge-samt	Aufgliederung nach Geschlecht		Aufgliederung nach Altersgruppen		
		Män-ner	Frauen	14–29 Jahre	30–49 Jahre	50 J. und älter
Basis	425	224	201	116	155	154
Eine interessante und gute Aufklärung, das wußte man noch nicht	36%	34%	39%	49%	29%	34%
Hat realistisch und objektiv gezeigt, wie es damals war, wie grausam	17%	18%	15%	14%	19%	16%
Schauspielerisch gut	9%	11%	7%	6%	12%	8%
Sendung war gut gemacht	6%	6%	6%	9%	7%	3%
Wichtig für die jüngere Generation	3%	3%	3%	4%	1%	5%
Eine Warnung, das darf sich nicht wiederholen	3%	3%	3%	3%	3%	4%
Sonstige positive Äußerungen	1%	2%	1%	1%	1%	2%
Damit soll man aufhören, davon wird zu viel gebracht	14%	13%	14%	6%	12%	21%
Es wirkte nicht überzeugend, war übertrieben	8%	9%	6%	2%	12%	8%
Zu grauenvoll	6%	4%	9%	7%	9%	3%
Beschmutzung des eigenen Nestes, auch Verbrechen der anderen	2%	2%	1%	–	2%	3%
Nicht näher begründetes Desinteresse, Ablehnung	4%	4%	4%	6%	4%	2%
Sonstige negative Äußerungen	0	1%	0	–	1%	1%
Keine Angabe	1%	1%	1%	1%	1%	1%

(Quelle: Infratest, Die Zuschauerreaktion auf die Fernsehsendung »Ein Tag . . .« a. a. O., S. 6)

Zum Abschluß dieser kurzen Analyse der Publikumsreaktionen auf die massenmedial verbreitete politische Information und im Rückblick auf die davor gegebene inhaltsanalytische Skizze solcher Information läßt sich so zusammenfassend festhalten: In der Zwiespältigkeit des redaktionellen Angebots – hier Propagierung einer öffentlichen Aufgabe, dort profitorientierte Produktion herrschaftsaffirmativer Auskünfte über eine Gesellschaft, deren verschleierter Zustand sozusagen das Lebenselexier der Massenmedien darstellt –, in dieser Zwiespältigkeit sowie in der bewußtseinsverdunkelnden Wirkung auf ihr Publikum offenbart sich das politökonomische Dilemma dieser Institutionen: nach dem Grundgesetz für Orientierung und Aufklärung, Kritik und Kontrolle sorgen zu sollen; aber im Interesse der die Medien und die Gesellschaft beherrschenden Machtgruppen aus Ökonomie und Politik die Disziplinierung des Publikums und die Kaschierung des Klassencharakters der Bundesrepublik vorantreiben zu müssen.

(2) Die unterhaltende Aktivität und Funktion der Massenmedien

Wenn die unterhaltende Aktivität von Presse, Rundfunk, Fernsehen auch nicht in gleichem Maß verfassungsrechtlich als öffentliche Aufgabe fixiert ist wie deren informierende Tätigkeit, so erscheint in der Kommunikationssoziologie wie im Selbstverständnis der Massenmedien diese unterhaltende Aktivität doch als legitimer Teil jener öffentlichen Aufgabe [485]. Massenmediale Unterhaltung verträgt sich danach insofern mit einem demokratischen Wertesystem, als sie die intendierte ernsthafte journalistische Arbeit mit angenehmeren Mitteln fortsetzt. Läßt man einmal beiseite, daß es mit der ernsthaften journalistischen Arbeit durchaus nicht zum besten bestellt ist, ergeben sich aus einem solchen Anspruch folgende Forderungen an die Gestaltung der unterhaltenden Aktivität der Massenmedien: (1) Der Bereich der Unterhaltung darf den der Information nicht neutralisieren oder gar verdrängen; (2) der Bereich der Unterhaltung darf keine ideologischen Komponenten enthalten, die den mit der Information intendierten demokratischen Publikumswirkungen widersprechen; (3) der Bereich der Unterhaltung kann zwar psychotherapeutische Mittel gegen individuelle Ermüdungserscheinungen aufweisen, darf aber keinerlei Möglichkeiten zur Realitätsflucht bieten.

Diesen Argumenten stimmen die Produzenten von Massenmedien durchaus zu; den kritischen Einwand, das, was in Massenmedien Amüsement genannt werden könne und wolle, ermögliche lediglich eine nachdrücklichere Verfügung über den Konsumenten [486], schieben sie weit von sich. Sie interpretieren Unterhaltung entweder als zusätzliche, leicht verdauliche Information oder als harmloses Mittel der Entspannung von den alltagspraktischen Erfordernissen. Im folgenden geht es daher vor allem um die Frage, ob und inwieweit die Phalanx aus Romanen, Kurzgeschichten, Anekdoten und graphischen Witzen, Horoskopen, Rätseln, Gesellschaftsspielen, Preisausschreiben, Comic Strips, Kolportagen und Personalien; aus Opern, Operetten, Musicals, Magazinsendungen, Spiel- und Fernsehfilmen, Volks- und Fernsehspielen, Varieté und Kabarett, Quizprogrammen, Shows, Kriminal- und Westernserien, Kinderstunden und Sport – ob und inwieweit die Phalanx aus Unterhaltungsmaterial die bereits für die Abteilung »Information« inhaltsanalytisch diagnostizierten Tendenzen und Mechanismen sowie die publikumsanalytisch festgehaltenen Reaktionen und Einstellungen fördert, verstärkt oder gar mit weiteren problematischen Momenten bereichert. Die Diskussion dieser Frage muß sich vornehmlich auf die Medien Fernsehen und Illustrierte beschränken, da nur für sie Daten verfügbar sind. Das dürfte jedoch insofern nicht allzu schwer wiegen, als gerade Fernsehen und Illustrierte (Massenpresse) prototypisch das Kombinat aus Unterhaltungs- und Informationsindustrie repräsentieren.

---

485 Vgl. dazu Kapitel 2, Abschnitt 3 und Kapitel 3, Abschnitt 1 (c).
486 Vgl. dazu T. W. Adorno – M. Horkheimer, Dialektik der Aufklärung, Amsterdam 1947, S. 162.

Fragt man zunächst nach der Verteilung des massenmedialen Unterhaltungsstoffes auf einzelne Kategorien, erhält man folgende Aufschlüsselungen für Illustrierte:

Tabelle 25: Aufgliederung des Unterhaltungsangebots von Aktuellen Illustrierten (Basis: sämtliche Unterhaltungsbeiträge eines Jahrgangs): 1964

	Quick 787 = 100 (%)	Revue 694 = 100 (%)	Stern 1236 = 100 (%)	Insgesamt (%)
Roman	15,6	16,6	14,2	15,1
Kurzgeschichte	–	2,5	0,6	1,0
Anekdote und graphischer Witz	15,2	16,0	23,8	18,3
Horoskop	0,5	7,5	4,2	4,1
Rätsel und Gesellschaftsspiel	8,1	8,6	11,4	9,5
Preisausschreiben	6,6	9,4	5,9	7,3
Comic Strip	6,1	–	13,5	6,6
Kolportage	24,0	21,8	11,3	19,1
Personalien	23,9	17,6	15,1	18,0
	100,0	100,0	100,0	100,0

(Quelle: H. Holzer, a. a. O., S. 99)

Und fürs Fernsehen:

Tabelle 26: Aufgliederung der Fernsehunterhaltung: 1965 (Basis: Das Unterhaltungsangebot des ARD- und des WDR-Regionalprogramms von 6 Wochen, April/Mai) (1 SE = 5 Minuten)

	%
Oper, Operette, Musical	2,8
Magazinsendung	21,0
Spiel- und Fernsehfilm	13,9
Volks- und Fernsehspiel	13,2
Varieté und Kabarett	3,6
Quiz	4,6
Show, Schlager	4,1
Kriminalfilm	3,4
Kinderstunde	11,5
Western	0,4
Sport	21,5
(= 4341 SE =)	100,0

(Quelle: A. Silbermann, Vorteile und Nachteile..., a. a. O., S. 122)

Dem Einwand, diese unterhaltende Aktivität der Massenmedien vertrüge sich nicht mit deren öffentlicher Mission, wird zunächst mit dem Hinweis auf den angeblichen Informationswert von Romanen und Kolportagen, Fernsehspielen und Magazinsendungen begegnet, wobei zudem behauptet wird, gerade die Mixtur aus Dichtung und Wahrheit, Wunschwelt und Alltäglichkeit erlaube eine schonende Konfrontation des Publikums mit akuten sozialen Problemen. Unterhaltung – beispielsweise der Roman um die Antikonzeptions-Pille, das Fernsehspiel um rassische Diskriminierung – wird hier gleichsam als entschärfte Information und als unterschwellig wirkendes Vehikel dieser Information interpretiert. Dabei geht man von der Annahme aus, daß »von Beiträgen mit unterhaltendem Charakter unter Umständen das gesellschaftliche und politische Bewußtsein stärker geprägt wird als von politischen Beiträgen«[487]. Daß eine solche Argumentation eine höchst dubiose Schizoidität zum journalistischen Prinzip erhebt, bleibt bei fast allen Versuchen, Unterhaltung als öffentliche Aufgabe der Massenmedien zu legitimieren, unberücksichtigt [488].

Doch die Komponente »Unterhaltung« im redaktionellen Programm der Massenmedien erhält – wie bereits erwähnt – noch auf andere Art eine Rechtfertigung und damit die Bestätigung, legitimerweise zur öffentlichen Aufgabe von Presse, Rundfunk und Fernsehen zu zählen. Der Kern dieser Apologie läßt sich folgendermaßen verbalisieren: »(Es) besteht ein Bedürfnis nach Zerstreuung, und zwar nicht nur aus Neugierde und zum Zeitvertreib, sondern zu Zwecken der Ablenkung, besonders nach einer ermüdenden und unpersönlichen Tagesarbeit.«[489] So erscheint das Angebot an entspannendem Material, an solchem, das eine kurzfristige Erholung von der täglich zu ertragenden gesellschaftlichen Realität gestattet, als psychotherapeutische Hilfe für das massenmediale Publikum. Daß dabei den Lesern, Hörern und Sehern möglicherweise sehr zweifelhafte Gelegenheiten zur Verdrängung unreflektiert gebliebener intellektueller wie psychischer Deformationen gegeben und sie so in ein höchst fragwürdiges seelisches Gleichgewicht gebracht werden, bleibt dabei undiskutiert.

Im folgenden soll nun – ähnlich wie für den Bereich »Information« – zweierlei versucht werden: (1) Anhand vorliegenden qualitativen Materials sollen die Aspekte der massenmedialen Unterhaltung, ihre wesentlichen Momente und Mechanismen, freigelegt werden; dabei wird sich zeigen, wogegen sich die selbst schon problematische gesellschaftsrelevante Information über Politik, Wirtschaft und Kultur abzuheben und zu behaupten hat; (2) es sollen die ermittelten Publikumsreaktionen auf die massenmediale Unterhaltung dargestellt, und es soll demonstriert werden, in welcher Weise diese Reaktionen Bedenken gegenüber dem angebotenen Amüsement rechtfertigen.

487 H. Meyn, a. a. O., S. 9; vgl. dazu ARD I, a. a. O., S. 164.
488 Vgl. dazu H. A. Walter, a. a. O., S. 155.
489 R. Clausse, a. a. O., S. 11, vgl. dazu ARD I, a. a. O., S. 164.

A. Unterhaltung in Massenmedien I: Traumwelt und gesellschaftliche Realität

Es wurde an früherer Stelle bereits kurz auf die – insbesondere von Boulevardpresse und Illustrierten [490] bewußt produzierte – Mixtur aus Wunschwelt und Alltäglichkeit, Traumwelt und gesellschaftlicher Realität hingewiesen, die generell für das redaktionelle Angebot der Massenmedien typisch ist [491] (ein Sachverhalt, der noch deutlicher hervortreten würde, wenn man das Anzeigenvolumen ebenfalls auf das Vorhandensein jener Mixtur befragte). »Die Negation wird mit dem Positiven koordiniert, die Nacht mit dem Tag, die Traumwelt mit der Arbeitswelt, die Phantasie mit der Versagung.« [492] Auch der massenmediale Bereich, der eigentlich speziell für die Produktion einer solchen Wunschwelt zuständig ist, der der Unterhaltung im weitesten Sinne, kennt – allerdings in abgeschwächter Form – die Simultaneität von Traumweltlichem und Gesellschaftlich-Realem. Diese Gleichzeitigkeit verhindert hier das Aufkommen einer Diskrepanz zwischen der in Romanen, Kolportagen, spezifischen Fernsehserien (vor allem solchen, die sich um sogenannte TV-Familien ranken) wie Hörfunksendungen dargestellten Wunschwelt und der real-sozialen Situation des Publikums [493]. Die massenmediale Traumwelt erscheint so fast stets als immanent relativiert, und zwar durch einen zumeist minimalen Gehalt an individueller oder kollektiver Problematik [494].

Die so praktizierte Koppelung von Lust- und Realitätsprinzip sorgt dafür, daß sich die Traumwelt in ihrer Brüchigkeit, das schöne Leben mit seiner Nachtseite zeigt: Die Fassade mag glänzen, aber wie es drinnen aussieht, ist eine Frage, auf die es nicht immer eine erfreuliche Antwort gibt [495]. Das Unterhaltungsangebot der Massenmedien suggeriert daher keine »Märchenordnung des ›Tischlein, deck dich‹« [496], sondern bietet eine Wunschwelt mit Tücken, ›Tischlein, deck dich‹ und ›Knüppel aus dem Sack‹ also [497]. Diese Traumwelt der Massenmedien – nicht zu Unrecht als »Wechselbad zwischen Idylle und Detonation« [498] bezeichnet – gibt dem lesenden, hörenden, sehenden Publikum so nicht einmal die Möglichkeit, im realen gesellschaftlichen Leben

490 K. Pawek, a. a. O.
491 Vgl. dazu E. Dichter, Strategie im Reich der Wünsche, München 1964, S. 220.
492 H. Marcuse, a. a. O., S. 97.
493 Vgl. dazu H. Holzer, a. a. O., S. 286 ff.
494 Vgl. dazu M. U. Martel – G. J. Mc Call, Reality Orientation and the Pleasure Principle, in: L. A. Dexter – D. Manning White (eds.), a. a. O., S. 332; L. Löwenthal, Biographies in Popular Magazines, in: B. Berelson – M. Janowitz (eds.), a. a. O., S. 298; vgl. dazu weiter H. Holzer, a. a. O., S. 288.
495 Vgl. dazu M. Horkheimer, Über das Vorurteil, in: T. W. Adorno – M. Horkheimer, Sociologica II, Frankfurt 1962, S. 92; A. Mitscherlich, Auf dem Weg zur vaterlosen Gesellschaft, München 1963, S. 92.
496 A. Mitscherlich, a. a. O., S. 411.
497 Vgl. dazu H. Holzer, a. a. O., S. 289 ff.; H. M. Enzensberger, Scherbenwelt, a. a. O., S. 106 ff.
498 H. M. Enzensberger, a. a. O., S. 122.

unbefriedigt gebliebene Wünsche ersatzweise, durch Partizipation an einer problemlosen Wunschwelt zu verwirklichen. Statt dessen wird die Vorstellung suggeriert, jedes Verlangen nach einer sozialen Ordnung, die befriedigende Erfahrung der eigenen Existenz garantiert, sei eigentlich unsinnig, da – mit quasi naturgesetzlicher Notwendigkeit – dort, wo das Licht am hellsten, auch der Schatten am schwärzesten ist[499]. Der Aufruf zur Anpassung an bestehende, höchst problematische soziale Verhältnisse, insbesondere aber an die gegebene, klassen- und schichtspezifische Verteilung von Lebenschancen, ist hier deutlich zu vernehmen.

Ein solcher Aufruf kann sich zunächst auf recht einfache Weise darin ausdrücken, wie im Unterhaltungsangebot von Massenmedien einzelne soziale Gruppen repräsentiert und interpretiert werden. Eine aufschlußreiche, leider schon ältere Studie über amerikanische Magazine hat zum Beispiel erbracht, daß in den Kurzgeschichten und Romanen die verschiedenen Bevölkerungsteile der USA keineswegs so vertreten sind, wie es ihrer Quote an der Gesamtpopulation entspricht (siehe Graphik 8).

Das bedeutet, daß beispielsweise Minoritätsgruppen im Bewußtsein der Leser allein durch ihre quantitativ unerhebliche Präsenz in den untersuchten Beiträgen noch einmal verstärkt als Minderheiten erscheinen. Außerdem hat jene Studie herausgearbeitet, daß die Hauptcharaktere der Kurzgeschichten und Romane in den analysierten Magazinen vorwiegend durch »vollblütige Amerikaner« gestellt werden und daß diese zumeist einen höheren sozio-ökonomischen Status einnehmen als die übrigen Figuren der stories[500]. Dabei ist noch folgendes zu beachten: Die in solchen Unterhaltungsbeiträgen dominierende soziale Gruppe, also die der »vollblütigen Amerikaner«, entspricht weitgehend – bis tief in einzelne Merkmale hinein – dem angesprochenen Publikum. »(The) portrayals of characters and social events primarily express those understandings, interests, and values which are most widely common to (and distinctive of) the readership.«[501] Das hat zur Konsequenz, daß das betreffende Publikum fortwährend an sich selbst angepaßt wird und die von ihm abweichenden Minderheiten zunehmend stereotypisiert werden. »(The) condition and behavior of fictional characters can readily be used to ›prove‹ that the Negroes are lazy or ignorant, the Jews are shy, the Irish superstitious, the Italions criminal, and so on.«[502]

Wie dieser Aufruf zur Anpassung an fragwürdige Vorurteile und Situationen im einzelnen formuliert ist und welche Mechanismen der Konditionierung dabei in Gang gesetzt werden, läßt sich deutlicher an den personalen Gegenstücken zu den depravierten Minoritäten demonstrieren, nämlich an den Prominenten aus Politik, Wirtschaft, Kultur und high society. Diese Prominenz ist es vor allem, die mit ihrem zur

499 Vgl. dazu T. W. Adorno, Minina Moralia, Frankfurt 1962, S. 195.
500 Vgl. dazu B. Berelson – P. Salter, a. a. O., S. 182 und 177.
501 M. U. Martel – G. J. McCall, a. a. O., S. 332; vgl. dazu A. P. Runciman, A stratification study of TV programs, in: Sociology and Social Research 4 1960, S. 257 ff.
502 B. Berelson – P. Salter, a. a. O., S. 188.

Graphik 8: Verteilung der Gesamtbevölkerung auf ethnische Gruppen und der Repräsentanz in Kurzgeschichten amerikanischer Magazine: 1937–1943
(Basis: 189 Kurzgeschichten und Romane aus 8 Magazinen von 7 Jahrgängen)

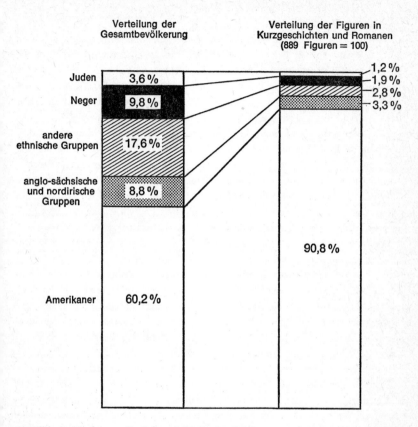

(Quelle: B. Berelson – P. Salter, Majority and Minority Americans in Magazine Fiction, in: Public Opinion Quarterly 10, 1946, S. 175.)

Schau gestellten Potential an Lebenschancen der Unterhaltungswelt der Massenmedien den eigentümlich schillernden Anstrich verleiht. Charakteristisch ist schon, aus welchen Sektoren der Gesellschaft sich jene Prominenz rekrutiert: Eine Inhaltsanalyse von US-amerikanischen Populärmagazinen hat festgestellt, daß die dort aufgetauchten Prominenten vorwiegend aus der Konsumsphäre kommen, dagegen in weit geringerem Maße aus der Produktion, der Verwaltung und der Partei- wie Regierungspolitik. Dieses Ergebnis wird zusammenfassend folgendermaßen umschrieben: »As we studied our stories, we looked almost in vain for such vital subjects as the man's relations to politics or to social problems in general. Our category of sociology reduces itself to the private lives of our heroes.«[503] Das Auftreten gesellschaftlicher Prominenz in den Massenmedien scheint also ebenfalls durch die bereits skizzierten Darstellungsmethoden – Personalisierung sozialer Tatbestände, Ersetzung von Öffentlich-Relevantem durch Privat-Zufälliges – vorbereitet zu werden.

Das bestätigen auch neuere Untersuchungen über bundesrepublikanische Illustrierten und Jugendzeitschriften. Die quantitativen Daten zur gesellschaftlichen Herkunft dieser Illustrierten-Prominenz entsprechen dabei weitgehend den Werten der zitierten amerikanischen Studie. In diesen Studien wird ebenfalls deutlich, daß die in Massenmedien präsentierte Prominenz vorwiegend aus dem Bereich des Konsums, insbesondere aus der Kulturindustrie und der sogenannten high society kommt[504]. Auf den ersten Blick stellen die Prominenten Idole dar, die als veräußerlichte träumerischomnipotente Ich-Ideale interpretiert werden können, als Ich-Ideale, die auf die Entwicklungshemmungen und Frustrationen derer ausgerichtet sind, die ihrer gesellschaftlichen Situation nur noch in Tagträumen entrinnen zu können glauben[505]. Solche Idole eignen sich auf Grund ihres zu affektivem Engagement provozierenden Charakters und ihres Auftretens als Quasi-Autoritäten hervorragend als Projektionsund Identifikationsobjekte. Die Prominenten können das jedoch erst dann wirklich werden, wenn sie dem Publikum nicht als unerreichbare Repräsentanten einer Traumwelt entgegentreten, sondern zumindest einen minimalen Bezug zum Alltag des Publikums aufweisen. Einen derartigen Bezug suchen die Medien auf dreierlei Weise herzustellen: Sie relativieren die oft übermächtig erscheinende Position der Prominenten, indem sie diesen die Aura von Alltagsmenschen verleihen; indem sie deren jähen Sturz vom Gipfel des Ruhms in den Abgrund der Anonymität, ja des Todes demonstrieren; und indem sie sie zu Objekten öffentlicher Belustigung degradieren[506]. Die Methode, die Prominenten als Menschen wie du und ich aufzubauen, sie mit dem Etikett zu versehen »Auch wir sind nur Menschen«, ermöglicht es den Massenmedien einerseits, eine soziale Gruppe vorzustellen, von deren Ausstattung mit Lebenschancen der Normalverbraucher allenfalls träumen kann; und andererseits, im Publikum den Neid auf die offensichtlich Privilegierten und die Enttäuschungen über die eigene Mangelsituation nicht überhandnehmen zu lassen. Letzteres suchen die Medien weiter dadurch zu erreichen, daß sie die zur Schau gestellte Prominenz als

503 L. Löwenthal, a. a. O., S. 298.

504 Vgl. dazu H. Holzer, a. a. O., S. 130; H. Holzer – R. Kreckel, a. a. O., S. 210; R. W. Fröhlich, Verhaltensdispositionen, Wertmuster und Bedeutungsstrukturen kommerzieller Jugendzeitschriften (unveröffentlichte Dissertation), München 1968, S. 138 ff.; vgl. dazu weiter die andersartigen Ergebnisse für den ›Spiegel‹, in: D. Just, a. a. O., S. 139.

505 Vgl. dazu A. Mitscherlich, a. a. O., S. 141.

506 Vgl. dazu und zu dem folgenden W. Albig, a. a. O., S. 482; H. Holzer, a. a. O., S. 174 ff.; R. W. Fröhlich, a. a. O., S. 158 und 169 ff.; H. Holzer – R. Kreckel, a. a. O., S. 210 ff.

eine Spezies vorführen, die sich zwar allerhand leisten kann – ökonomisch und moralisch –, deren Tagesablauf jedoch womöglich noch weniger Freiheit (was für Massenmedien gleichbedeutend ist mit Freizeit) erlaubt als der Arbeits- und Familientag eines Durchschnittslesers, -sehers oder -hörers. Die Prominenten präsentieren sich also nicht als freischwebend Agierende, aller Sorgen und Beschränkungen Ledige, sondern als Menschen, die sich gerade von dem Herrschaftsinstrument, das ihnen eine gewisse Autonomie gewähren könnte, um diese Autonomie gebracht sehen. Doch die Prominenten sind in der Darstellung der Massenmedien nicht nur angeblich erbarmungslos in ihre gesellschaftliche Praxis integriert [507] und oft zu weitgehendem Verzicht auf das, was sie sich eigentlich leisten könnten, gezwungen; sie sind auch mitnichten gegen die sogenannte Unerbittlichkeit des Lebens gefeit – sei es, daß ihnen das Publikum seine Gunst versagt; sei es, daß sie unvermutet (photogene) Opfer schicksalhafter Tragödien oder politischer Dramen werden.

Beide Erscheinungsformen – der in einen Alltagsmenschen verwandelte Prominente und der, der vom Gipfel der Popularität jäh abstürzt – sollen den Konsumenten die projizierende Identifikation mit ihren Idolen erleichtern und gleichzeitig verwehren. Denn die Prominenten demonstrieren einmal, welche Möglichkeiten des Lebensgenusses diejenigen besitzen, die die soziale Macht haben, ihre Wünsche mühelos zu erfüllen [508]: Damit gewähren sie dem sich mit ihnen identifizierenden Publikum ein gewisses Maß an Erleichterung, an Ersatzbefriedigung seiner unerfüllten Forderungen und Sehnsüchte. Gleichzeitig geben die Prominenten – besonders, wenn sie ihre soziale Macht verlieren – aber auch Zielscheiben für die Aggressionen ab, die im Publikum durch das Gefühl, weniger soziale Macht zu besitzen, provoziert werden und zur Projektion drängen [509]. Das Schicksal der Prominenten soll offenbar, indem es Wunschtraum und gefährdete Realisation des Wunschtraumes verbindet, dem Publikum gleichermaßen attraktiv und abstoßend erscheinen. Das Publikum wird auf diese Weise angehalten, die realgesellschaftlich gegebene Privilegierung der Prominenten nicht so wichtig zu nehmen und die eigene Lebenssituation nicht als unbefriedigend und daher veränderungswürdig zu erkennen.

Die Degradierung der Prominenten zu Objekten öffentlicher Belustigung – die dritte Methode journalistischer Zubereitung von Prominenz – muß im Zusammenhang mit dem bisher Referierten interpretiert werden. Zunächst scheint es so, als ob die Ironisierung der Prominenten, insbesondere Der Spiegel und Stern [510] sind Meister dieses Vergnügens, das Publikum nicht zu unreflektierter Identifikation und

507 Vgl. T. W. Adorno – W. Dirks (eds.), Soziologische Exkurse, Frankfurt 1956, S. 35.
508 Vgl. dazu A. Mitscherlich, a. a. O., S. 27.
509 Vgl. zu diesem Frustrations-Aggressions-Mechanismus J. Dollard et al., Frustration and Aggression, New Haven 1957 (9. ed.), Kapitel I, II und III.
510 Vgl. dazu H. M. Enzensberger, Die Sprache des Spiegel, a. a. O., S. 74 ff.; D. Just, a. a. O., S. 127 ff.; H. Holzer, a. a. O., S. 177 ff.

Projektion verleiten, sondern in eine wohlwollend-interessierte Distanz zu den zele- brierten Stars bringen würde. Doch bei näherem Hinsehen erkennt man, daß die praktizierte Ironie sehr oft in pure Schadenfreude umschlägt, wenn der Prominente in Situationen vorgeführt wird, in denen er sich Schwierigkeiten – insbesondere solchen moralischer Art – nicht gewachsen zeigt. Hier wird dann ebenfalls auf die Aggres- sionen des Publikums spekuliert, die es jenen gegenüber hegt, denen es anscheinend besser geht und die sich alles erlauben können. Das Aufkommen solcher Aggressionen wird allerdings durch die an das Publikum gehende Aufforderung erschwert, erstens die Prominenten nicht allzu ernst zu nehmen; zweitens sich zu erinnern, in welchem Maße diese von ihm, dem Publikum, abhängen; und drittens zu bedenken, daß es prinzipiell jedem möglich ist, bis zur letzten Sprosse der Erfolgsleiter zu klimmen[511]. Dabei halten freilich die beiden ersten Argumente das Publikum davon ab, das dritte allzu wörtlich zu nehmen: Denn wenn die Prominenz in der von den Medien ver- tretenen öffentlichen Meinung nicht gerade hoch im Kurs steht, sogar oft lächerlich wirkt, und zudem eigentlich ein Geschöpf derer darstellt, die sie bestaunen, dann hat das Publikum gegenüber den Prominenten eine Position erreicht, die ihm eine Iden- tifikation gewissermaßen erspart[512]. Damit wird schließlich das Publikum doch, wenn auch auf sehr subtile Weise, zur Bescheidung bei seinem eigenen Glück im stillen Winkel animiert. Es wird in die frustrierende Situation zurückgedrängt, aus der her- auszukommen sein objektives Interesse ist. Versehen mit dem heuchlerischen Trost, als Konsumenten die eigentlichen Könige zu sein, bleiben die Leser, Hörer und Seher bei dieser Apologie einer privilegierten Gruppe klar auf der Strecke.

Die sich im Bild der zeitgenössischen Prominenz anzeigende immanente Relativie- rung der massenmedialen Traumwelt weist auf einen problematischen Gesellschafts- zustand hin – sie ist teils dessen Kompensation und teils dessen Rationalisierung. Die Prominentenfiguren deuten an, was sein könnte; gleichzeitig bestätigen sie jedoch auf hintersinnige Weise das Bestehende. Diese Figuren – als profiliertieste Repräsentanten jener Traumwelt – trösten das Publikum der Massenmedien darüber hinweg, daß es von wesentlichen materiellen und immateriellen Lebenschancen, die in der Gesell- schaft zur Verfügung stehen (beziehungsweise stehen könnten), abgeschnitten ist. Aber noch schlimmer: Sie drängen zugleich dieses Publikum durch Vorspiegelung falscher Tatsachen noch energischer in solch depravierende Verhältnisse[513].

511 Vgl. dazu R. W. Fröhlich, a. a. O., S. 158 ff.
512 Vgl. dazu H. Marcuse, a. a. O., S. 100–101.
513 Vgl. dazu T. W. Adorno, Einleitung in die Musiksoziologie, Frankfurt 1962, S. 3 ff.; A. Mitscherlich, Das soziale und das persönliche Ich, in: Kölner Zeitschrift für Soziologie und Sozialpsychologie 1 1966, S. 30; J. Hayakawa, Popular Songs vs. The facts of life, in: B. Rosenberg – D. Manning White (eds.), a. a. O., S. 394 ... Ein weiteres sehr prägnantes Beispiel für diesen Sachverhalt ist das Bild der Frau in den Massenmedien, insbesondere die Darstellung des Emanzipationsproblems; auch hier wird eine Traumwelt, die der voll Emanzipierten, aufgebaut, die, indem ihre schwar- zen Flecken drohend hervorgekehrt werden, dazu herhalten muß, den Frauen jegliche

Ein weiterer Aspekt ist der immanenten Relativierung von Traumwelt abzugewinnen, wenn man sie auf einen zentralen sozial-psychologischen Tatbestand bezieht: auf die Angst vieler Menschen vor kollektiver Selbstvernichtung[514]. Geht man nämlich davon aus, daß in den gegenwärtigen kapitalistischen Industriegesellschaften mit der immensen, zur Aufrechterhaltung der ökonomischen (und damit politischen) Stabilität dieser Gesellschaften notwendige[515] Produktion nuklearer Waffen der soziale Fortschritt in seiner extremsten Perversion – als Vorbereitung einer kollektiven Selbstzerstörung, eines »planetarischen Amoklaufs«[516] – institutionalisiert ist, läßt sich an dem Verfahren, Traumwelt zu produzieren und deren Bedrohung gleich mitzuliefern, zweierlei ablesen: einmal der Versuch, mit scheinhaften Bildern von einem schönen Leben die im Bewußtsein des Publikums provozierte Angst zuzudecken; und zum anderen die Tendenz, das Verlangen nach solchen scheinhaften Bildern vom schönen Leben im Publikum dadurch auszulösen (und zu verstärken), daß die Scheinwelt selber schon als problematisierte, bedrohte vorgeführt wird. Dabei wird der Eindruck von Bedrohtheit noch verschärft durch die Konfrontation dieser bereits angekratzten Traumwelt mit dem sogenannten »unerbittlichen Leben«[517], wie es sich vor allem im Angebot an gesellschaftsrelevanter Information und informierender Unterhaltung manifestiert. Dieser Tatbestand – also die Kombination von »Tischlein deck dich« und »Knüppel aus dem Sack«, von »rosiger Jolanthe oder Kraft durch Freude«[518] und einer Welt, die als »Scherbenhaufen«[519] zu enden droht – soll im folgenden näher untersucht und genauer dargestellt werden.

In zahlreichen inhaltsanalytischen Studien[520] wurde herausgearbeitet, in welchem Maße trotz aller Wunschbilder und human interest stories in den Massenmedien ein Klima von Angst verbreitet wird, dessen Konsequenzen für die Leser nicht nur einer soziologischen, sondern auch einer eingehenden psychologischen Analyse bedürfen –

Form von Selbstbefreiung zu verleiden – vgl. dazu E. Becker, a. a. O., S. 427 ff.; R. Dörner, Zum Frauenbild der Illustrierten, in: Das Argument 22 1962, S. 41 ff.; H. Holzer, a. a. O., S. 216 ff.; W. L. Warner – W. E. Henry, The Radio Day Time Serial: A Symbolic Analysis, New York 1962; vgl. dann weiter T. W. Adorno, Prolog zum Fernsehen, in: T. W. Adorno, Eingriffe, Frankfurt 1963, S. 78.

514 Vgl. dazu H. Flohr, Angst und Politik in der modernen parlamentarischen Demokratie; D. Claessens, Über gesellschaftlichen Druck, Angst und Furcht; G. Kleining, Angst als Ideologie, in: H. Wiesbrock (ed.), Die politische und gesellschaftliche Rolle der Angst, Frankfurt 1967, S. 43 ff.; S. 135 ff.; S. 194 ff.

515 Vgl. dazu Kapitel 3, Absatz 2 (b) dieser Arbeit.

516 H. M. Enzensberger, Scherbenwelt, a. a. O., S. 117.

517 T. W. Adorno – M. Horkheimer, Dialektik der Aufklärung, a. a. O., S. 181; vgl. dazu A. Mitscherlich, a. a. O., S. 27.

518 H. M. Enzensberger, a. a. O., S. 110.

519 H. M. Enzensberger, a. a. O., S. 116.

520 Vgl. dazu S. Kracauer, From Caligari to Hitler, Princeton 1947; H. M. Enzensberger, a. a. O., S. 106 ff.; W. Thomsen, a. a. O.; H. Holzer, a. a. O., S. 269 ff.; O. Gmelin, a. a. O., S. 112 ff.

einer Analyse, die bis jetzt nicht vorliegt[521]. Auf dieses Problem wird an späterer Stelle zurückgekommen – hier geht es zunächst nur darum, die Elemente des massenmedialen Angebots, insbesondere des Angebots an Unterhaltung, zusammenzustellen, deren kombiniertes Auftreten jenes Klima von Angst produziert. Generell gesprochen wird Angst vorwiegend durch unterhaltend informierende Beiträge zu Krankheit, Unfall, Verbrechen und Krieg suggeriert. Dabei scheint es vor allem darauf anzukommen, effektvoll die Bedrohung des einzelnen, dessen permanente Gefährdung in einer zumindest hintergründig problematischen Welt zu demonstrieren und überzeugend zu veranschaulichen, daß man in dieser Welt stets aufs Äußerste gefaßt sein muß. Die Darstellung von Krankheit, Unfall, Verbrechen und Krieg lassen den Lesern, Hörern und Sehern die Welt, in der sie leben, als bedrohlich und damit sich selbst als bedroht erfahren. Zwar erinnert der Anblick des »unerbittlichen Lebens« daran, daß die Beziehung des einzelnen zu seiner Umwelt bis jetzt offenbar nicht befriedigend gestaltet ist; aber dieses kritische Moment wird von den Medien mit jeweils unterschiedlicher Intensität sofort wieder unterdrückt, indem sie den einzelnen fast ausschließlich in seiner Wehrlosigkeit zeigen und die gesellschaftliche Bedingtheit dieser Wehrlosigkeit unterschlagen. Damit zwingen die Medien ihr Publikum in ein irrationales Verhältnis zu der geschilderten Bedrohung. Das wiederum verstärkt die Unsicherheit, in der sich die Mehrzahl der massenmedialen Konsumenten auf Grund ihrer soziopsychischen Situation befindet, nicht nur; es verwandelt sie zudem – da die eigentlichen Ursachen der Bedrohung nicht beim Namen genannt werden – in eine ziel- und richtungslose Angst. (Das prägnanteste Beispiel für die Provokation eines derartigen Angstzustandes beim Publikum und die Steigerung dieses Zustandes bis zur Panik ist die 1940 im US-Rundfunk gesendete science fiction story »Die Invasion vom Mars« von Orson Welles[522].) Provokation von Angst und deren – wie der Traumweltcharakter der Medien angedeutet hat – gleichzeitige Betäubung entpuppen sich so als wesentliche Merkmale des massenmedialen Angebots[523], zumindest des Angebots der Massenpresse und – teilweise – des Fernsehens.

521 Vgl. zu dem Folgenden W. F. Haug, Warenästhetik und Angst, in: Das Argument a – 1964/S. 14 ff.

522 Vgl. dazu H. Cantril, H. Gaudet, H. Herzog, The Invasion from Mars, Princeton 1952; H. Cantril, The Invasion from Mars, in: W. Schramm (ed.), The Process and Effects . . ., a. a. O., S. 411 ff.

523 Vgl. dazu die rein formale, daher verharmlosende Bemerkung von Alphons Silbermann: ». . . das Fernsehen (erlangt) seine institutionelle Bedeutung dadurch, daß es mitverantwortlich ist sowohl für die Integration des Individuums als auch der Gesellschaft als Ganzes«, A. Silbermann, Fernsehen und Demokratie, in: A. Silbermann, Ketzereien eines Soziologen, Wien Düsseldorf 1965, S. 16.

B. Unterhaltung in Massenmedien II: Reaktionen des Publikums

Auch die Reaktion des Publikums auf Unterhaltung soll wieder anhand von Material aus Analysen der bundesdeutschen Fernsehzuschauer illustriert werden[524]. Da die zur Verfügung stehenden Untersuchungsergebnisse ebenfalls nicht nach den sozial-statistischen Merkmalen des Fernsehpublikums aufgeschlüsselt sind, ist hier ähnlich wie bei der Diskussion der Zuschauerreaktionen auf die politische Information hinzuzudenken, daß dieses Publikum größtenteils aus Lohn- und Gehaltsabhängigen mit Volksschulbildung und einem monatlichen Netto-Verdienst von 600 bis 1000 DM besteht.

Bei einer Repräsentativ-Untersuchung des Publikums von Fernsehspielen erhob Infratest (hier nach der Tammeter-Methode[525]) die Sehbeteiligung an verschiedenen Programmarten.

Tabelle 27: Sehbeteiligung bei verschiedenen Sendearten: 1965/66
(Durchschnittswerte von 2 Jahren)

	ARD		ZDF	
	20–21 Uhr	nach 21 Uhr	20–21 Uhr	nach 21 Uhr
Politische Sendungen	35	15	14	8
Kultur- und Dokumentarsendungen	33	10	18	12
Fernsehspiele	35	22	29	21
Theaterübertragungen	52	22	27	18
Fernsehfilme	42	54	37	30
Kinospielfilme	53	32	41	32
Unterhaltung	50	24	31	15
Sport	54	13	32	11

(Quelle: Infratest, Das Fernsehspiel . . ., a. a. O., S. 4 und 8)

Zweierlei ist aus Tabelle 27 zu entnehmen: Erstens – die Sehbeteiligung an unterhaltenden Sendungen (ausgenommen: Fernsehspiele) ist im Durchschnitt wesentlich größer als die an politisch-informierenden Programmen; zweitens – wie bei politischen Programmen nimmt bei unterhaltenden Sendungen (ausgenommen: Fernsehfilme) nach 21 Uhr die Sehbeteiligung ebenfalls deutlich ab. Daß – wie das erstgenannte Resultat anzeigt – Leichtes Ernsterem vorgezogen wird, verdeutlicht auch die folgende Rangskala, die einzelne Musikkategorien nach ihrer Attraktivität für das Fernseh-Publikum aufführt[526].

524 Das Folgende muß sich ebenfalls – wie die Erörterung der Publikumsreaktion auf das politische Informationsangebot der Medien – auf den Bereich des Fernsehens beschränken, da für Presse und Rundfunk kaum Material vorliegt.
525 Vgl. dazu Fußnote 475.
526 Vgl. dazu die sehr ähnlichen Ergebnisse für das Rundfunkpublikum, in: E. Noelle – E. P. Neumann, a. a. O., S. 112.

Tabelle 28: Rangfolge von Musikkategorien auf Grund von Zuschauernennungen: 1966 (Basis: 1825 Befragte)

Musikkategorien	Zuschauer- nennungen (%)	Rangplatz der Musikkategorien
Operettenmelodien/Operettenkonzerte	65	(1)
Ganze Operetten	52	(2)
Schlager	52	(3)
Unterhaltungsmusik	51	(4)
Volksmusik	47	(5)
Volkslieder	45	(6)
Marschmusik	40	(7)
Tanzmusik	36	(8)
Opernmelodien/Opernkonzerte	19	(9)
Ganze Opern	16	(10)
Klassische Musik	13	(11)
Moderne Musik	13	(12)
Orgelmusik/Kirchenmusik	11	(13)
Klassische Lieder	9	(14)
Kammermusik/Solisten-Werke	8	(15)
Sinfonien und sinfonische Werke	8	(16)
Jazz	7	(17)

(Quelle: Zweites Deutsches Fernsehen, Jahrbuch 1966, Mainz 1966, S. 175)

Die Rechtfertigung der Unterhaltung durch den Hinweis auf ihre informierenden und irgendwie kulturell wertvollen Momente – ein Hinweis, den die Produzenten von Massenmedien immer ins Feld führen – scheint in den Reaktionen des Publikums keine allzu große Unterstützung zu finden. Denn die Zuschauer widmen sich offensichtlich eher solchem Amüsement, das nicht belehren, sondern auf leichte Art entspannen will. Dieser Tatbestand kann – bedenkt man die soziale Zusammensetzung des Publikums – nicht weiter überraschen: der tägliche Berufs- und Familienalltag, dem der größte Teil der Zuschauer ausgesetzt ist, produziert eben eher ein Verlangen nach Entspannung und kurzfristiger Realitätsflucht als nach gehobener, intellektuell anstrengender Unterhaltung [527]. Das demonstriert für den – im Unterhaltungssektor

527 Vgl. zur Abhängigkeit des Unterhaltungskonsums von der familiären Situation und – generell – der Alltagspraxis die zahlreichen Studien zum Thema »Kinder und Fernsehen«: B. Fülgraff, Fernsehen und Familie, Freiburg 1965, S. 67 ff.; K. H. Heinrich, Filmerleben – Filmwirken – Filmerziehen, Hannover 1961, S. 315 ff.; F. Stückrath–F. Schottmayer, Fernsehen und Großstadt-Jugend, Braunschweig 1967, S. 42 ff.; L. Bailyn, Mass Media and Children, Washington 1959, S. 37 ff.; H. T. Himmelweit et al., Television and the Child, London 1963, S. 37 ff.; L. I. Pearlin, Social and personal stress and escape television viewing, in: Public Opinion Quarterly 3 1959, S. 255 ff.; J. W. Riley–M. W. Riley, A Sociological Approach to Communica-

bezeichnenderweise die geringste Sehbeteiligung aufweisenden – Bereich der Fernseh-Spiele die umstehende Graphik [528] (siehe S. 182).

Betrachtet man die bevorzugten und weniger bevorzugten Unterhaltungssendungen noch etwas näher, dann bestätigt sich das mehr generelle Ergebnis für einzelne Gattungen im Hinblick auf konkrete Programme.

Tabelle 29: Sehbeteiligung an ausgewählten Unterhaltungssendungen: 1966/67/68 (Basis: alle TV-Teilnehmer mit Wahlmöglichkeit)

Sendungen	Sehbe-teiligung %	ARD/ZDF
Zeuge wider Willen (aus: Auf der Flucht – Dr. Richard Kimble):		
1966	77	ARD*
Mainz, wie es singt und lacht: 1967	76	ARD**
Der Goldene Schuß (Durchschnitt von 6 Sendungen): Sept. bis Febr. 1967/68	73	ZDF***
Vergißmeinnicht (Durchschnitt von 11 Sendungen): 1967 bis Febr. 1968	63	ZDF***
Geibelstraße 27 (Menschenschicksale in einem Mietshaus – sogenanntes Volksstück): 1966	51	ARD****
Aktion Sorgenkind (Durchschnitt aus 10 Sendungen): 1967 bis Febr. 1968	42	ZDF***
Der Himbeerpflücker: 1966	23	ARD****
Trauer muß Elektra tragen (O'Neill): 1966	18	ZDF****
Socialaristokraten (Arno Holz): 1966	11	ARD****
Jeanne oder die Lerche (Anouilh): 1966	9	ARD****
Ein König stirbt (Ionesco): 1966	8	ARD****
Ein Bruderzwist (Grillparzer): 1966	6	ZDF****

(Quelle: * Infratest, Die Kriminalserien der Jahre 1966 u. 1967, München 1967, S. 1.
         ** Infratest, Mainz, wie es singt und lacht, München 1967, S. 1.
        *** Infratest, Der Goldene Schuß und Vergißmeinnicht, München 1968, S. 1.
       **** Infratest, Das Fernsehspiel . . ., a. a. O., S. 32 ff.)

tion Research, in: American Sociological Review 16 1951, S. 444 ff.; W. Schramm–J. Lyle–E. Parker, Television in the Lives of our Children, Stanford 1961, S. 125 ff.

528 Die in Graphik 9 aufgeführten Beurteilungsindices kommen dadurch zustande, daß die einzelnen Fernseh-Spielgattungen auf einer Skala, die von –10 (gefällt gar nicht) bis +10 (gefällt sehr) reicht, eingestuft werden – und zwar von den Zuschauern, die zu jenen 625 Haushalten gehören, in denen die bereits erwähnten Tammeter-Geräte installiert sind. Dieses Verfahren wird selbst in der Marktforschungs-Branche mit viel Skepsis beurteilt, da erstens nicht klar ist, was alles von seiten der Zuschauer in ihr Urteil eingeht; da zweitens eine zu kleine Auswahl an Zuschauern zugrunde liegt, als daß man von Repräsentativität sprechen könne; und da drittens ein und dieselbe Auswahl von Zuschauern immer wieder um ihr Urteil gebeten wird. Vgl. dazu W. Ernst, Das Echo am Bildschirm, Entstehung und Sinn des Index, in: C. Longolius (ed.), a. a. O., S. 251 ff.

Graphik 9: Sehbeteiligung und Beurteilung für die Fernsehspielgattungen: 1965–1966

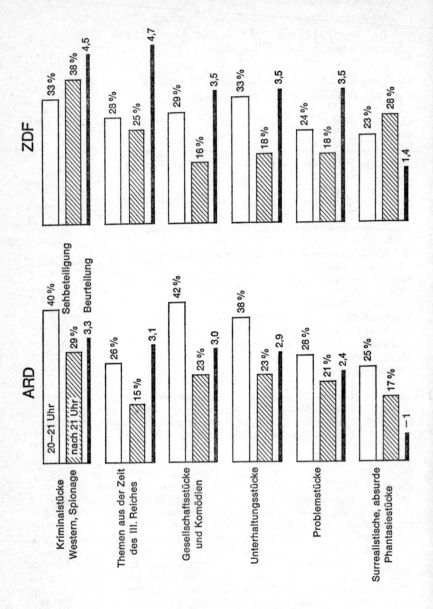

(Quelle: Infratest, Das Fernsehspiel ..., a. a. O., S. 11)

Es werden wesentlich häufiger entweder solche Sendungen gesehen, die – wie der Ausschnitt aus der Kriminalreihe »Auf der Flucht«, das Volksstück »Geibelstraße 27« – »Menschen wie du und ich« vorstellen, in einem happy-end-schwangeren Milieu zwar, doch in ihrer Alltäglichkeit nicht allzuweit entfernt vom durchschnittlichen Fernsehzuschauer[529]; oder es werden solche Sendungen bevorzugt gesehen, die – wie »Der Goldene Schuß«, »Vergißmeinnicht« und teilweise »Aktion Sorgenkind« – den Zuschauer ins amüsante Spiel mit einbeziehen, ihm einen Prominenten aus dem Show Business als Partner geben und die Möglichkeit offerieren, durch einen Gewinn bei dem Spiel, das oft auch noch einem guten Zweck dient, eigene Träume zu verwirklichen[530]. Außerdem haben natürlich noch jene Programme ein großes Publikum, die – wie die Sendungen »Mainz, wie es singt und lacht« – den Zuschauern, die in ihrer Mehrzahl sonst nicht allzu viele Gelegenheiten dazu haben, Anlaß zum Lachen geben. Allerdings – das zeigen gerade die Reaktionen auf die genannte Sendung – äußern sich die Zuschauer doch zunehmend kritisch, wenn sie glauben, ihr Verlangen nach Amüsement würde routinemäßig, schematisch gestillt. Ein Repräsentativ-Vergleich der Publikumsreaktionen auf »Mainz, wie es singt und lacht« – ein Programm, das ja in den letzten Jahren zunehmend in konventioneller Karnevalsgaudi erstarrte – macht das deutlich.

Tabelle 30: Beurteilung der Sendung »Mainz, wie es singt und lacht«: 1964–1967

	1964 (%)	1965 (%)	1966 (%)	1967 (%)
Ausgezeichnet	64	49	36	29
Gut	29	42	41	40
Zufriedenstellend	4	7	15	23
Mäßig	2	2	8	9
Sehr schlecht	1	–	–	4
	100	100	100	100

(Quelle: Infratest, Mainz . . ., a. a. O., S. 2)

Entspannung durch Genuß attraktiv aufbereiteter humoristischer Sendungen ist jedoch nur eine, nach vorliegenden Ergebnissen nicht einmal die wichtigste Möglichkeit. Zumindest wird häufiger eine Form von Unterhaltung praktiziert, die Entspannung durch Konsum von Spannung vermittelt[531]. Dabei ist ebenfalls festzustellen,

529 Vgl. dazu Infratest, Das Fernsehspiel . . ., a. a. O., S. 28.
530 Vgl. dazu Infratest, Der Goldene Schuß . . ., a. a. O., S. 2 und Contest, Der Goldene Schuß . . ., a. a. O.
531 Vgl. dazu E. Katz – D. Foulkes, The Use of Mass Media as »Escape«, in: Public Opinion Quarterly 3 1962, S. 377 ff.; vgl. dazu weiter O. N. Larsen, Controversies About the Mass Communication of Violence, in: O. N. Larsen (ed.), Violence and the Mass Media, New York 1968, S. 8 ff.

wie kritisch die Zuschauer reagieren, wenn sie meinen, um diese Spannung, geliefert vor allem von den sehr stark frequentierten Kriminalstücken, betrogen zu werden.

Tabelle 31: Beurteilung von Kriminalserien: 1966/67 (Random Sample)

Serie	Index
Auf der Flucht	4,2
Polizeirevier 87	3,8
Simon Templar	3,8
Der Baron	3,7
Asphaltdschungel	3,5
Alfred Hitchcock zeigt	3,0
New Orleans, Bourbon Street	2,9
Mit Schirm, Charme und Melone	2,3

(Quelle: Infratest, Die Kriminalserien . . ., a. a. O., S. 1)

Tabelle 31, die aus einer Repräsentativ-Befragung des Publikums von Kriminalserien stammt, spiegelt das augenfällig wider[532]: Die Kriminalserien werden um so besser beurteilt, desto weniger die in ihnen produzierte Spannung durch komödienhafte, ironisierende, groteske Momente weggenommen wird[533]. So gefallen Serien wie »Auf der Flucht« und »Polizeirevier 87«, die relativ harte, wenn auch stets nach 45 Minuten angenehm aufgelöste Spannung bieten, wesentlich besser als die intellektuell strapazierenden Ratespiele eines Hitchcock oder die absurd-verfremdeten Sketches der englischen Reihe »Mit Schirm, Charme und Melone«.

Nachdem nun einige Momente dargestellt wurden, die Wahl oder Ablehnung von Unterhaltungssendungen durch das Fernseh-Publikum bestimmen, erhebt sich die Frage, wie ein Programm aussehen könnte, von dem sich das Publikum am ehesten unterhalten fühlt. Für den Bereich der Fernsehspiele, dem ja wesentliche Unterhaltungssendungen zuzurechnen sind und zu dem auch jene Programme gehören, die unter dem Etikett »informierende Unterhaltung« firmieren, gibt es auf diese Frage eine recht präzise Antwort[534]. Im Rahmen der bereits zitierten Infratest-Studie zum Fernsehspiel wurde zusammengetragen, was die Zuschauer an negativen und positiven Beurteilungen äußerten.

---

532 Vgl. zu den Indices in Tabelle 31 die Fußnote zu Graphik 9, S. 182.

533 Vgl. dazu Infratest, Das Kriminalstück im Urteil der Zuschauer, München 1965, S. 16 ff.

534 Vgl. zu dem Folgenden insbesondere das recht fragwürdige Postulat von Silbermann: »...das Fernsehen (muß) bei seiner künstlerischen Programmgestaltung zunächst einmal versuchen, soweit wie möglich mit der Kulturtendenz seiner von ihm bedienten Konsumenten parallel zu bleiben« (A. Silbermann, Über die Beziehung von Fernsehen und Kunst, in: A. Silbermann, Ketzereien . . ., a. a. O., S. 52–53).

Zuschauerargumente zur Kategorie »Fernsehspiel«: 1966 *

1. Titel

+	−
Zugkräftig	Nichtssagend, abstoßend, »unklarer Gagtitel«
Klar, inhaltsbezogen	Irreführend
	Falsches Publikum durch falsche Erwartungshaltung (daher unzufriedenes Publikum; zum Beispiel verbirgt sich hinter Krimi-Titel ein avantgardistisches Stück)

2. Handlung

+	−
Gradlinig	Verwickelt, kompliziert (Folgen: Unverständlichkeit, Mißverständnisse)
Aktionsbetont	»Es passiert nichts«, »zuviel geredet«
Lebhaft	Gleichförmig
Plausibel (in Verlauf, Motiv, Detail)	Im Rahmen unserer sozial akzeptierten Denk- und Handlungsgewohnheiten, schwer nachvollziehbar (Iren, Russen)
	Abwegig (Biedermann und die Brandstifter)
	Absurd (Ionesco)
Durchgehender, überschaubarer Handlungsablauf	Zu schneller Wechsel von Situationen und Schauplätzen (Verwirrung)

3. Milieu

+	−
Erfreulich, positiv	Unerfreulich, »negativ«
	Elend
	Minderwertig, asozial
	Unmoralisch
	Zu trist, belastend (zum Beispiel ausschließlich Krankheit)
Vertraut	Fremd, Distanz zu groß
Interessant (Beruf, Region, Charakter der Personen etc.), zeigt andere Lebensbereiche, zu denen nur das Fernsehen Zutritt hat	Uninteressant, zu fernliegend vom eigenen Leben, »Blick hinter die Kulissen« erscheint unwichtig
Erweitert den eigenen Lebenskreis, ohne »Fremdheitsschwelle« zu überschreiten	Bringt nichts Neues
Erhöht das eigene Lebensgefühl (als Arbeiter, Vater, Hausfrau etc.)	Reduziert das eigene Lebensgefühl (eigene soziale Rolle wird wertnegativ gezeigt)

* Vgl. dazu Infratest, Befragung zu den Programmerwartungen der Hörer und zu den Unterhaltungssendungen des WDR, München 1965, S. 9 ff.

4. Sinn, Inhalt, Aussage

+	−
»Wertvoll« (Botschaft des Stücks wird als bedeutsam empfunden)	Stück hat keine für den Zuschauer erkennbare oder eine als negativ empfundene Botschaft
»Lehrreich, bildend« (ohne Bildungsstück zu sein)	»Man konnte nicht mitkommen«, zu nichtssagend, leicht (Beispiel: keine »schwebend«-heiteren Stücke)
Von allgemeiner Bedeutung	Spricht nur einen Interessentenkreis an
Verständlich	Schwer verständlich, unverständlich

5. Realismus

+	−
Entspricht den allgemeinen konventionellen Vorstellungen von der Realität (= wahrheitsgetreu) von dem, was möglich, »glaubhaft« ist	Entspricht den Grundvorstellungen nicht ganz (nicht ganz glaubwürdig)
Die Realität ist in »richtigem« Maße überhöht	Nicht überhöht, banal (s. Wilhelmsburger Freitag)
	Zu stark überhöht (Symbolhandlung, Symbolfiguren)
	Realität ist aufgehoben (Traum, Märchen, Phantasie, Surrealismus = »verrückt«, »überspannt«, »Blödsinn«)
»Realistische« Darstellung	Ironie und Satire in allen Teilen, in denen der Zuschauer das, was ironisch oder satirisch behandelt wird, nicht genügend kennt

6. Darstellungsform

+	−
Optisch eindrucksvoll	Optisch unergiebig
»Natürlich«, verständlich	»Unnatürlich«, befremdend, schwer verständlich
	Gekünstelt, pretiös
	Vergagt
	Ironisiert
	Verschlüsselt
	Überstilisiert
	Natürliche Zeit- und Raumverhältnisse aufgehoben
	Desillusions-Theater

7. Schauspieler

+	−
Bekannt, beliebt, populär	Unbekannt, ohne Anhängerschaft
Kann in der Rolle überzeugen	Überzeugt nicht, kann die Rolle nicht nahebringen

(Quelle: Infratest, Das Fernsehspiel . . ., a. a. O., S. 41 ff.)

Aus diesem Katalog entwickelte Infratest ein Eigenschaftsprofil: ein Instrument, das die anscheinend zentralen Qualitäten eines Fernsehspiels, einer Kriminalsendung zu ermitteln erlaubt. Intensiv erprobt wurde dieses Instrument jedoch bis jetzt nur bei – allerdings sehr ausgedehnten – Untersuchungen der Kurzprogramme, die die Werbe- sendungen der ARD-Anstalten und des ZDF einrahmen.

Tabelle 32: Eigenschaftszuordnung zu und Beurteilung von Rahmensendungen zum ARD-Werbeprogramm: 1968

	Serien			
Basis:	Gertrud Stranitzki 1644	Landarzt Dr. Brock 1553	Der Vater und sein Sohn 1201	Die Abenteuer der »Seaspray« 2315
Eigenschaften:				
Interessant	78 %	75 %	79 %	85 %
Unterhaltend	96 %	95 %	97 %	95 %
Realistisch, lebensnah	78 %	69 %	72 %	36 %
Glaubwürdig	79 %	71 %	73 %	37 %
Lehrreich, informierend	45 %	46 %	48 %	42 %
Gut verständlich	97 %	96 %	97 %	96 %
Lustig, humorvoll	87 %	70 %	84 %	51 %
Menschlich ansprechend	90 %	88 %	90 %	69 %
Fesselnd, spannend	42 %	40 %	42 %	78 %
Auch für Kinder geeignet	77 %	84 %	91 %	79 %
Urteils-Index	+ 5,3	+ 4,9	+ 4,6	+ 3,8

(Quelle: Infratest, ARD-Rahmenprogramm des Werbefernsehens – Eigenschaftspro- file nach demographischen Merkmalen, München 1968, S. 14, 20, 31, 37)

Nach Ansicht der Zuschauer ist also die entscheidende Voraussetzung für eine deut- lich positive Beurteilung von Fernsehspielen, Kriminalsendungen und anderen Unter- haltungssendungen[535], daß sie als »menschlich ansprechend« erlebt werden können; daß ein Charakter, ein Handlungsverlauf vorgeführt wird, der relativ glaubwürdig und »lebensnah« wirkt; daß es nicht ohne Humor, dafür aber ohne nachdrückliche Belehrung und allzu forcierte Spannung zugeht. Selbstverständliche Bedingungen, denen jedes – irgendwie positiv zu bewertende – Unterhaltungsprogramm zu genü- gen hat, sind: hoher Grad an Amüsement und Allgemeinverständlichkeit; hohes Maß an Interessantem und Brauchbarkeit für Kinderunterhaltung. Eine Differenzierung die- ser (leider vor Vagheit strotzenden) Ergebnisse nach demographischen Merkmalen, die Infratest ebenfalls vorgenommen hat, bringt keine wesentlichen Modifizierungen; lediglich bei Sendungen, die auf spezifische Gruppen (Frauen, Kinder, ältere Genera- tion beispielsweise) zugeschnitten sind, zeigen sich konsequenterweise Unterschiede in den Urteilen der Zuschauer je nach deren sozialstatistisch erfaßten Attributen.

535 Vgl. dazu Infratest, Befragungen zu den Programmerwartungen..., a. a. O., S. 9 ff.

Diese Resultate sind auch durch Analysen bestätigt worden, die die Zuschauerreaktionen auf Kriminalserien des ARD- und ZDF-Rahmenprogramms ermittelten.

Tabelle 33: Eigenschaftszuordnung zu und Beurteilung von Kriminalserien im Rahmenprogramm des ARD-Werbefernsehens: 1968

| | Kriminalserien | | |
	Die seltsamen Methoden des Franz Wanninger*	Polizeifunk ruft*	Kein Fall für FBI*	Graf Yoster gibt sich die Ehre**
Basis:	±	3684	±	4481
Eigenschaften:				
Interessant	83 %	91 %	20 %	74 %
Unterhaltend	93 %	92 %	94 %	92 %
Realistisch, lebensnah	41 %	76 %	48 %	25 %
Glaubwürdig	40 %	75 %	47 %	25 %
Lehrreich, informierend	35 %	69 %	36 %	22 %
Gut verständlich	96 %	95 %	92 %	91 %
Lustig, humorvoll	94 %	38 %	28 %	81 %
Menschlich ansprechend	79 %	78 %	60 %	53 %
Fesselnd, spannend	70 %	85 %	92 %	68 %
Auch für Kinder geeignet	70 %	51 %	32 %	49 %
Urteils-Index	+ 5,8	+ 5,1	+ 5,0	+ 3,3

(± die Basiszahlen sind im Quellenmaterial nicht enthalten)
(Quelle: Infratest, Sonderanalysen zu Sendereihen im Rahmenprogramm des ARD/ ZDF-Werbefernsehens, München 1968, S. 17 [*]; Infratest, ARD-Rahmenprogramm des Werbefernsehens . . ., a. a. O., S. 25 [**])

Im vorliegenden Zusammenhang ist ein Ergebnis aus dem Bereich der Massenpresse interessant, das eine Untersuchung der Publikumseinstellungen zu Illustriertenromanen ermittelte. Im Rahmen dieser Untersuchung wurden Lesehäufigkeit bei und Beurteilung von ausgewählten Romanen, die in den Zeitschriften Stern, Bunte Illustrierte und Hör zu erschienen sind, analysiert. Es zeigte sich dabei einmal, daß der Illustriertenroman nicht unbedingt als wesentliches Unterhaltungsmittel zu interpretieren ist und daß lediglich solche Romane intensiver gelesen und positiver gewertet werden, die etwa jene – den publikumswirksamen Fernsehspielen zukommenden – Qualitäten besitzen. So erhalten Romane wie Harold Robbins' ›Playboys‹ oder, noch ausgeprägter, Stefan Oliviers ›Geliebte Genossin – die aufregende Geschichte einer jungen deutschen Frau zwischen Ost und West‹, die in kolportagehafter, Realitäts- nähe suggerierender, human interest weckender, eine goldene Mischung aus Spannung und Humor bietender Manier offeriert werden, wesentlich günstigere Urteile als Stücke wie Hansjörg Martins hart-skurriler, mit seinen verqueren Detektiv- und Mör- derfiguren durchaus nicht »menschlich ansprechend« erlebbarer Krimi ›Einer fehlt beim Kurkonzert‹ oder Jan Flemings trockenes, dazu sehr fiktives, literarisch nicht anspruchsloses und oft belehrend wirkendes James Bond-Abenteuer ›Der Mann mit dem goldenen Colt‹.

Tabelle 34: Lesehäufigkeit und Beurteilung von ausgewählten Romanen in der Zeitschrift ›Stern‹: 1968

	Romane			
Basis	Einer fehlt beim Kurkonzert 764	Die Playboys 764	Der Mann mit dem goldenen Colt	Geliebte Genossin
Alle/fast alle Fortsetzungen gelesen	13 %	24 %	14 %	30 %
Viele Fortsetzungen gelesen	6 %	10 %	7 %	13 %
Wenige Fortsetzungen gelesen	8 %	13 %	8 %	11 %
Anfang des Romans gelesen	2 %	3 %	2 %	3 %
Zwischendurch eine oder mehrere Fortsetzungen gelesen	7 %	11 %	7 %	9 %
Keine Fortsetzung gelesen	73 %	52 %	70 %	47 %
Ausgezeichnet	3 %	10 %	3 %	19 %
Gut	9 %	14 %	11 %	19 %
Zufriedenstellend	7 %	11 %	8 %	8 %
Mäßig	4 %	8 %	4 %	4 %
Gar nicht	1 %	2 %	1 %	1 %

(Quelle: Infratest, Lesehäufigkeit und Beurteilung von ausgewählten Romanen in den Zeitschriften Stern, Bunte Illustrierte, Hör zu, München 1968, S. 15 ff.)

Der hier angesprochene Zusammenhang zwischen zugeordneten Eigenschaften eines Unterhaltungsbeitrages und dessen Beurteilung durch das Publikum ist – basierend auf zahlreichen Untersuchungen – von Infratest in Form einer graphischen Korrelation festgehalten worden (allerdings nur für den Bereich des Fernsehens; siehe Seite 190).

Diese Korrelation – in Verbindung mit dem zuvor angeführten Katalog von Zuschauerargumenten zum Idealtyp eines Fernsehspiels – legt die Annahme nahe, daß das Publikum offensichtlich solche Unterhaltungssendungen am häufigsten sieht und am besten beurteilt, die ihm das bieten, was bei der inhaltsanalytischen Diskussion immanent relativierte Traumwelt sowie Provokation von Angst und deren Betäubung genannt worden war. Traumwelt insofern, als stets die positiven Seiten des Lebens erscheinen, happy ends am Schluß stehen und das präsentierte Milieu wie die vorgeführte Handlung über die Alltäglichkeit des Zuschauers hinausweisen sollen; immanent relativiert insofern, als auch die Unterhaltungswelt von gewöhnlichen Sterblichen bevölkert sein soll, die man noch als erreichbare Vorbilder und im eigenen

Graphik 10: Zuordnung der Eigenschaften zu den Urteilsindices: 1968

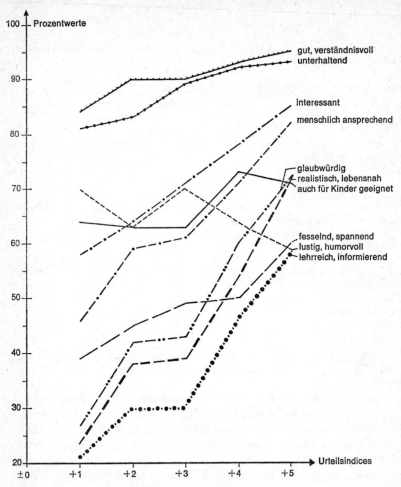

(Quelle: Infratest, Erste Zwischenbilanz der Ergebnisse zum Rahmenprogramm des Werbefernsehens, München 1968, S. 12)

Leben antreffbare Figuren begreifen kann; Provokation von Angst insofern, als eine Bedrohung der individuellen Existenz suggeriert, als real vorhanden dargestellt werden soll; deren Betäubung insofern, als die provozierte Angst so aufgefangen werden soll, daß sie als Amüsement goutierbar ist. Mit anderen Worten: Unterhaltung wird interpretiert als Möglichkeit einer Realitätsflucht in eine realitätsbezogene Ersatzwelt, die das alltägliche Leben des Publikums gleichzeitig porträtieren und in seinen schwachen Stellen kompensieren soll. Bedenklich ist bei alldem insbesondere, daß das Publikum – offensichtlich gezwungen durch seine soziale und dadurch bedingte psychische Situation – ganz eindeutig jeglicher Information eine Unterhaltungsmixtur vorzieht, »die... Realitätsgerechtheit durch Konsumreife ersetzt und eher zum unpersönlichen Verbrauch von Entspannungsreizen ver-, als zum öffentlichen Gebrauch von Vernunft anleitet«[536]. Dieses Publikum ist aufgrund seiner Existenzbedingungen ziemlich weitgehend außerstande gesetzt worden, den fragwürdig-manipulativen Charakter der Unterhaltung zu durchschauen; es ist vielmehr in eine Verfassung gebracht worden, in der ihm das angebotene Amüsement als brauchbarer Ersatz für (klassen-)gesellschaftlich produzierte Enttäuschungen und Versagungen erscheint.

Daß diese Ergebnisse – ebenso wie die Resultate zur informierenden Aktivität und Funktion der Massenmedien – hypothetischen Charakter und weiteren exakten empirischen Analysen standzuhalten haben, bevor sie als zuverlässig und gültig akzeptiert werden können, soll noch einmal nachdrücklich betont werden. Die hier vorgetragene Untersuchung konnte – auf Grund der Qualität der referierten Daten, vor allem auf Grund fehlender Studien über den Zusammenhang zwischen medienspezifischen Kommuniqués und kommuniqué-spezifischen Reaktionen von Publikumsgruppen mit unterschiedlichen Merkmalen – nur Vorarbeit zu solchen Analysen leisten. Ein wesentlicher Teil dieser Vorarbeit – die Verknüpfung der inhalts- und publikumsanalytischen Resultate mit Hilfe einer Darstellung der politökonomischen Situation der Massenmedien und der sozio-psychischen Lage des Publikums – fehlt jedoch noch; die Diskussion dieser wichtigsten »crucial sociological feature of mass communication«[537] soll im folgenden – zugegebenermaßen auf sehr tentative Weise – vorgenommen werden.

(c) Die Ökonomisierung von Presse, Rundfunk, Fernsehen und die sozio-psychische Lage des Publikums

Peter Glotz und Wolfgang R. Langenbucher skizzieren das grundgesetzlich fixierte Verhältnis von Massenkommunikation und Demokratie folgendermaßen: »Das Grundgesetz der Bundesrepublik garantiert den freien Wettbewerb der Ideen und Meinungen; der durch das Modell ›wirtschaftlicher Wettbewerb‹ verwirklicht werden kann, aber keineswegs muß. Wer den Wettbewerb der Ideen freigibt, geht dabei notwendig von der Fiktion des mündigen Bürgers aus, auch wenn er weiß, daß es sich

536 J. Habermas, Strukturwandel..., a. a. O., S. 188; vgl. dazu L. Löwenthal, Communication and Humanitas, in: F. W. Matson–A. Montagu (ed.), a. a. O., S. 344 – F. Schneider, Pressefreiheit und politische Öffentlichkeit, a. a. O., S. 327; W. Haacke, Die Sprache der Massenmedien, in: Publizistik 1 1962, S. 340 ff.
537 J. O. Hertzler, A Sociology of Language, New York 1965, S. 481.

hierbei lediglich um eine Fiktion handelt. Ein demokratisches Kommunikationssystem ist nicht zentral gelenkt, sondern bedürfnisgesteuert; mit diesem Grundsatz sind Instanzen, die über falsche oder richtige Bedürfnisse entscheiden wollen, unvereinbar«[538]. Die hier naiv unterstellte Identität von Gewerbe- und Pressefreiheit, der forcierter noch die Pressure-groups der Zeitungs- und Zeitschriftenverlage[539] huldigen, ist – es wurde an früherer Stelle bereits darauf hingewiesen – nachdrücklich durch die Etablierung des Springer-Konzerns in Zweifel gezogen worden. Denn die beherrschende Position, die sich dieser Konzern im Pressemarkt der Bundesrepublik nach und nach sicherte, gab Anlaß zu den Fragen: Ist angesichts der zunehmenden Tendenz der Ökonomie zur Oligopolisierung eine unproblematische Verknüpfung von Gewerbe- und Pressefreiheit zugunsten letzterer überhaupt noch möglich? Muß die Idee des mündigen Bürgers nicht gerade deshalb eine Fiktion bleiben, weil informierte Demokratie und kapitalistisch organisierte Produktion von Information eben nicht zusammengehen? Und schließlich, wessen Bedürfnisse und Interessen sind es eigentlich, die das Kommunikationssystem steuern, und wie läuft diese Steuerung konkret ab?[540]

(1) Massenmedien und Werbung

In diesen Fragen artikuliert sich »die Widersprüchlichkeit einer Position, welche die ökonomische Wettbewerbstheorie ... mit dem Anspruch von Demokratie und demokratischer Öffentlichkeit zusammenhalten will: Ihre demokratische Legitimation würde die tägliche Abstimmung am Kiosk nur durch eine vorhergehende herrschaftsfreie Diskussion politisch argumentierender Menschen erhalten, eine Diskussion, zu der unbeschränkte Öffentlichkeit gehörte, die aber gerade durch das am Kiosk vorgegebene und durch ökonomische Machtpositionen determinierte Angebot an Zeitungen und Zeitschriften beschränkt ist. Dadurch erhält die tägliche Abstimmung vielmehr den Charakter einer täglichen Akklamation des Publikums zu inhaltlich weitgehend vorgeformten Informations- und Meinungsmustern, mit denen die private Presse den Bürger versorgt.«[541] Die entscheidende Problematik der privaten Presse resultiert aus ihrer kapitalistisch verfaßten Arbeitsweise und der sich daraus ergebenden wirtschaft-

538 P. Glotz, W. R. Langenbucher, Monopol und Kommunikation, in: Publizistik 2, 3, 4 1968, S. 170, vgl. dazu P. Glotz–W. R. Langenbucher, Manipulation – Kommunikation – Demokratie, in: Aus Politik und Zeitgeschichte B 25 1969, S. 3 ff.

539 Vgl. dazu Bundesverband Deutscher Zeitungsverleger e. V. (ed.), Pressefreiheit und Fernsehmonopol, Bad Godesberg 1963, S. 26 und H. A. Kluthe (Präsident des Verbandes Deutscher Zeitschriftenverleger), Bedrohte Pressefreiheit, in: ZV + ZV 25 1965, S. 1040.

540 Vgl. dazu insbesondere F. Knipping, Monopole und Massenmedien, Berlin 1969.

541 J. Huffschmid, Ökonomische Macht und Pressefreiheit, in: H. Großmann–O. Negt (eds.), a. a. O., S. 32.

542 Vgl. dazu J. Huffschmid, Politische Ökonomie des Springerkonzerns, in: B. Jan-

lichen Dynamik, die in den Rentabilitätserwägungen der Verlage zur Geltung kommt[542]. Die so als profitorientierte industrielle Produktion von Information und Unterhaltung konstituierte private Presse steht damit aber vor der Schwierigkeit, öffentliche Aufgabe und Anpassung an bestimmte ökonomische Notwendigkeiten harmonisieren zu müssen. Durch das, was man Pressekonzentration nennt, ist das Ausmaß dieser Schwierigkeit deutlich geworden. Denn das Übergreifen der für die gegenwärtige kapitalistische Industriegesellschaft typischen Kapitalkonzentration und -zentralisation auf den Zeitungs- und Zeitschriftensektor hat zu einer Monopolisierung von Information und Unterhaltung geführt, »die eine ernste Gefahr für die Pressefreiheit bildet«[543].

Doch die Vorteile der Kapitalkonzentration und -zentralisation für die Interessen zumindest der wirtschaftlich starken Verlage sind derart eindeutig, daß noch so energische Hinweise auf eine Gefährdung der inneren wie äußeren Pressefreiheit wenig ausrichten dürften. Manfred Hintze schreibt dazu: »Zusammenfassend ist festzuhalten, daß die Vorteile der verlagsbetrieblichen Konzentration nur zu einem geringen Teil im Kostenbereich lagen. Sofern es sich um ›betriebsfremde‹ Erweiterungen handelte, sind durchweg Bestrebungen zur Risikoverteilung und zur gewinnträchtigen Kapitalanlage ausschlaggebend gewesen ... Mit der Ausdehnung des Verlagsgeschäftes war neben Kostensenkung auch eine Verstärkung der absatzpolitischen Position beabsichtigt. Ein Großverlag ist am Leser- und Anzeigenmarkt im Vorteil, weil er durch die Vielzahl der Objekte dem Handel gegenüber eine starke Stellung hat und im Werbegeschäft Möglichkeiten – wie beispielsweise tarifliche Koppelung mehrerer Organe – wahrnehmen kann, die kleineren Unternehmen verschlossen bleiben.«[544] Die Pressekonzentration ermöglicht also eine Verbesserung der Gewinnsituation in zweierlei Hinsicht: einmal durch kostensenkende Rationalisierung des Herstellungsprozesses und zum anderen dadurch, daß auf diese Art wirkungsvoll Risiken verteilt und Positionen im Absatzmarkt gefestigt werden[545]. Im Bereich der Tagespresse, wo die Frage der Konzentration die gesellschaftspolitisch brisanteste ist, drückt sich diese Tendenz zu Großorganisationen dadurch aus, daß 1964 fast 50 % der verkauften Tageszeitungen aus nur 16 Verlagen kamen und ebenfalls fast 50 % der verkauften Tageszeitungen auf nur 16 Objekte mit einer Auflage von mindestens je 150 000 Exemplaren entfielen[546]. Hinzu kommt, daß von den damals untersuchten 504 Tageszeitungen lediglich 180 Blätter in eigener Redaktion (sogenannten publizistischen

sen–A. Klönne (eds.), a. a. O., S. 53; vgl. dazu weiter, T. W. Adorno, A Social Critique of Radio Music, in: B. Berelson–M. Janowitz (eds.), a. a. O., S. 310–311.

543 M. Löffler, Die Pressekonzentration bedroht die Pressefreiheit, in: Zeitschrift für Rechtspolitik 1 1968, S. 17.

544 M. Hintze, a. a. O., S. 142–150.

545 Vgl. dazu H. Meyn, a. a. O., S. 56.

546 In einer neuen Studie hat Elisabeth Noelle-Neumann auf Grund von Analysen der redaktionellen Angebote überregionaler und regionaler Tageszeitungen verschiedener Auflagengrößenklassen den Nachweis zu führen versucht, daß »die publizisti-

Einheiten) hergestellt wurden. 1967 gab es sogar nur noch 158 selbständig arbeitende Tageszeitungen [547]. Die sich hier manifestierende Konzentrations- und Zentralisationstendenz gilt nicht nur für westdeutsche Verhältnisse; sie läßt sich generell in der Presse aller kapitalistisch organisierten und demokratisch verwalteten Industriegesellschaften feststellen [548]. Interessant ist nun, daß – um wieder auf die Presse in der Bundesrepublik zurückzukommen – die Veränderungen im Bereich der Tageszeitungen während der letzten Jahre nicht nur daraus resultieren, daß zahlreiche Blätter ihr Erscheinen eingestellt haben; sie sind auch dadurch begründet, daß in sehr ausgeprägtem Maße finanzschwache mit finanzstarken Zeitungen sich auf die eine oder andere Weise verbanden: sei es durch Übernahme des Zeitungsmantels oder einzelner redaktioneller Teile [549], sei es durch Anschluß an einen Anzeigenring oder an eine Vertriebsgemeinschaft. Schließlich kann die Verbindung in einem Aufkauf des Schwachen durch den Starken bestehen, der dann das erworbene Objekt in eigener Regie, wenn auch unter dem alten Titel und ausgerichtet auf den bisherigen Interessentenmarkt, weiter produziert und vertreibt [550].

Gerade auf diese Weise [551] haben sich während der letzten Jahre neben den öffent-

schen Leistungen von Zeitungen mit höherer Auflage ... besser (sind)« (E. Noelle-Neumann, Pressekonzentration und Meinungsbildung, in: Publizistik 2/3/4 1967, S. 113). Zweifellos ist der Zusammenhang zwischen Kapitalstärke eines Verlages und dessen formaler Leistungsfähigkeit (reichhaltiges Angebot an Information und Unterhaltung – abgelesen bei Noelle-Neumann an Seiten- und Beitragszahlen der Zeitungen) unbestreitbar. Entscheidend ist aber doch die Frage, ob solche Kapitalstärke nicht mit einer inhaltlichen Deformation von Information und Unterhaltung sowie einer organisationsinternen Restriktion journalistischer Arbeit durch Rentabilitätserwägungen gekoppelt ist (vgl. dazu E. Spoo, Pressekonzentration, Springer-Dominanz und journalistische Arbeit, in: B. Jansen–A. Klönne [eds.], a. a. O., S. 205 ff. und Ch. Hopf, Zu Struktur und Zielen privatwirtschaftlich organisierter Zeitungsverlage, in: P. Brokmeier [ed.] Kapitalismus und Pressefreiheit, Frankfurt 1969, S. 8 ff.).

547 Vgl. dazu Wettbewerbskommission, a. a. O., S. 64 und 74 und W. J. Schütz, Veränderungen im deutschen Zeitungswesen zwischen 1954 und 1967, in: Publizistik 4 1967, S. 243 ff.

548 Vgl. dazu H. Meyn, a. a. O., S. 56 sowie für die US-amerikanische Szene R. B. Nixon, Concentration and Absenteeism in Daily Newspaper Ownership, in: B. Berelson–M. Janowitz (eds.), a. a. O. und R. E. Chapin, a. a. O.

549 Aus Aussagen von 78 Verlegern von Tageszeitungen geht hervor, daß

der politische Teil	in 90 % der Fälle
der Provinzteil	in 40 % der Fälle
der Sportteil	in 70 % der Fälle
der Wirtschaftsteil	in 60 % der Fälle
das Feuilleton	in 80 % der Fälle
die Sparte »Vermischtes«	in 60 % der Fälle
der Lokalteil	in 5 % der Fälle

übernommen wurden; vgl. dazu Wettbewerbskommission, a. a. O., S. 169.

550 Vgl. dazu Wettbewerbskommission, a. a. O., S. 73.

551 Diese sogenannte horizontale Konzentration ist die wichtigste Form im Be-

lich-rechtlichen, aber, wie sich später zeigen wird, nicht minder mit privatwirtschaftlichen Interessen verflochtenen Rundfunk- und Fernsehmonopolen in der Bundesrepublik einige Konzerne etabliert, die insbesondere den Markt der Massenpresse deutlich beherrschen und an denen das, was man Pressekonzentration nennt, am plastischsten hervortritt [552].

Es sind dies [553]:

Heinrich Bauer Verlag KG., Hamburg
Objekte:
Neue Revue, Quick, Praline, Neue Mode, TV-Hören + Sehen, Musikparade, Rasselbande, Neue Post, Das Neue Blatt, Bravo, Twen, Jasmin, Eltern
Wöchentliche Verkaufsauflage: rund 12 Mill. Exemplare

Burda-Gruppe, Offenburg
Objekte:
Bunte Illustrierte, Bild + Funk, Freundin, Burda-Moden
Wöchentliche Verkaufsauflage: rund 4 Mill. Exemplare

Ganske-Gruppe, Hamburg
Objekte:
Für Sie, Petra – Die moderne Frau, Merian, Zuhause
Wöchentliche Verkaufsauflage: rund 2 Mill. Exemplare
(ferner gehört zu diesem Konzern der größte bundesrepublikanische Illustriertenverleih, der Lesezirkel Daheim)

Gruner und Jahr GmbH & Co., Hamburg
Objekte:
Stern, Constanze, Brigitte, Schöner Wohnen, Capital, Die Zeit, Es
Wöchentliche Verkaufsauflage: rund 4 Mill. Exemplare

Springer-Gruppe, Hamburg
Objekte:
Bild-Zeitung, Die Welt, Hör zu, Hamburger Abendblatt, Kicker (kurz nach Fertigstellung dieses Manuskriptes wurde der Kicker an den Olympia-Verlag Nürnberg, verkauft), Bild am Sonntag, Welt am Sonntag, BZ, Berliner Morgenpost
Wöchentliche Verkaufsauflage: rund 28 Mill. Exemplare

reich von Zeitungen und Zeitschriften; dagegen fallen die vertikale Konzentration, die Vereinigung verschiedener Produktionsstufen von der Rohstoffquelle (Holz) bis zum Fertigprodukt (Zeitung) – Beispiel: Die Beteiligung des Springer-Konzerns an Holding-Gesellschaften der Papierbranche – und die diagonale Konzentration, die Betätigung branchenfremder Unternehmen im Presse- und Verlagswesen – Beispiel: Das elektroindustrielle Unternehmen R. Bosch GmbH., das hinter der Deutschen Verlagsanstalt, der Stuttgarter Zeitung und der Württembergischen Zeitung steht – nicht so ins Gewicht (vgl. dazu H. Holzer–J. Schmid, Massenkommunikation in der Bundesrepublik, in: F. Hitzer–R. Opitz (eds.), a. a. O., S. 271).

552 Vgl. dazu für die US-amerikanische Szene M. Hintze, a. a. O., S. 108; R. B. Nixon, a. a. O. u. R. E. Chapin, a. a. O.

Zu diesen fünf Konzernen[554] kommen noch vier weitere Unternehmen hinzu, die der in der Bundesrepublik stattfindenden Pressekonzentration zusätzliche Akzente geben. Es sind dies[555]:

Konzentrations-GmbH (beherrscht von der SPD), Bad Godesberg

Objekte:

25 Verlags- bzw. Druckhäuser, 5 Buch- und Zeitschriftenverlage, 8 weitere Unternehmen

Tägliche Verkaufsauflage: rund 1,4 Mill. Exemplare

Zahl der Beschäftigten: 10 000

Jahresumsatz: 300 Millionen DM[556]

Publizistischer Apparat des Deutschen Gewerkschaftsbundes

Objekte:

80 gewerkschaftliche Zeitungen und Zeitschriften

Monatliche Verkaufsauflage: rund 15 Mill. Exemplare

Arbeitsgemeinschaft Standortpresse GmbH., Bonn (Dachorganisation der Heimatpresse)

Anzahl der zusammengeschlossenen Verlage: 110

Tägliche Verkaufsauflage: rund 2,5 Mill. Exemplare

Unterorganisationen:

Dimitag (Informationsdienst mittlerer Tageszeitungen)

AMT (Arbeitsgemeinschaft mittlerer Tageszeitungen)

ZMA (Zeitungsgemeinschaft für Markt- und Absatzförderung)

Arbeitsgemeinschaft Regionalpresse (regionale Abonnementzeitungen), Frankfurt

Anzahl der zusammengeschlossenen Verlage: 68

Anzahl der Zeitungen: 72

Tägliche Verkaufsauflage: rund 8 Mill. Exemplare[557].

Läßt man einmal, da hier keine präzisen Zahlen vorliegen, die letztgenannten Unternehmen beiseite, ergibt sich für die erwähnten fünf Großverlage der Massenpresse[558]: Sie produzieren von den auflagenstärksten

4 Aktuellen Illustrierten   4

8 Frauenzeitschriften   7

---

553 Vgl. dazu Wettbewerbskommission, a. a. O., S. 108.

554 Vgl. dazu den Zusammenschluß der Verlagsgruppen Holzbrinck, Droemer und Econ und den geplanten Eintritt dieses Konzerns in den Markt der Massenmedien – siehe Süddeutsche Zeitung Nr. 223 17. 9. 69, S. 11 (Meldung: Zwanzig Verlage in einem Konzern); vgl. dazu weiter den Zusammenschluß der Verlage Bertelsmann und Springer, der inzwischen allerdings wieder zurückgenommen wurde.

555 Vgl. dazu G. Böddeker, 20 Millionen täglich, Oldenburg, Hamburg 1969, S. 152, 163 ff., 175 ff.

556 Die Zahlen gelten für 1963.

557 Die Zahlen gelten für 1965.

558 Vgl. dazu Wettbewerbskommission, a. a. O., S. 108.

2 Modezeitschriften   2
6 Rundfunkzeitschriften 5
7 Bunten Wochenblättern 3

Betrachtet man dazu die Entwicklung der Konzerne von 1956 bis 1966, zeigt sich, daß innerhalb dieser Zeitspanne die Anzahl der hergestellten und vertriebenen Objekte von 16 auf 32 sich erhöht hat und die Verkaufsauflage von 8,3 auf 25,5 Millionen Exemplare gestiegen ist[559]. (Dabei hat hier nur – das ist besonders für die Beurteilung des Springer-Unternehmens wichtig – die Zeitschriften-, nicht aber die Zeitungsproduktion Berücksichtigung gefunden.) Wie bereits erwähnt, wird diese Konzentrationsbewegung damit begründet, daß die steigenden Kosten für Herstellung und Vertrieb von Presseerzeugnissen am leichtesten in durchrationalisierten Großbetrieben aufgefangen werden könnten. Daß im Bereich der Presse enorme Kostensteigerungen stattgefunden haben, kann nicht bestritten werden: »Bei den Zeitungsverlagen mit eigener Druckerei ist der Index der Verkaufsauflage um 12 % (1956 bis 1964) gestiegen. Demgegenüber haben die Gesamtkosten um 74 % ... zugenommen ... Noch stärker ist der relative Kostenanstieg bei den fremddruckenden Zeitungsverlagen. Einer Zunahme der Verkaufsauflage um 35 % steht hier eine Zunahme der Gesamtkosten um 149 % gegenüber.«[560] Es ist so durchaus wahrscheinlich, »daß der Wunsch nach Senkung der Herstellungskosten bei manchen Konzernbildungen eine Rolle gespielt hat«[561]. Eine größere Rolle dürfte jedoch die Überlegung gespielt haben, die drohenden Gefahren für die Ertragssituation der Verlage durch Schaffung und Erhaltung ausgedehnter Lesermärkte abzuwehren – von Lesermärkten, die zweierlei zu leisten haben: die Steigerung des Umsatzes und damit der Vertriebserlöse sowie die Entwicklung einer starken Stellung gegenüber der Werbebranche und damit die Zunahme der Anzeigenerlöse. Der letztgenannte Tatbestand ist dabei der entscheidende Punkt: Die Zusammenfassung mehrerer Verlage zu einem Konzern (oder der Ankauf von Objekten anderer Verlage durch ein Presseunternehmen) bringt Vorteile nicht so sehr durch kostensenkende Rationalisierung des Produktionsprozesses, sondern weit eher dadurch, daß auf diese Weise Lesermärkte zustande kommen, mit denen die massenmedialen Institutionen dem Anzeigengeschäft aufwarten und potente, gewinnversprechende Inserenten erwerben können[562]. Auf die Konsequenzen dieses Tatbestandes für die Marktpolitik insbesondere der Massenpresse hat Paul A. Baran in seinen ›Thesen zur Werbung‹ hingewiesen: »Da die Größe des Werbeauftrages und der Preis für den Annoncenplatz ... davon abhängen, wie groß die Verbreitung des Werbeträgers ist ... sind die Medien gezwungen, so viele Bevölkerungsschichten wie nur möglich anzusprechen. Das hat

559 Vgl. dazu Wettbewerbskommission, a. a. O., S. 109.
560 Wettbewerbskommission, a. a. O., S. 77.
561 H. Meyn, a. a. O., S. 57.
562 Vgl. dazu M. Hintze, a. a. O., S. 149 ff. und Wettbewerbskommission, a. a. O., S. 88.

Folgen für die innere Struktur der Medien, für die politischen und intellektuellen Kriterien ihrer Arbeit und die Informationsgebung.«[563] Auf einige dieser Folgen wird später eingegangen.

Daß Zeitungs- und Zeitschriftenverlage auf Grund dieser Methode, ihre Gewinnsituation zu verbessern, in ganz erheblichem Maße vom Werbemarkt abhängen (und zunehmend von ihm abhängen werden), läßt sich ohne Schwierigkeiten nachweisen[564]. Beispielsweise erzielten die vorhin genannten Großverlage der Massenpresse 1966 für ihre Zeitschriften einen Gesamterlös von 995 Millionen DM; davon erhielten sie durch die Werbebranche allein 566 Millionen DM (1956 betrug der Gesamterlös 181 Millionen DM und der Anzeigenerlös 71 Millionen DM). Das zeigt deutlich, wie »das Anzeigengeschäft mit steigender Auflage sicherer und einträglicher« wird und »einen ständig wachsenden Anteil an den Erträgen der Verlage«[565] hat. Für den Bereich der Illustriertenpresse insgesamt stellt sich die Abhängigkeit vom Anzeigengeschäft so dar:

Tabelle 35: Erlöse der Illustriertenpresse: 1964[566]

Erlösarten	Illustrierte		Frauen- und Modezeitschriften		Rundfunkzeitschriften		Bunte Wochenendblätter	
	Millionen DM	%	Millionen DM	%	Millionen DM	%	Millionen DM	%
Vertriebserlöse	108,6	32,2	69,5	32,5	141,6	50,5	31,0	82,6
Anzeigenerlöse	228,0	67,8	146,5	68,4	138,9	49,5	6,5	17,1
Sonstige Erlöse	0,1	0,0	0,2	0,1	–		–	
Erlöse insges.	336,7	100,0	216,2	100,0	280,5	100,0	37,5	100,0

(Quelle: Wettbewerbskommission, a. a. O., S. 106)

Daß die Anzeigenabhängigkeit nicht noch intensiver ist, liegt vor allem an dem recht erfolgreichen Versuch der Illustriertenproduzenten, neue Leser zu gewinnen — und zwar dadurch, daß der Einzelverkauf der Zeitschriften und damit der wöchentliche Kampf um die Interessenten am Kiosk aktiviert wurde[567]. Ähnliche Anstren-

563 P. A. Baran, Thesen zur Werbung, in: P. A. Baran, Zur politischen Ökonomie der geplanten Wirtschaft, Frankfurt 1968, S. 131.
564 Vgl. dazu J. L. Arranguren, a. a. O., S. 152.
565 L. Hinz, Meinungsmarkt und Publikationsorgane, in: G. Schäfer–C. Nedelmann (eds.), a. a. O., S. 157–158.
566 Die folgenden Zahlen beruhen auf Auskünften von 24 Verlagen mit 38 Zeitschriften und einer Verkaufsauflage von 23,5 Millionen Exemplaren.
567 Vgl. dazu Wettbewerbskommission, a. a. O., S. 96.

gungen – wenn auch nicht in dem Maße wie im Bereiche der Zeitschriften – wurden im Sektor der Tagespresse ebenfalls unternommen, um die Fesseln der Werbebranche etwas abzustreifen [568]. Dennoch ist auch im Bereich der Tagespresse die Herrschaft der Anzeigenwirtschaft sehr ausgeprägt, wobei diese Herrschaft durchaus nicht in Form sichtbarer Kollisionen zwischen kaufmännischen und journalistischen Interessen aufscheinen muß, sondern sich zumeist so äußern dürfte, wie Otto B. Roegele es treffend schildert: Aus »Rücksichtnahme auf mögliche oder wirkliche, vermutete oder ausdrücklich erklärte Empfindlichkeiten der wirtschaftlichen Interessenten entstehen (Schweigezonen, die) ... einander nicht aufheben, sondern (sich) summieren und zu einem System weißer Flecken auf der Landkarte der in den Zeitungen behandelten Themen auswachsen« [569]. Insbesondere findet sich eine solchermaßen ausnutzbare Abhängigkeit vom Anzeigengeschäft im Bereich der Abonnementszeitungen, zu denen ja vor allem die überregionalen und großen regionalen wie lokalen Blätter gehören [570]. (Das bedeutet unter anderem, daß Boulevardblätter, die zumeist Straßenverkaufszeitungen [571] sind, in etwas geringerem Maß dem direkten Einfluß ökonomischer Machtgruppen unterliegen als sogenannte seriöse Tageszeitungen [572]. Auf die Abhängigkeit der Boulevardpresse vom Kioskpublikum und deren fatale Konsequenzen wird später noch eingegangen. Siehe Tabelle 36, S. 200.)

Es wurde bereits angemerkt, daß nicht nur die privatwirtschaftlich organisierten Zeitungs- und Zeitschriftenverlage, sondern tendenziell auch die mit öffentlich-rechtlichem Status versehenen Rundfunk- und Fernsehanstalten geschäftliche Unternehmen sind und ihre Angebote Warencharakter tragen. Claus-Peter Gerber und Manfred Stosberg widersprechen dieser Argumentation zwar: »Gewisse Einschränkungen in der Erfüllung der für das demokratische System wichtigen Funktionen, die sich bei Zeitungen und Zeitschriften aus ihrer erwerbswirtschaftlichen Zielsetzung ergeben

568 Vgl. dazu Wettbewerbskommission, a. a. O., S. 78.
569 O. B. Roegele, Öffentliche Meinung und Presse, in: K. Forster (ed.), Die Funktion der Presse im demokratischen Staat, München 1958, S. 59; vgl. dazu die fast gleichlautende Argumentation bei P. A. Baran, a. a. O., S. 131–132.
570 Vgl. dazu ARD II, a. a. O., S. 172.
571 Dafür ist im Bereich der Straßenverkaufszeitungen eine andere Monopolisierungstendenz relevant – die Neigung zur Bildung von Vertriebsmonopolen über die Entwicklung des sogenannten »Gebietsgrosso«, »des Systems des ›gebietszuständigen‹ Großhändlers‹« (H. D. Müller, a. a. O., S. 238 – Vgl. dazu P. Glotz–W. R. Langenbucher, Monopol und Kommunikation, a. a. O., S. 168–169).
572 Vgl. dazu die Auseinandersetzungen um die Berliner Tageszeitung ›Der Telegraf‹ anläßlich deren Berichterstattung über die Demonstration der außerparlamentarischen Opposition gegen die Rückführung bereits zum Wehrdienst einberufener Kriegsdienstverweigerer von West-Berlin in die Bundesrepublik – siehe: Der Spiegel 35 1969, S. 138.

Tabelle 36: Erlöse der Tagespresse: 1956–1964 [573]

Erlöse	1956				1964			
	Abonnement-zeitungen		Straßenver-kaufszeitungen		Abonnement-zeitungen		Straßenver-kaufszeitungen	
	Millionen DM	(%)	Millionen DM	(%)	Millionen DM	(%)	Millionen DM	(%)
Vertriebserlöse	289	46	63	80	449	33	104	55
Anzeigenerlöse	328	53	15	20	903	66	86	45
Sonstige Erlöse	6	1	–	–	14	1	–	–
Zeitungserlöse	623	100	78	100	1366	100	190	100
			Entwicklungsindex					
Vertriebserlöse	100		100		155		167	
Anzeigenerlöse	100		100		275		559	
Sonstige Erlöse	100		–		233		–	
Zeitungserlöse	100		100		219		244	

(Quelle: Wettbewerbskommission, a. a. O., S. 81)

können, entfallen bei den öffentlich-rechtlichen Rundfunk- und Fernsehanstalten.«[574] Aber ein erster deutlicher Beleg gegen solchen Optimismus und für den Einfluß erwerbswirtschaftlicher Erwägungen auch auf öffentlich-rechtlich organisierte Massenmedien findet sich in der Abhängigkeit dieser Institutionen von den Erlösen, die sie aus der Werbung ziehen. Zweifellos bleiben die Erlöse aus dem von Rundfunk und Fernsehen betriebenen Insertionsgeschäft beträchtlich hinter denen der Zeitungs- und Zeitschriftenverlage zurück [575]. Doch der Anteil, den die Werbeeinnahmen in den Bilanzen der Landesrundfunkanstalten und insbesondere des Mainzer ZDF einnehmen, hat ein solches Ausmaß, daß ohne weiteres von einer starken Verflechtung mit privatwirtschaftlichen Interessen auch dieser öffentlich-rechtlichen Institutionen gesprochen werden kann – einer Verflechtung, die entscheidend von der Präsenz der herrschenden Gruppen aus Politik und Wirtschaft in den Rundfunk-, Programm- und Verwaltungsräten gestützt wird [576].

573 Die folgenden Zahlen beziehen sich auf die Auskünfte von 150 Zeitungsverlagen.

574 C.-P. Gerber – M. Stosberg, a. a. O., S. 41.

575 Vgl. dazu ARD II, a. a. O., S. 168.

576 Damit soll nichts Grundsätzliches gegen den Organisationsmodus der Rundfunkanstalten gesagt, sondern nur auf dessen Abhängigkeit von den Interessen, die durch ihn repräsentiert sind, hingewiesen werden. Vgl. dazu J. Fest, Schwierigkeiten mit der Kritik. Die demokratische Funktion der Fernsehmagazine, in: C. Longolius (ed.), a. a. O., S. 105 ff., vgl. dazu weiter Ch. Wallenreiter, a. a. O., S. 1.

Tabelle 37: Erlöse der Landesrundfunkanstalten und des ZDF: 1960–1966

Jahr	Gebühren-einnahmen nach Abzug der Anteile für die DBP und das ZDF	Erlöse aus Werbung		*Summe*
	Millionen DM	Millionen DM	Millionen DM	Index 1964 = 100
Landes-rundfunk-anstalten				
1960	464,6	139,1	603,7	64,3
1961	524,7	215,6	740,3	78,9
1962	550,4	264,4	814,8	86,8
1963	559,5	286,8	846,3	90,2
1964	639,8	298,4	938,2	100,0
1965	664,5	319,4	983,9	104,8
1966	712,5	341,7	1054,2	112,4
ZDF				
1962	56,3	–	56,3	32,6
1963	100,5	36,8	137,3	79,6
1964	122,2	49,3	172,5	100,0
1965	142,0	102,8	244,8	141,9
1966	159,7	133,2	292,9	169,8

(Quelle: Wettbewerbskommission, a. a. O., S. 81)

Eine einfache Interpretation von Tabelle 37 zeigt: Während die Gesamteinnahmen der Landesrundfunk- und Fernsehanstalten von 1964 bis 1966 um 12,4 % zugenommen haben, steigerten sich die Werbeerlöse im gleichen Zeitraum um 14,4 % – wobei die Rate für das Werbefernsehen (1. Deutsches Fernsehen) genau der Gesamtzuwachsrate entspricht; die Rate für die Hörfunkwerbung jedoch mit einer fast 25 %igen Erlössteigerung weit darüber liegt [577]. Für das Zweite Deutsche Fernsehen gibt es ein noch erstaunlicheres Resultat: Hier haben sich die Gesamteinnahmen von 1964 bis 1966 um nahezu 70 % erhöht; dabei stiegen die Gebühreneinnahmen jedoch nur um rund 25 %, die Werbeerlöse dagegen um ungefähr 130 %. 1964 sah es für das ZDF allerdings noch nicht so günstig aus – wie die folgende Vermögensrechnung andeutet.

577 Vgl. dazu Wettbewerbskommission, a. a. O., S. 75.

Tabelle 38: Vermögensrechnung des Zweiten Deutschen Fernsehens: 1964

Aktiva	Mio. DM	Passiva	Mio. DM
Anlagevermögen	55,91	Rückstellungen	11,81
Programmvermögen	50,52	Langfristige Verbindlichkeiten	43,13
Forderungen aus Fernsehgebüh-		Kurzfristige Bankschulden	74,63
renanteilen	23,63	Übrige Verbindlichkeiten	29,17
Übriges Umlaufvermögen	5,82		
Bankguthaben Sonderkonto			
Fernsehlotterie »Vergißmein-			
nicht«	0,55		
Rechnungsabgrenzung	0,20		
Vermögensfehlbetrag	22,12		
Insgesamt	158,74	Insgesamt	158,74

(Quelle: Zweites Deutsches Fernsehen, Jahrbuch 1966, a. a. O., S. 164)

Im ZDF-Jahrbuch 1966 wurde der Vermögensfehlbetrag von 22,12 Millionen DM so erklärt: »Die unbefriedigende Entwicklung der Einnahmen, insbesondere der Werbeeinnahmen, führte im Rechnungsjahr 1964 zu einem Verlust von insgesamt 22,26 Millionen DM, der sich durch die am 31. Dezember 1963 vorhandene Vermögensüberdeckung (0,14 Millionen DM) auf 22,12 Millionen DM vermindert.«[578] Man sieht also: Auch die Gewinn- und Verlustrechnung einer Anstalt des öffentlichen Rechts ist in entscheidendem Maße von Finanzquellen abhängig, deren Einfluß sicher nicht unproblematisch ist[579]. Der offene Widerspruch zwischen dem Charakter einer Institution des öffentlichen Rechts und dem Einbau von Reklame ins Fernseh- und Rundfunkprogramm wird bei den meisten Anstalten vordergründig durch eine juristische und finanzielle Ausgliederung der Werbung eliminiert[580]. Zur Arbeitsgemeinschaft Werbefernsehen der ARD gehören sieben Gesellschaften[581]. Diese Ge-

578 Zweites Deutsches Fernsehen, Jahrbuch 1966, a. a. O., S. 155.
579 Vgl. dazu das trockene Diktum: »... he who pays the piper generally calls the tune« (P. F. Lazarsfeld – R. K. Merten, Mass Communication, Popular Taste and Organized Social Action, in B. Rosenberg – D. Manning White [eds.], a. a. O., S. 465). In einer neueren Studie hat Silbermann versucht, den Nachweis zu erbringen, daß das kulturelle Niveau von kommerziellem und öffentlich-rechtlichem Fernsehen ähnlich, von einer Beeinflussung durch privatwirtschaftliches Interesse also wenig zu spüren sei. Leider weist diese Studie solche Fragwürdigkeiten – insbesondere etwas merkwürdige Definitionen von sogenannter low respektive high culture – auf, daß sie nicht als akzeptabler Beleg gelten kann. Vgl. dazu A. Silbermann, Vorteile und Nachteile, a. a. O. und J. Kayser, One Week's News, Paris 1953, S. 90 f.
580 Vgl. dazu A. Silbermann, a. a. O., S. 79 und G. Maletzke, Grundbegriffe der Massenkommunikation, München 1964, S. 57.
581 Vgl. dazu Tabelle 5, S. 121.

Graphik 11: Verteilung des Werbeaufwands zwischen einzelnen Medien: 1958–1964

1) bei Zeitungen und Fernsehen (Jedes Jahr = 100%)

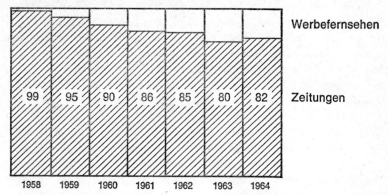

Werbefernsehen

| 99 | 95 | 90 | 86 | 85 | 80 | 82 | Zeitungen

| 1958 | 1959 | 1960 | 1961 | 1962 | 1963 | 1964 |

2) bei Zeitschriften und Fernsehen

Werbefernsehen

| 98 | 92 | 85 | 81 | 80 | 77 | 79 | Zeitschriften

| 1958 | 1959 | 1960 | 1961 | 1962 | 1963 | 1964 |

3) bei Zeitungen und Zeitschriften

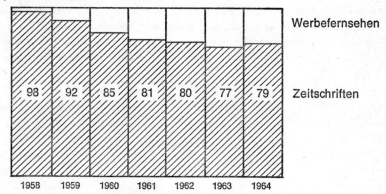

| 36,0 | 37,5 | 38,6 | 40,9 | 43,8 | 45,1 | 46,0 | Zeitschriften

| 64,0 | 62,4 | 61,4 | 59,1 | 56,2 | 54,9 | 54,0 | Zeitungen

| 1958 | 1959 | 1960 | 1961 | 1962 | 1963 | 1964 |

(Quelle: ARD II, a. a. O., S. 94)

sellschaften verbinden die Anstalten nicht nur direkt mit dem Kapitalmarkt, sondern zudem noch dadurch, daß jene Werbegesellschaften mit den großen bundesrepublikanischen Ateliergesellschaften stark liiert sind. So gehören 50 respektive 25 % der Bavaria dem Westdeutschen Werbefernsehen (GmbH) respektive der Rundfunkwerbung (GmbH); 80 % des Studio Hamburg dem Norddeutschen Werbefernsehen (GmbH); und 50 % der Taunus-Film der Werbung im Rundfunk (GmbH). Dazu kommt noch eine weitere Verflechtung mit der Privatwirtschaft durch die Film- und Fernsehserien-Einkaufsgesellschaft DEGETO, an der die neun Rundfunk- und Fernsehanstalten mit einer Einlage von jeweils 25 000 DM beteiligt sind[582].

Dennoch ist – wie bereits erwähnt – die privatwirtschaftliche Ausrichtung und damit die Insertionsabhängigkeit bei Rundfunk- und Fernsehanstalten längst nicht so ausgeprägt wie bei Zeitungs- und Zeitschriftenverlagen. Das läßt sich sehr gut daran zeigen, wie der gesamte Werbeaufwand eines Jahres über die einzelnen Medien verteilt ist (siehe Graphik 11, S. 203).

Den größten Anteil der Werbeaufwendungen – einen Anteil, der sich allerdings seit 1958 zugunsten von Fernsehen und Zeitschriften kontinuierlich verringert hat – ziehen demnach die Zeitungen auf sich, gefolgt von den Zeitschriften und mit Abstand vom Werbefernsehen. Das zeigt auch eine Statistik recht deutlich, die sich auf die Zuwachsraten der Bruttoumsätze bezieht, die die Medien im Werbegeschäft erzielten.

Tabelle 39: Bruttoumsätze aus Werbung in Zeitungen, Zeitschriften, Rundfunk und Fernsehen: 1964–1968

I. Zeitungen:

Jahr	Bruttoumsatz in Millionen DM	Veränderungen gegenüber dem Vorjahr in %	Index 1961 = 100
1964	1699,0	+ 12	125
1965	1932,6	+ 14	143
1966	2105,9	+ 9	155
1967	2190,7	+ 4	162
1968	2770,2	+ 26	204

II. Zeitschriften:

Jahr	Bruttoumsatz in Millionen DM	Veränderungen gegenüber dem Vorjahr in %	Index 1961 = 100
1964	1393,0	+ 12	149
1965	1507,0	+ 8	161
1966	1696,9	+ 13	181
1967	1717,9	+ 1	183
1968	2099,6	+ 22	224

582 Vgl. dazu Wettbewerbskommission, a. a. O., S. 23.

III. Rundfunk:

1964	83,6	+ 30	159
1965	91,6	+ 9	174
1966	108,5	+ 18	206
1967	134,5	+ 24	256
1968	168,0	+ 25	319

IV. Fernsehen:

1964	374,2	+ 2	169
1965	370,8	+ 26	212
1966	537,7	+ 14	242
1967	557,6	+ 4	251
1968	604,3	+ 8	272

(Quelle: Zentralausschuß der Werbewirtschaft e. V., Werbung 1968, Bad Godesberg 1968, S. 39 ff.)

In dieser Verteilung schlägt sich das Zutrauen nieder, das die Werbebranche und die durch sie vertretene Industrie den einzelnen Medien als Reklameträgern entgegenbringen. Am ehesten hofft die inserierende Industrie dabei auf die Werbekraft der Zeitschriften und Zeitungen; an zweiter Stelle rangiert das Fernsehen und dann folgt schließlich der Rundfunk. Doch man nutzt eigentlich nur in seltenen Fällen die Insertionsmöglichkeiten allein in einem Medium; zumeist wird eine Kombination aus mehreren Werbemitteln gewählt. Tabelle 40 gibt einen Überblick über die Kombination, die die Markenartikel- und Dienstleistungsindustrie vorzieht.

Tabelle 40: Werbeaufwendungen für Markenartikel und überregionale Dienstleistungen (untergliedert nach Werbemittel-Kombinationen): 1961–1964

Werbe-mittel-Kombi-nationen	Tages-zeitungen	Zeit-schriften	Rundfunk*	Fernsehen	Insgesamt
	Mio. DM	Mio. DM	Mio. DM	Mio. DM	Mio. DM
Tageszeitungen/Zeitschriften – Rundfunk/Fernsehen					
1961	148,4	193,3	32,5	87,5	461,7
1962	152,3	171,9	35,4	95,7	455,3
1963	150,6	198,4	36,7	120,1	505,8
1964	176,7	236,5	44,9	134,0	592,1
Tageszeitungen/Zeitschriften – Rundfunk					
1961	21,5	25,1	7,2	–	53,8
1962	19,3	28,4	7,1	–	54,8
1963	32,2	30,3	9,6	–	72,0
1964	34,3	35,8	11,8	–	81,9
Tageszeitungen/Zeitschriften – Fernsehen					
1961	112,0	151,1	–	79,8	342,9
1962	125,7	199,0	–	113,8	438,5

Werbe-mittel-Kombi-nationen	Tages-zeitungen	Zeit-schriften	Rundfunk*	Fernsehen	Insgesamt
	Mio. DM	Mio. DM	Mio. DM	Mio. DM	Mio. DM
1963	146,9	213,8	–	138,5	499,2
1964	144,9	230,3	–	137,6	512,9
Tageszeitungen/Rundfunk – Fernsehen					
1961	5,1	–	0,9	1,5	7,5
1962	14,5	–	2,3	5,2	22,0
1963	10,8	–	1,4	3,6	15,9
1964	3,9	–	2,3	6,1	12,4
Zeitschriften/Rundfunk – Fernsehen					
1961	–	24,9	5,0	13,5	43,4
1962	–	26,2	4,5	17,2	47,9
1963	–	49,7	8,7	30,3	88,6
1964	–	44,3	11,6	31,4	87,2
Tageszeitungen/Zeitschriften					
1961	172,4	169,0	–	–	341,4
1962	177,6	207,1	–	–	384,7
1963	191,5	222,6	–	–	414,0
1964	226,0	259,0	–	–	485,0
Tageszeitungen/Rundfunk					
1961	5,0	–	1,2	–	6,2
1962	2,9	–	2,1	–	5,0
1963	4,4	–	1,2	–	5,6
1964	2,7	–	1,5	–	4,2
Tageszeitungen/Fernsehen					
1961	9,2	–	–	4,1	13,3
1962	10,2	–	–	4,2	14,4
1963	11,6	–	–	5,5	17,2
1964	5,1	–	–	4,3	9,3
Zeitschriften/Rundfunk					
1961	–	4,8	3,1	–	7,8
1962	–	4,6	1,7	–	6,3
1963	–	10,5	2,8	–	13,2
1964	–	18,0	4,9	–	22,9
Zeitschriften/Fernsehen					
1961	–	48,1	–	27,8	75,9
1962	–	66,8	–	34,7	101,5
1963	–	79,3	–	52,2	131,5
1964	–	76,3	–	41,7	118,0
Rundfunk/Fernsehen					
1961	–	–	1,3	3,0	4,3
1962	–	–	1,8	4,0	5,8
1963	–	–	2,9	6,6	9,5
1964	–	–	4,4	7,9	12,3
Tageszeitungen					
1961	17,3	–	–	–	17,3
1962	24,7	–	–	–	24,7

Werbe-mittel-Kombi-nationen	Tages-zeitungen Mio. DM	Zeit-schriften Mio. DM	Rundfunk* Mio. DM	Fernsehen Mio. DM	Insgesamt Mio. DM
1963	20,2	–	–	–	20,2
1964	22,5	–	–	–	22,5
Zeitschriften					
1961	–	101,7	–	–	101,7
1962	–	130,0	–	–	130,0
1963	–	143,2	–	–	143,2
1964	–	168,6	–	–	168,6
Rundfunk					
1961	–	–	1,4	–	1,4
1962	–	–	1,1	–	1,1
1963	–	–	1,2	–	1,2
1964	–	–	2,2	–	2,2
Fernsehen					
1961	–	–	–	4,8	4,8
1962	–	–	–	7,1	7,1
1963	–	–	–	9,2	9,2
1964	–	–	–	10,9	10,9
Alle Kombinationen					
1961	490,9	717,9	52,6	222,1	1483,5
1962	527,2	834,2	55,9	281,8	1699,1
1963	568,2	947,7	64,4	365,9	1946,3
1964	616,2	1068,7	83,7	374,0	2142,6

(Quelle: ARD II, a. a. O., S. 188–189)

* Einschließlich der deutschsprachigen Sendungen bei Radio Luxemburg.

Es werden also vor allem drei Kombinationen bevorzugt – in der Rangfolge ihrer Präferenz: Tageszeitungen/Zeitschriften/Rundfunk/Fernsehen; Tageszeitungen/Zeitschriften/Fernsehen und Tageszeitungen/Fernsehen.

Gerade an den Werbeaufwendungen der Markenartikelindustrie und des überregionalen Dienstleistungsgewerbes läßt sich noch etwas anderes demonstrieren – nämlich die Abhängigkeit jener Aufwendungen von der gesamtwirtschaftlichen Aktivität einer Gesellschaft [583]. Nimmt man als Ausdruck dieser Aktivität das Brutto-Inlandsprodukt zu Marktpreisen, ist folgendes zu erkennen:

[583] Vgl. dazu insbesondere die Studien über die Situation der Massenmedien in den Entwicklungsländern: W. Schramm, Communication and Change, a. a. O.; W. Schramm–W. L. Ruggels, How Mass Media Systems grow, in: D. Lerner–W. Schramm (eds.), a. a. O.; L. W. Pye, Communication .., a. a. O.; I. de Sola Pool, The Mass Media and Politics . . ., a. a. O.

Tabelle 41: Entwicklung der Brutto-Werbeumsätze ausgewählter Werbemittel und des Brutto-Inlandsproduktes zu Marktpreisen: 1952–1968

Jahr	in Millionen DM					in Mio. DM	in Milliarden DM
	Anzeigen in Zeitungen	Anzeigen in Zeitschriften	Werbung im Rundfunk	Werbung im Fernsehen	Summe der Spalten 1–4	Werbeaufwendungen insgesamt	Brutto-Inlandsprodukt in Marktpreisen
	1	2	3	4	5	6	7
1952	333,3	173,4	20,9	–	564,8	–	136,5
1953	432,9	212,9	23,1	–	712,3	–	147,0
1954	500,1	262,0	28,2	–	841,0	–	158,2
1955	566,2	311,9	32,1	–	969,6	–	180,8
1956	688,5	390,1	32,1	0,2	1172,6	–	199,0
1957	898,4	487,7	39,1	3,7	1497,6	–	216,4
1958	991,4	556,4	42,4	12,0	1670,1	–	231,2
1959	1074,0	644,7	52,3	56,8	1902,4	–	250,8
1960	1187,6	744,3	48,8	132,1	2195,2	–	296,8
1961	1356,2	936,7	52,6	221,8	2663,5	–	326,2
1962	1408,2	1097,4	35,9	281,8	2947,9	4208,0	354,5
1963	1510,6	1244,7	64,4	366,0	3295,1	4654,0	377,6
1964	1699,0	1393,0	83,6	374,2	3701,8	5206,6	413,8
1965	1932,6	1507,0	91,5	470,9	4184,0	6143,8	452,7
1966	2105,9	1696,0	108,5	537,7	4643,0	7086,7	480,8
1967	2190,7	1717,9	134,5	557,6	4816,5	7410,2	485,1
1968	2770,2	2099,6	168,0	604,3	5895,7	8609,0	528,8

Anmerkungen zu Tabelle 41:
Spalten 1–4: Bruttoinsertions- bzw. Bruttoeinschaltkosten, d. h. Kosten ohne Abzug von Rabatten, Vermittlergebühren, Skonti, ermittelt durch Messung der Anzeigenräume und Sendezeiten und Gewichtung durch Listenpreise, von »Gesellschaft für Wirtschaftsanalyse und Marktforschung, Kapferer & Schmidt«, jetzt: »Schmidt & Pohlmann, Gesellschaft für Werbestatistik, Hamburg«.
Spalten 1 +2: ohne Personal-, Stellen- und Kleinanzeigen.
Spalte 3: einschließlich deutschsprachige Sendungen von Radio Luxemburg.

(Quelle: Zentralausschuß der Werbewirtschaft e. V., a. a. O., S. 35 (Spalte 1–6); S. 25 (Spalte 7 ab 1960) und ARD II, a. a. O., S. 190 (Spalte 7 von 1952 bis 1959 einschließlich).

Es besteht also ein eindeutiger Zusammenhang zwischen der gesamtwirtschaftlichen Aktivität einer kapitalistischen Gesellschaft, den Werbeaufwendungen in Massenmedien und damit deren ökonomischer wie intellektueller Existenz. Wie für die übrige kapitalistisch organisierte Industrie besteht somit auch für die Institutionen der Massenkommunikation das entscheidende Problem darin, ausgedehnte Konsumentenmärkte zu schaffen und zu erhalten. Denn – das sei noch einmal betont – Gewinne ziehen die Medien fast ausschließlich aus dem Insertionsgeschäft; hier können sie aber nur dann eine lukrative Stellung beziehen, wenn sie der Werbebranche große Publika und damit den dahinter stehenden Industrien absatzgarantierende Konsumentengruppen offerieren; solche Offerten vermag jedoch nur zu machen, wer sich in extremer Weise den vermeintlichen – nicht zuletzt von den Massenmedien selber indoktrinierten – Interessen des Publikums anpaßt. Das heißt aber – konsequent marktorientiert gedacht –: Anpassung an die größte Gruppe des Publikums und deren sozio-psychische Bedingungen. Melvin L. De Fleur hat daraus die Notwendigkeit für die Massenmedien abgeleitet, in großem Stil das produzieren zu müssen, was er »low-taste content« nennt. »At present ... the function of ... low-taste content is to maintain the financial equilibrium of a deeply institutionalized social system, which is tightly integrated with the whole of the ecconomic institutions.«[584] Der kritische Punkt dabei ist folgender: »Während die Kulturindustrie ... unleugbar auf den Bewußtseins- und Unbewußtseinsstand der Millionen spekuliert, denen sie sich zuwendet, sind die Massen nicht das Primäre, sondern ein Sekundäres, Einkalkuliertes; Anhängsel der Maschinerie. Der Kunde ist nicht, wie die Kulturindustrie glauben machen möchte, König, nicht ihr Subjekt, sondern ihr Objekt. Das Wort Massenmedium, das für die Kulturindustrie sich eingeschliffen hat, verschiebt bereits den Akzent ins Harmlose. Weder geht es um die Massen an erster Stelle noch um die Techniken der Kommunikation als solche ... Die Massen sind nicht das Maß, sondern die Ideologie der Kulturindustrie, so wenig diese auch existieren könnte, wofern sie nicht den Massen sich anpaßte ... Die Kulturwaren der Industrie richten sich ... nach dem Prinzip ihrer Verwertung. Die gesamte Praxis der Kulturindustrie überträgt das Profitmotiv blank auf die geistigen Gebilde.«[585] Daß die in die ökonomische Gewinn- und Verlustkalkulation der Massenmedien einbezogene Rechnung mit dem Publikum glatt aufgeht, dürften einige der früher zitierten Untersuchungen gezeigt haben. Wie ist nun die Fügsamkeit der Leser, Hörer und Zuschauer zu erklären?

Die Antwort auf diese Frage kann offensichtlich nicht den Aussagen des Publikums entnommen werden. Denn die Ökonomisierung der Massenmedien und deren Folgen stellen für die Mehrzahl der unmittelbar Betroffenen, nämlich für die Mehrzahl der Leser, Hörer und Zuschauer, offenbar keine Probleme dar. Dieses mangelnde Bewußtsein von den prekären Konsequenzen, die die Verfilzung von journalistischen und rentabilitätsorientierten Interessen nach sich zieht, macht jedoch – bezogen auf das Verhältnis von Massenkommunikation und Demokratie – das eigentlich Fatale aus,

584 M. L. De Fleur, a. a. O., S. 157.
585 T. W. Adorno–M. Horkheimer, Dialektik der Aufklärung, a. a. O., S. 187.

und zwar gerade, weil es dem Publikum so wenig bewußt ist[586]. Hier zeigt sich nämlich, daß die Produzenten der Massenmedien – insbesondere die privatwirtschaftlich arbeitenden – es verstanden haben, unter dem Zwang der Gesetze oligopolkapitalistischer Produktion zwar ihre technische Effizienz zu steigern, aber auch das gesellschaftlich vermittelte Angewiesensein der Bevölkerung auf die Medien auszunutzen und deren Inhalte so dem Publikum anzupassen, daß dieses, während es um wesentliche Hilfsmittel für demokratisches Verhalten gebracht wird, bei Befragungen dann bekennt, die Zeitungen, Zeitschriften, Rundfunk- und Fernsehprogramme offerierten ihm genau das, was es haben möchte[587].

(2) Die Synchronisation von Inhalten und Mechanismen der Massenkommunikation mit sozialer Lage und Bedürfnisdisposition des Publikums

Die Erklärung für dieses positive Verhältnis des Publikums zu den Medien und deren Angeboten findet sich in der sozialen Lage und psychischen Disposition der Leser, Hörer und Zuschauer, in deren Beziehung zu den politischen, kulturellen und ökonomischen Institutionen, die ihre materielle und psychisch-intellektuelle Existenz prägen. Der angedeutete Zusammenhang zwischen der sozio-psychischen Situation von Individuen wie Gruppen und deren Affinität zu einer bestimmten Qualität massenmedialer Kommuniqués ist vor allem in zahlreichen amerikanischen Untersuchungen analysiert und bestätigt worden[588]. Die Ergebnisse lassen sich in zwei einfachen Hypothesen ausdrücken: (1) Individuen wie Gruppen neigen dazu, sich solchen massenmedialen Angeboten bevorzugt zuzuwenden, die ihren Prädispositionen (ihrer sozialen Lage und ihrer psychischen Zuständlichkeit) entsprechen. (2) Massenmediale Angebote sind tendenziell dann am wirksamsten (wirksam im Sinne einer durch

586 Zu Recht weisen Glotz–Langenbucher darauf hin, daß dieses Problem insbesondere dort vorliegt, wo tatsächlich Zeitungsmonopole existieren: nämlich in 102 von 577 kreisfreien Städten und Landkreisen der Bundesrepublik, in denen eine Zeitung die regionale und lokale Berichterstattung monopolisiert hat (vgl. dazu P. Glotz – W. R. Langenbucher, a. a. O., S. 168 u. 171; vgl. dazu weiter L. Hinz, a. a. O., S. 157 und R. Burkhardt, Konzentrationsvorgänge in der Presse der BRD, in: B. Jansen– A. Klönne, a. a. O., S. 27 ff.)

587 Vgl. dazu T. W. Adorno, Résumé über Kulturindustrie, a. a. O., S. 68–69 und H. Reimann, a. a. O., S. 147 und 184.

588 Vgl. dazu zusammenfassend L. Bogart, American TV . . ., a. a. O., S. 36 ff.; J. D. Halloran, The Effects of Mass Communication with Special Reference to Television, Leicester 1964, S. 30 ff.; J. T. Klapper, The Effects . . ., a. a. O., S. 8 ff.; O. N. Larsen, Social Effects of Mass Communication, in: R. E. L. Faris (ed.), Handbook of Modern Sociology, Chicago 1964, S. 349 ff.; A. Silbermann–H. O. Luthe, Massenkommunikation, in: R. König (ed.), Handbuch der empirischen Sozialforschung II, Stuttgart 1969, S. 675 ff.

diese Angebote ausgelösten Veränderung von Publikumseinstellungen), wenn sie mit den Prädispositionen der Adressaten korrespondieren[589].

Eine Generalisierung dieser Hypothesen führt zu einer allgemeinen verhaltenstheoretischen Annahme, die Leon Festinger folgendermaßen formuliert und seiner Theorie der kognitiven Dissonanz (logisch) vorangestellt hat: »The human organism tries to establish internal harmony, consistency and congruity among his opinions, attitudes, knowledge, and values.«[590] Läßt man einmal die Frage, ob nicht die hier postulierte Invariante menschlichen Verhaltens soziologisch relativiert und der deutlich behavioristische Akzent der Aussage sinnverstehend korrigiert werden müßten, beiseite, dann stellt – auf Grund der vorliegenden empirischen Daten – die Festingersche Formulierung eine brauchbare Prämisse für spezifische Interaktionstheorien dar. Solchermaßen axiomatisierte Erklärungssysteme sind: die bereits erwähnte Theorie der kognitiven Dissonanz von Festinger, die Theorie des kognitiven Gleichgewichts von Fritz Heider[591] und die Kongruitätstheorie von Charles E. Osgood und Percy H. Tannenbaum[592]. Diese Theorien differieren in vielen Punkten[593]; sie haben jedoch – wie Edwin P. Hollander zeigt – einige wesentliche Implikate gemeinsam. Diese Implikate lassen sich folgendermaßen zusammenfassen: »(1) Modification of cognitive structures, i. e. attitude change, results from the psychological stress produced by cognitive inconsistency. (2) The interaction of cognitive elements depends upon their being brought into some kind of confrontation with one another ... (3) The magnitude of stress toward attitude change increases with degree of cognitive inconsistency ... (4) The dynamics of cognitive interaction under stress operate to reduce total cognitive inconsistency ...«[594] Die Möglichkeit, die Theorien zur Problematik kognitiver Konsistenz auf einen Nenner bringen zu können, veranlaßt Andrzej Malewski dazu, die Argumente von Festinger, Heider, Osgood und Tannenbaum in die einfache Formel »Lohn – Strafe« zu fassen. »(Es) läßt sich die Grundkonzeption dieser Theorie in Form der Aussage darlegen, eine kognitive Dissonanz wirke als Strafe, die Reduktion oder Vermeidung einer solchen Dissonanz aber als Belohnung.«[595] Daran anknüpfend hat dann Hans J. Hummell in einem gerade veröffentlichten Beitrag versucht, die Theorie der kognitiven Dissonanz, der kognitiven

589 Vgl. dazu B. Berelson–G. A. Steiner, a. a. O., S. 529 und 540–541.

590 L. Festinger, A Theory of Cognitive Dissonance, Evanston 1957, S. 260.

591 Vgl. dazu F. Heider, Attitudes and Cognitive Organization, in: Journal of Psychology 1946, S. 107 ff. und F. Heider, The Psychology of Interpersonal Relations, New York 1958 – insbesondere Kapitel VII, S. 200 ff.

592 Vgl. dazu Ch. E. Osgood, P. H. Tannenbaum, The Principle of Congruity and the Prediction of Attitude Change, in: Psychological Review 1955, S. 62 ff.

593 Vgl. dazu A. Malewski, Verhalten und Interaktion, Tübingen 1967, S. 72 ff. und H. J. Hummell, Psychologische Ansätze zu einer Theorie sozialen Verhaltens, in: R. König (ed.), a. a. O., S. 1223 ff.

594 E. P. Hollander, Principles and Methods of Social Psychology, New York, London, Toronto 1967, S. 154.

595 A. Malewski, a. a. O., S. 73.

Kongruität und des kognitiven Gleichgewichts mit Hilfe einer skizzenhaften graphentheoretischen Formalisierung[596] und einer angedeuteten Datenfundierung des formulierten Kalküls zu einer einheitlichen Konzeption zusammenzufügen[597]. Zweifellos können diese und ähnliche, primär im mikrosoziologischen Forschungsbereich entwickelten Theoriestücke nicht glatt auf gesamtgesellschaftlich dimensionierte Probleme angewendet und deren Analyse eingegliedert werden. Dennoch läßt sich für den hier interessierenden Fall – den Zusammenhang von sozio-psychischer Situation des massenmedialen Publikums und dessen Affinität zum Angebot von Presse, Rundfunk, Fernsehen – Wesentliches aus den genannten Theorien und den mit ihnen erzielten Ergebnissen gewinnen: insbesondere, wenn man – wie kürzlich von Heinz Otto Luthe vorgeschlagen[598] – nicht nur die Frage der kognitiven, sondern auch die der emotiven Dissonanz berücksichtigt und – so zuletzt von Hummell praktiziert[599] – neben Persönlichkeits- auch Gruppenstrukturen in die Analyse einbezieht. Jener Gewinn kann in Form zweier Grundhypothesen ausgedrückt werden, aus denen die beiden – nach Bernard Berelson und Gary A. Steiner formulierten – Argumente vom Anfang dieses Abschnitts direkt ableitbar sind. In Anlehnung an Festinger lauten die Grundhypothesen: (1) Die Perzeption einer Dissonanz in der kognitiven und/oder emotiven Struktur eines Individuums durch dieses Individuum oder im Selbstverständnis einer Gruppe durch die Gruppe führt zu dem Versuch, die Dissonanz zu reduzieren oder zu kompensieren und dadurch eine tatsächliche oder scheinbare, auf jeden Fall eine als solche erlebbare Konsonanz herzustellen. (2) Die Perzeption einer Dissonanz in der kognitiven und/oder emotiven Struktur eines Individuums durch dieses Individuum oder im Selbstverständnis einer Gruppe durch diese Gruppe führt zu dem Versuch, solche Situationen und Situationsdeutungen zu meiden, die jene Dissonanz verstärken – und solche zu finden, die jene Dissonanz verringern[600]. Daraus können folgende massenkommunikationssoziologische Argumente deduziert werden:

● Massenmediale Angebote werden dann positiv beurteilt, wenn sie Dissonanzen kognitiver und/oder emotiver Art bei einem Individuum, einer Gruppe reduzieren oder kompensieren; sie werden negativ (oder zumindest indifferent) beurteilt, wenn sie die Dissonanzen nicht beachten oder sogar verstärken[601].

596 Vgl. dazu D. Cartwright–F. Harary, Structural Balance. A. Generalization of Heider's Theory, in: D. Cartwright–A. Zander (eds.), Group Dynamics, Evanston 1960, S. 705 ff.

597 Vgl. dazu H. J. Hummell, a. a. O., S. 1241 ff.

598 Vgl. dazu H. O. Luthe, Interpersonale Kommunikation und Beeinflussung, Stuttgart 1968, S. 35 und 107.

599 Vgl. dazu H. J. Hummell, a. a. O., S. 1253 ff.

600 Vgl. dazu L. Festinger, a. a. O., S. 3; ferner L. Festinger, An Introduction to the Theory of Dissonance, in: E. P. Hollander, R. G. Hunt (eds.), Current Perspectives in Social-Psychology, New York, London, Toronto 1967 (2. eds.), S. 347 ff.

601 Vgl. dazu R. A. Bauer, The obstinate audience: The influence process from the

● Massenmediale Angebote haben dann eine Chance, Einstellungs-, Meinungs- und Interpretationsmuster eines Individuums, einer Gruppe zu verändern oder deren Veränderung auszulösen, wenn sie Dissonanzen kognitiver und/oder emotiver Art, die die zu verändernden Muster betreffen, reduzieren oder kompensieren; sie haben eine solche Chance nicht (oder kaum), wenn sie die Dissonanzen nicht beachten oder sogar verstärken[602].

Die Hypothesen sollen im folgenden auf die zuvor referierten Befunde zur Massenkommunikation in der Bundesrepublik angewendet werden.

Wie bereits nachgewiesen[603], ist die (quantitativ) entscheidende Gruppe innerhalb des massenmedialen Publikums die der einfachen Angestellten und Beamten, selbständigen Gewerbetreibenden und angelernten wie fachlich qualifizierten Arbeiter – eine Gruppe, die vorwiegend Volksschulbildung aufweist und monatlich ein Einkommen zwischen 600 und 1000 DM zur Verfügung hat. In einer primär an der Ideologie beruflicher Leistung ausgerichteten Gesellschaft wird vor allem die mehr oder minder präzise Interpretation, die die einzelnen und die verschiedenen Sozialgruppen den genannten Daten geben, Situationsdeutung und Bedürfnisdisposition der Betroffenen bestimmen. Daß in diese Situationsdeutung und Bedürfnisdisposition spezifische Dissonanzen eingehen, liegt dann vor allem an folgenden Tatbeständen (und deren Perzeption): (1) Im Betrieb, in dem man arbeitet, ist man einer unter vielen, über die mehr oder weniger autoritativ verfügt wird und die eine Beurteilung lediglich nach ihrer Verwertbarkeit im Produktions- und Verwaltungsprozeß erfahren – Ergebnis: kognitive und emotive Dissonanz I, resultierend aus der permanenten Konfrontation des Anspruchs der abhängig Arbeitenden auf eine, wenn auch noch so vage vorgestellte Selbstbestimmung des eigenen Tuns mit einer ständig merkbaren Abhängigkeit von – in ihrer Gesamtheit zumeist anonym bleibenden – betrieblichen Strukturen und Abläufen[604]. (2) Die Partei, die man laut Grundgesetz durch Wahl als Vertreterin

point of view of social communication, in: E. P. Hollander, R. G. Hunt (eds.), a. a. O., S. 400 ff. und E. P. Hollander, a. a. O., S. 159 ff.; vgl. dazu weiter S. Rokkan, P. Torsvik, Der Wähler, der Leser und die Parteipresse, in: Kölner Zeitschrift für Soziologie und Sozialpsychologie 1960, S. 299 und M. Irle, Der Einfluß von Kommunikationsmedien auf Einstellungen und Informationen über den Gegenstand der Einstellungen, in: Kölner Zeitschrift für Soziologie und Sozialpsychologie, 2 1961, S. 239 ff.

602 Vgl. dazu J. T. Klapper, Die gesellschaftlichen Auswirkungen der Massenkommunikation, in: W. Schramm (ed.), Grundfragen der Kommunikationsforderung, München 1964, S. 85 ff.; H. H. Hyman, P. B. Sheatsley, Some Reasons, Why Information Campaigns Fail, in: Public Opinion Quarterly 11 1947, S. 412 ff.; und J. O. Whittaker, Cognitive Dissonance and the Effectiveness of Persuasive Communication, in: Public Opinion Quarterly 4 1964, S. 547 ff.

603 Vgl. dazu Kapitel 3, Abschnitt 3 (a) dieser Arbeit.

604 Vgl. dazu zusammenfassend N. Altmann, G. Bechtle, Betriebliche Herrschaftsstruktur und industrielle Gesellschaft, München 1969, S. 28 ff.; vgl. dazu weiter das Kapitel »Zur sozialen Topik«, in: H. Popitz et al., Gesellschaftsbild des Arbeiters,

seiner Interessen benutzen soll, bleibt unkontrollierbar, da die wichtigen Entscheidungen in nicht-öffentlichen Gremien und Ausschüssen fallen; gleiches gilt auch für die parlamentarischen Institutionen der Länder und des Bundes – Ergebnis: kognitive und emotive Dissonanz II, resultierend aus dem fortwährend erlebbaren Zwiespalt, von Politikern, Parteien, Massenmedien und sonstigen Sozialisationsinstanzen zu angeblich alle betreffenden Entscheidungen aufgerufen zu sein und gleichzeitig zu erfahren, daß das eigene Engagement wenig auszurichten vermag gegen etablierte Machtzentren und angebliche Sachzwänge in Wirtschaft und Politik[605]. (3) Vor den Bildungsinstitutionen und kulturellen Einrichtungen, die eventuell dazu beitragen könnten, die Gründe für das Fehlen ökonomischer und politischer Selbstbestimmung auf seiten der Mehrheit der Bevölkerung sowie Möglichkeiten zur Lösung dieser Probleme kenntlich zu machen, sind immer noch, manchmal schon wieder finanzielle und (sozialisationsbedingte) ideologische Barrieren errichtet, die gerade jener Gruppe der Lohn- und Gehaltsabhängigen den Zugang versperren – Ergebnis: kognitive und emotive Dissonanz III, resultierend aus der Konfrontation des täglich zu hörenden bildungspolitischen Arguments (und der am Arbeitsplatz oft hart erfahrbaren Tatsache), daß nur eine qualifizierte und ständig ergänzte Ausbildung in der technisch-wissenschaftlichen Welt von heute berufliche Leistung und damit Konsumchancen eröffnendes Einkommen garantiert, mit den geringen Möglichkeiten, die man auf Grund einer dann offensichtlich mangelhaften, dennoch aber kaum fortführ- oder korrigierbaren Ausbildung hat[606]. (4) Dazu kommt schließlich noch ein weiterer Dissonanzen provozierender Tatbestand: nämlich die immer sichtbarer werdende Diskrepanz zwischen dem Potential an materialen und immaterialen Lebenschancen, das eine moderne Industriegesellschaft für den einzelnen bereitstellen könnte, und dem Anteil, den man selbst am erwirtschafteten Reichtum der Gesellschaft hat – Ergebnis: kognitive und emotive Dissonanz IV, resultierend aus dem erkennbaren Widerspruch, in dem die von der Werbung offerierte Warenwelt zum Alltag eines durchschnittlichen Arbeiter- oder Angestelltenhaushaltes steht[607].

Es läßt sich auf Grund dieser Tatbestände und deren Niederschlag im Bewußtsein der Betroffenen sicher mit einigem Recht vermuten, daß der größte Teil des massenmedialen Publikums in einem Verhältnis forcierter Entfremdung zu der gesellschaft-

Tübingen 1957, S. 81 ff. und R. Dahrendorf, Dichotomie und Hierarchie, in: R. Dahrendorf, Gesellschaft und Freiheit, a. a. O., S. 163 ff.

605 Vgl. dazu Kapitel 3, Abschnitt 2 (c) dieser Arbeit; vgl. dazu weiter das Kapitel »Bemerkungen zum politischen Denken der Arbeiter«, in: H. Popitz et al., a. a. O., S. 163 ff.

606 Vgl. dazu zusammenfassend O. Negt, Soziologische Phantasie und exemplarisches Lernen. Zur Theorie der Arbeiterbildung, Frankfurt 1968 (2. Auflage), S. 42 ff.; vgl. dazu weiter B. Bernstein, Sozio-Kulturelle Determinanten des Lernens, in: P. Heintz (ed.), Soziologie der Schule – Sonderheft 4 der Kölner Zeitschrift für Soziologie und Sozialpsychologie, Köln Opladen 1959, S. 52 ff.

607 Vgl. dazu Kapitel 3, Abschnitt 2 (b) dieser Arbeit.

lichen Produktions- und Administrationsapparatur steht[608]. Der Zusammenhang zwischen dieser Entfremdungssituation (respektive den, diese Situation kennzeichnenden Dissonanzen in der kognitiven wie emotiven Struktur des massenmedialen Publikums) und dem Angebot von Presse, Rundfunk, Fernsehen kann daher durch folgende Hypothesen, die sich aus dem zuvor referierten Material ergeben, aber – da dieses Material in vielen Punkten unvollständig war – erst noch einer systematischen Überprüfung bedürfen, bestimmt werden[609]. Die formulierten Hypothesen beziehen sich dabei ausschließlich auf den Zusammenhang einer kapitalistischen Gesellschaft, wie sie die Bundesrepublik darstellt.

● Massenmediale Angebote erfahren positive Beurteilung und haben die Chance, Einstellungs-, Meinungs- und Interpretationsmuster zu beeinflussen, wenn sie durch nachdrückliche Unterhaltungs- und Anzeigenorientiertheit den Informationsstoff und dessen möglicherweise problemgeladenen Implikationen generell in das Licht einer heilen, ermutigenden Welt, einer »Es wird ja alles wieder gut«- respektive »Uns geht es gut wie nie«-Welt tauchen und so von vornherein Reduktion oder Kompensation von Dissonanzen im Bewußtsein des Publikums garantieren.

● Massenmediale Angebote erfahren positive Beurteilung und haben die Chance, Einstellungs-, Meinungs- und Interpretationsmuster zu beeinflussen, wenn sie durch personalisierende Information über gesellschaftliche Tatbestände, Abstraktheit und Anonymität, Intransparenz und Komplexität sozialer Strukturen und Prozesse in einer hochdifferenzierten und durchorganisierten Industriegesellschaft verringern und damit Dissonanz I im Bewußtsein des Publikums reduzieren oder kompensieren.

●● Projiziert in die gegebene Interpretation des gesamtgesellschaftlichen Kontextes ergibt sich die weitere Annahme: Massenmediale Angebote kommen durch Personalisierung gesellschaftlicher Tatbestände jener Tendenz entgegen, die an früherer Stelle als Reduktion politischer Diskussion auf die – innerhalb eines angeblich durch die Sachzwänge des Wohlfahrtsstaates vorgegebenen institutionellen Rahmens stattfindenden – Auseinandersetzung um Führungsgarnituren bezeichnet worden war, die keine grundsätzlichen innen- und außenpolitischen Alternativen mehr bieten, sondern sich lediglich in regierungsmethodischen Details und im Zeitplan der von ihnen zur Lösung vorgeschlagenen Probleme unterscheiden.

608 Vgl. dazu W. Abendroth, Antagonistische Gesellschaft und politische Demokratie, a. a. O., S. 25 und 36.
609 Vgl. dazu J. T. Klapper, Mass Media and Persuasion, in: W. Schramm (ed.) The Process and Effects ..., a. a. O., S. 318; W. Schramm, How Communication works, in: ebenda, a. a. O., S. 13 und B. Berelson, Communication and Public Opinion, in: ebenda, a. a. O., S. 349 ff.

● Massenmediale Angebote erfahren positive Beurteilung und haben die Chance, Einstellungs-, Meinungs- und Interpretationsmuster zu beeinflussen, wenn sie durch intimisierende, privatisierende Information über öffentliche Angelegenheiten den Lesern, Hörern und Zuschauern unmittelbar persönliche Involviertheit und direkte Kontrolle bei gesellschaftlich relevanten Ereignissen suggerieren und damit Dissonanz II im Bewußtsein des Publikums reduzieren oder kompensieren.

●● Projiziert in die gegebene Interpretation des gesamtgesellschaftlichen Kontextes ergibt sich die weitere Annahme: Massenmediale Angebote kommen jener Tendenz entgegen, die man mit Werner Hofmann als Repersonalisierung gesellschaftlicher Herrschaft in den obersten Regionen der funktionalen Eliten in Wirtschaft, Politik und Kultur bezeichnen könnte – eine Tendenz, die sich darin ausdrückt, daß »die Durchsetzung der herrschenden Interessen im außerparlamentarischen Raum schon vorentschieden ist« und »Namen wie Abs, Berg, Bahlke, Flick, Springer... zu Inbegriffen der Herrschaftsordnung als ganzer (werden)«[610].

● Massenmediale Angebote erfahren positive Beurteilung und haben die Chance, Einstellungs-, Meinungs- und Interpretationsmuster zu beeinflussen, wenn sie durch einen als immanent relativierte, problematisierte Traumwelt erscheinenden Unterhaltungsstoff (inklusive vor allem einer ambivalenten Prominentendarstellung) den Lesern, Hörern und Zuschauern auf relativ frustrationsfreie Art nicht realisierbare Vorstellungen sozialen Aufstiegs aus-, sehr wohl aber die Ideologie des kleinen Glücks und der kleinen Schritte zu diesem einreden und damit Dissonanz III im Bewußtsein des Publikums reduzieren oder kompensieren.

●● Projiziert in die gegebene Interpretation des gesamtgesellschaftlichen Kontextes ergibt sich die weitere Annahme: Massenmediale Angebote kommen durch Vorführung einer immanent relativierten Traumwelt jener Tendenz entgegen, die sich in der institutionellen Sicherung individuellen sozialen (Teil-)Aufstiegs innerhalb einer relativ festgefügten Gesellschaftshierarchie manifestiert.

● Massenmediale Angebote erfahren positive Beurteilung und haben die Chance, Einstellungs-, Meinungs- und Interpretationsmuster zu beeinflussen, wenn sie durch einen gleichermaßen Angst provozierenden und Angst betäubenden Informations- und Unterhaltungsstoff den Lesern, Hörern und Zuschauern die eigene Situation als durchaus akzeptabel, wenn auch punktuell verbesserungswürdige Lage, jedes Bemühen um prinzipielle Veränderung dieser Situation als überflüssig, illusorisch oder gar existenzgefährdend erscheinen lassen und damit Dissonanz IV im Bewußtsein des Publikums reduzieren oder kompensieren.

610 W. Hofmann, Über die Notwendigkeit einer Demokratisierung des Parlaments, a. a. O., S. 50.

●● Projiziert in die gegebene Interpretation des gesamtgesellschaftlichen Kontextes ergibt sich die weitere Annahme: Massenmediale Angebote kommen durch Provokation und gleichzeitige Betäubung von Angst jener Tendenz entgegen, die an früherer Stelle als die Möglichkeit skizziert worden war, innerhalb des vorliegenden Kranzes von ökonomischen und politischen Rahmenbedingungen einerseits die Gratifikationen insbesondere für bisher materiell und immateriell unterprivilegierte Sozialgruppen sukzessive (allerdings lediglich in bezug auf den Status quo der Herrschaftsverhältnisse) zu optimalisieren, andererseits aber jene Gratifikationen zur Entpolitisierung weiter Teile der Bevölkerung und damit zu deren Einschüchterung zu benutzen.

In welchem Umfang, mit welcher Intensität diese Hypothesen gelten und ihre Implikationen zutreffen, hängt vor allem von drei Klassen intervenierender Variabler ab: (1) von den sozialen Merkmalen des Publikums sowie den damit assoziierbaren materiellen und immateriellen Lebenschancen, Einflüssen anderer Sozialisationsinstanzen, Berufsideologien und Gruppenloyalitäten – beispielsweise derart, daß Frauen noch deutlicher, als das Männer tun, Unterhaltung der Information vorziehen; die Aversion gegen sozialkritische Reportagen und Fernsehspiele bei der Altersklasse der über 50jährigen ausgeprägter ist als bei der der 20- bis 30jährigen; Arbeiter und einfache Angestellte zu Abenteuerserien positiver eingestellt sind als mittlere und leitende Angestellte oder Beamte; Gymnasial- und Hochschulgebildete gegenüber Fernsehshows und Illustriertenklatsch kritischer sich verhalten, als Volksschulgebildete das tun; (2) von Häufigkeit und Qualität der Primärgruppenkommunikation der Leser, Hörer, Zuschauer – beispielsweise derart, daß permanent durch eine Primärgruppe[611] (Familie, Arbeitskollegium) gestützte Einstellungen von massenmedialen Kommuniqués zwar verstärkt, aber nur ausnahmsweise erschüttert werden können[612]; (3) von den spezifischen Attributen des jeweiligen Mediums – beispielsweise von jenen, die Elisabeth Noelle-Neumann für die meinungsbildende Wirkung des Fernsehens in Bereichen herausgearbeitet hat, »die keine starke rationale Verarbeitung erfordern ... 1. Der psychologische Mechanismus der selektiven Wahrnehmung kann weniger leicht als bei Druckmedien dissonante Inhalte abwehren ... solange man Zuschauer ist, muß man die dargebotene Welt weitgehend ohne Ausweichmöglichkeiten zur Kenntnis nehmen. 2. Der Aktualitätsvorsprung gibt dem Fernsehen eine verstärkte Einflußmöglichkeit. Es wird hier angeknüpft an die Regel, daß Eindrücke durch Massenmedien besonders wirksam sind, wenn ein Sachverhalt

611 Vgl. dazu – als Überblick – P. Müller, Die soziale Gruppe im Prozeß der Massenkommunikation, Stuttgart 1970.
612 Vgl. dazu H. Reimann, a. a. O., S. 146; vgl. dazu weiter P. Glotz, W. R. Langenbucher, a. a. O., S. 170; H. O. Luthe, a. a. O., S. 107 und M. Brouwer, Prolegomena to a Theory of Mass Communication, in: L. Thayer (ed.), Communication, Washington, London 1967, S. 227 ff.

neu ist, so daß sich noch keine Meinung gebildet hat. Die Aufnahme von Mitteilungen ist dann weitgehend frei von der Furcht vor kognitiver Dissonanz. 3. . . . Aus vielen Untersuchungen ist die große Autorität, die das Fernsehen besitzt, bekannt. Für viele Zuschauer hat es einen nahezu amtlichen Charakter. Dies müßte die Wirkung des Fernsehens auf die Meinungsbildung verstärken.«[613] Dazu ist bei jeder Hypothese über die Wirkung von Massenmedien die mit dem Problem der Primärgruppenkommunikation zusammenhängende Frage des »Two-Step Flow of Information« und das einzukalkulieren, was man den »Sleeper Effect« nennt. Dieser Effekt besteht darin, daß Kommunikanten auf Grund einer negativen Einstellung zum Kommunikator das von diesem publizierte Kommuniqué zunächst bewußt abwehren oder verdrängen, nach einiger Zeit jedoch in Form einer spezifischen Reaktion positiv oder negativ beantworten[614].

Zum Abschluß des Versuches, einen Katalog an – ihrer Operationalisierung zugegebenermaßen noch fernen – Hypothesen über die Befunde zur Massenkommunikation in der Bundesrepublik zu formulieren, ist eines ganz entschieden zu betonen: Die in jenen Hypothesen implizierten Gesetzmäßigkeiten dürfen nicht als Invarianzen eines – bestimmten gesellschaftlichen Bedingungen unterstehenden – sozialen Handelns hingenommen; sie müssen als im Prinzip veränderbare Abhängigkeitsverhältnisse interpretiert und behandelt werden – als Abhängigkeitsverhältnisse, die man zwar nicht außer Geltung setzen, wohl aber außer Anwendung bringen kann[615]. Daß die Massenmedien als privatwirtschaftlich organisierte respektive den herrschenden Interessen des Status quo verpflichtete öffentlich-rechtliche Institutionen an letzterem nicht sonderlich interessiert sein können, ist verständlich. Das Verständnis darf allerdings keinesfalls zur Folge haben, daß die Medien in ihrem problematischen Tun auch noch bestärkt werden, indem ihnen in naiver (oder zynischer?) Weise zu raffinierter Motivforschung und cleverem Marketing geraten wird[616]. Denn die konsequente Befolgung der Gesetze oligopolkapitalistischer Produktion und demoautoritärer politischer Herrschaft macht ja gerade die fatale Hypothek aus, die nicht nur die Massenpresse, sondern tendenziell alle Medien belastet und deren

613 E. Noelle-Neumann, a. a. O., S. 131; vgl. insbesondere zur letztgenannten Eigenschaft des Fernsehens E. Aronson, J. A. Turner, J. M. Carlsmith, Communicator Credibility and Communication Discrepancy as Determinants of Opinion Change, in: Journal of Abnormal and Social Psychology 1963, S. 31 ff.

614 Vgl. dazu W. Weiss, A »Sleeper« Effect in Opinion Change, in: Journal of Abnormal and Social Psychology 1953, S. 173 ff. und R. Catton jr., Changing Cognitive Structure as a Basis for the »Sleeper Effect«, in: Social Forces 4, 1968, S. 348 ff.

615 Vgl. dazu J. Habermas, Erkenntnis und Interesse, a. a. O., S. 159.

616 Vgl. dazu – optimistisch – P. Glotz, W. R. Langenbucher, Der mißachtete Leser, a. a. O., S. 143 ff. und – kritisch – S. Plogstedt, Sozialforschung im Dienste der Gegenaufklärung, in: P. Brokmeier (ed.), a. a. O., S. 82 ff.

Anspruch, demokratische Instanzen in einer demokratischen Gesellschaft zu sein, ad absurdum führt.

Dieser Tatbestand läßt sich besonders plastisch an der Bild-Zeitung und ihrer Leserschaft veranschaulichen. 15 Millionen Menschen lasen 1967 regelmäßig (oder zumindest häufig) diese Zeitung – das waren rund 36 % der bundesrepublikanischen Bevölkerung zwischen 14 und 70 Jahren. Etwas aufgeschlüsselt bedeutet das: 43 % aller westdeutschen Männer, 41 % aller 21- bis 29jährigen, 45 % der Fach- und 41 % der sonstigen Arbeiter lasen wenigstens viermal pro Woche die Bild-Zeitung [617]. (Die Zahlen haben sich bis heute nicht wesentlich verändert.) Einen solchen Erfolg – das wurde in einer neueren Studie über den Springer-Konzern klar herausgearbeitet – verdankt die Zeitung der konsequenten Entwicklung dessen, was man Anpassungs- oder Verkaufsjournalismus genannt hat [618]. Die perfekte Praktizierung dieser journalistischen Technik hat dazu geführt, daß der Verlag Axel Springer vor allem auf dem Markt der Tages- und Sonntagszeitungen eine dominierende Position einnimmt (siehe Graphik 12, S. 220).

Jener Anpassungsjournalismus, der die marktbeherrschende Stellung des Springer-Konzerns ermöglicht, entspringt nun keineswegs der Rückgratlosigkeit eines einzelnen, sondern – wie gezeigt wurde – purer ökonomischer Notwendigkeit. In einem kapitalistisch organisierten Gesellschaftssystem, in dem tendenziell alle Ergebnisse menschlicher Aktivität, also auch sogenannte geistige Gebilde, zu Waren werden [619], kann der erfolgreiche Aufstieg des Springer-Unternehmens nur als Resultat einer konsequenten Befolgung der Gesetze bestimmter Produktionsverhältnisse gesehen werden. Das vieldiskutierte Verfahren, durch Auflagenbeschränkungen die Vormachtstellung dieses Konzerns abzubauen, dürfte daher nicht sehr realistisch sein: denn es würde sich lediglich gegen ein Symptom, nicht aber gegen dessen Ursachen richten. Denn die Ursachen für das Phänomen »Bild-Zeitung« liegen in den faktischen Organisationsprinzipien der bundesrepublikanischen Gesellschaft, und zwar in doppelter Hinsicht: einmal insofern, als die profitorientierte industrielle Produktion von Massenmedien nicht der Kapitalkonzentration und -zentralisation, also den Monopolisierungstendenzen innerhalb der kapitalistischen Wirtschaftsordnung, entgehen kann; zum anderen insofern, als die – von den gegebenen Bedingungen individueller wie kollektiver Existenz provozierten – kognitiven und emotiven Dissonanzen im Bewußtsein weiter Teile der Bevölkerung die Menschen psychisch so zurichten, daß sie einem Journal wie der Bild-Zeitung nur zu bereitwillig erliegen. Mit welchen Mechanismen, mit welchem journalistischen Instrumentarium die Bild-Zeitung arbeitet, um die Leser an sich zu binden, haben einige inhaltsanalytische Versuche deutlich gemacht [620]. Formal

617 Vgl. dazu E. Noelle, E. P. Neumann, a. a. O., S. 107.
618 Vgl. dazu H. D. Müller, a. a. O., S. 310.
619 Vgl. dazu A. Meier, Die Kommerzialisierung der Kultur, Zürich 1965.
620 Vgl. dazu W. Thomsen, a. a. O.; W. Berghahn, Die Bild-Zeitung, Frankfurt

Graphik 12: Anteile des Springer-Konzerns am Zeitungsmarkt der Bundesrepublik: 1966

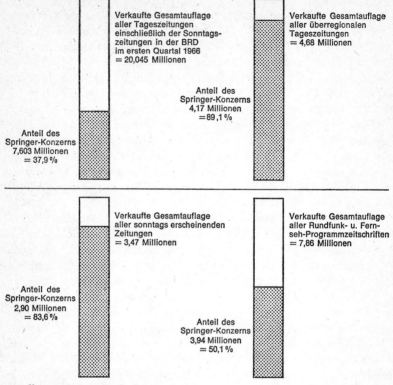

Verkaufte Gesamtauflage aller Tageszeitungen einschließlich der Sonntagszeitungen in der BRD im ersten Quartal 1966 = 20,045 Millionen

Anteil des Springer-Konzerns 7,603 Millionen = 37,9 %

Verkaufte Gesamtauflage aller überregionalen Tageszeitungen = 4,68 Millionen

Anteil des Springer-Konzerns 4,17 Millionen = 89 ,1 %

Verkaufte Gesamtauflage aller sonntags erscheinenden Zeitungen = 3,47 Millionen

Anteil des Springer-Konzerns 2,90 Millionen = 83,6 %

Verkaufte Gesamtauflage aller Rundfunk- u. Fernseh-Programmzeitschriften = 7,86 Millionen

Anteil des Springer-Konzerns 3,94 Millionen = 50,1 %

(Quelle: H. Meyn, a. a. O., S. 52)

wie inhaltlich kommt die Zeitung ihren Lesern, die zu 80 % aus einfachen Beamten und Angestellten, Fach- und sonstigen Arbeitern bestehen und von denen 87 % Volksschulbildung aufweisen [621], als Instanz entgegen, die Orientierung in einer komplizierten, unverständlichen Welt und Vertretung der Unterprivilegierten gegenüber den Mächtigen verspricht [622]. Ein raffiniert gestalteter, die Totalität gesellschaftlichen

1962 (Rundfunk-Manuskript); J. Holtkamp, Die BILD-Familie, in: A. Klönne–B. Jansen (eds.), a. a. O., S. 102 ff.; H. Schäfer, Die BILD-Zeitung . . ., a. a. O., S. 19 ff. und H. Schäfer, Schichten- und gruppenspezifische Manipulation in der Massenpresse, in: P. Brokmeier (ed.), a. a. O., S. 61 ff.

621 Vgl. dazu Qualitative Analyse, a. a. O., S. 34; vgl. dazu weiter Infratest-Divo, Bild-Zeitung: Leseranalyse 1966/67.

622 Vgl. dazu A. Freud, Das Ich und die Abwehrmechanismen, München 1964, S. 85.

Lebens suggerierender Umbruch; die extrem vorgenommene Personalisierung sozialer Tatbestände und Intimisierung öffentlicher Angelegenheiten sowie die perfekte Verflechtung von provozierter und durch Amüsement, Sensation, Kumpelhumor gleich wieder betäubter Angst sorgen dafür, daß die Mehrzahl der Bild-Leser glauben, die Zeitung würde ihre Interessen wahrnehmen, ihre Bedürfnisse nach Information und Unterhaltung in optimaler Weise stillen. In welcher Weise das Bild-Publikum – insbesondere der sogenannte engere Leserkreis – die Zeitung beurteilt, demonstriert die aus einer Repräsentativ-Befragung resultierende Tabelle 42 (siehe S. 222).

Nimmt man die Ergebnisse der qualitativen Analysen von Bild-Lesern [623] noch hinzu, so ergibt sich: Der Mehrzahl der Leser bedeutet die Zeitung den Fixpunkt in einer Welt, die sich dem verstehenden Zugriff und der sinnvollen Interpretation entzieht. In diese Welt bringt Bild – als veräußerlichtes Über-Ich der Leser [624] – Ordnung, und zwar auf dreierlei Weise – einmal durch Informationen über jene Welt, die die Dinge angeblich beim richtigen Namen nennen; zum anderen durch das Anbieten der Nachrichten und Kommentare in einer Form, die ein Gefühl von Geordnetheit der Fakten und Übersichtlichkeit der Verhältnisse suggeriert; und drittens schließlich durch das Bereitstellen von Möglichkeiten, einer direkten Konfrontation mit individuellen wie kollektiven Problemen zu entgehen und diesen nur gut verpackt in human interest und verfremdender Unterhaltung zu begegnen. Daß dabei der durchs formale Prinzip der Zeitung, also durch deren raffinierte Mosaik- und Schachteltechnik des Umbruchs hergestellte Kontext, in dem die einzelnen, zudem oft fragwürdigen Informationen anscheinend stehen, den realgesellschaftlichen Zusammenhängen nicht entspricht, wird den meisten Lesern nicht bewußt, kann ihnen auf Grund ihrer sozio-psychischen Situation nicht bewußt werden. Und genausowenig ist den meisten Lesern durchschaubar, daß die unterhaltsame Aufbereitung und Umrahmung politischer Information kein brauchbares Vehikel für Aufklärung abgibt [625], sondern eine Mixtur darstellt, deren »Gesamteffekt . . . der einer Anti-Aufklärung (ist)« –, daß hier »Aufklärung zum Massenbetrug«[626] wird. »So wird die Maschine (gemeint ist die Bild-Zeitung – H. H.), die gesellschaftliche Wahrheit verbreiten soll, zu einer Maschine, die mit der gesellschaftlichen Wahrheit ständig in Widerspruch gerät, weil sie nicht mehr Medium, sondern Subjekt dieser Gesellschaft ist, ein Subjekt, das Maß und Grenze am Ende nur in den Gesetzen der Massenproduktion von Stereotypen, dem Spiel von Angebot und Nachfrage am Markt und der Subjektivität ihres einen Eigentümers findet.«[627]

623 Vgl. dazu Contest-Institut für angewandte Psychologie und Soziologie, Qualitative Analyse der Bildzeitungs-Leser, Frankfurt 1965 und Qualitative Analyse, a. a. O., S. 175 ff.

624 Vgl. dazu S. Freud, Massenpsychologie und Ich-Analyse, in: S. Freud, Das Unbewußte, Frankfurt 1960, S. 259.

625 Vgl. dazu H. Adam, Der BILD-Leser, in: Das Argument 4–5, 1968, S. 328 ff.

626 T. W. Adorno, Résumé über Kulturindustrie, a. a. O., S. 69.

627 H. D. Müller, a. a. O., S. 308.

Tabelle 42: Ansichten über Funktion und Wirkung der Bild-Zeitung: 1965

	Leser- kreis insges.	Engerer Leser- kreis	Weiterer Leser- kreis	Nur bekannt
Die Bild-Zeitung . . .	(%)	(%)	(%)	(%)
– scheut sich nicht, auch heiße Eisen anzupacken	89	94	85	64
– informiert den Leser kurz und bündig über alles, was passiert	88	91	85	62
Für das, was sie kostet, bietet sie wirklich viel	84	90	80	49
In vielen Fällen, wo das Schicksal hart zugeschlagen hat, bringt die Bild-Zeitung Hilfe	76	87	67	37
– wird von allen gelesen, vom Arbeiter bis zum Generaldirektor	79	86	74	45
– setzt sich vor allem für die Belange der kleinen Leute ein	66	70	58	38
– berichtet sehr objektiv über das allgemeine Geschehen	61	73	52	25
– weckt die Leute aus ihrer Gleichgültigkeit und fordert sie auf, das Gute zu tun	56	68	47	23
Die Berichte in der Bild-Zeitung sind sehr oberflächlich und bruchstückhaft	43	33	51	62
– übertreibt alles und gibt die Dinge verzerrt wieder	42	33	50	57
– besteht nur aus Überschriften, und darunter steht dann meist nichts mehr	40	31	48	62
– ist die Zeitung für Leute, die zu faul sind, selbst zu denken	39	30	47	57
– beeinflußt die Massen und hetzt die Leute auf	27	21	33	43
– setzt sich auch nur für die Interessen der Geschäftsleute und Unternehmer ein	16	17	16	18
– macht um wirklich wichtige und explosive Themen einen Bogen	18	16	20	23

(Quelle: Qualitative Analyse, a. a. O., S. 108.)

Es hilft allerdings wenig, wenn man die Bild-Zeitung und ähnliche Produkte zu »gesellschaftlichen Monstren«[628] stilisiert und darüber vergißt, daß auch andere Massenmedien vergleichbare journalistische Qualitäten besitzen[629] und aus ökonomisch

628 H. D. Müller, a. a. O., S. 308.
629 Vgl. dazu die Kurz-Analyse der Tageszeitung DIE WELT, in: H. Schäfer, Schicht- und gruppenspezifische Manipulation, a. a. O., S. 73 ff.

ebenso situierten Unternehmen kommen. Ein sehr diffiziles Beispiel dafür ist das Nachrichtenmagazin ›Der Spiegel‹, das auf den ersten Blick kaum mit der Bild-Zeitung vergleichbar zu sein scheint. Dieses Magazin wurde – so fand Dieter Just – 1966 regelmäßig von vier Millionen Menschen (Leser pro Nummer) gelesen, von denen zwei Drittel Männer, ein Drittel Frauen waren; 16 Prozent das Abitur abgelegt hatten (Gesamtbevölkerung: 4,6 Prozent); 15 Prozent ein abgeschlossenes Hochschulstudium aufwiesen (Gesamtbevölkerung: 2 Prozent); 18 Prozent über mehr als 2000 DM Netto-Haushaltseinkommen verfügen konnten (Gesamtbevölkerung: 2 Prozent); und 16 Prozent zur Oberschicht respektive oberen Mittelschicht gehörten[630]. Dazu kommen zwei weitere Daten: Laut einer Untersuchung aus dem Jahr 1965 lasen damals 73 Prozent der Führungskräfte der deutschen Wirtschaft den Spiegel[631], und laut einer Studie des Instituts für Demoskopie (Allensbach) aus dem Jahr 1958 informierten sich zu dieser Zeit 64 Prozent der Bundestagsabgeordneten in dem Magazin[632]. Ob die Spiegel-Leser deshalb tatsächlich »in jeder Hinsicht, in bezug auf Einkommen, Besitz, Beruf, Bildungsgrad und soziale Sicherheit zu den Privilegierten der Gesellschaft«[633] gehören, mag dahingestellt bleiben. Auf jeden Fall bildet diese Leserschaft – gemessen an der der Bild-Zeitung – ein »exklusives Forum«[634] und damit auch – wichtig für die werbungtreibende Industrie – eine ebenso exklusive Konsumentengruppe, die andere kognitive und emotive Dissonanzen fürchten dürfte, als sie für das Publikum beispielsweise der Massenpresse anzunehmen sind. Denn es kann sicher mit einigem Recht unterstellt werden, daß zumindest der quantitativ und qualitativ ausschlaggebende Teil der Spiegel-Leserschaft primär an zweierlei interessiert ist: (1) an Absicherung und Verbesserung seines sozialen Status sowie der daran geknüpften Gratifikationen; (2) an Stabilisierung und soliderer Fundierung seines Selbstverständnisses als gesellschaftssteuernde Eliten aus Wirtschaft, Politik und Kultur. Diese Interessenkombination muß auch der Spiegel berücksichtigen, wenn er als privatwirtschaftlich arbeitendes, auf gewinnsteigernde (und damit Investitionen ermöglichende) Anzeigenerlöse angewiesenes Unternehmen reüssieren will. Daß das Magazin im Umgang mit seinen Lesern und deren Bedürfnissen sehr erfolgreich war und ist, zeigen die Auflagenzahlen[635]. Wie die inserierende Industrie

630 Vgl. dazu D. Just, a. a. O., S. 168.

631 Vgl. dazu SPIEGEL-Verlag (ed.), Führungskräfte – eine Spiegel-Dokumentation, Hamburg 1965.

632 Vgl. dazu Institut für Demoskopie, Probleme der Finanzpolitik – Ergebnisse einer Umfrage unter Mitgliedern des Deutschen Bundestages, Allensbach 1958.

633 M. Schneider, DER SPIEGEL oder die Nachricht als Ware, in: M. Schneider, E. Siepmann, DER SPIEGEL oder die Nachricht als Ware, Frankfurt, Berlin 1968, S. 6.

634 M. Schneider, a. a. O., S. 7.

635 Vgl. dazu E. Kuby, Facsimile-Querschnitt durch den Spiegel, München, 1967, S. 21.

solchen Erfolg [636] honoriert hat und noch honoriert, demonstriert die Entwicklung des Anzeigenvolumens.

Tabelle 43: Zunahme des Anzeigenteils im Nachrichten-Magazin ›Der Spiegel‹: 1947–1966

Jahr	Anzeigenseiten pro Ausgabe	Anteil am Gesamtumfang
1947	4,0	14,8 %
1950	5,2	11,8 %
1953	6,6	17,7 %
1956	20,6	36,7 %
1959	32,3	43,0 %
1962	47,0	48,1 %
1966	74,6	52,2 %

(Quelle: D. Just, a. a. O., S. 31.)

»Durch Zunahme des Anzeigenteils auf nunmehr über 50 Prozent des Gesamtinhalts wurde das Anzeigengeschäft zur bedeutendsten Einnahmequelle des Verlages. Hatte sich 1952 der Jahresumsatz aus rund 3,3 Millionen Verkaufserlösen und nur 0,8 Millionen Mark Anzeigeneinnahmen zusammengesetzt, so kamen 1965 auf einen Verkaufserlös von 21,3 Millionen Mark Anzeigeneinnahmen von 41,7 Millionen Mark.«[637] Beiden Bedingungen – der Bedürfnisdisposition der Leser und der Anzeigenabhängigkeit – genügen und gleichzeitig noch eine enragiert demokratische Instanz sein zu wollen, muß notwendigerweise ein zumindest ambivalentes, zwischen Systemkritik und Systemkonformität angesiedeltes redaktionelles Angebot zeitigen. Just hat das im Rahmen einer detaillierten Analyse des Spiegel-Inhalts klar herausgearbeitet und als wesentlichen Zug des Magazins »die Verquickung seiner vorwiegend politischen Thematik mit einer auf Faszination der Leser abgestellten Darstellungsweise«[638] gefunden – eine Darstellungsweise, die einen »bilderreichen, Pointen setzenden Stil« mit einer »erzählend-interpretativen Form der Berichterstattung«[639] kombiniert. Mit diesem Verfahren ist es dem Spiegel gelungen, sein Angebot in eine »kulinarische Form« zu bringen, die die Härte der von dem Magazin immer wieder aufgegriffenen politisch brisanten, auch tabuisierten Themen wegnimmt und weder den Lesern eine mögliche Gefährdung ihrer gesellschaftlichen Situation suggeriert, noch den kommerziellen Interessen des Verlags Schaden zufügt. Denn »was ... das Magazin allwöchentlich verkauft, (ist) nicht die objektive, sondern die Vogel-Per-

636 Dieser Erfolg wiegt um so schwerer, als es in der Bundesrepublik kein anderes Presseerzeugnis gibt, das Teile der gesellschaftlichen Spitzengruppen in solchem Umfang erreicht.

637 D. Just, a. a. O., S. 31.

638 Derselbe, a. a. O., S. 191.

639 Derselbe, a. a. O., S. 187.

spektive auf eine Welt, in der – bei so viel Distanz – die Herrschenden und die Unterdrückten als äquivalent – ... erscheinen«[640]. Michael Schneider befürchtet daher: »Das arbeitsteilige und internationale System kapitalistischer Herrschaft bleibt dem Spiegel-Leser undurchschaubar. Ihm stellt es sich dar als diffuser Haufen von politischen Akten, Übereinkünften, Verträgen, Verhandlungen, Kampagnen, Krisen, Affären usw.«[641] Auf solche Weise ist der Spiegel allerdings imstande, einerseits dem Selbstverständnis seiner Leser als Problemen aufgeschlossen und reflektiert gegenübertretenden Intellektuellen zu entsprechen und andererseits dem Bedürfnis dieser Leser nach Stützung ihres sozialen Status und der unausgesprochen bleibenden Forderung der inserierenden Industrie wie der – in Spiegel-Gesprächen permanent präsentierten – politischen Machtgruppen auf prinzipielle Anerkennung der bundesrepublikanischen Sozialordnung entgegenzukommen[642]. Die Nachteile, die die Ersetzung der »Welt-Perspektive durch die Spiegel-Perspektive«[643] mit sich bringt, hat Schneider folgendermaßen beschrieben: »Indem der Spiegel zwischen seinen Lesern und der Welt eine Distanz setzt, die alle, positive und negative, libidinöse und aggressive Identifizierung unmöglich macht, verbleiben dessen soziale Energien in ihm selbst..., wird der Spiegel-Leser selbst zum Objekt seiner sozialen Energien... Diese narzistische und masochistische Isolierung von der Welt verkauft ihm das Magazin als kritische Distanz zur Welt, dieses Syndrom psychischer Regressionen als Aufgeklärtheit, diese Verinnerlichung und Verkümmerung von Affekt als Objektivität.«[644] So kommt auch Just zu dem Ergebnis, daß der Spiegel zwar unbestreitbare Verdienste als demokratisierende Institution hat und als informierende wie kontrollierende Instanz zu den positiven Erscheinungen der bundesrepublikanischen Demokratie gehört; daß er aber – gebunden an die realisierten Organisationsprinzipien dieser politischen Ordnung und des sie fundierenden Wirtschaftssystems – prekäre Momente aufweist, die seine Vorteile zumindest neutralisieren. Diese Momente sind: Aktivierung von Schlüssellochneugierde, Schadenfreude und Streben nach moralischer Entlastung auf seiten der Leser sowie deren Gewöhnung an Informationen, die durch effekthaschende Klischees, tendenziöse Kommentierung und oft fast parodierende Pointierung kulinarisiert sind. Damit – so Just – »überspielt der Spiegel hier gerade jenes kritische Bewußtsein, das er andererseits fördert«[645]. Die Spiegel-Leser honorieren das jedoch sehr deutlich. So ergab eine 1962 (vor der berüchtigten Affäre) unternommene Image-Analyse folgendes Publikumsurteil:

640 M. Schneider, a. a. O., S. 8.

641 Derselbe, a. a. O., S. 10.

642 Nach der Spiegel-Affäre von 1962 wurde – wie Just nachgewiesen hat – dieses ambivalente Verfahren wesentlich verfeinert und perfektioniert – vgl. dazu D. Just, a. a. O., S. 179 f.

643 E. Kuby, a. a. O., S. 18.

644 M. Schneider, a. a. O., S. 16–17.

645 D. Just, a. a. O., S. 192.

Tabelle 44: Image des Nachrichten-Magazins ›Der Spiegel‹: 1962

Von je 100 Befragten meinten: Der Spiegel . . .

. . . ist mutig	94
. . . hat Witz	83
. . . möchte gern, daß es in der Politik sauber zugeht	80
. . . ist außerordentlich gründlich und gewissenhaft	64
. . . liebt es, Skandale zu entfesseln	45
. . . hat keine Ehrfurcht	45
. . . ist ein Idealist	41
. . . hat viel Nationalgefühl	38
. . . übertreibt gern	36
. . . liebt den Klatsch	33

(Quelle: D. Just, a. a. O., S. 171.)

Hans Dieter Jaene, ehemaliger stellvertretender Chefredakteur des Spiegel, beschreibt die Gründe für die positive Beurteilung des Magazins durch seine Leser etwas burschikos folgendermaßen: »Der Mann, der Traktate gegen das Böse verkaufen will, die zur Einkehr auffordern, war einmal sehr gefragt, hat indes hier und heute wenig Chancen und wird allein davon nicht leben können. Wer aber Neues erzählt und den Leuten interessante Dinge zeigt, die sie sonst nicht sehen, kann mit Zulauf rechnen. Und für einen Weißen Riesen in der Politik, der überall, bei Schwarz und Rot, den Schmutz wegschafft und immerfort für Sauberkeit sorgt, hegt jedermann Bewunderung.«[646]

Das kurz diskutierte Verhältnis von Bild-Zeitung und Spiegel zu ihren Leserschaften dürfte noch einmal deutlich gezeigt haben: Der Charakter der massenmedialen Institutionen als direkt oder indirekt profitorientierter Warenproduzenten und die Bereitschaft großer Gruppen der Bevölkerung, sich deren Informations- und Unterhaltungsangeboten anzuvertrauen, ist im Zusammenhang zu sehen mit der deutlich auf profit- und wahlstimmenschaffende Verwertbarkeit individueller wie kollektiver Bedürfnisse ausgerichteten, effektive Mitbestimmung der Lohn- und Gehaltsabhängigen in Politik und Ökonomie verhindernden Organisation der bundesrepublikanischen Gesellschaft. Die problematische Situation der Massenmedien und die prekäre Lage des Publikums können daher konsequent nur verändert werden, wenn diese Organisation sich in eine verwandeln läßt, deren »politische in wirtschaftlicher Demokratie wurzelt und von ihr ausgeht«[647]. Daß der Prozeß einer solchen Revolutionierung der bundesrepublikanischen in eine sozialistische Gesellschaft nicht von

646 H. D. Jaene, DER SPIEGEL – Ein deutsches Nachrichten-Magazin, Frankfurt 1968, S. 127.
647 E. Siepmann, DER SPIEGEL oder die Nachricht als Ware, in: M. Schneider, E. Siepmann, a. a. O., S. 19.

heute auf morgen vonstatten gehen kann, bedarf keiner weiteren Diskussion. Und ebenso selbstverständlich sollte sein, daß aus der vorliegenden kritischen Beurteilung der Massenmedien nicht deren Liquidation abzuleiten ist. Denn es wurde zu Anfang dieses Abschnitts ja klar herausgestellt, in welchem Maße die quantitativen und qualitativen Bedingungen industrieller Massengesellschaften jene Medien als Kommunikationsforen verlangen. Auch der angedeutete Marsch zu einer sozialistischen Gesellschaft dürfte nicht ohne die Unterstützung massenmedialer Institutionen durchzustehen sein – von massenmedialen Institutionen allerdings, deren materielle und intellektuelle Verfassung auf den Fortschritt zu einer solchen Gesellschaft hin angelegt sein müßte.

Wie eine solche Umpolung von Presse, Rundfunk, Fernsehen konkret aussehen und ablaufen soll, kann fundiert aus der hier referierten Analyse nicht gefolgert werden. Denn die Ableitung derartiger Handlungsmaximen, die eine Umstrukturierung des massenkommunikativen Bereiches zu leiten vermöchten, setzt voraus, daß die formulierten Hypothesen und die hinter diesen stehende gesamtgesellschaftlich orientierte Interpretation erst einer systematischeren als der hier vorgenommenen Prüfung standhalten. So können auch die bereits gegebenen Hinweise zu jener Umstrukturierung: beispielsweise Herstellung einer politisierten Öffentlichkeit durch Aktivierung inner- und überbetrieblicher Mitbestimmung; Abbau der unmittelbaren Abhängigkeit der Medien von der werbungtreibenden Industrie durch Einrichtung von Anzeigengenossenschaften; Installierung einer innerinstitutionellen Mitbestimmung der Journalisten durch Formulierung von Redaktionsstatuten und Etablierung von Redaktionsräten – nur sehr provisorische Geltung beanspruchen [648].

648 Vgl. dazu H. Holzer, J. Schmid, a. a. O., S. 268 ff.; B. Jansen, Möglichkeiten einer Demokratisierung der Presse, in: B. Jansen, A. Klönne (eds.), a. a. O., S. 250 ff. und – mit einer anders orientierten Argumentation – P. Glotz, W. R. Langenbucher, Der mißachtete Leser, a. a. O., S. 160 ff. und 185 ff.

4 Soziologische Analytik II – Systemtheoretische Überlegungen zum Verhältnis von Massenkommunikation und Demokratie

Die bisherige Diskussion hat ergeben, daß die an früherer Stelle referierte soziologische und politologische Konzeption von Demokratie offenkundig nicht imstande ist, die Probleme, die sich mit dem Zusammenhang von Massenkommunikation und Politik im fortgeschrittenen Kapitalismus verbinden, adäquat zu fassen. Damit ist ebenfalls sichtbar geworden, in welchem Maße die staatsrechtliche Fixierung von Massenkommunikation als funktionales Erfordernis von Demokratie und die realgesellschaftliche Position und Funktion der Massenmedien in einem Sozialsystem, wie die Bundesrepublik eines darstellt, differieren. Im folgenden soll – statt einer zusammenfassenden Schlußbemerkung – diese Mangelerscheinung demokratie- wie massenkommunikationssoziologischer Theoreme und verfassungsjuristischer Postulate noch einmal, konzentriert auf die wichtigsten Punkte, demonstriert und – im Anschluß daran – diskutiert werden, ob und inwieweit in den avanciertesten Bereichen allgemein-soziologischer Reflexion Interpretationsmuster und Erkenntnisinstrumente entwickelt worden sind, die möglicherweise eine brauchbarere, weil dem hier behandelten Untersuchungskomplex angepaßtere Rekonstruktion der Zusammenhänge zwischen Massenkommunikation, Demokratie und Kapitalismus erlauben.

1 Der problematisierte demokratie- und massenkommunikationssoziologische Funktionalismus

Die zentralen Momente der skizzierten funktionalistischen Interpretation von Demokratie sind: die These von der Balance zwischen Konsensus und Konflikt; das Theorem des Pluralismus; das Konzept des demokratischen Charakters; und die Annahme, diese Momente würden wesentlich durch massenkommunikativ betriebene Sozialisation, Information (inklusive Unterhaltung), Kritik und Kontrolle garantiert. Konfrontiert mit den in der vorliegenden Untersuchung beigebrachten theoretischen Überlegungen und empirisch fundierten Argumenten erfahren jene Elemente der funktionalistischen Konzeption von Demokratie und Massenkommunikation eine deutliche Relativierung, teilweise gar Annullierung.

● *Konsensus und Konflikt* – Das Theorem von Konsensus und Konflikt ist angesichts der Entwicklung des demokratisch verwalteten Wohlfahrtsstaates fragwürdig geworden. Die weitgehend gelungene Verdeckung des Klassenantagonismus durch wohlfahrtsstaatliche Maßnahmen und die damit zusammenhängende tendenzielle Ausschaltung prinzipieller politischer Opposition führen die in der Theorie postulierte Balance zwischen Konsensus und Konflikt klar ad absurdum. Monopolistisch organisierte Macht- und Einflußzentren in Wirtschaft, Politik und Kultur bestimmen – sich gegenseitig gratifizierend und sanktionierend – immer mehr die gesellschaftliche Diskussion, den gesellschaftlichen Prozeß und versuchen, sich zunehmend wirkungsvoller die Loyalität der Mehrheit der Bevölkerung durch geschickte Konfliktvermeidungsstrategien und Gratifikationstaktiken zu sichern.

● *Pluralismus* – Das Theorem des Pluralismus ist als analytisches Instrument ebenfalls kaum tauglich; mit ihm kann zwar eine Deskription von Strukturelementen demokratisch verwalteter Industriegesellschaften, nicht aber eine Strukturanalyse vorgenommen werden. Wie die einzelnen, in der gesellschaftlichen Diskussion – im gesellschaftlichen Prozeß relevanten Meinungen, Einstellungen, Interessen und Ideologien sich zueinander verhalten, welche Funktionen ihnen innerhalb des Sozialsystems zukommen und welche Zusammenhänge zwischen dem angeblichen Pluralismus der Meinungen, Einstellungen, Interessen, Ideologien und der faktischen Organisation dieses Sozialsystems bestehen, bleibt in jenem Theorem unausgesprochen. Insofern sieht Karlheinz Messelken im Postulat des Pluralismus zu Recht die Äußerung eines »naiven Liberalismus, dem sich alles von selbst so einrichtet, daß es für alle am besten ist ...«[1]. Denn weder läßt sich die Annahme halten, alle Interessengruppen und damit die von ihnen repräsentierten Meinungen, Einstellungen, Ideologien besäßen annähernd gleiche Macht, gleichen Einfluß; noch kann unterstellt werden, sämtliche soziale Gruppen wären allein schon auf Grund der Proklamierung des demokratischen Egalitätsprinzips gleichberechtigte Teilnehmer am pluralistischen Interessenkampf; und noch weniger akzeptabel ist die Behauptung, die ausgehandelten Kompromisse entsprächen (zumindest weitgehend) dem Interesse der Gesamtheit der Staatsbürger. So ist beispielsweise das an früherer Stelle zitierte Argument von Lipset, die Verteilung des Sozialprodukts stelle das Ergebnis von Kollektivverhandlungen dar, bei denen für die beteiligten Interessenten Chancengleichheit herrsche, eindeutig irreführend. Denn in den Kollektivverhandlungen wird über die Löhne der Beschäftigten in verschiedenen Industriezweigen und Wirtschaftsbranchen entschieden; nicht zur Debatte steht dabei eine Veränderung der Lohnquote oder gar die Möglichkeit, die Verteilung von Löhnen und Profiten der kapitalistisch-ökonomischen Mechanik zu entziehen. Zwar sind die

1 K. Messelken, a. a. O., S. 79.

Gewerkschaften (genau wie die Arbeitgeberverbände) imstande, den Wirtschafts-kreislauf zu blockieren, wenn ihre Forderung nach Lohnerhöhungen erfolglos bleibt; aber Voraussetzung einer solchen Blockade ist ein hoher Beschäftigungs-grad. Über diesen befinden jedoch die Besitzer und Kontrolleure von Kapital mittels der Investitionen, deren Umfang wiederum von den Profiterwartungen abhängt. Dieses Beispiel gesellschaftlicher Ungleichheit soll genügen, um »die beschränkte Gültigkeit der Pluralismus-These (zu demonstrieren). Irrig ist vor allem die Auffassung, die Struktur des ökonomischen Systems sei pluralistisch und ökonomische Entscheidungen seien Resultat von Kompromissen. Nach wie vor gehorcht der ökonomische Prozeß kapitalistischen Prinzipien, nicht hetero-genen sozialen Interessen; nur sofern jenen Genüge getan ist, können diese mit Erfolg intervenieren. Die Wirksamkeit des Pluralismus von Interessengruppen beschränkt sich auf die Sphäre der öffentlichen Auseinandersetzung um be-stimmte Maßnahmen der Wirtschafts- und Sozialpolitik; sie tangiert indessen nirgends die Struktur der Gesellschaft.«[2]

● *Demokratischer Charakter* – Wenn Pluralismus-These und Konsensus-Konflikt-Theorem die Probleme einer industriegesellschaftlichen Demokratie kaum treffen, kann auch das Konzept des demokratischen Charakters, der demokratischen Per-sönlichkeit nicht unangefochten gelten. Denn die von diesem Charakter ge-forderte Fähigkeit zur Selbstbestimmung und Eigenverantwortlichkeit sollte ja durch die Teilhabe des einzelnen an dem Pluralismus von Meinungen, Inter-essen und Gruppen und durch die Erprobung der dadurch erlernten Denk- wie Handlungsflexibilität in Konfliktsituationen so entwickelt und gestärkt werden, daß sie die Staatsbürger instand setzt, als Träger einer demokratischen Ordnung fungieren und zur Aufrechterhaltung des gesellschaftlichen Pluralismus wie der Balance zwischen Konsensus und Konflikt beitragen zu können. Eine solche Chan-ce wird dem einzelnen von der Apparatisierung der Öffentlichkeit, der Oligopo-lisierung der Ökonomie und der Oligarchisierung der Politik jedoch nicht ge-lassen.

● *Massenkommunikation als funktionales Erfordernis von Demokratie* – Insbeson-dere aber wird die Annahme nachdrücklich erschüttert, die Medien der Massen-kommunikation könnten als Lieferanten von Daten, Interpretations- und Hand-lungsmustern die Entwicklung und Stärkung demokratischer Persönlichkeiten in einer den komplexen Problemen differenzierter Industriegesellschaften ad-äquaten Weise leisten und gleichzeitig als Organe einer kritischen und kon-trollierenden Öffentlichkeit den Widerstreit von Gruppeninteressen und -ideolo-gien in vor- wie nachparlamentarischer Diskussion klären. Denn die privat-wirtschaftlich betriebenen Unternehmen der Massenkommunikation wie die Rundfunk- und Fernsehanstalten, die der werbeorientierten Industrie und den

2 J. Bergmann, Konsensus und Konflikt, a. a. O., S. 50.

Vertretern der politischen Machtgruppen ausgesetzt sind, haben kaum die Chance, mit ihren Informations- und Unterhaltungsangeboten die Grundlagen des oligopolkapitalistischen Systems und seine neuralgischen Punkte in Frage zu stellen, da sie hart in dieses System eingepaßt sind. Sie müssen vielmehr auf Grund ihrer politökonomischen Lage und der Entfremdungssituation ihres Publikums weitgehend jene Techniken anwenden, die das Bewußtsein der Bevölkerung – insbesondere der lohn- und gehaltsabhängigen Massen – so beeinflussen, daß die profit- und wahlstimmenorientierten Interessen der funktionalen Eliten in Ökonomie und Politik relativ unangefochten bleiben. Solche Techniken sind vor allem: Bereitstellung kurzfristiger Gratifikationen; Herstellung eines intensiven Konsumverhaltens; Erledigung oder Isolierung von prinzipieller Opposition. Die faktische Verpflichtung der Medien auf die Prinzipien des bestehenden Herrschaftssystems macht so massenkommunikative Orientierung und Aufklärung, Kritik und Kontrolle zwar nicht definitiv unmöglich. Aber solche Aktivitäten werden – insbesondere wenn sie über eine systemimmanente Kritik hinausgehen – doch derart schwierig und riskant, daß Ansätze eines demokratisierenden Journalismus sehr oft kaum merkbare Akzente eines Angebots darstellen, das durch eine Fülle von Verschleierungs- und Verführungstaktiken das Publikum um die Möglichkeit bringt, die Bedingungen der eigenen Lebenspraxis und der gesamtgesellschaftlichen Konstellation zu erkennen und daraus Handlungsanweisungen zu gewinnen, die ein auf effektiver, in Solidarität mit anderen praktizierter Selbstbestimmung basierendes Verhalten des einzelnen fördern und damit eine Gesellschaft materieller sozialer Gerechtigkeit und politisch-moralischer Rationalität herstellen helfen.

2 Kurzreferat systemtheoretischer Argumente

Es stellt sich nun die Frage, ob und inwieweit der solchermaßen problematisierte politik- und massenkommunikationssoziologische Funktionalismus durch ein theoretisches System ersetzt, zumindest aber wesentlich ergänzt werden kann, das eine präzisere Analyse der Zusammenhänge zwischen Politik, Ökonomie und Massenkommunikation zuläßt. Zu einer skizzenhaften Beantwortung dieser Frage soll zunächst Talcott Parsons' systemtheoretische Interpretation herangezogen werden. Denn dessen Intention, die Theorie eines stabilen, störungsfrei und gleichgewichtig sich entwickelnden sozialen Systems zu formulieren, korrespondiert augenfällig den zuvor geschilderten Tendenzen, die gegenwärtig die fortgeschrittenen demokratisch verwalteten Industriegesellschaften bestimmen. Zwar impliziert auch die Parsonianische Konzeption von Demokratie die verbindliche Institutionalisierung von Verfahrensregeln der Gruppenkonkurrenz um die politische Macht, die Präferenz für das Zweiparteiensystem und die Annahme, die unvollständige Korrelation zwischen sozioökonomischem Status und Parteivorliebe garantiere jenseits der Klassen- und Schichtgrenzen einen grundsätzlichen Konsensus über die zentralen Prinzipien einer demokratischen Ordnung [3]; aber dieser – dem Pluralismus- und Konflikt/Konsensus-Modell verhafteten – demokratiesoziologischen Konzeption entspricht Parsons' allgemein-theoretischer Entwurf zur Analyse komplexer sozialer Systeme kaum.

Den Bezugsrahmen der Parsonianischen (wie auch der hier ebenfalls zu nennenden Mertonschen) Argumentation [4] stellen der Begriff des sozialen Handelns und dessen logische Implikationen – Rolle und Status des Handelnden, Struktur der Handlungssituation sowie die von den Handelnden praktizierten Modi der Situationsorientierung – dar. Ein Interaktionssystem ist demnach ein Gefüge von Handelnden, die in einer Situation mit bestimmten Wert- und Motivorientierungen agieren, also einen Satz stabiler Beziehungsweisen besitzen, auf Grund dessen eine strukturelle Einheit der Handelnden sich herstellen läßt. »... a social system consists in a plurality of individual actors interacting with each other in a situation which has at least a physical or environmental aspect, actors who are motivated in terms of a tendency to the ›optimization of gratification‹ and whose relation to their situations, including each other, is defined and mediated in terms of a system of culturally structured and shared symbols.«[5] Wenn ein solches System bestehen und sich entwickeln soll, muß es so organisiert sein, daß bis zu einem gewissen Grad einmal die Handelnden hinsichtlich eines bestimmten Wertmusters integriert sind und zum andern die Anpassung jenes Systems an sein, um mit Durkheim zu sprechen, inneres und äußeres – soziales wie natürliches – Milieu [6] gelingt. Die Annahmen, die Parsons mehr oder weniger explizit zu seiner Handlungstheorie macht, hat Robin M. Williams jr. zusammengestellt: »1. A large amount of human social action is goaldirected. 2. Social action is sufficiently patterned to allow for analysis in terms of systems. 3. As the only symbol-using animal, man is able to generalize from experience and to stabilize a pattern of behavior through time. Simple stimulus-response interpretations are inadequate to account for these facts. 4. Action is, in part, directed by orientation to value-standards. 5. Action systems represent ›compromises‹ among organismic, cultural, personality, and social systems, as motivated actors contend with exigencies

3 Vgl. dazu T. Parsons, ›Voting‹ and the Equilibrium of the American Political System, in: E. Burdick–A. J. Brodbeck (eds.), American Voting Behavior, Glencoe 1959, S. 80 ff.; vgl. dazu weiter J. Bergmann, a. a. O., S. 54.

4 Vgl. dazu T. Parsons, Outline of the Social System, in: T. Parsons, E. A. Shils, K. D. Naegele, J. R. Pitts, Theories of Society, New York 1961, S. 30 ff. und T. Parsons, Societies, Englewood Cliffs 1966, S. 5 ff.; R. K. Merton, Social Theory and Social Structure, a. a. O., S. 19 ff.

5 T. Parsons, The Social System, Glencoe 1951, S. 5–6.

6 Vgl. dazu E. Durkheim, Regeln der soziologischen Methode, Neuwied 1961, S. 194 ff.; vgl. dazu weiter H. C. Bredemeier und R. M. Stephenson, The Analysis of Social Systems, New York 1962, S. 59 und D. F. Aberle et al., The Functional Prerequisites of a Society, in: Ethics Bd. 60–2, 1950, S. 104.

of survival in an environment. ›Perfect integration‹ is not found in the empirical world.«[7] Nach Übersetzung dieser handlungstheoretischen Prämissen aus einem einfachen Alter-ego-Modell in die Konzeption einer komplexen Sozialordnung erscheint dann Gesellschaft als ein System funktional interdependenter Rollen, Rollenkomplexe[8] – als ein System, das durch eine verbindliche normative Ordnung zusammengehalten wird. »The core of a society, as a system, is the patterned normative order through which the life of a population is colletively organized. As an order, it contains values and differentiated and particularized norms and rules ...«[9] Das gesellschaftliche Werte- und Normensystem versteht Parsons – in Analogie zur Computer-Technik – als Funktionsprogramm eines Interaktionszusammenhangs[10], das diesen in allen Bereichen, Sektoren und Rollenkomplexen reguliert und kontrolliert. Das Eintreten des Zustandes, den Percy S. Cohen im Anschluß an den bereits zitierten David Lockwood »system integration«[11] nennt, wird dabei abhängig gemacht vom Prozeß der Enkulturation, in dem die Individuen jenes Funktionsprogramm erlernen und internalisieren, und von dem Ausmaß, in dem dieses Programm mittels gesellschaftlicher Institutionen der Sozialisation und Kommunikation verankert und abgesichert ist. Die solchermaßen konstituierte Einheit von Gesellschaft faßt Parsons in den Begriff »societal community«. »We will call this one entity of the society, in its collective aspect, the societal community. As such, it is constituted both by a normative system of order *and* by statuses, rights, and obligations pertaining to membership which may vary for different subgroups within the community. To survive and develop, the social community must maintain the integrity of a common cultural orientation, broadly (though not necessarily uniformly or unanimously) shared by its membership, as the basis of its societal identity. This problem concerns its connection with the superordinate cultural system. However, it must also meet systematically the conditional exigencies regarding the integration of members' organisms (and their relations to the physical environment) and personalities. All these factors are complexly interdependent, yet each is a focus for the crystallization of a distinctive type of social mechanism.«[12]

Den Zusammenhang von normativer Ordnung, durch ein Netz institutionalisierter Verhaltenserwartungen strukturierten Interaktionsgefügen und motiv- wie wertorientierten Aktoren hat Parsons mit Hilfe eines analytischen Instrumentariums in vier qualitativ verschiedene Handlungssysteme zerlegt: in das kulturelle System

7 R. M. Williams jr., The Sociological Theory of Talcott Parsons, in: M. Black (ed.), The social theories of Talcott-Parsons, Englewood Cliffs 1961, S. 93.

8 Vgl. dazu N. Luhmann, Funktionale Methode und Systemtheorie, in: Soziale Welt 1–1964, S. 16.

9 T. Parsons, Societies ..., a. a. O., S. 10.

10 Vgl. dazu T. Parsons, N. J. Smelser, Economy and Society, London New York 1956, S. 69.

11 P. S. Cohen, Modern Social Theory, New York 1968, S. 148 und ff.

12 T. Parsons, a. a. O., S. 10–11.

(cultural system), das soziale System (social system), das personale System (personality system) und das Organismussystem (behavioral system)[13]. Das personale System bezeichnet hier die Organisation der Motive produzierenden und durch Wertorientierungen strukturierten Bedürfnisdispositionen der Handelnden; das soziale System den interdependenten Kontext von Beziehungen mehrerer Handelnder im Rahmen von regulierenden und kontrollierenden Institutionen; und das kulturelle System den Bereich der Wert- und Symbolmuster, die dem sozialen System Einheitlichkeit verleihen. Die Handlungssysteme sind demnach in einer Hierarchie angeordnet und somit auch als Kontroll- und Organisationsinstanzen auf jeweils anderem Niveau interpretierbar: »Looking across the entire range of systems compassed in his general theory of action, Parsons concludes that there is indeed an order among them: psychological systems organize and control the organic systems, social systems organize and control the psychological systems, and cultural systems organize and control the social systems.«[14] Mit anderen Worten: Die in einem bestimmten System institutionalisierten Handlungssektoren enthalten an ihre Mitglieder gerichtete Verhaltensanforderungen, die aus den im kulturellen System aufbewahrten Interpretationsmustern und Zielvorstellungen abgeleitet sind, und insofern als Steuerungsgrößen wirken, als sie per Sozialisation den – das soziale System tragenden – Persönlichkeitssystemen internalisiert worden sind[15]. Wichtig ist dabei, daß personale und soziale Systeme ›handelnde Systeme‹ darstellen. »(Das) Handeln von personalen Systemen ist auf die Befriedigung von Bedürfnisdispositionen gerichtet, das von sozialen Systemen auf die Realisierung von gemeinsamen Zielen durch kollektives Handeln. Demgegenüber kann ... das Kultursystem nicht als selbst handelnd angesehen werden, es wird nur vermöge seiner Integration mit anderen Handlungssystemen – durch Institutionalisierung und Internalisierung – wirksam; als System von Werten, Normen und Symbolen dirigiert es das Verhalten.«[16]

Im Parsonianischen Funktionalismus[17] (und in dessen Nachbildungen) steht das, was zuvor soziales System genannt worden war, im Mittelpunkt der Analyse. Als wich-

13 Vgl. dazu T. Parsons, E. A. Shils (eds.), Toward a General Theory of Action, Cambridge 1951, S. 54 f. und T. Parsons, An Outline of the Social System, in: T. Parsons, E. A. Shils, K. D. Naegele, J. R. Pitts (eds.), Theories of Society, Glencoe 1961, S. 34.

14 E. C. Devereux jr., Parsons' Sociological Theory, in: M. Black (ed.), a. a. O., S. 63.

15 Vgl. dazu T. Parsons, Das Über-Ich und die Theorie der sozialen Systeme, in: T. Parsons, Sozialstruktur und Persönlichkeit, Frankfurt 1968, S. 22 und 30 f.

16 J. Bergmann, Die Theorie des sozialen Systems von Talcott Parsons, Frankfurt 1967, S. 34.

17 Vgl. zur Präzisierung des soziologischen Funktionsbegriffs R. K. Merton, Manifest and Latent Functions, in: R. K. Merton, Social Theory and Social Structure, a. a. O., S. 50 ff.; vgl. dazu weiter P. Sorokin, Sociological Theories of Today, New York 1966, S. 445 ff.

tigstes Problem dieses Systems – interpretiert als empirisches System – erscheint seine Stabilisierung auf einem Niveau, dessen Höhe von einem Kranz systeminterner und -externer Faktoren bestimmt wird. »The master problem of social systems is self maintenance. In order to maintain itself, a system must solve or successfully cope with three ›lesser‹ or subproblems. These problems include: (1) satisfying at least the minimal needs of a sufficient proportion of the population; (2) acquiring at least a minimum amount of support and motivation from the members so that needed tasks and roles could be fulfilled; and (3) providing for production of a least adequate cultural resources to enable the first two problems to be met.«[18] Für Parsons ist das Problem der self maintenance gleichbedeutend mit dem der self-sufficiency, der Fähigkeit eines sozialen Systems zur Gleichgewicht garantierenden Selbstregulierung der internen Zustände und Abläufe sowie zur Aufrechterhaltung der Grenzen gegenüber der Umwelt[19]. Dabei bestimmt der Grad, in dem diese Fähigkeit ausgeprägt ist, ob ein konkret-empirisches Sozialsystem Gesellschaft genannt werden kann oder nicht. »A society is a type of social system, in any universe of social systems, which attains the highest level of self-sufficiency as a system in relation to its environments.«[20] Die Bedingungen zur Grenzziehung, Selbstregulierung und Herstellung eines Gleichgewichts hat Parsons am klarsten wiederum in ›Societies‹, seinem vorläufig letzten Buch, formuliert: »We may now sum up the ramifications of the self-sufficiency criterion we used in defining the concept of society. A society must constitute a societal community that has an adequate level of integration or solidarity and a distinctive membership status... The community must be the ›bearer‹ of a cultural system sufficiently generalized and integrated to legitimize normative order ... (It) requires that membership be recruited by birth and socialization, initially and primarily through a kinship system, however much it may be supplemented by formal education and other mechanisms ... Finally, self-sufficiency implies adequate control over the economic-technological complex so that the physical environment can be utilized as a resource base in a proposeful and balanced way.«[21] In dem Postulat der Gleichgewicht[22] garantierenden Selbstregulierung des sozialen Systems ist einmal impliziert, daß die theoretischen und die darin eingeschlossenen sozialen Probleme

18 W. C. Mitchell, Sociological Analysis and Politics, The Theories of Talcott Parsons, Englewood Cliffs 1967, S. 58; vgl. dazu T. Parsons, The Social System, a. a. O., S. 26 ff.
19 Vgl. dazu N. Luhmann, Funktionen und Folgen formaler Organisation, Berlin 1964, S. 23 ff.
20 T. Parsons, Societies, a. a. O., S. 9.
21 T. Parsons, Societies, a. a. O., S. 17–18; vgl. dazu P. K. Schneider, a. a. O., S. 72–73.
22 Vgl. dazu R. Mayntz, Kritische Bemerkungen zur funktionalistischen Schichtungstheorie, in: D. V. Glass, R. König (eds.), Soziale Schichtung und Soziale Mobilität, Sonderheft 5 der Kölner Zeitschrift für Soziologie und Sozialpsychologie 1961, S. 14, und W. Sprondel, Elemente des Zuweisungsprozesses sozialer Positionen, München 1968 (Dissertation), S. 46 f.

der Institutionalisierung, Internalisierung, Motivation; der Bedürfnisdispositionen, Normen, Werte, Verhaltenserwartungen; des Kollektivs, der Anomie, der sozialen Kontrolle, der Integration und Funktionalität Sinn und Stellenwert in der soziologischen Konzeption allein auf Grund der Prämisse eines stabilen und funktionierenden empirischen Systems erhalten [23]. Zum andern unterstellt jenes self maintenance-, self-sufficiency- und Gleichgewichtspostulat, empirische Sozialsysteme könnten generell als sich selbst steuernde, rückgekoppelte Regelkreise aufgefaßt werden – als »Kreisschaltungen, bei denen die Variablen zirkulär voneinander abhängen ... (und) ... die auch unter Störungen ein bestimmtes Ziel anstreben oder aufrechterhalten« [24]. Beide Implikationen sollen anschließend näher betrachtet und die ihnen zugrunde liegenden Vorstellungen eines gleichgewichtigen Systems darauf befragt werden, ob sie ein heuristisches Instrument der Theoriebildung oder aber das konstitutive Prinzip von Gesellschaft schlechthin umschreiben.

Die zuvor skizzierten Bedingungen des Gleichgewichts sozialer Systeme sind von Parsons in Form von vier »functional imperatives« [25] beschrieben worden. Diese funktionalen (Mindest-)Erfordernisse betreffen: (1) die Aufrechterhaltung der institutionalisierten kulturellen Muster, um die sich ein soziales System organisiert; (2) die Formierung einer Ordnung der interindividuellen und interinstitutionellen Relationen durch Einpassen der funktional differenzierten Rollen-Komplexe und Teilbereiche in den gesamten Systemprozeß; (3) die Realisierung von kollektiv zu erreichenden Zielen und (4) die Auseinandersetzung des Systems mit seinen Umweltbedingungen, insbesondere die Befriedigung der materiellen Bedürfnisse eines Sozialsystems und seiner Mitglieder [26]. Bestand und Entwicklung eines sozialen Systems hängen danach entscheidend davon ab, wie den »essential functional imperatives of any system of action, and hence of any social system« nachgekommen wird – wie die Probleme der »pattern maintenance« (1), der »integration« (2), des »goal attainment« (3) und der »adaptation« (4) [27] gelöst werden [28]. Bezogen auf komplexe Gesellschaften sieht dieser Lösungsversuch dann so aus: Das den adaptiven Funktionen

23 Vgl. dazu J. Bergmann, a. a. O., S. 36–37.

24 R. Ziegler, Kommunikationsstruktur und Leistung sozialer Systeme, Meisenheim am Glan 1968, S. 152.

25 T. Parsons, An Outline of the Social System, a. a. O., S. 38; vgl. dazu die neueste, allerdings unveränderte Formulierung dieser »functional categories« in: T. Parsons, Societies, a. a. O., S. 7.

26 Vgl. dazu P. Kellermann, Kritik einer Soziologie der Ordnung, Freiburg 1967, S. 99 ff.; W. C. Mitchell, a. a. O., S. 59–60; J. Bergmann, a. a. O., S. 46–47.

27 T. Parsons, a. a. O., S. 39.

28 Unter den vier Parsonianischen Imperativen sind auch jene Kataloge von funktionalen, Bestand und Entwicklung sozialer Systeme garantierenden Erfordernissen subsumiert, die beispielsweise Marion J. Levy jr. und David F. Aberle et al. zusammengestellt haben; vgl. dazu M. J. Levy jr., The Structure of Society, Princeton 1951, S. 149 ff. und D. F. Aberle et al., The Functional Prerequisites of a Society, in: Ethics 60–2, 1950, S. 104 ff.

zugeordnete Rollenaggregat ist institutionalisiert im System von Ökonomie, Technik und Wissenschaft[29], das den zielrealisierenden Funktionen zugeordnete Rollenaggregat im System gesellschaftlicher Macht[30]; die Integration wird gesichert durch allgemeine Rechtsnormen und gesellschaftspolitische Kontrollen, die Aufrechterhaltung der gesellschaftskonstituierenden und -formierenden Interpretationsmuster und Werthierarchien durch deren Verankerung in Sozialisationsinstanzen, die — über den Mechanismus von Gratifikation und Sanktion — die aus jenen Interpretationsmustern und Werthierarchien abgeleiteten Handlungsmaximen (kognitive, kathektische, evaluative Orientierungen) der Individuen verfestigen[31]. Dabei sind — genau wie die allgemeinen Handlungssysteme — auch die funktionalen Subsysteme als Teilbereiche einer »hierarchy of conditioning factors« und einer »hierarchy of controlling factors«[32] aufzufassen: »Systems higher in the order are relatively high in information while those lower down are relatively high in energy.«[33] Das heißt: In der Hierarchie der bedingenden Faktoren folgen dem adaptation system, das die entscheidenden materialen Kapazitäten und energetischen Potentiale des Gesamtsystems enthält, das goal attainment system, das integration system und das pattern maintenance system; in der Hierarchie der kontrollierenden Faktoren hingegen folgen dem pattern maintenance system, das die entscheidenden Informations- und Kontrollpotentiale des Gesamtsystems enthält, das integration system, das goal attainment system und das adaptation system.

Daraus hat Parsons dann abgeleitet, »that the social system as a whole and its internal processes should, in regard to behavior, be considered as a complex set of cybernetic controlling mechanisms — not just one governor, but a series of them«[34]. Was unter diesem »complex set of cybernetic controlling mechanisms« zu verstehen ist, läßt sich am klarsten Parsons' Arbeiten ›The Political Aspect of Social Structure and Process‹ und ›On the Concept of Political Power‹ entnehmen[35].

29 Vgl. dazu T. Parsons, N. J. Smelser, a. a. O.; N. J. Smelser, The Sociology of Economic Life, Englewood Cliffs 1963, S. 36 ff.; T. Parsons, Some Principal Characteristics of Industrial Societies, in: T. Parsons (ed.), Structure and Process in Modern Societies, Glencoe 1960, S. 132 ff.

30 Parsons bezeichnet das goal attainment system auch als polity system. Letzteres ist nicht identisch mit dem, was man political system, politisches System nennt. Dieses ist wesentlicher enger gefaßt als das polity system, das allgemeine Machtsystem, das bei Parsons für die Summe der Autoritätspositionen in allen gesellschaftlichen Bereichen steht; vgl. dazu T. Parsons, On the Concept of Political Power, in: R. Bendix, S. M. Lipset (eds.), Class, Status and Power, New York 1966 (2. ed.), S. 240 ff.

31 Vgl. dazu T. Parsons, Societies, a. a. O., S. 24 f. und T. Parsons, An Outline..., a. a. O., S. 44 ff.

32 T. Parsons, Societies, a. a. O., S. 28.

33 Derselbe, a. a. O., S. 28.

34 T. Parsons, An Outline ..., a. a. O., S. 70.

35 Vgl. dazu T. Parsons, The Political Aspect of Social Structure and Process, in: D. Easton (ed.), Varieties in Political Theory, Englewood Cliffs 1966, S. 71 ff., und T. Parsons, On the Concept of Political Power, a. a. O., S. 261 ff.

In beiden Arbeiten hat Parsons versucht, die funktionalen Subsysteme eines sozialen Globalsystems einem kybernetischen Modell einzufügen, nach dem sie durch ein »societal interchange system«[36] zu einer Art Regelkreis zusammengeschlossen sind[37].

Graphik 13: Societal Interchange System

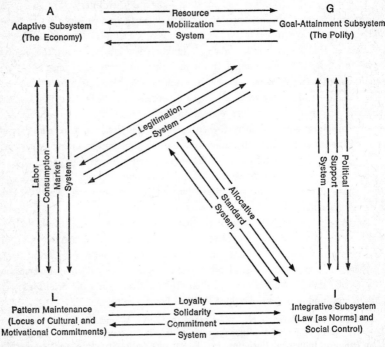

(Quelle: T. Parsons, a. a. O., S. 108)

Dieses Modell ist noch wesentlich erweitert worden, indem Parsons einmal bestimmte steuernde und kontrollierende Medien (»generalized symbolic media«)[38] eingeführt hat – für Steuerung und Kontrolle der Prozesse zwischen den Subsystemen sind (jeweils in spezifischen Mischungen) Geld, Macht, Einfluß und Rollenverpflichtungen verantwortlich[39]; und indem er zum andern eine Input-Output-Analyse, die

36 T. Parsons, The Political Aspect . . ., a. a. O., S. 108.

37 Vgl. dazu den Vorläufer dieses Modells in T. Parsons, N. J. Smelser, a. a. O., S. 68; vgl. dazu weiter Ch. Morse, The Functional Imperatives, in: M. Black (ed.), a. a. O., S. 128 ff.

38 Vgl. T. Parsons, a. a. O., S. 107.

39 Vgl. dazu T. Parsons, An Outline . . ., a. a. O., S. 60 ff.; T. Parsons, The Political Aspect . . ., a. a. O., S. 109 ff.; W. C. Mitchell, a. a. O., S. 87 ff.

– analog dem nationalökonomischen Verfahren – die in die einzelnen Subsysteme eingehenden Faktoren und die sie verlassenden Produkte zusammenstellt, sowie eine Beschreibung der ablaufenden Kontroll- und Entscheidungsprozesse vorgenommen hat [40] (siehe Graphik 14, S. 240).

Ohne hier in Details gehen zu wollen, ist doch folgendes festzuhalten: »Die Beziehungen der funktionalen Teilsysteme zueinander werden ... als Austauschprozesse der funktionalen Beiträge der einzelnen Teilsysteme zur Erhaltung des gesamten Systemprozesses verstanden; sie werden durch ›allgemeine Medien‹ oder ›Systemmechanismen‹ vermittelt ...: Rollenverpflichtungen, Geld, Einfluß und Macht. Sie sind als Zirkulations- und Bemessungskriterien der funktionalen Beiträge in den Austauschbeziehungen systemintegrativ wirksam: Rollenverpflichtungen, in modernen Gesellschaften durch Kontraktregelungen abgesichert, machen systemrelevantes Verhalten berechenbar; mit Hilfe des Geldmechanismus werden die zur Erhaltung des Systems notwendigen Mittel in funktionaler Weise an Individuen und Gruppen verteilt, etwa auf Haushalte und Industriebetriebe; Macht ist die Fähigkeit, die Ressourcen der Gesellschaft in effektiver Weise für die Realisierung kollektiver Ziele zu mobilisieren; Einfluß ist die Fähigkeit, kollektive Solidarität unter den Systemmitgliedern herzustellen, so daß Störungen und Friktionen im System selten bleiben. Durch diese Systemmechanismen werden die Ressourcen des Systemprozesses: motivationale Antriebe in den Individuen, instrumentelle Kenntnisse und Fertigkeiten, kulturelles Wissen, materielle Güter und Kapital ›produziert‹ und auf die relevanten Teilsysteme und Einheiten des Gesamtsystems ›verteilt‹. Der Zusammenhang der von den Systemmechanismen regulierten und kontrollierten funktionalen Beiträge der einzelnen Teilsysteme innerhalb einer gegebenen Systemstruktur nach Maßgabe eines allgemeinen Wertsystems stellt den Gesamtprozeß der Systemerhaltung dar.« [41]

Erklärtermaßen will Parsons mit dem vorgeführten soziologisch-analytischen Schema die generellen und notwendigen funktionalen Bedingungen des Gleichgewichts von sozialen Systemen bestimmen [42]: Ist die funktionale Interdependenz der Systeme in der skizzierten – Selbstregulierung und -kontrolle implizierenden – Weise gegeben, herrscht Systemstabilität – ein Zustand, in dem die Erfordernisse des Systems mit den Bedürfnissen der Individuen sowie den gesellschaftlichen und natürlichen Um-

40 Vgl. dazu T. Parsons, The Political Aspect ..., a. a. O., S. 109 ff.; T. Parsons, On the Concept of Political Power, a. a. O., S. 240 ff.; T. Parsons, On the Concept of Influence, in: Public Opinion Quarterly 1963, S. 37 ff.

41 J. Bergmann, a. a. O., S. 48.

42 Vgl. dazu P. Kellermann, S. 99 ff.; vgl. dazu weiter W. Buckley, Structural-functional Analysis in Modern Sociology, in: H. Becker – A. Boskoff (eds.), Modern Sociological Theories, New York 1957, S. 236 ff. und R. C. Sheldon, Some Observations on Theory in Social Science, in: T. Parsons, E. Shils (eds.), Toward a General Theory of Action, New York 1962, S. 30 ff.; vgl. dazu auch E. K. Francis, Prolegomena to a Theory of Social Change, in: Kyklos 2–XIV 1961, S. 218.

Graphik 14: Input-Output-Analyse der funktionalen Subsysteme

A | FACTORS | In to G — Control of Productivity M 2b → | G
	In to A ← Opportunity for Effectiveness P 1b
PRODUCTS	Out to G — Commitment of Services to the Collectivity P 1a →
	Out to A ← Allocation of Fluid Resources (financial) M 2a

L | FACTORS | In to A → Labor Capacity C 2b | A
	In to L ← Wage Income M 1b
PRODUCTS	Out to A — Commodity Demand M 1a →
	Out to L ← Commitment to Production of Goods C 2a

G | FACTORS | In to I — Policy Decisions P 2a → | G
	In to G ← Interest Demands I 1a
PRODUCTS	Out to I — Leadership Responsibility I →
	Out to G ← Political Support P 2b

L | FACTORS | In to L — Justifications for Allocation of Loyalties I 2a → | I
	In to I — Commitment to Valued Association C 1a →
PRODUCTS	Out to L ← Commitments to Common Value C 1b
	Out to I — Value-based Claims to Loyalties I 2b →

A | FACTORS | In to I — Assertion of Claims to Resources M 3a → | I
	In to A ← Standards for Allocation of Resources I 3a
PRODUCTS	Out to I — Grounds for Justification of Claims I 3b →
	Out to A ← Ranking of Claims M 3b (Budgeting)

I | FACTORS | In to L — Operative Responsibility P 3a → | G
	In to G — Legitimation of Authority C 3 →
PRODUCTS	Out to L — Moral Responsibility for Collective Interest C 3b →
	Out to G ← Legality of Powers of Office P 3b

M = Money   P = Power
I = Influence   C = Commitments

1, 2, 3 = Order of hierarchical control as between media.
a, b = Order of hierarchical control within interchange systems.

"In" means Input of a category of resources to the subsystem indicated from the other member of the pair.
"Out" means Output of a category of "product" from the indicated source to the relevant destination.
Every double interchange consists of one input (factor) interchange and one output (product) interchange.

(Quelle: T. Parsons, a. a. O., S. 109)

weltbedingungen harmonieren. Parsons verwischt allerdings die Differenz zwischen systemtheoretischer Konstruktion und konkreten gesellschaftlichen Verhältnissen, indem er sein Funktionsmodell ausschließlich an einem stabilen Sozialsystem und dessen Voraussetzungen ausrichtet. Dadurch werden Stabilität und Funktionalität zu identischen Größen – Störungen im Systemprozeß, Konflikte und Revolutionen aber aus der theoretischen Argumentation eliminiert. Auf die Beseitigung dieses Mangels hat sich dann auch der Versuch, die Parsonianische Handlungstheorie weiter zu entwickeln, vornehmlich konzentriert. Das wichtigste Resultat der Überlegungen dürfte die Formulierung einer Konzeption darstellen, die Gesellschaft als ein »complex adaptive system«[43] begreift und so die bei Parsons implizierte Gleichgewichtstheorie in eine Theorie des umweltoffenen Systems transformiert[44]. »The dynamic-system model denies that the sociocultural system can be adequately characterized as a pre-programmed machine; the notion of complex adaptive organization suggests rather the generation of alternatives which are continually being selected during the process of operation by decision-making units.«[45] Die doch relativ starre Stabilitätsorientiertheit der Parsonsschen Argumentation wird hier aufgelöst und durch den Zusammenhang von Stabilität und Fexibilität ersetzt. »Modern systems analysis suggests that a socio-cultural system with high adaptive potential, or integration, as we might call it, requires some optimum level of both stability and flexibility: a relative stability of the social-psychological foundations of interpersonal relations and of the cultural meanings and value hierarchies that hold group members together in the same universe of discourse and, at the same time, a flexibility of structural relations characterized by the lack of strong barriers to change, along with a certain propensity for reorganizing the current institutional structure should environmental challenges or emerging internal conditions suggest the need. A central feature of the complex adaptive system is its capacity to persist or develop by changing its own structure, sometimes in fundamental ways.«[46] Die wesentlichen Elemente dieses komplexen Prozesses, durch den ein Sozialsystem optimal den gegebenen und geschaffenen internen wie externen Bedingungen angepaßt wird, werden allerdings auch in dieser Konzeption nicht anders umschrieben, als das bereits bei Parsons der Fall ist[47]. Ebenso wenig unterscheidet sich die Formulierung des Ziels, das jenem Anpassungs- und Austauschprozeß unterstellt wird, von dem, was Parsons als Richtpunkt der Abläufe innerhalb des sozialen Systems angibt:

43 W. Buckley, Society as a Complex Adaptive System, in: W. Buckley (ed.), Modern System Research for the Behavioral Scientist, Chicago 1968, S. 490.

44 Vgl. dazu N. Luhmann, Moderne Systemtheorien als Form gesellschaftlicher Analyse, in: T. W. Adorno (ed.), a. a. O., S. 255.

45 W. Buckley, Sociology and Modern Systems Theory, Englewood Cliffs 1967, S. 159.

46 W. Buckley, a. a. O., S. 206.

47 Vgl. dazu K. W. Deutsch, Toward a Cybernetic Model of Man and Society, in: W. Buckley (ed.), a. a. O., S. 387 ff.

»Wesentliche innere Strukturen des Systems müssen gegenüber einer bedrohlichen Umwelt konstant gehalten werden; die Komplexität und Variabilität der Umwelt soll so reduziert werden, daß sinnvolle Systementscheidungen möglich werden; die Autonomie des Systems gegenüber der Umwelt soll wenn möglich gesteigert werden.«[48]

In zweierlei Hinsicht differiert das Funktionsmodell Parsonianischer Provenienz allerdings deutlich von der Konzeption des komplexen adaptiven Systems – insbesondere dann, wenn sich letztere – wie in dem gerade zitierten Argument von Frieder Naschold bereits angedeutet – in eine kybernetische Systemtheorie fortsetzt, die »das Verhältnis von System und Umwelt als eine Differenz in Komplexität« begreift und davon ausgeht, daß »ein System . . ., wenn es sich erhalten will, seine eigene Komplexität zu der der Umwelt in ein Verhältnis der Entsprechung bringen . . . und im übrigen seine geringere Komplexität durch verstärkte Selektivität wettmachen (muß)«[49]: Einmal versagt sich Parsons, indem er seine funktionale Analyse nur innerhalb gegebener Systemstrukturen ansetzt, der Frage »nach der Funktion von System überhaupt, von Struktur überhaupt« und »zusammengenommen . . . nach der Funktion von Gesellschaft«[50]; zum andern fehlt bei Parsons das, was Amitai Etzioni Theorie der »societal guidance« genannt hat. »A theory of societal guidance seeks to make societal analyses not merely more dynamic, a need which has often been recognized, but also more active . . . A theory of societal guidance asks how a given actor guides a process and how he changes a unit's structure or boundaries. The main differences are not between change and no-change, but between guided changes and ongoing processes wether they involve change or not.«[51] Diese von Parsons vernachlässigten Fragen hängen nun insofern zusammen, als die Funktion von Gesellschaft – Gesellschaft interpretiert als soziales System – nicht allein abstrakt als Reduktion einer vage verstandenen Weltkomplexität zu begreifen und Gesellschaft nicht nur allgemein als »dasjenige Sozialsystem, dessen Strukturen darüber entscheiden, wie hohe Komplexität der Mensch aushalten, das heißt in sinnvolles Erleben und Handeln umsetzen kann«[52], zu beschreiben ist, sondern jener komplexitätsreduzierende Mechanismus auch und vor allem als Reduktion einer Vielfalt von Individual- wie Gruppeninteressen mit Hilfe des Prinzips ›Herrschaft‹ aufgefaßt werden muß. Eine solche Form der Komplexitätsreduktion provoziert aber sofort die Frage: Wer oder was reduziert – wer oder was wird reduziert? Oder in kybernetischer Terminologie: Wer bestimmt den Normzustand eines Systems, von dem keines der systeminternen und -externen Teilmomente in einem – über die spezifische Toleranzbreite hinausgehenden

48 F. Naschold, a. a. O., S. 14; vgl. dazu N. Luhmann, a. a. O., S. 255 und N. Luhmann, Soziologie als Theorie sozialer Systeme, in: Kölner Zeitschrift für Soziologie und Sozialpsychologie 1967, S. 615.

49 N. Luhmann, Moderne Systemtheorie . . ., a. a. O., S. 256.

50 N. Luhmann, a. a. O., S. 258.

51 A. Etzioni, The Active Society, London New York 1968, S. 78.

52 N. Luhmann, Moderne Systemtheorie als Form gesamtgesellschaftlicher Analyse, a. a. O., S. 260.

Graphik 15: Dynamisches Modell des Politischen Systems

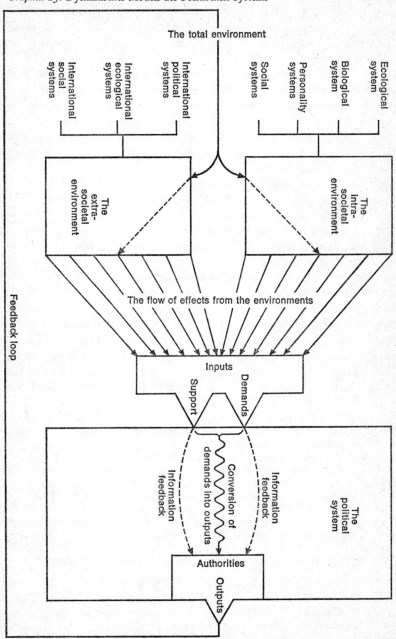

(Quelle: D. Easton, A Systems Analysis of Political Life, New York London 1967 [2. ed.], S. 30)

– Maß differieren darf? Im Parsonianischen Modell gibt es hierauf keine präzise Antwort, da dort Schwerpunkte der gesellschaftlichen Machtstruktur, dominante Herrschafts- und Entscheidungszentren theoretisch nicht eingeplant sind, jene Machtstruktur vielmehr als Interdependenz gleichwertiger, über das gesamte Sozialsystem verteilter Autoritätspositionen erscheint[53]. Dagegen werden in der Konzeption der Gesellschaft als complex adaptive system die Fragen nach Subjekt und Objekt der Komplexitätsreduktion und nach dem Modus der Festsetzung des diese Reduktion dirigierenden Soll-Wertes dadurch beantwortet, daß als wesentliches Element eines Sozialsystems angesehen wird »a selective, or decision-making, system that is sensitive not only to changes in the external environment but also to those in its internal state (that is, it must be self-conscious), and which is capable of ›learning‹ or allowing for changes in its goals and values«[54]. David Easton hat den Zusammenhang zwischen einem solchen in konzentrierter Weise Entscheidungsbefugnisse besitzenden decision-making system und den andern Teilbereichen eines komplexen Sozialsystems schematisch dargestellt[55] (siehe Graphik 15, S. 243).

Das dominierende ›decision-making system‹ ist danach das politische System, von dem »jenes planmäßige, organisierte, sinn-orientierte soziale Handeln, das ... auf die Schaffung, Erhaltung oder Veränderung der gesellschaftlichen Ordnung hinwirkt«[56] ausgeht. Dem politischen System fallen dementsprechend Aufgaben zu, die sich von den Leistungen unterscheiden, die Parsons dem goal attainment (polity) system zuweist. Nach William C. Mitchell sind das folgende Aufgaben: »1. The authoritative specification of system goals. 2. The authoritative mobilization of resources to implement goals. 3. The integration of the system. 4. The allocation of values and costs«[57]. Karl W. Deutsch hat den Gedanken einer durch das politische System gesteuerten und kontrollierten Gesellschaft weiter verfolgt und durch Kybernetisierung des parsonianischen Funktionsmodells zu präzisieren versucht[58]. Deutsch betrachtet Gesellschaft

53 Vgl. dazu T. Parsons, Some Reflections on the Place of Force in Social Process, in: H. Eckstein (ed.), Internal War, New York London 1964, S. 62.

54 W. Buckley, a. a. O., S. 206–207.

55 Vgl. dazu H. A. Simon, Political Research: The Decision-Making Framework, in: D. Easton (ed.), a. a. O., S. 15 ff.; G. Almond, A Developmental Approach, to Political Systems, in: World Politics XVII 1965, S. 183 ff.; D. Easton, A Framework of Political Analysis, Englewood Cliffs 1965; H. Eckstein, The Concept of »Political System«: A Review and Revision, New York 1963.

56 P. v. Oertzen, Überlegungen zur Stellung der Politik unter den Sozialwissenschaften, in: Kölner Zeitschrift für Soziologie und Sozialpsychologie 3 1965, S. 509; vgl. dazu H. Heller, Staatslehre, Leiden 1934, S. 204; Ch. Robson, Der Begriff des ›Politischen Systems‹, in: Kölner Zeitschrift für Soziologie und Sozialpsychologie 3 1965, S. 523.

57 W. C. Mitchell, The American Polity, New York 1962, S. 7; vgl. dazu H. V. Wiseman, Political System: Some Sociological Approaches, London 1966, S. 99 ff. und S. N. Eisenstadt, The Political Systems of Empires, Glencoe 1963, S. 130.

58 Vgl. dazu K. W. Deutsch, The Nerves of Government, New York 1966; vgl.

als ein lernfähiges vermaschtes Regelsystem, aus dem sich der politische Sektor als spezialisiertes Subsystem mit Steuerungsfunktionen herauskristallisiert hat [59]. »Politics is ... a decisive instrumentality by which social commitments can be produced, preserved, or changed.« [60] Das, was man in der amerikanischen Politik government nennt, wird so als Kommunikationsnetz mit Rückkopplungsmechanismus interpretiert. Die Funktion des government »ist weniger in der Machtausübung als vielmehr in der Steuerung und Regelung der Gruppen zu sehen ... Die von der Regierung ausgehenden Kontrollprozesse sind ein zentrales Instrument für die Lernkapazität des Gesamtsystems.« [61]

Deutsch deutet den Lernprozeß des Gesamtsystems – wenn dieser nicht aufgrund seines Ergebnisses (beispielsweise in Form einer Fixierung der Verhaltensweisen ohne Rücksicht auf Umweltveränderungen) als pathologisch zu klassifizieren ist – als einen Wachstumsvorgang, in dessen Verlauf einerseits Verfügbarkeit und Qualität natürlich gegebener wie gesellschaftlich geschaffener produktiver Ressourcen, andererseits Kapazität und Fähigkeit des Systems zur Selbstregelung zunehmen [62]. Letzteres hängt dabei insbesondere daran, inwieweit der Ausbau des systeminternen Kommunikationsnetzes mit dem Wachstum Schritt halten und vor allem das politische Teilsystem mit den übrigen Subsystemen verknüpfen kann. Die zentralen Lernfähigkeiten, nämlich Ziele verändern und Strukturen umstellen zu können, setzen Initiative und Innovation voraus, die wiederum an die Informationsverarbeitung des Systems gebunden sind. Entsprechen sich Umfang und Wachstum und Qualität der Informationsverarbeitung, dann führt »Wachstum ... zur immer stärkeren Ausdifferenzierung relativ autonomer Subsysteme, die gleichzeitig jedoch aufgrund der verbesserten internen Kommunikationsmöglichkeiten miteinander verbunden sind« [63].

Ähnlich wie Deutsch hat kürzlich Etzioni die Funktion politischer Prozesse umschrieben. »Political processes ... have two societal functions: to combine sub-units into a societal unit, to make out of parts a whole, and to guide societal action toward the realization of societal values as expressed via the political powers ... We further

dazu weiter D. Senghaas, Sozialkybernetik und Herrschaft, in: Atomzeitalter 7–8 1967, S. 322 ff. und den – beim Rechtsnormensystem ansetzenden – Versuch von E. Lang, Staat und Kybernetik, Salzburg München 1966.

59 Vgl. dazu K. W. Deutsch, a. a. O., S. 103 ff. und 182 ff.

60 K. W. Deutsch, a. a. O., S. 243; vgl. dazu weiter R. A. Dahl, Ch. Lindblom, Politics, Economics and Welfare, New York 1953, S. 171 ff.

61 F. Naschold, a. a. O., S. 28.

62 Vgl. dazu K. W. Deutsch, a. a. O., S. 245 ff.

63 F. Naschold, a. a. O., S. 29; vgl. dazu D. Lerner, Communication Systems and Social Systems, in: W. Schramm (ed.), Mass Communications, Urbana 1960 (2. ed.), S. 131 ff.; vgl. dazu weiter das kürzlich von Karl Kaiser entwickelte Modell für den Zusammenhang mehrerer durch ihr politisches Subsystem gesteuerter Sozialsysteme; K. Kaiser, The Interaction of Regional Subsystems: Some Preliminary Notes on Recurrent Patterns and the Role of Superpowers, in: World Politics 1 1968, S. 84 ff.

assume that political processes are the main control mechanism of societal action.«[64] Das Verhältnis von Staat und Gesellschaft wird demzufolge interpretiert analog der Relation eines »controlling overlayer« zu einem »controlled underlayer«[65]; dem controlling overlayer kommen die Aufgaben zu, die Etzioni als »societal guidance« und »mobilization«[66] bezeichnet hat. Obwohl Etzioni sieht, daß in dieser Konzeption staatlichem Dirigismus zuungunsten eines demokratisch hergestellten Konsensus unter den Mitgliedern eines Sozialsystems das Wort geredet wird, glaubt er seinen Entwurf damit rechtfertigen zu können, daß die Theorie der societal guidance dem – seiner Ansicht nach gegenwärtig besonders akuten – Problem der bewußten Veränderung, der geplanten Transformation der fortgeschrittenen Industriegesellschaft adäquater sei, als es – wiederum seiner Ansicht nach – eine Gleichgewichtstheorie oder eine kybernetische Systemtheorie je sein kann. »The concept of transformability is central to this study. It implies a much more active orientation than the system concept of homeostasis or even the concept of ultra-stability in cybernetics. A social unit is homeostatic so long as it is able to generate forces that allow it to maintain its boundaries and pattern within a given limit of variability and in the face of environmental challenges. It is ultrastable if it is able to change some of its mechanisms for maintaining itself and its patterns when confronted with challenges that would strain to the breaking point its homeostatic mechanisms as previously set. A societal unit has transformability if it also is able to set – in response to external challenges, in anticipation of them, or as a result of internal developments – a new self-image which includes a new kind and level of homeostasis and ultrastability, and is able to change its parts and their combinations as well as its boundaries to create a new unit. This is not a higher-order ultra-stability but an ability to design and move toward a new system even if the old one has not become unstable. It is an ability not only to generate adaptive changes or to restore new stability to an old unit, but also to bring about a new pattern, new parts, and, hence, a new society.«[67]

Das Problem der Transformabilität, der Fähigkeit gesellschaftlicher Systeme zu geplanter Anpassung an veränderte interne wie externe Bedingungen, ist auch von Niklas Luhmann aufgenommen worden. In seinem Artikel ›Soziologie des politischen Systems‹ stellt er dar, wie die wachsende Komplexität eines Sozialsystems – wachsend aufgrund zunehmender Generalisierung von Verhaltenserwartungen und steigender funktionaler Differenzierung in Teilsysteme – den Bedarf dieses Sozialsystems nach größerer Selektionskraft und damit nach einem Subsystem produziert, das aufgrund hoher gesellschaftlicher Autonomie bindende Entscheidungen herstellen und zu ihrer Durchsetzung gesellschaftliche Macht erzeugen sowie aufgrund interner funk-

---

64 A. Etzioni, a. a. O., S. 76.

65 A. Etzioni, a. a. O., S. 30.

66 A. Etzioni, Mobilization as a Macro-sociological Conception, in: British Journal of Sociology 3 1968, S. 244.

67 A. Etzioni, The Active Society, a. a. O., S. 120–121.

tionaler Differenzierung und Steigerung der Kommunikationsleistung seine Steuerungskapazität derart erhöht, daß es imstande ist, eine permanent zu erneuernde Stabilisierung des Gesamtsystems auf einem Niveau jeweils höherer gesellschaftlicher Komplexität zu erreichen [68]. Präziser als bei Etzioni wird hier die Fähigkeit hochkomplexer Sozialsysteme, sich einer gewandelten Konstellation der für sie relevanten natürlichen, organisations- und persönlichkeitsstrukturellen Bedingungen anzupassen, im politischen Subsystem institutionalisiert. »Das politische System einer hochdifferenzierten Gesellschaft kann ... nicht mehr als Mittel zum Zweck begriffen und nicht mehr durch straffe Außenlenkung gesteuert werden. Es ist um seiner Funktion willen so weit ausdifferenziert und so autonom und komplex eingerichtet worden, daß es seine Stabilität nun nicht mehr auf feste Grundlagen, Bestände oder Werte gründen kann, sondern sie durch Möglichkeiten der Änderung gewinnen muß. Variabilität wird so zur Stabilitätsbedingung. Sie muß deshalb strukturell gewährleistet werden.«[69] Mit andern Worten: Das politische System muß, um seiner Steuerungsfunktion gerecht werden zu können, in seiner internen Komplexität der des Gesamtsystems in hohem Grade entsprechen. Daß dabei Deckungsgleichheit zwischen Sub- und Globalsystem eintritt, ist lediglich als theoretischer Grenzfall interessant; denn in einem solchen Fall würde die Ausdifferenzierung des politischen Systems wieder rückgängig gemacht, da dessen spezifische Funktion gerade in der – trotz aller Korrespondenz – vorhandenen Diskrepanz zwischen seiner internen und der für es externen Komplexität des Gesamtsystems gründet. »Man kann deshalb davon ausgehen, daß die Komplexität des politischen Systems geringer ist als die der Gesellschaft. Diese Lage zwingt das politische System zu einem selektiven Verhalten in der Gesellschaft, und zwar zu einer Selektivität eigenen Stils. Das politische System kompensiert seine geringere Komplexität durch Macht.«[70] Macht wird hier verstanden als aktiv nutzbarer, vom kollektiven Interesse legitimierter Mechanismus zur Reduktion der internen Komplexität des Gesamtsystems und der für dieses System relevanten externen Komplexität sowie zur Durchsetzung von Veränderungen, deren Notwendigkeit sich aus dem Wechselwirkungsprozeß von internen und externen Systemproblemen, von Innen- und Außenzustand des Gesamtsystems ergibt [71]. Nach Luhmann lassen sich dabei generell drei Systemprobleme, die er als »Ersatzprobleme für Komplexität«[72] bezeichnet, unterscheiden: in der Zeitdimension das Bestands-, in der Sachdimension das Knappheits-, in der Sozialdimension das Dissens-Problem [73]. Im Hinblick auf die Lösung dieser Probleme wird dann die Komplexität eines Sozialsystems strukturiert –

---

68 Vgl. dazu N. Luhmann, Soziologie des politischen Systems, in: Kölner Zeitschrift für Soziologie und Sozialpsychologie 1968, S. 705–706 und N. Luhmann, Soziologie als Theorie sozialer Systeme, a. a. O., S. 632.

69 N. Luhmann, Soziologie des politischen Systems, a. a. O., S. 722.

70 N. Luhmann, a. a. O., S. 725.

71 Vgl. dazu A. Etzioni, a. a. O., S. 314.

72 N. Luhmann, Soziologie als Theorie sozialer Systeme, a. a. O., S. 622.

73 Vgl. dazu N. Luhmann, a. a. O., S. 622.

beispielsweise durch Entwicklung bestimmter Systemeigenschaften, von denen man annimmt, daß sie den Bestand des betreffenden Systems sichern; durch Institutionalisierung von abstrakten Medien der Verrechnung, die eine Knappheitskalkulation und damit eine Programmierung des Handelns hinsichtlich benennbarer Prioritäten erlauben; und durch Entwurf von Kommunikationsstrategien zur Funktionalisierung von Konfliktsituationen [74]. Mit wachsender Komplexität eines Sozialsystems und dadurch notwendig werdender Reduktion dieser Komplexität durch verstärkte Differenzierung und Strukturierung des Systeminneren müssen nun – so Luhmann – jene Systemprobleme in zunehmendem Maße zur Entscheidungsvorbereitung und -durchsetzung einem Aktionszentrum, eben dem politischen Subsystem, eingegeben werden. Das wiederum erhöht aber dessen Bedarf an Selektions- und Reduktionsmöglichkeiten, also an Möglichkeiten, die eine – im Sinne des jeweiligen Systems – effektivere Auswahl, Analyse und Lösung der anfallenden Probleme garantieren. Eine solche Verbesserung der Selektions- und Reduktionsmöglichkeiten kann nach Luhmann in zweierlei Hinsicht erreicht werden: einmal durch Anwendung von Prozessen auf sich selbst – das nennt Luhmann das Problem der Reflexivität; zum andern durch die Intensivierung der Vermittlung von Daten und Entscheidungen innerhalb des Gesamtsystems – das nennt Luhmann das Problem der Kommunikation [75]. Die Relevanz dieser beiden Probleme im Zusammenhang mit Position und Funktion des politischen Subsystems läßt sich an Luhmanns sozialdimensionaler Frage des Dissenses illustrieren. Notwendigkeit und Konsequenz der Überantwortung von Konflikt- und Dissensbereinigung an das politische System beschreibt Luhmann dabei so: »Die Fähigkeit des politischen Systems, gesellschaftliche Konflikte zu absorbieren, muß wachsen, wenn die Gesellschaft selbst komplexer und konfliktreicher wird. Das politische System verwandelt dann diese Konflikte aus einem unmittelbaren Gegensatz in einen geregelten, verbalisierten Kampf um Einfluß auf Entscheidungszentren. Die Absorption von Konflikten beruht mithin darauf, daß Gegensätze aus der Umwelt des Systems ins Innere transponiert, als interne Widersprüche dargestellt und in dieser Neufassung aufgrund einer neuen Motivkonstellation besser gelöst werden können. Konflikte können aber in das System nur übernommen und strukturell legitimiert werden, wenn auch die Komplexität widerspruchsvoller Forderungen noch auf Entscheidungen hin kanalisiert werden kann.« [76] Das Selektions- und Reduktionspotential politischen Entscheidungsprozesses hängt jedoch wesentlich davon ab, inwieweit die in diesem Prozeß institutionalisierte Macht reflexiv ist, das heißt: sich selbst kontrollieren kann und inwieweit die in diesem Prozeß gefällten Entscheidungen auf das Gesamtsystem übertragbar sind. Denn – so Luhmann – nur wenn sich die einzelnen Machtzentren eines differenzierten politischen Systems gegenseitig beeinflussen und überwachen können,

74 Vgl. dazu S. F. Nadel, Social Control and Self Regulation, in: W. Buckley (ed.), a. a. O., S. 401 ff.

75 Vgl. dazu N. Luhmann, a. a. O., S. 632.

76 N. Luhmann, Soziologie des politischen Systems, a. a. O., S. 722.

ist garantiert, daß alle relevanten Probleme des Gesamtsystems Beachtung finden; und nur wenn die im politischen System gefällten Entscheidungen im Gesamtsystem durchgesetzt werden können, ist die Möglichkeit gegeben, dessen Bestand zu sichern und dessen Entwicklung kontinuierlich und friktionsfrei zu halten. Beides setzt allerdings Übertragungs- und Solidarisierungsmechanismen voraus, mit deren Hilfe Informationen in das politische System und durch dessen Kommunikationsnetz geschleust sowie die Mitglieder des betreffenden Sozialsystems zur Konformität mit bestimmten Kollektivzielen und zur Aktivität in deren Richtung gebracht werden. Zusammenfassend läßt sich daher mit Parsons sagen: »In this broad sense, the problem of the dynamics of social systems is not so much a problem of the transformation of energy as of the processing of information.«[77]

3 Einige kritische Anmerkungen

Diese Skizze systemtheoretischer Argumente, die möglicherweise für eine gedankliche Reproduktion des Zusammenhangs von Massenkommunikation und Demokratie in wohlfahrtsstaatlichen Industriegesellschaften in Frage kommen, muß zweifellos noch wesentlich ergänzt und in eine weit systematischere Darstellung überführt werden. Im Rahmen der vorliegenden Arbeit ist das allerdings nicht mehr möglich; möglich ist jedoch der Versuch, aus den Notizen zu den einzelnen systemtheoretischen Ansätzen Schwerpunkte zu destillieren, an denen sich Vor- und Nachteile einer systemtheoretischen Interpretation des Verhältnisses von Massenkommunikation und Demokratie andeuten lassen. Brauchbar scheinen hierfür vor allem die Probleme zu sein, die sich folgendermaßen umschreiben lassen: Systemstabilität und Wertkonsensus; funktionale Interdependenz sozialer Teilbereiche und System gesellschaftlicher Macht; Kontroll- und Steuerungsprobleme eines vom politischen Subsystem regulierten, per Rückkoppelung mit diesem verbundenen Sozialsystems.

● *Systemstabilität und Wertkonsensus* – Es ist nicht zu übersehen, daß der Parsonianische Ansatz ein Arsenal von Konzepten und brauchbare, wenn auch oft zu abstrakte Schemata zu deren Systematisierung enthält, die das hier entfaltete Verhältnis von Massenkommunikation und Demokratie in einem industriegesellschaftlichen Wohlfahrtsstaat anscheinend sehr adäquat fassen können. Denn Parsons' Funktionsmodell reflektiert deutlich das Bild einer Gesellschaft, die organisierte Stabilität ihrer Struktur und der in ihr ablaufenden Prozesse sowie kontrollierten Konsensus ihrer Mitglieder und möglichst konfliktfreie Integration der Sozialgruppen als Sollwerte propagiert. Doch indem Parsons diese Sollwerte nicht als konkrete Handlungsmaximen in einer bestimmten historisch-sozialen Konstellation ausweist, sondern sie generell zu angestrebten und anzustrebenden

77 T. Parsons, An Outline . . ., a. a. O., S. 70.

Zielzuständen jedes empirischen Sozialsystems erklärt, bedeutet seine Argumentation die Hypostasierung eines realgesellschaftlichen Status quo zur Ordnung von Gesellschaft schlechthin; diese Ideologiehaftigkeit verstärkt sich noch, weil Parsons' Abstinenz von Geschichte zu einer problematischen Vernachlässigung der Fragen nach ökonomischer wie politischer Herrschaft und nach deren historisch lokalisierbaren Gründen führt. Andererseits benennt das Konstruktionsprinzip des Parsonianischen Modells – eben die Definition des gesellschaftlichen Zusammenhangs einzig durch eine normative Ordnung, deren Stabilisierung der Zweck des sozialen Prozesses ist – abstrakt zwar, aber doch sichtbar, eine wesentliche Tendenz gegenwärtiger Wohlfahrtsdemokratien; es umschreibt den oft geübten Versuch, den ökonomischen und politischen Herrschaftsapparat mit dem Hinweis auf dessen technische Rationalität, die, da sie angeblich die Befriedigung der wichtigsten menschlichen Bedürfnisse in einem bisher nicht gekannten Ausmaß ermöglicht, scheinbar allen gleichermaßen zugute kommt, zu rechtfertigen und aufrechtzuerhalten. Die Konzeption eines – statt durch die Balance zwischen Konsensus und Konflikt – durch eine allgemein akzeptierte normative Ordnung zusammengehaltenen Sozialsystems stellt somit das treffende Abbild einer Gesellschaft dar, die strukturelle Veränderungen als Stabilitätsrisiken definiert und daher zu unterbinden sucht; die in ihren entscheidenden Mechanismen, Institutionen und Teilsystemen dahin tendiert, ihre Mitglieder auf ein verbindliches Programm zur Sicherung und Erhaltung ökonomischer und politischer Stabilität zu verpflichten. Zugleich gibt jene Konzeption aber auch die soziologische Apologie einer solchen Gesellschaft, indem sie die Kräfte und Interessen, die den bestehenden ökonomischen und politischen Apparat beherrschen und durch ihn nachdrücklich privilegiert werden, nicht aufzeigt.

Funktionale Interdependenz sozialer Teilbereiche und System gesellschaftlicher Macht – Daß die Parsonianische Konzeption sich nicht nur am idealtypischen Modell eines gleichgewichtigen integrierten Sozialsystems orientiert, sondern ihre zentralen Kategorien aus diesem Modell entwickelt und um dieses Modell gruppiert, wird noch sichtbarer an den Implikationen des so genannten AGIL-Schemas – des Schemas, das die funktionalen Erfordernisse, zusammengefaßt in vier Subsystemen, enthält. Auch hier ist wieder nicht zu bestreiten, daß mit Hilfe dieses analytischen Instruments interne Differenzierung und Strukturierung, zumindest partiell programmierte Interdependenz verschiedener Sozialbereiche und ebenfalls zumindest partiell geplante Stetigkeit in der politisch-ökonomischen Entwicklung fortgeschrittener Industriegesellschaften wesentlich genauer zu fassen sind als beispielsweise mit Hilfe der konventionellen Pluralismus-Konzeption. Insbesondere gibt das AGIL-Schema, wenn es in Form eines durch Austauschprozesse zusammengehaltenen, durch bestimmte Kommunikationsmedien vermittelten Systems von koordinierten Teilsystemen interpretiert wird, einen brauchbaren theoretischen Rahmen zur Bestimmung von Position und Funktion

massenkommunikativer Institutionen in kapitalistisch fundierten Formaldemo-
kratien ab. Denn in diesem Rahmen kann Massenkommunikation als ein wichtiger Mechanismus lokalisiert werden, der auf gesamtgesellschaftlichem Niveau
permanent Wert- und Motivorientierungen der Individuen und Gruppen mit den
Anforderungen der normativen Ordnung sowie den dahinter stehenden faktischen Bedingungen der ökonomischen Organisation und politischen Herrschaft
koordiniert; die Stimmigkeit dieses Zusammenhangs kontrolliert; bei Inkonsi-
stenzen und Dissonanzen Kompensation liefert und so Konsensus unter den
Gesellschaftsmitgliedern sowie deren Loyalität gegenüber den geltenden System-
prinzipien und dadurch begründeten Machtverhältnissen herstellen und erhalten
hilft.

Läßt sich auf diese Weise auch recht nah an die Problematik des gegenwärtigen
Verhältnisses von Massenkommunikation und Demokratie herankommen, muß
doch bedacht werden, daß Parsons' theoretische Konstruktion das Bild einer integrierten Gesellschaft zeigt, das selbst die extrem an ökonomischer und politischer
Stabilität orientierten wohlfahrtsstaatlichen Demokratien in dieser Perfektion
noch kaum bieten dürften. So sind auch die im Parsonianischen Funktionsmodell
stets gegenwärtigen Vorstellungen einer Einheit von partikularen und gesamtgesellschaftlich legitimierbaren Interessen sowie die damit gekoppelte Negation
strukturell begründeter Widersprüche und Gegensätze nur als theoretische Antworten auf eine – wenn schon weit fortgeschrittene – Tendenz oligopolistisch
organisierter, oligarchisch verwalteter Gesellschaften zu einer, angeblich im
Interesse aller liegenden, Umfunktionierung der verfassungsrechtlich garantier-
ten »Herrschaft der Mehrheit ... (zur) Herrschaft über die Mehrheit«[78] zu werten. Die Unterstellung, es herrsche Identität zwischen partikular- und gesamtgesellschaftlichen Interessen, tritt bei Parsons insbesondere in seiner Interpretation von Macht hervor; denn er faßt diese nur als funktional notwendige, auf
kollektive Zielsetzung bezogene Herrschaft. Damit erscheint jede Herrschaftsausübung als eine prinzipiell durch den bestehenden gesellschaftlichen Funk-
tionszusammenhang und die ihn begründende normative Ordnung legitimierte.
Macht, so gleichgesetzt legitimer Herrschaft, wird dadurch auf das Vermögen
reduziert, im Namen einer ihr vorgeschalteten Wertordnung die Materialres-
sourcen des Sozialsystems zu mobilisieren und einzusetzen; Macht fungiert demnach lediglich als notwendiger Mechanismus der Systemintegration. Daraus folgt
dann wiederum Parsons' euphemistische Umschreibung von Politik. »Das spezifische Handeln der institutionell gefügten Macht, die namens und zugunsten der
Gesellschaft als ganzer tätig wird, heißt Politik. Nur insofern es auf ständige
Sicherung eines reibungslosen Ablaufs der Lebensprozesse des gesellschaftlichen
Organismus bezogen ist, kann es die Bezeichnung Politik für sich in Anspruch

78 P. Kellermann, Organisatorische Vorstellungen in soziologischen Konzeptionen
bei Comte, Spencer und Parsons, München 1966 (Dissertation), S. 224.

nehmen. Mit anderen Worten heißt dies: das spezifisch politische Handeln richtet sich stets auf eine Größe, die mit einem Begriff aus Sozialphilosophie und Politikwissenschaft als Gemeinwohl zu umschreiben wäre.«[79] Problematisch sind eine solche Umschreibung von politischem Handeln und der dahinter stehende restriktive Begriff von Macht insbesondere in zweierlei Hinsicht: einmal, weil durch sie realgesellschaftliche Machtunterschiede kaschiert werden; zum andern, weil durch sie die Differenz zwischen legitimierter Herrschaft und gruppenspezifisch verankerter, vor dem gesellschaftlichen Kollektiv gerade nicht ausgewiesener Verfügungsgewalt über Menschen und Sachen verschleiert wird. Das kommt vor allem in Parsons' Behandlung der Relationen zwischen Ökonomie und Politik zum Vorschein. Denn gemäß seinem Begriff von Macht muß Parsons politisches, auf Kollektivinteressen konzentriertes Handeln in beiden Bereichen lokalisieren: Nicht nur Regierung und Verwaltung nehmen politische Aufgaben wahr – Großunternehmen und Banken tun das ebenfalls. Das ist bei der aktuellen Verflechtung von ökonomischen und politischen Interessen zweifellos plausibel. Fragwürdig ist an der Parsonianischen Argumentation jedoch, daß mit der partiellen Identifizierung von politischem und ökonomischem Handeln auch deren unterschiedliches Gewicht und damit deren sehr prekäres Verhältnis zueinander weggeschoben werden. Die Ausübung von Macht und Herrschaft kann nicht als Folge von sachnotwendigen, durch die Mechanik des Gesellschaftsprozesses bedingten, aus den funktionalen Erfordernissen der Systemerhaltung resultierenden Entscheidungen begriffen werden, wenn dabei – angesichts der gegenwärtigen Machtkonstellationen in den industriegesellschaftlichen Demokratien – herausfällt, daß gerade in den angeblich allein kollektivorientierten Entscheidungen Sonderinteressen privilegierter Sozialgruppen sich durchsetzen. Parsons ist durchaus zuzugeben, daß die Entscheidungen des Managements von Großunternehmen und Banken über Investitionen und Kreditschöpfungen gesamtgesellschaftliche Relevanz (und damit im Sinne Parsons' den Charakter des Politischen) besitzen, indem sie auf ihre Art dem technischen Fortschritt, der Produktivitätssteigerung und dem Wirtschaftswachstum dienen. Aber was bestätigt die Theorie hier anderes, als »daß die Politik in den spätkapitalistischen Gesellschaften die Respektierung und notfalls die aktive Förderung von Profitinteressen zur systemnotwendigen Voraussetzung hat«[80]? Parsons ist ebenfalls zuzugeben, daß eine Gesellschaft, die Herrschaft rein formal als effiziente Verwaltung von Menschen und Sachen versteht, eine Konzentration der politischen Macht und ökonomischen Verfügungsgewalt in den Händen von kompetenten Eliten begrüßen muß. Aber was bestätigt die Theorie hier anderes, als daß die Oligopolisierung der Ökonomie und die Oligarchisierung der Politik zu einer vehementen Verselbständigung der gesellschaftlichen Produktions- und Verwal-

79 K. Messelken, a. a. O., S. 130.
80 J. Bergmann, Konsensus und Konflikt, a. a. O., S. 57.

tungsapparaturen gegenüber den – wie auch immer näher zu bestimmenden –
Bedürfnissen der Menschen geführt hat?

Akzeptiert man, daß Parsons mit seiner Konzeption nicht »das Trugbild einer
gesellschaftlichen Harmonie«, sondern »eine Gesellschaft totaler Integration«[81]
skizziert, läßt sich der Parsonianische Funktionalismus klar als Ausdruck dafür
interpretieren, daß durch eine Gesellschaft, die faktisch zu solcher Integration
tendiert, radikal sogenannte demokratische Herrschaftsformen problematisiert
werden. Pessimistisch formuliert daher Bergmann angesichts der Ratifizierung
der in den fortgeschrittenen kapitalistischen Gesellschaften vorliegenden Verhältnisse durch das Parsonianische Funktionsmodell: »Die vorherrschende Tendenz
zur Integration wird bei Parsons zum Thema der Soziologie. Wenn die Entwicklung der Gesellschaft nur mehr der Schwerkraft der mächtigsten Interessen folgt,
wenn Politik nur noch die Aufgabe hat, das Funktionieren des ökonomischen
Prozesses zu garantieren, wenn strukturelle Konflikte überflüssig werden, weil
die Produktivität des Systems trotz der Vergeudung von Produktivkräften es
gestattet, die materiellen Interessen der großen Mehrheit zufriedenzustellen –
dann ist Demokratie ohne Sinn und die Konkurrenz von Parteien mit alternativen Programmen unnötig. Um die kompetentesten Organisatoren, Planer und
Verwalter an die Schaltstellen der Macht zu bringen, sind auch andersgeartete
Selektionsprinzipien denkbar. Demokratische Institutionen und Prozeduren werden zwar nicht notwendig zu systemwidrigen Elementen, die durch neue autoritäre Herrschaftsformen ersetzt werden müßten, aber ihre Funktion schrumpft
auf die von kollektiven Ritualen.«[82]

● *Kontroll- und Steuerungsprobleme eines vom politischen Subsystem regulierten,*
per Rückkoppelung mit diesem verbundenen Sozialsystems – Die Fortsetzung der
Parsonianischen Argumentation in eine Konzeption umweltoffener, adaptiv-
komplexer Sozialsysteme und schließlich in eine kybernetische Systemtheorie –
Versuche, wie sie bei Buckley, Easton, Deutsch, Etzioni, Luhmann und anderen
vorliegen – favorisiert nachdrücklich den technokratischen, auf reibungslose Verwaltung von Gesellschaft gerichteten Zug von Parsons' Funktionsmodell. Das
Problem von Kontrolle und Steuerung der in einem Sozialsystem ablaufenden
Prozesse und sich einstellenden Zustände steht im Zentrum des Interesses; und
»der Anspruch der kybernetischen Systemanalyse als Steuerungswissenschaft für
komplexe und umweltoffene Systeme geht dahin, daß sie mit einem relativ kleinen und einheitlichen Satz von Konzepten die Verhaltenssteuerung komplexer
und umweltoffener Systeme mit Hilfe einer funktional-strukturellen Analyse
der Prozesse der Informationsaufnahme, -verarbeitung und -weitergabe zu erklären vermöge. Dieser hohe Anspruch ist mit optimistischen theoretischen wie

81 J. Bergmann, Konsensus und Konflikt, a. a. O., S. 57.
82 J. Bergmann, a. a. O., S. 59.

sozialtechnologischen Erwartungen verknüpft...«[83] Die Schwierigkeiten, die sich beim Einlösen jenes Anspruchs einstellen, liegen in zwei Dimensionen – sie haben soziologisch-theoretische und ideologiekritische Bedeutung. Denn einmal zeigt sich, daß in den genannten systemtheoretischen Konzeptionen mit der Übernahme kybernetischer Modelle aus nicht-soziologischen Forschungsbereichen respektive soziologischen Spezialdisziplinen sehr oft Konzepte unbefragt auf gesamtgesellschaftliche Probleme angewendet werden: seien es solche individualpsychologischer, lerntheoretischer Art wie bei Deutsch; seien es solche gruppensoziologischer Art wie bei Etzioni; seien es solche organisationssoziologischer Art wie bei Luhmann. Und es zeigt sich – soziologisch-theoretisch argumentiert – weiter, daß die grundlegenden kybernetischen Konzepte der Steuerung, Regelung und Selbstregulierung nicht nur relativ willkürlich auf sämtliche Teilbereiche von Gesellschaft, sondern auch auf diese selber appliziert werden, ohne dabei konsequent die Frage zu stellen (geschweige denn sie zu beantworten), ob und inwieweit in jenen Bereichen oder gar in Gesamtgesellschaft die Probleme der Steuerung, Regelung und Selbstregulierung überhaupt gegeben sind. »Um diese Konzepte überhaupt sinnvoll anwenden zu können, müssen nämlich ganz bestimmte gesellschaftliche Bedingungen gegeben sein, die meist nicht näher expliziert, häufig wohl auch kaum gegeben sind. So muß bei der Anwendung des Konzepts der Regelung auf einen gesellschaftlichen Teilbereich, gar erst recht auf die Gesamtgesellschaft, die reale Voraussetzung gewährleistet sein, daß auf diesem Sektor Steuerungsprobleme im allgemeinen Sinne auch wirklich die dominierenden Probleme sind. Entscheidend für jede Regelung ist aber vor allem die Annahme, daß zwischen Subsystem und System ein weitgehender Konsens besteht bzw. das Subsystem vom System weitgehend manipuliert ist... Denn Regelung setzt voraus, daß das System den Sollwert setzt und das Subsystem diesen voll akzeptiert und dann eigentätig durchführt... Noch schwieriger ist die Anwendung des Konzeptes der Selbstregulierung auf gesellschaftliche Prozesse. Selbstregulierung setzt im strengen Sinne des Wortes vollständige Autonomie, d. h. eigenständige Setzung des Sollwertes voraus, eine Annahme, die in diesem Ausmaß auf kein gesellschaftliches Teilgebiet anwendbar ist.«[84] Diese Argumente gehen allerdings bereits über eine soziologisch-theoretische Kritik der Systemtheorie hinaus; denn sie deuten nicht nur die Gefahr einer möglicherweise nur wissenschaftsimmanent interessanten Reifizierung analytischer Konstrukte an. Die zitierten Einwände weisen auch – und damit kommt die ideologiekritische Dimension in die Diskussion – darauf hin, daß die unbefragte Anwendung systemtheoretischer Ansätze die Übernahme einer politisch relevanten Interpretation von Gesellschaft impliziert, die nur noch auf technische Fragen ausgerich-

83 F. Naschold, a. a. O., S. 161.
84 F. Naschold, a. a. O., S. 164–165.

tet ist, dabei aber völlig den Zusammenhang solcher Fragen mit einem – durch historisch-konkrete Herrschafts- und Machtverhältnisse gezeichneten – lebenspraktischen Kontext unterschlägt.

Es klingt so zwar sehr elegant, wenn Gesellschaft als ein dynamisches, sich selbstregulierendes System beschrieben wird, das dazu tendiert, »in zirkulärer Dynamik ein widerspruchsfreies Gleichgewicht (Fließgleichgewicht) zu installieren und zu erhalten«[85]; als ein System, das »zur notwendigen Konstitutionsbedingung eine invariable, statische Grundstruktur in der reversiblen Form einer produktiv-rezeptiven Wechselwirkung von Teilsystemen in bezug auf einen medialen Systemgegenstand«[86] hat. Aber die Unterstellung, die eine solche Kybernetisierung von Gesellschaft impliziert, sind doch derart gravierend, daß die Eleganz der Formulierung nicht über deren inhaltliche Problematik hinwegtäuschen kann. Denn selbst wenn man annimmt, die faktischen Bedingungen gegenwärtiger Industriegesellschaften würden die Applikation eines kybernetischen Modells rechtfertigen – eine Annahme, die, wie gesagt, noch einer sehr genauen Prüfung bedarf –, stellt sich bei der Verwendung der Konzepte ›Selbstregulierung‹, ›Regelung‹ und ›Steuerung‹ sofort eine Frage, die kybernetische Argumentationen in sich aufnehmen und beantworten müssen, wenn sie nicht, im strengen Sinne des Wortes, ideologisch werden wollen. Es stellt sich, da nur reguliert werden kann nach Vorgabe eines zumindest abstrakten Soll-Wertes, die Frage: Wie sieht dieser Soll-Wert, Normzustand, aus; wie läßt er sich legitimieren; wer setzt ihn; wer setzt ihn durch? Die politologisch-soziologische Systemtheorie gibt darauf zwar eine Antwort: Setzung, Durchsetzung und Legitimation erfolgt durch das politische Subsystem eines Sozialsystems – doch diese Antwort ist nicht akzeptabel. Es ist sicher ein Vorteil gegenüber der Parsonianischen Konzeption, daß die systemtheoretischen Versuche von Buckley, Easton, Deutsch, Etzioni, Luhmann und anderen die Frage nach gesellschaftlicher – politischer und ökonomischer – Herrschaft als eine nach konkreten Herrschaftsinstanzen begreifen und die gesellschaftliche Machtstruktur nicht allgemein als das insgesamt von gleichwertigen, über das Sozialsystem verteilten Autoritätspositionen verstehen. Aber die Konzeption eines vom politischen Subsystem regulierten, per Rückkoppelung mit diesem verbundenen Sozialsystems enthält prinzipielle Mängel, die jenen Vorteil schnell vergessen lassen. Wolf-Dieter Narr stellt das in seinem Beitrag ›Der heuristische Sinn und die heuristische Grenze der systemtheoretischen Untersuchungen‹ nachdrücklich heraus, indem er auf dreierlei hinweist: auf den – durch systemtheoretische Argumentationen – suggerierten Subjektcharakter des politischen Subsystems; auf die deutliche Vernachlässigung der

85 P. K. Schneider, Die Begründung der Wissenschaften durch Philosophie und Kybernetik, Stuttgart 1966, S. 69.
86 P. K. Schneider, a. a. O., S. 87.

Analyse von Systemzielen; auf die damit zusammenhängende entpolitisierende Wirkung der Systemanalysen[87].

Die erstgenannte Problematik und die sich daran knüpfende Kritik lassen sich folgendermaßen zusammenfassen: »Durch die Konstituierung des Eigenrechts des politischen Systems erscheint die Gesellschaft als dessen Substrat. Nicht ›die‹ Gesellschaft kontrolliert ›die‹ Politik, vielmehr ›die‹ Politik kontrolliert ›die‹ Gesellschaft, die Gesellschaft wird nur insoweit beachtet, als sie Funktion der Selbsterhaltung einer bestimmten Art von Entscheidung darstellt, deren Träger nicht eigens untersucht werden. Vor allem aber verliert man die Frage aus dem Auge, ob denn überhaupt ›das politische System‹ autonom bestehe; ob es nicht längst von den Prioritäten und Entscheidungen anderer gesellschaftlicher Gruppen und Komplexe z. B. ökonomisch-militärischer Art abhänge. Der Verlagerungsprozeß des Politischen, die zunehmend irrelevante Legitimierung der offiziellen politischen Organe zugunsten der relevanten, aber nicht legitimierten unöffentlichen Herrschaft anderer, auch bürokratischer Instanzen wird auf diese Weise verschleiert.«[88] Was in Parsons' Modell noch einbezogen ist – die Verflechtung politischer und ökonomischer Macht sowie die (angedeutete) Bestimmung ersterer durch letztere –, fällt bei den hier skizzierten Interpretationen von Gesellschaft als einem komplexen, umweltoffenen, von einem Entscheidungszentrum gesteuerten System heraus. Statt dessen wird das politische Subsystem zur dominierenden Instanz des Sozialsystems hypostasiert und dieses selber zum manipulierbaren Substrat der politischen Aktionsspitze degradiert. Zweifellos sind in eine solche Konzeption – wenn auch in sehr chiffrierter Form – eingegangen: (1) das zunehmend als unlösbar erkannte Problem, Demokratie in den fortgeschrittenen kapitalistischen Industriegesellschaften herzustellen sowie Möglichkeiten für die Bevölkerungsmajorität dieser Gesellschaften zu schaffen, effektiv über ihre Angelegenheiten selber befinden und sich gegen die konzentrierten, organisierten Interessen in der oligopolisierten Ökonomie und der apparatisierten Öffentlichkeit durchsetzen zu können, und (2) der Tatbestand, daß – aufgrund der für den gegenwärtigen kapitalistischen Wirtschaftsprozeß bestehenden Notwendigkeit, staatlich reguliert zu werden – der politische Bereich einen scheinhaften, weil von starren Interessengruppen hart begrenzten Handlungsspielraum gegenüber der Ökonomie hat. Doch diese Momente der industriegesellschaftlichen Demokratien erscheinen, wie gesagt, in den systemtheoretischen Versuchen fast ausschließlich vermittelt durch die rein formale Setzung eines Steuerungszentrums der gesellschaftlichen Prozesse – eine Setzung, die nicht nach den konkreten Zielen des Gesamtsystems, nicht nach den spezifizierten

87 Vgl. dazu W.-D. Narr, Theoriebegriffe und Systemtheorie, Stuttgart Berlin Köln Mainz 1969, S. 170 ff.
88 W.-D. Narr, a. a. O., S. 179.

Handlungskriterien des politischen Subsystems fragt[89], sondern als einzigen Bezugspunkt für Systemanalysen ein »kriterienloses Überlebensziel«[90] anbietet. Damit ist der zweite von Narr genannte Problempunkt systemtheoretischer Konzeptionen angesprochen – die Vernachlässigung der Analyse von Systemzielen. »Die Bestimmung und Exekution des Systemziels bzw. der Systemziele bezeichnen die neuralgischen Punkte jeder Gesellschaft. Da das Systemziel als ein einheitliches, unqualifiziert-generelles für die Systemtheorie feststeht, wird versäumt, sie für eine politologische Ziel- und Mittelanalyse zu benutzen, mit ihrer Hilfe die Knotenpunkte der Entscheidung zu ermitteln, verschiedene Zielmodelle aufgrund anderer historischer Gegebenheiten zu entwickeln, nach den zureichenden und notwendigen Bedingungen bestimmter Ziele zu fragen usw.«[91] Solange als wesentliche Systemziele nur genannt werden: Integration der Systemteile im Innern und Anpassung des Systems an die sich wandelnden Außenverhältnisse, bleiben der Leerformelcharakter solcher systemtheoretischen Ansätze und damit die Gefahr eines kritiklosen theoretischen Spielens mit angeblichen Steuerungs- und Kontrollfunktionen des politischen Subsystems bestehen. Die daraus resultierenden gesellschaftspolitischen Konsequenzen sind offensichtlich. »Die Theorie des politischen Systems läuft so auf eine normative Analyse zugunsten politischer Herrschaft hinaus, deren Grenze bei der Vagheit der Kriterien und der Existenzialität des Ziels, das zunächst nur Selbsterhaltung der Herrschaft meint, nicht anzugeben ist. Die Politik wird auf einen schmalen Entscheidungssektor reduziert, derselbe zum System erhoben, objektiviert, in seiner Rationalität fixiert und somit unproblematisch. Parallel zum a-gesellschaftlichen Charakter des politischen Systems entsteht der a-politische des gesellschaftlichen und ökonomischen Systems.«[92]

Die Gefährlichkeit des diagnostizierten restaurativ-ideologischen Charakters systemtheoretischer Konzeptionen läßt sich insbesondere am Thema ›Massenkommunikation und Demokratie‹ verdeutlichen. Denn indem der Bereich der Politik, der in Parteien und Bürokratie sozusagen apparatisierten Politik, durch die systemtheoretische Behandlung gewissermaßen technologisiert wird und von der Demokratie bis zum Faschismus alles möglich ist, reduziert sich das gesellschaftspraktische Verhältnis von Massenkommunikation und Demokratie, das ja die Möglichkeit einer durch Klassenherrschaft nicht verhinderten Formulierung und Setzung von Kollektivzielen durch alle davon Betroffenen signalisiert, auf zwei rein technische Probleme. Diese Probleme sind: (1) die effiziente Transportation von Daten zwischen politischem Subsystem und Gesamtsystem und (2) die Herstellung von Konformität und Solidarität des Gesamtsystems mit den – auf-

89 Vgl. dazu J. Huffschmid, Die Politik des Kapitals, Frankfurt 1969, S. 136.
90 W.-D. Narr, a. a. O., S. 177.
91 W.-D. Narr, a. a. O., S. 177.
92 W.-D. Narr, a. a. O., S. 180.

grund der artikulierten und kommunizierten Interessen getroffenen – Entscheidungen und Maßnahmen des politischen Subsystems. Die entscheidenden Fragen jedoch, die sich auf die Unmöglichkeit beziehen, innerhalb des politischen Systems einer fortgeschritten kapitalistischen Gesellschaft die Interessen und Forderungen aller Mitglieder dieser Gesellschaft, insbesondere aber der ökonomisch und politisch abhängigen Massen, repräsentiert sein zu lassen, finden in dieser technokratischen, die bestehenden Herrschaftsverhältnisse veredelnden Interpretation keinen Platz. Genausowenig werden in diese Interpretation solche Fragen einbezogen, die von dem Tatbestand diktiert werden, daß es in kapitalistischen Demokratien, denen die systemtheoretischen Erörterungen stets mehr oder weniger explizit gelten, keine Chance gibt, die Gleichberechtigung aller bei der Verfügung über den Kommunikationsapparat zu garantieren und einen von der Fähigkeit aller zur Selbstbestimmung und Eigenverantwortlichkeit getragenen Konsensus über kollektiv zu verfolgende Ziele zu ermöglichen.

Im Schlußkapitel dieser Arbeit konnte nur noch angedeutet werden, auf welche Weise in neueren systemtheoretischen Argumentationen das Verhältnis von Massenkommunikation zu Demokratie aufscheint und wie sehr ein blindes Anwenden dieser Argumentationen jenes Verhältnis als ein wesentliches Problem fortgeschritten kapitalistischer Gesellschaften verschwinden läßt. Es dürfte zwar sichtbar geworden sein, daß die Formulierung einer umfassenden – die kritische Interpretation einer vor allem durch Massenkommunikation verdeckten Klassengesellschaft und die fachspezifisch-theoretischen Konzeptionen gleichermaßen einbeziehende – Theorie massenkommunikativer Prozesse keineswegs an den systemanalytischen Entwürfen vorbeigehen kann, daß diese Entwürfe aber erst für eine kritisch-soziologische (und das heißt: wissenschaftlich sozialistische) Arbeit akzeptabel werden, wenn sie in den Rahmen einer klassentheoretisch fundierten Politökonomie des gegenwärtigen Kapitalismus gebracht worden sind.

5 Bibliographie - eine Auswahl

1. Theorie von Gesellschaft und soziologische Theorie

T. W. Adorno, Einleitungsvortrag zum 16. Deutschen Soziologentag, in: T. W. Adorno (ed.), Spätkapitalismus oder Industriegesellschaft, Stuttgart 1969

T. W. Adorno – M. Horkheimer, Dialektik der Aufklärung, Amsterdam 1947

P. Berger – Th. Luckmann, The Social Construction of Reality, New York 1966

J. Bergmann, Die Theorie des sozialen Systems von Talcott Parsons. Eine kritische Analyse, Frankfurt 1967

J. Bergmann, Technologische Rationalität und spätkapitalistische Ökonomie, in: J. Habermas (ed.), Antworten auf Herbert Marcuse, Frankfurt 1968

G. Brandt – J. Bergmann – K. Körber – E. T. Mohl – C. Offe, Herrschaft, Klassenverhältnis und Schichtung, in: T. W. Adorno (ed.), Spätkapitalismus oder Industriegesellschaft, Stuttgart 1969

W. Buckley, Sociology and Modern Systems Theory, Englewood Cliffs 1967

W. Buckley, Society as a Complex Adaptive System, in: W. Buckley (ed.), Modern System Research for the Behavioral Scientist, Chicago 1968

P. S. Cohen, Modern Social Theory, New York 1968

L. A. Coser, Continuities in the Study of Social Conflict, New York–London 1967

K. W. Deutsch, The Nerves of Government, New York 1966

D. Easton, A Systems Analysis of Political Life, New York–London 1967 (2. ed.)

A. Etzioni, The Active Society, London–New York 1968

J. Habermas, Technik und Wissenschaft als »Ideologie«, in: J. Habermas, Technik und Wissenschaft als »Ideologie«, Frankfurt 1968

W. Hofmann, Grundelemente der Wirtschaftsgesellschaft, Hamburg 1969

K. Kaiser, The Interaction of Regional Subsystems: Some Preliminary Notes on Recurrent Patterns and the Role of Superpowers, in: World Politics I 1968

N. Luhmann, Funktionale Methode und Systemtheorie, in: Soziale Welt 1 1964

N. Luhmann, Soziologie als Theorie sozialer Systeme, in: Kölner Zeitschrift für Soziologie und Sozialpsychologie 1967

N. Luhmann, Soziologie des politischen Systems, in: Kölner Zeitschrift für Soziologie und Sozialpsychologie 1968

N. Luhmann, Zweckbegriff und Systemrationalität, Tübingen 1968

N. Luhmann, Moderne Systemtheorien als Form gesellschaftlicher Analyse, in: T. W. Adorno (ed.), Spätkapitalismus oder Industriegesellschaft?, Stuttgart 1969

H. Marcuse, Der eindimensionale Mensch, Neuwied–Berlin 1968 (4. Auflage)

R. K. Merton, Social Theory and Social Structure, Glencoe 1963 (2. ed.)

K. Messelken, Politikbegriffe der modernen Soziologie, Köln–Opladen 1968

W. C. Mitchell, Sociological Analysis and Politics – The Theories of Talcott Parsons, Englewood Cliffs 1967

W.-D. Narr, Theoriebegriffe und Systemtheorie, Stuttgart–Berlin–Köln–Mainz 1969

F. Naschold, Systemsteuerung, Stuttgart–Berlin-Köln–Mainz 1969

C. Offe, Politische Herrschaft und Klassenstrukturen, in: G. Kress – D. Senghaas (eds.), Politikwissenschaft, Frankfurt 1968

T. Parsons, An Outline of the Social System, in: T. Parsons – K. D. Naegele – J. R. Pitts (eds.), Theories of Society, Glencoe 1961

T. Parsons, The Political Aspect of Social Structure and Process, in: D. Easton (ed.), Varieties in Political Theory, Englewood Cliffs 1966

T. Parsons, On the Concept of Power, in: R. Bendix – S. M. Lipset (eds.), Class, Status and Power, New York 1966 (2. ed.)

T. Parsons, Societies, Englewood Cliffs 1966

T. Parsons, Das Über-Ich und die Theorie der sozialen Systeme, in: T. Parsons, Sozialstruktur und Persönlichkeit, Frankfurt 1968

O. Reinhold, Zur gegenwärtigen Entwicklungsphase der marxistischen politischen Ökonomie, in: W. Euchner – A. Schmidt (eds.), Kritik der politischen Ökonomie heute – 100 Jahre »Kapital«, Frankfurt 1968

A. M. Rose (ed.), Human Behavior and the Social Process, Boston 1962

P. K. Schneider, Grundlegung der Soziologie, Stuttgart–Berlin–Köln–Mainz 1968

D. Senghaas, Sozialkybernetik und Herrschaft, in: Atomzeitalter 7–8 1967

N. J. Smelser, The Sociology of Economic Life, Englewood Cliffs 1963

R. Steigerwald, Herbert Marcuses dritter Weg, Köln 1969

R. Ziegler, Kommunikationsstruktur und Leistung sozialer Systeme, Meisenheim am Glan 1968

2. Gesellschaftsanalysen und Strukturdaten

W. Abendroth, Antagonistische Gesellschaft und politische Demokratie, Neuwied–Berlin 1967

E. Altvater, Zur Konjunkturlage Westdeutschlands Anfang 1970, in: Sozialistische Politik 5 1970

H. Arndt, Die Konzentration in der westdeutschen Wirtschaft, Pfullingen 1966

P. A. Baran – P. M. Sweezy, Monopolkapital, Frankfurt 1967

K. Bolte et al., Deutsche Gesellschaft im Wandel I + II, Opladen 1966 und 1970

W. Breuer, Der geplante Kapitalismus – Garant für Stabilität und Wachstum?, in: F. Hitzer – R. Opitz (eds.), Alternativen der Opposition, Köln 1969

D. Claessens – A. Klönne – A. Tschoepe, Sozialkunde der Bundesrepublik Deutschland, Düsseldorf–Köln 1965

M. Dobb, Der Kapitalismus zwischen den Kriegen, in: M. Dobb, Organisierter Kapitalismus, Frankfurt 1966

W. Euchner, Zur Lage des Parlamentarismus, in: G. Schäfer – C. Nedelmann (eds.), Der CDU-Staat, München 1967

J. K. Galbraith, Die moderne Industriegesellschaft, Düsseldorf 1968

J. Gillman, Prosperität in der Krise, Frankfurt 1968

A. Gorz, Zur Strategie der Arbeiterbewegung im Neokapitalismus, Frankfurt 1967

P. Heß, Die ökonomischen Grundlagen und Triebkräfte der formierten Gesellschaft, in: H. Meißner (ed.), Bürgerliche Ökonomie im modernen Kapitalismus, Berlin 1967

J. Huffschmid, Die Politik des Kapitals, Frankfurt 1969

W. Kaltefleiter, Wirtschaft und Politik in Deutschland, Köln–Opladen 1966

G. Kolko, Besitz und Macht, Frankfurt 1967

R. Kühnl et al., Die NPD – Struktur, Programm und Ideologie einer neofaschistischen Partei, Frankfurt 1969

H. O. Lenel, Ursachen der Konzentration unter besonderer Berücksichtigung der deutschen Verhältnisse, Tübingen 1968 (2. Auflage)

K. Liepelt – A. Mitscherlich, Thesen zur Wählerfluktuation, Frankfurt 1968

E. Mandel, Die deutsche Wirtschaftskrise, Frankfurt 1969

H. Marcus, Wer verdient schon was er verdient, Düsseldorf 1969

E. Noelle – E. P. Neumann, Jahrbuch der öffentlichen Meinung 1965–1967, Allensbach–Bonn 1967

H. Popitz et al., Gesellschaftsbild des Arbeiters, Tübingen 1957

W. G. Runciman, Relative Deprivation and Social Justice, London 1966

H. Schäfer, Lohn, Preis und Profit heute, Frankfurt 1969

R. Schmidt – E. Becker, Reaktionen auf politische Vorgänge, Frankfurt 1967

C. Schuhler, Politische Ökonomie der Armen Welt, München 1969

K. Schumacher, Neue Funktionen des Staates bei der Regulierung der Klassenbeziehungen, in: L. Maier et al., Spätkapitalismus ohne Perspektive, Frankfurt 1969

A. Shonfield, Geplanter Kapitalismus. Wirtschaftspolitik in Westeuropa und USA – Mit einem Vorwort von Karl Schiller, Köln 1968

K. H. Stanzick, Der ökonomische Konzentrationsprozeß, in: G. Schäfer – C. Nedelmann (eds.), Der CDU-Staat, München 1967

F. Vilmar, Rüstung und Abrüstung im Spätkapitalismus, Frankfurt 1965

3. Soziologie der Demokratie

J. Agnoli, Die Transformation der Demokratie, in: J. Agnoli – P. Brückner, Die Transformation der Demokratie, Frankfurt 1968

J. Bergmann, Konsensus und Konflikt – Zum Verhältnis von Demokratie und industrieller Gesellschaft, in: Das Argument, Februar 1967

R. Dahrendorf, Demokratie und Sozialstruktur in Deutschland, in: R. Dahrendorf, Gesellschaft und Freiheit, München 1961

R. Dahrendorf, Conflict and Liberty: Some Remarks on the Social Structure of German Politics, in: British Journal of Sociology 1963

R. Dahrendorf, Gesellschaft und Demokratie in Deutschland, München 1965

A. Downs, Ökonomische Theorie der Demokratie, Tübingen 1968

W. Gottschalch, Die Depravierung des Parlamentarismus zum demoautoritären System, in: W. Gottschalch, Parlamentarismus und Rätedemokratie, Berlin 1968

J. Habermas, Reflexionen über den Begriff der politischen Beteiligung, in: J. Habermas – L. v. Friedeburg – Chr. Oehler – F. Weltz, Student und Politik, Neuwied–Berlin 1961

W. Hofmann, Über die Notwendigkeit einer Demokratisierung des Parlaments, in: Sozialistische Politik 2 1969

W. Kornhauser, The Politics of Mass Society, Glencoe 1959

W. Kralewski – K. Neureither, Oppositionelles Verhalten im ersten deutschen Bundestag 1949–1953, Köln–Opladen 1967

S. Landshut, Formen und Funktionen der parlamentarischen Opposition, in: S. Landshut, Kritik der Soziologie und andere Schriften zur Politik, Neuwied 1969

M. R. Lepsius, Demokratie in Deutschland als historisch-soziologisches Problem, in: T. W. Adorno (ed.), Spätkapitalismus oder Industriegesellschaft?, Stuttgart 1969

S. Lipset, Political Man, New York 1960

S. M. Lipset, Some Social Requisites of Democracy, in: R. C. Macridis – B. E. Brown (eds.), Comparative Politics, Homewood 1968 (3. ed.)

C. B. Macpherson, Drei Formen der Demokratie, Frankfurt 1967

H. Pross, Zum Begriff der pluralistischen Gesellschaft, in: M. Horkheimer (ed.), Zeugnisse, Frankfurt 1963

J. Schumpeter, Kapitalismus, Sozialismus und Demokratie, Bern 1950 (2. ed.)

H. J. Spiro, The German Political System, in: S. H. Beer – A. B. Ulam (eds.), Patterns of Government, New York 1965 (2. rev. ed.)

F. Tannenbaum, The Balance of Power in Society, in: F. Tannenbaum, The Balance of Power in the Society, New York 1969

F. Tannenbaum, The Balance of Power versus the Coordinate State, in: F. Tannenbaum, The Balance of Power in Society, New York 1969

4. Soziologie der Massenkommunikation

H. Adam, Der Bild-Leser, in: Das Argument 4–5 1968

T. W. Adorno, A Social Critique of Radio Music, in: B. Berelson – M. Janowitz (eds.), Reader in Public Opinion and Communication, Glencoe 1953

T. W. Adorno, Television and the Patterns of Mass Culture, in: B. Rosenberg – D. Manning White (eds.), Mass Culture, Glencoe 1957

T. W. Adorno, Prolog zum Fernsehen und Fernsehen als Ideologie, in: T. W. Adorno, Eingriffe, Frankfurt 1963

T. W. Adorno, Resumé über Kulturindustrie, in: T. W. Adorno, Parva Aestetica – Ohne Leitbild, Frankfurt 1967

G. Amendt, China. Der Deutschen Presse Märchenland, Frankfurt 1968

G. Anders, The Phantom World of TV, in: B. Rosenberg – D. Manning White (eds.), Mass Culture, Glencoe 1957

B. O. Anderson – C. O. Melen, Lazarsfeld's Two step Hypothesis: Data from some Swedish Surveys, in: Acta Sociologica 2 1959

Arbeitsgemeinschaft der öffentlich-rechtlichen Rundfunkanstalten der Bundesrepublik Deutschland, Rundfunkanstalten und Tageszeitungen. Eine Materialsammlung – I: Tatsachen und Meinungen, Frankfurt 1965 (Band 1); II: Meinungsumfragen und Analysen, Frankfurt 1966 (Band 4)

Arbeitsgemeinschaft Leseranalyse e. V., Der Zeitschriftenleser 1967, Essen-Haidhausen 1967

E. Aronson – J. A. Turner – J. M. Carlsmith, Communicator Credibility and Communication Discrepancy as Determinants of Opinion Change, in: Journal of Abnormal and Social Psychology 1 1963

K. Baldus, Konzentration auf dem Pressemarkt und kommunikations-soziologische Diskussion, in: Publizistik 2–3–4 1968

P. A. Baran, Thesen zur Werbung, in: P. A. Baran zur politischen Ökonomie der geplanten Wirtschaft, Frankfurt 1968

E. Becker, Das Bild der Frau in den Illustrierten, in: M. Horkheimer (ed.), Zeugnisse, Frankfurt 1963

H. Bessler – F. Bledjian, System der Massenkommunikation, Stuttgart 1968

L. Bogart, The Age of TV, New York 1965

M. Brouwer, Prolegomena to a Theory of Mass Communication, in: L. Thayer (ed.), Communication, Washington–London 1967

Bundesministerium des Innern, Bericht der Kommission zur Untersuchung der Wettbewerbsgleichheit von Presse, Rundfunk und Film (Bundesdrucksache V/2120), Bonn 1967

Bundesverband Deutscher Zeitungsverleger e. V., Der Zeitungsleser 1966, Bad Godesberg 1966

Bundesverband Deutscher Zeitungsverleger e. V. (ed.), Pressefreiheit und Fernsehmonopol, Bad Godesberg 1963

H. Cantril et al., The Invasion from Mars, Princeton 1952

R. Catton jr. Changing Cognitive Structure as a Basis for the »Sleeper Effect«, in: Social Forces 4 1968

Contest-Institut für angewandte Psychologie und Soziologie, (a) Zur Situation der Frauenzeitschriften in der Bundesrepublik, Frankfurt 1963; (b) Inhaltsanalytische Studie der Zeitschrift Film und Frau, Frankfurt 1965; (c) Qualitative Analyse der Bildzeitungs-Leser, Frankfurt 1965; (d) Der Goldene Schuß (Die erste Farbsendung im Zweiten Deutschen Fernsehen), Frankfurt 1967

M. L. De Fleur, Theories of Mass Communication, New York 1966

DIVO-Institut, Die Welt – Konsumgewohnheiten und Konsumstil der Oberschicht, Hamburg 1967

L. Donohew, Newspaper Gate Keepers and Forces in the News Channel, in: Public Opinion Quarterly 1 1967

A. H. Eagley – M. Manis, Evaluation of Message and Communication as a Function of Involvement, in: Journal of Personal and Social Psychology 4 1966

F. Eberhard, Der Rundfunkhörer und sein Programm, Berlin 1962

EMNID-Institute, Imageanalyse von 24 Zeitschriften, Bielefeld 1966

H. M. Enzensberger, (a) Bewußtseins-Industrie; (b) Journalismus als Eiertanz, (c) Die Sprache des Spiegels; (d) Scherbenwelt, in: H. M. Enzensberger, Einzelheiten I, Frankfurt 1964

W. Ernst, Das Echo am Bildschirm, Entstehung und Sinn des Index, in: C. Longolius (ed.), Fernsehen in Deutschland, Mainz 1967

E. Feldmann, Neuere Studien zur Theorie der Massenkommunikation, München–Basel 1969

R. W. Fröhlich, Verhaltensdispositionen, Wertmuster und Bedeutungsstrukturen kommerzieller Jugendzeitschriften (unveröffentlichte Dissertation), München 1968

B. Fülgraff, Fernsehen und Familie, Freiburg 1965

C. P. Gerber – M. Stosberg, Die Massenmedien und die Organisation politischer Interessen, Bielefeld 1969

P. Glotz – W. R. Langenbucher, Der mißachtete Leser, Köln–Berlin 1969

P. Glotz – W. R. Langenbucher, Monopol und Kommunikation, in: Publizistik 2–3–4 1968

O. Gmelin, Philosophie des Fernsehens I, München 1967

J. Habermas, Strukturwandel der Öffentlichkeit, Neuwied 1962

W. F. Haug, Warenästhetik und Angst, in: Das Argument 1 1964

K. H. Heinrich, Filmerleben – Filmwirken – Filmerziehen, Hannover 1961

M. Hintze, Massenbildpresse und Fernsehen, Gütersloh 1966

L. Hinz, Meinungsmarkt und Publikationsorgane, in: G. Schäfer – C. Nedelmann (eds.), Der CDU-Staat, München 1967

H. Holzer, Illustrierte und Gesellschaft, Freiburg 1967

H. Holzer, Jugend und Illustrierte, in: Gegenwartskunde 3 1967

H. Holzer – R. Kreckel, Jugend und Massenmedien, in: Soziale Welt 3/1967

H. Holzer, Massenkommunikation und Demokratie in der Bundesrepublik, Opladen 1969

H. Holzer – J. Schmid, Massenkommunikation – Analysen und Alternativen, in: F. Hitzer – R. Opitz (eds.), Alternativen der Opposition, Köln 1969

Ch. Hopf, Zu Struktur und Zielen privatwirtschaftlich organisierter Zeitungsverlage, in: P. Brokmeier (ed.), Kapitalismus und Pressefreiheit, Frankfurt 1969

J. Huffschmid, Ökonomische Macht und Pressefreiheit, in: H. Grossmann – O. Negt (eds.), Die Auferstehung der Gewalt, Frankfurt 1968

J. Huffschmid, Politische Ökonomie des Springer-Konzerns, in: B. Jansen – A. Klönne (eds.), Imperium Springer, Köln 1968

Infratest, Die Sendereihe »Das Dritte Reich«, München 1961

Infratest, Diesseits und jenseits der Zonengrenze, München 1965

Infratest, Dokumentarberichte im Urteil der Zuschauer, München 1965

Infratest, Das Kriminalstück im Urteil der Zuschauer, München 1965

Infratest, Die Zuschauerreaktion auf die Fernsehsendung vom 6. Mai 1965 »Ein Tag – Bericht aus einem deutschen Konzentrationslager«, München 1965

Infratest, Befragung zu den Programmerwartungen der Hörer und zu den Unterhaltungssendungen des WDR, München 1965

Infratest, Untersuchung zur LA-Frage nach der Leser-Blatt-Bindung, München 1966

Infratest, Die Bundestagsdebatte zur Regierungserklärung, München 1966

Infratest, Deutschlandgespräche, München 1966

Infratest, Die Sendereihen Panorama, Report und Monitor, München 1966

Infratest, Politik im Fernsehen – Die Nachrichtensendungen »Tagesschau« und »Heute«, München 1966

Infratest, Die Kriminalserien der Jahre 1966 und 1967, München 1967

Infratest, Das Fernsehspiel im Urteil der Zuschauer, München 1967

Infratest, Mainz, wie es singt und lacht, München 1967

Infratest, Qualität 67, München 1967

Infratest, Der Goldene Schuß und Vergißmeinnicht, München 1968

Infratest, ARD-Rahmenprogramm des Werbefernsehens – Eigenschaftsprofile nach demographischen Merkmalen, München 1968

Infratest, Sonderanalysen zu Sendereihen im Rahmenprogramm des ARD-ZDF-Werbefernsehens, München 1968

Infratest, Lesehäufigkeit und Beurteilung von ausgewählten Romanen in den Zeitschriften STERN – BUNTE – HÖR ZU, München 1968

Infratest, Zwischenbilanz der Ergebnisse zum Rahmenprogramm des Werbefernsehens, München 1968

Institut für Demoskopie, Werbefernsehen, Werbefunk, Film, Allensbach 1967

H. J. Ipfling, Jugend und Illustrierte, Osnabrück 1965

U. Jaeggi – R. Steiner – W. Wyninger, Der Vietnam-Krieg und die Presse, Zürich 1966

B. Jansen, Möglichkeiten einer Demokratisierung der Presse, in: B. Jansen – A. Klönne (eds.), Imperium Springer, Köln 1968

D. Just, Der Spiegel, Hannover 1967

E. Katz – P. F. Lazarsfeld, Personal Influence, Glencoe 1955

J. T. Klapper, The Effects of Mass Communication, Glencoe 1960

F. Knipping, Monopole und Massenmedien, Berlin 1969

G. Kunz, Untersuchungen über Funktionen und Wirkungen von Zeitungen in ihrem Leserkreis, Köln–Opladen 1967

O. N. Larsen, Controversies about the Mass Communication of Violence, in: O. N. Larsen (ed.), Violence and the Mass Media, Evanston 1968

L. Löwenthal, Communication and Humanitas, in: F. W. Matson – A. Montagu (eds.), Human Dialogue, New York 1967

H. O. Luthe, Interpersonale Kommunikation und Beeinflussung, Stuttgart 1968

G. Maletzke, Grundbegriffe der Massenkommunikation, München 1964

G. Maletzke, Fernsehen im Leben der Erwachsenen, Hamburg 1968

M. U. Martel – G. J. McCall, Reality Orientation and the Pleasure Principle, in: L. A. Dexter – D. Manning White (eds.), People, Society, and Mass Communication, New York 1964

H. Mendelsohn, Mass Entertainment, New Haven 1966

H. Meyn, Massenmedien in der Bundesrepublik, Berlin 1966

H. D. Müller, Der Springer-Konzern, München 1968

J. Z. Namenwirth, Marks of Distinction: An Analyses of British Mass and Prestige Papers, in: British Journal of Sociology 4 1969

E. Noelle-Neumann, Pressekonzentration und Meinungsbildung, in: Publizistik 2–3–4 1968

S. Pausewang, Öffentliche Meinung und Massenmedien, in: W. Abendroth – K. Lenk (eds.), Einführung in die politische Wissenschaft, München 1968

H. K. Platte, Soziologie der Massenkommunikation, München 1965

S. Plogstedt, Sozialforschung im Dienste der Gegenaufklärung, in: P. Brokmeier (ed.), Kapitalismus und Pressefreiheit, Frankfurt 1968

H. Pross, Eigentümlichkeiten der bundesdeutschen Meinungsbildung, in: H. Pross, Vor und nach Hitler, Olten–Freiburg 1962

L. W. Pye, Communication, Institution Building, and the Reach of Authority, in: D. Lerner – W. Schramm (eds.), Communication and Change in the Developing Countries, Honolulu 1967

M. Rehbinder, Die öffentliche Aufgabe und rechtliche Verantwortlichkeit der Presse, Berlin 1962

H. Reimann, Kommunikations-Systeme, Tübingen 1968

J. W. Riley und M. W. Riley, Mass Communication and the Social System, in: R. K. Merton – L. Broom – J. Cottrell (eds.), Sociology To-Day, New York 1959

J. Rink, Zeitung und Gemeinde, Düsseldorf 1963

J. Ritsert, Das Berliner Modell im Urteil der Massenmedien, in: L. v. Friedeburg et al., Freie Universität und politisches Potential der Studenten, Neuwied 1969

J. P. Robinson, Television and Leisure, in: Public Opinion Quarterly 2 1969

M. Rühl, Die Zeitungsredaktion als soziales System, Bielefeld 1969

H. Schäfer, Die Bildzeitung – Eine Ordnungsmacht im Spätkapitalismus, in: H. Grossmann – O. Negt (eds.), Die Auferstehung der Gewalt, Frankfurt 1968

H. Schäfer, Schichten- und gruppenspezifische Manipulation in der Massenpresse, in: P. Brokmeier (ed.), Kapitalismus und Pressefreiheit, Frankfurt 1968

H. Schelsky, Gedanken zur Rolle der Publizistik in der modernen Gesellschaft, in: H. Schelsky, Auf der Suche nach Wirklichkeit, Köln–Düsseldorf 1965

M. Schneider, DER SPIEGEL oder die Nachricht als Ware, in: M. Schneider – E. Siepmann, DER SPIEGEL oder die Nachricht als Ware, Frankfurt–Berlin 1968

W. Schramm, How Communication Works, in: W. Schramm (ed.), The Process and Effects of Mass Communications, Urbana 1955 (2. Druck)

W. Schramm – W. L. Ruggels, How Mass Media Systems Grow, in: D. Lerner – W. Schramm (eds.), Communication and Change in the Developing Countries, Honolulu 1967

W. J. Schütz, Veränderungen im deutschen Zeitungswesen zwischen 1954 und 1967, in: Publizistik 4 1967

E. Siepmann, DER SPIEGEL oder die Nachricht als Ware, in: M. Schneider – E. Siepmann, DER SPIEGEL oder die Nachricht als Ware, Frankfurt–Berlin 1968

A. Silbermann, Bildschirm und Wirklichkeit, Berlin 1966

A. Silbermann, Vorteile und Nachteile des kommerziellen Fernsehens, Düsseldorf–Wien 1968

A. Silbermann – H. O. Luthe, Massenkommunikation, in: R. König (ed.), Handbuch der empirischen Sozialforschung II, Stuttgart 1969

I. de Sola-Pool, The Mass Media and Politics in the Modernization Process, in: L. W. Pye (ed.), Communications and Political Development, Princeton 1963

E. Spoo, Pressekonzentration, Springer-Dominanz und journalistische Arbeit, in: B. Jansen – A. Klönne (eds.), Imperium Springer, Köln 1968

A. Springer, Qualitative Analyse der Bildzeitung, Hamburg 1965

M. Steffens, Das Geschäft mit der Nachricht, Hamburg 1969

F. Stückrath – F. Schottmayer, Fernsehen und Großstadtjugend, Braunschweig 1967

H. Sturm, Masse, Bildung, Kommunikation, Stuttgart 1968

W. Thomsen, Zum Problem der Scheinöffentlichkeit – inhaltsanalytisch dargestellt an der Bild-Zeitung (unveröffentlichtes Manuskript), Frankfurt 1960

J. Trenaman – D. McQuail, Television and the Political Image, London 1961

W. L. Warner – W. E. Henry, The Radio Day Time Serial: A Symbolic Analysis, New York 1962

Ch. R. Wright, Functional Analysis of Mass Communication, in: L. A. Dexter – D. Manning White (eds.), People, Society, and Mass Communication, New York 1964

Zentralausschuß der Werbewirtschaft e. V., Werbung 1968, Bad Godesberg 1968

R. Zoll – E. Hennig, Massenmedien und Meinungsbildung, München 1970

5. *Politologie*

J. Agnoli, Zur Parlamentarismusdiskussion in der Bundesrepublik, in: Sozialistische Politik 1 1969

W. Besson – G. Jasper, Das Leitbild der modernen Demokratie, München–Frankfurt–Berlin–Hamburg–Essen 1966

K. D. Bracher, Gegenwart und Zukunft der Parlamentsdemokratie in Europa, in: K. Kluxen (ed.), Parlamentarismus, Köln–Berlin 1966

Th. Ellwein, Vier Thesen über Parlamentsreform, in: Gewerkschaftliche Monatshefte, April 1969

E. Forsthoff, Rechtsstaat im Wandel, Stuttgart 1964

E. Fraenkel, Deutschland und die westlichen Demokratien, Stuttgart 1964

M. Friedrich, Opposition ohne Alternative?, in: K. Kluxen (ed.), Parlamentarismus, Köln–Berlin 1967

A. Görlitz, Demokratie im Wandel, Köln–Opladen 1969

M. Hättich, Demokratie als Herrschaftsform, Köln–Opladen 1967

H. Heller, Staatslehre, Leiden 1934

W. Hennis, Politik als praktische Wissenschaft, München 1968

O. Kirchheimer, Politische Herrschaft, Frankfurt 1968

O. Kirchheimer, The Transformation of Western European Party Systems, in: R. C. Macridis – B. E. Brown (eds.), Comparative Politics, Homewood 1968 (3. ed.)

G. Leibholz, Strukturprobleme der modernen Demokratie, Karlsruhe 1958

G. Loewenberg, Parlamentarismus im politischen System der Bundesrepublik Deutschland, Tübingen 1969

K. Loewenstein, Verfassungslehre, Tübingen 1959

H. Maier, Politische Wissenschaft in Deutschland, München 1969

W.-D. Narr, CDU – SPD, Stuttgart–Berlin–Köln–Mainz 1966

H. P. Schwarz, Vom Reich zur Bundesrepublik, Neuwied–Berlin 1966

6. Staatsrecht

W. Abendroth, Das Grundgesetz, Pfullingen 1966

D. Czajka, Pressefreiheit und »öffentliche Aufgabe« der Presse, Stuttgart–Köln–Berlin–Mainz 1968

K. Hesse, Die verfassungsrechtliche Stellung der politischen Parteien im modernen Staat, in: Veröffentlichungen der Vereinigung der deutschen Staatsrechtslehrer 17 1959

G. Leibholz – H. J. Rinck, Grundgesetz, Köln 1968 (3. Auflage)

M. Löffler, Die Presse-Selbstkontrolleinrichtungen in der Bundesrepublik Deutschland, in: M. Löffler – J. L. Hébarre (eds.), Form und Funktion der Presse-Selbstkontrolle in weltweiter Sicht, München 1968

Th. Maunz, Deutsches Staatsrecht, München 1968 (16. Auflage)

H.-J. Reh – R. Groß, Hessisches Pressegesetz (Kommentar), Wiesbaden 1963

H. K. J. Ridder, Meinungsfreiheit, in: Neumann–Nipperdey–Scheuner, Die Grundrechte, Band 2, Berlin 1954

U. Scheuner, Pressefreiheit, in: Veröffentlichungen der Vereinigung deutscher Staatsrechtlehrer 22 1965

C. Schmitt, Freiheitsrechte und Institutionelle Garantien, in: C. Schmitt, Verfassungsrechtliche Aufsätze, Berlin 1958

F. Schneider, Presse- und Meinungsfreiheit nach dem Grundgesetz, München 1962

H. Windsheimer, Die »Information« als Interpretationsgrundlage für die subjektiven öffentlichen Rechte des Art. 5 Absatz 1 GG, Berlin 1968

7. Psychologie, Sozialpsychologie, Psychoanalyse

R. A. Bauer, The Obstinate Audience, in: E. P. Hollander – R. G. Hunt (eds.) Current Perspectives in Social Psychology, New York–London–Toronto 1967 (2. ed.)

B. Berelson – G. A. Steiner, Human Behavior, New York 1964

D. Cartwright – F. Harary, Structural Balance. A Generalization of Heider's Theory, in: D. Cartwright – A. Zander (eds.), Group Dynamics, Evanston 1960

J. Dollard et al., Frustration and Aggression, New Haven 1957 (9. ed.)

L. Festinger, A Theory of Cognitive Dissonance, Evanston 1957

L. Festinger, An Introduction to the Theory of Dissonance, in: E. P. Hollander – R. G. Hunt (eds.), Current Perspectives in Social Psychology, New York–London–Toronto 1967 (2. ed.)

H. Flohr, Angst und Politik in der modernen parlamentarischen Demokratie, in: H. Wiesbrock (ed.), Die politische und gesellschaftliche Rolle der Angst, Frankfurt 1967

A. Freud, Das Ich und die Abwehrmechanismen, München 1964

S. Freud, Massenpsychologie und Ich-Analyse, in: S. Freud, Das Unbewußte, Frankfurt 1960

E. Fromm, Sozialpsychologischer Teil, in: M. Horkheimer (ed.), Studien über Autorität und Familie, Paris 1936

F. Heider, The Psychology of Interpersonal Relations, New York 1958

E. P. Hollander, Principles and Methods of Social Psychology, New York–London–Toronto 1967

H. Holzer, Sexualität und Herrschaft, in: Soziale Welt 3 1969

K. Horn, Zur Formierung der Innerlichkeit, in: G. Schäfer – C. Nedelmann (eds.), Der CDU-Staat, München 1967

K. Horn, Formierte Demokratie als kollektive Infantilität, in: Das Argument, Februar 1967

K. Horn, Über den Zusammenhang zwischen Angst und politischer Apathie, in: H. Marcuse et al., Aggression und Anpassung in der Industriegesellschaft, Frankfurt 1968

H. J. Hummell, Psychologische Ansätze zu einer Theorie sozialen Verhaltens, in: R. König (ed.), Handbuch der empirischen Sozialforschung II, Stuttgart 1969

H. O. Luthe, Interpersonale Kommunikation und Beeinflussung, Stuttgart 1968

A. C. Mac Intyre, Das Unbewußte – Eine Begriffsanalyse, Frankfurt 1968

A. Malewski, Verhalten und Interaktion, Tübingen 1967

H. Marcuse, Triebstruktur und Gesellschaft, Frankfurt 1965

H. Marcuse, Psychoanalyse und Politik, Frankfurt–Wien 1968

S. Milgram, Einige Bedingungen des »Autoritätsgehorsams« und seiner Verweigerung, in: H. Wiesbrock (ed.), Die politische und gesellschaftliche Rolle der Angst, Frankfurt 1967

A. Mitscherlich, Auf dem Weg zur vaterlosen Gesellschaft, München 1963

A. Mitscherlich, Das soziale und das persönliche Ich, in: Kölner Zeitschrift für Soziologie und Sozialpsychologie 1 1966

Ch. Osgood – P. H. Tannenbaum, The Principle of Congruity and the Prediction of Attitude Change, in: Psychological Review 1955

W. Reich, Massenpsychologie des Faschismus, Kopenhagen 1934

R. Reiche, Sexualität und Klassenkampf, Frankfurt 1968

Piper
Sozialwissenschaft

Texte und Studien zur Politologie

1 **Klaus von Beyme
Die politische Elite in der
Bundesrepublik Deutschland**
Etwa 230 Seiten. Kartoniert

2 **Kurt Sontheimer
Grundzüge des politischen Systems
der Bundesrepublik Deutschland**
Etwa 300 Seiten. Kartoniert

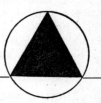

Texte und Studien zur Soziologie

3 **Horst Holzer
Gescheiterte Aufklärung?**
Politik, Ökonomie und Kommunikation in der Bundesrepublik.
Etwa 300 Seiten mit 40 Tabellen und 15 graphischen Darstellungen.
Kartoniert

4 **Konstanzer Soziologen-Kollektiv
Berufe für Soziologen**
Etwa 215 Seiten. Kartoniert

Fortschritt in der Schule

Sprache und Lernen

Internationale Studien zur pädagogischen Anthropologie
Herausgegeben von
Professor Dr. Werner Loch und Professor Dr. Gerhard Priesemann

Eine neue, aktuelle Buchreihe

Die Rolle der Sprache im Erziehungs- und Bildungsprozeß transparent
zu machen ist das Ziel dieser neuen Schwann-Reihe. Zu den Themen-
kreisen Kindersprache, Spracherziehung, Sprachbarrieren, Unterrichts-
sprache stellen sich die ersten Bände vor:

Lurija/Judowitsch: Die Funktion der Sprache in der geistigen Entwicklung
des Kindes / Lewis: Sprache, Denken und Persönlichkeit im Kindes-
alter / Bruner: Der Prozeß der Erziehung / Lawton: Soziale Klasse,
Sprache und Erziehung / Soltis: Eine Einführung in die Analyse pädagogischer Grundbegriffe / Priesemann: Zur Theorie der Unterrichts-
sprache / Spanhel: Die Sprache des Lehrers / Piaget: Sprechen und
Denken beim Kind / Bruner: Entwurf einer Unterrichtstheorie / Loch:
Sprache, Emanzipation und Lernen / Piaget: Vernünftiges Denken und
Urteil beim Kind. Weitere Bände in Vorbereitung!

Für Studium und Praxis

Mit Zielsetzung und Thematik dieser Reihe ist der Kreis der Interessenten vorgegeben: Lehrer aller Schularten, Studierende und Dozenten der
Pädagogischen Hochschulen und Universitäten, Institutionen der Lehrer-
ausbildung und Lehrerfortbildung, Kinder- und Jugendpsychologen.

Pädagogischer Verlag Schwann · 4 Düsseldorf 1 · Postfach 7640

Schwann

Deutsche Gesellschaft im Wandel

Band **2**

Mit Beiträgen von Karl Martin Bolte, Friedhelm Neidhardt und Horst Holzer.

1970. 455 Seiten. Beiträge zur Sozialkunde, Reihe B. Sammelband der Grundhefte 5–8. Veröffentlichung der Hochschule für Wirtschaft und Politik, Hamburg. Kunststoffeinband 24,– DM

Nach dem großen Erfolg des ersten Sammelbandes * dieser Reihe, der in allen Bildungsbereichen als Lehrbuch benutzt wird (genehmigtes Schulbuch und Hochschullehrbuch), vervollständigt nun der zweite Band den mit der Reihe gegebenen großen Überblick über die Gesellschaft der Bundesrepublik.

Am Beispiel ausgewählter Bereiche werden die Entstehung der heutigen Sozialstruktur, ihre spezifischen Eigenarten und Probleme sowie in ihr enthaltene Entwicklungstendenzen aufgewiesen. Die Veröffentlichung wendet sich vor allem an jene, die im Rahmen der Bemühungen um eine Vertiefung der politischen Bildung oder am Beginn eines sozialwissenschaftlichen Studiums an einer grundlegenden Information über Aufbau, Ablauf und Veränderungen unserer Gesellschaft interessiert sind. Auf der Grundlage bisher vorhandener Untersuchungsergebnisse bieten die Darstellungen zunächst einen zusammenfassenden und in den einzelnen Teilen der Veröffentlichung in sich abgerundeten Überblick über die jeweils behandelte Problematik. Sie weisen darüber hinaus auf die zu einzelnen Aspekten der Problematik vorhandene Sozialliteratur hin.

Folgende Themenkomplexe werden behandelt:
Die Familie in Deutschland. Die Junge Generation.
Massenkommunikation und Demokratie in der BRD.
Entwicklungen und Probleme der Berufsstruktur.

* Deutsche Gesellschaft im Wandel. Band 1

Hrsg. von Karl Martin Bolte mit Beiträgen von Dieter Kappe, Katrin Aschenbrenner und Friedhelm Neidhardt.

2., überarb. Auflage 1967. 362 Seiten. Beiträge zur Sozialkunde, Reihe B. Sammelband der Grundhefte 1–4. Veröffentlichung der Akademie für Wirtschaft und Politik, Hamburg. Kunststoffeinband 19,80 DM

Leske Verlag Opladen

Beck'sche Schwarze Reihe

Eine Auswahl

Erich Preiser: Nationalökonomie heute
Eine Einführung in die Volkswirtschaftslehre. 9. Auflage. 139 Seiten.
Paperback DM 7,80 (Band 5)

Robert Tucker: Karl Marx
Die Entwicklung seines Denkens von der Philosophie zum Mythos.
XII, 348 Seiten. Paperback DM 9,80 (Band 20)

Helmut Lipfert: Einführung in die Währungspolitik
5., verbesserte und ergänzte Auflage. 350 Seiten. Paperback DM 12,80 (Band 26)

Joan Robinson: Doktrinen der Wirtschaftswissenschaft
Eine Auseinandersetzung mit ihren Grundgedanken und Ideologien.
2., durchgesehene Auflage. 181 Seiten. Paperback DM 8,80 (Band 33)

Reinhold Zippelius: Das Wesen des Rechts
Eine Einführung in die Rechtsphilosophie. 2., neubearbeitete und erweiterte
Auflage. XII, 187 Seiten. Paperback DM 8,80 (Band 35)

T. B. Bottomore: Elite und Gesellschaft
Eine Übersicht über die Entwicklung des Eliteproblems.
2. Auflage. 178 Seiten. Paperback DM 9,80 (Band 40)

Geoffrey Barraclough: Tendenzen der Geschichte im 20. Jahrhundert
2., verbesserte Auflage. 295 Seiten. Paperback DM 11,80 (Band 42)

Helmut Seiffert: Informationen über die Information
Verständigung im Alltag. Nachrichtentechnik. Wissenschaftliches Verstehen.
Informationssoziologie. Das Wissen des Gelehrten.
196 Seiten. 2. Auflage. Paperback DM 10,80 (Band 56)

Nigel Harris: Die Ideologien in der Gesellschaft
Eine Untersuchung über Entstehung, Wesen und Wirkung.
289 Seiten. Paperback DM 12,80 (Band 59)

Helmut Seiffert: Einführung in die Wissenschaftstheorie 1/2
1: Sprachanalyse. Deduktion. Induktion in Natur- und Sozialwissenschaften.
3. Auflage. X, 281 Seiten. Paperback DM 12,80
2: Geisteswissenschaftliche Methoden: Phänomenologie. Hermeneutik und historische Methode. Dialektik. VIII, 308 Seiten. Paperback DM 12,80 (Bände 60/61)

Reinhold Zippelius: Geschichte der Staatsideen
Etwa 160 Seiten. Paperback etwa DM 9,80 (Band 72 · 1971)

Helmut Seiffert: Marxismus und bürgerliche Wissenschaft
Ideologie. Utopie. Dialektik und Analytik. Rechtfertigung der Wissenschaft.
Etwa 230 Seiten. Paperback DM 12,80 (Band 75 · 1971)

Ernst Forsthoff: Der Staat der Industriegesellschaft
Dargestellt am Beispiel der Bundesrepublik Deutschland.
Etwa 160 Seiten. Paperback etwa DM 9,80 (Band 77 · 1971)

Prospekte über den Buchhandel oder vom Verlag

Verlag C. H. Beck München